LES PILIERS DE LA TERRE

DU MÊME AUTEUR

L'Arme à l'œil, Laffont, 1980.

Triangle, Laffont, 1980.

Le Code Rebecca, Laffont, 1981.

L'Homme de Saint-Pétersbourg, Laffont, 1982.

Comme un vol d'aigles, Stock, 1983.

Les Lions du Panshir, Stock, 1987.

La Nuit de tous les dangers, Stock, 1992.

La Marque de Windfield, Laffont, 1994.

Le Pays de la liberté, Laffont, 1996.

Le Troisième Jumeau, Laffont, 1997.

Apocalypse sur commande, Laffont, 1999.

Code zéro, Laffont, 2001.

Le Réseau Corneille, Laffont, 2002.

Le Vol du frelon, Laffont, 2003.

Peur blanche, Laffont, 2005.

Un monde sans fin, Laffont, 2008.

La Chute des géants, Le Siècle, 1, Laffont, 2010.

L'Hiver du monde, Le Siècle, 2, Laffont, 2012.

Aux portes de l'éternité, Le Siècle, 3, Laffont, 2014.

Une colonne de feu, Laffont, 2017.

KEN FOLLETT

LES PILIERS DE LA TERRE

ELLEN

1

roman

traduit de l'anglais (Royaume-Uni) par Jean Rosenthal

Robert Laffont

Titre original : THE PILLARS OF THE EARTH
© Ken Follet, 1989.
© Éditions Robert Laffont pour la présente traduction française,
S.A.S., Paris, 2017

ISBN 978-2-221-20214-2
Dépôt légal : septembre 2017
Publié par Mcmillan Ltd., Londres
(édition originale : ISBN 978-2-253-05953-0 – 1ʳᵉ publication LGF)

Pour Marie-Claire,
la prunelle de mes yeux

Pourquoi les cathédrales?

par Ken Follett

Les cathédrales suscitent de nombreuses questions. Comment étaient-elles bâties? Comment étaient-elles financées? Comment étaient-elles utilisées? Et, tout simplement, pourquoi existent-elles? Nous ne pouvons que nous interroger sur les raisons qui ont présidé à leur édification.

Nous savons qu'au Moyen Âge, les gens étaient pauvres. Ils ne disposaient ni d'outils performants ni toujours des connaissances requises pour calculer les points d'appui d'édifices aussi vastes. D'où venait donc leur détermination à les construire envers et contre tout, à dépenser le peu d'argent qu'ils avaient pour y travailler des années durant en prenant d'énormes risques?

Le récit comme réponse à une question fondamentale

Souvent, un récit peut apporter la réponse à une question fondamentale. Ainsi, la naissance du monde est une énigme que la Bible résout par ces mots : «Au commencement, Dieu créa les cieux et la terre. » Mon livre *Les Piliers de la terre* cherche quant à lui à éclairer le mystère de l'existence des cathédrales, un mystère qui se dissipe parfois déjà en partie quand nous pénétrons dans ces édifices.

Chaque année, des millions de gens visitent des cathédrales. S'il existe ailleurs des bâtiments remontant à des temps plus reculés – les ruines romaines, les temples grecs, les pyramides égyptiennes... –, les cathédrales sont les plus anciens édifices de l'Europe du Nord-Ouest, et elles ont gardé la même fonction qu'à l'époque de leur érection. Elles ont toujours attiré des visiteurs. Au Moyen Âge, c'étaient les pèlerins, dont la plupart voyageaient pour les mêmes raisons que nos touristes d'aujourd'hui : assouvir leur soif de voir le monde et ses merveilles, s'ouvrir l'esprit, s'instruire.

Visible souvent de très loin, la cathédrale impressionne le visiteur bien avant qu'il s'en approche : c'était l'intention de l'architecte. De plus près, l'édifice paraît trop complexe dans son immensité physique et symbolique pour être compris d'un seul coup, comme une symphonie de Beethoven que l'on écoute pour la première fois : tant de mélodies, de rythmes, d'instruments et d'harmonies s'y fondent que la tentative de tout saisir à la fois est vouée à l'échec. Chaque élément est lié aux autres en une longue chaîne et l'ensemble est si élaboré qu'élucider sa signification demande du temps. Comme une symphonie, la structure d'une cathédrale obéit à une logique : les vitraux et les arches forment des rythmes, les décors relèvent d'une thématique et racontent des histoires.

Si nous nous rapprochons encore et entrons à l'intérieur de l'édifice, nous sommes saisis d'un profond sentiment de paix spirituelle : tout contribue à l'apaisement de l'âme et nous admirons la manière dont le bâtiment tout entier semble s'élever vers le paradis.

Si nous consultons alors notre guide, nous y apprendrons l'histoire de sa construction : au contraire de nos gratte-ciel et centres commerciaux d'aujourd'hui, l'ouvrage n'a pas été réalisé en une seule fois. Bien souvent, les premiers chrétiens avaient commencé par bâtir une église en bois, dont rien ne subsiste, et la première pierre de l'église actuelle a été posée après qu'elle a brûlé. Ensuite, les travaux ont pu être interrompus, faute d'argent, et n'ont été repris que plus tard, parfois plusieurs dizaines d'années après.

S'étalant sur plusieurs siècles, l'édification de toute cathédrale est une histoire en soi, comme celle du commencement du monde. Connaître cette histoire nous permet, si ce n'est d'arriver à une explication définitive, tout au moins de commencer à comprendre, et lorsque nous ressortons de l'édifice, dans la lumière du soleil, notre confusion s'est un peu dissipée. Néanmoins, beaucoup de questions restent encore en suspens.

Parmi les documents qui existent sur ce sujet, une gravure d'une bible du XVe siècle, qui orne le chapitre 11 du livre de la

Genèse et illustre l'histoire de la tour de Babel, donne des renseignements assez précis. L'artiste a dessiné le chantier de construction de la tour, nous livrant ainsi des éléments sur l'édification d'un bâtiment au Moyen Âge.

Sur le croquis apparaissent un ouvrier préparant du mortier avec une pelle, un tonneau, du sable, une caisse en bois et une hutte. Ensuite, on voit l'architecte et son client, ce dernier les bras croisés, l'air fâché, sans doute contrarié par le montant élevé de frais imprévus. Le dessin représente également un contre-maître semblant montrer à un tailleur de pierres tenant un marteau ce qu'il doit faire. On voit aussi un monte-charge – une réponse à la question sur la façon dont les bâtisseurs médiévaux parvenaient à faire monter de si grosses pierres à une telle hauteur. Enfin, on aperçoit un ouvrier en pleine chute. Les accidents étaient loin d'être rares : les échafaudages de l'époque, constitués de branches et de cordes, étaient très fragiles.

D'autres sources au sujet des bâtisseurs de cathédrales sont disponibles, dont des documents administratifs, comme des contrats entre le chapitre et les bâtisseurs, par exemple, ou des registres du personnel. L'une de mes sources d'inspiration pour *Les Piliers de la terre* a été *Les Bâtisseurs de cathédrales*[1]. Lorsque j'ai entamé mon travail pour ce roman, j'ai décidé d'entrer en contact avec l'auteur, Jean Gimpel, pour lui proposer de devenir mon consultant historique.

Pour en revenir à cette illustration biblique, elle est intéressante également à d'autres égards. Il faut se souvenir, entre autres, que la tour de Babel date de 600 avant Jésus-Christ, soit deux mille ans avant l'exécution de ce dessin. Les techniques de construction n'étaient pas les mêmes à l'époque où elle aurait été bâtie et au Moyen Âge. Les vêtements devaient également être différents et Babylone se trouvait au Moyen-Orient alors que le décor de l'illustration semble être celui de montagnes boisées.

Au Moyen Âge, les connaissances historiques et géographiques étaient encore très limitées : les peuples n'avaient pas conscience qu'il était possible de mener une vie radicalement différente de la leur. Pourquoi ? Posons la question autrement : d'où nous vient notre connaissance de la vie des autres ?

---

1. Jean Gimpel, *Les Bâtisseurs de cathédrales*, éd. rev. et augm., Le Seuil, 1980.

La réponse s'impose : de la littérature. Les peuples médiévaux, eux, n'avaient pas la possibilité de se plonger dans des livres d'histoire, des biographies, des livres de voyage... Les rares personnes lettrées n'avaient elles-mêmes accès qu'à un nombre limité de livres. Au début des *Piliers de la terre*, la cathédrale de Kingsbridge n'en détient que douze, ce qui n'empêche pas les religieux d'en parler comme d'une «bibliothèque».

L'homme aspire au sacré

Quand j'ai commencé à écrire ce livre, je voulais comprendre, autant pour moi-même que pour le lecteur, comment et pourquoi des cathédrales avaient été bâties durant le Moyen Âge. Un tel projet pourrait être comparé, au XXᵉ siècle, à celui du lancement d'une fusée sur la Lune. Toute la société regarde dans la même direction, des technologies de pointe sont développées, on en retire de larges bénéfices économiques... Cependant, tout cela est loin de suffire à justifier la rationalité de l'entreprise : une dimension spirituelle entre aussi en ligne de compte. L'homme aspire à quelque chose de supérieur à la vie matérielle, et c'est ce qui a présidé à la construction des cathédrales comme à l'aventure spatiale.

Dans *Les Piliers de la terre*, l'édification de la cathédrale de Kingsbridge sert les intérêts des différentes classes de la société médiévale : la monarchie, l'aristocratie, le clergé, les hommes d'affaires, les citadins et les paysans. Mais cette explication resterait incomplète si le désir de contribuer à la gloire de Dieu n'était pas pris en compte.

Le prieur Philip ne s'intéresse peut-être pas véritablement aux questions de théologie, mais il est animé par une farouche volonté morale – ce qui est également le cas pour Caris dans *Un monde sans fin*. Lorsque Caris et Mair suivent en France l'armée anglaise, elles sont confrontées à une population affamée, et quand Mair se plaint : «Si nous continuons à offrir notre nourriture à tout le monde, nous allons mourir de faim!», Caris réplique : «Nous sommes des religieuses! Nous devons aider ceux qui sont dans le besoin et laisser à Dieu le soin de décider l'heure de notre mort[1].» Ce dialogue illustre bien la

---

1. Ken Follett, *Un monde sans fin*, Robert Laffont, 2008, p. 698.

façon dont Caris – et c'est vrai aussi pour le prieur Philip – conçoit la religion.

Naturellement, je ne prétends pas fournir une explication définitive : ce que j'expose dans *Les Piliers de la terre*, ce sont mes idées, ma propre conception éthique. Pour moi, la religion devrait nous aider à prendre des décisions morales justes. Vous me demanderez probablement comment ce roman a pu obtenir un tel succès, se vendre à des dizaines de millions d'exemplaires à travers le monde... Moi, je me pose souvent la question, sans avoir véritablement de réponse !

Quoi qu'il en soit, il suffit de lire deux romans pour comprendre que chaque livre propose sa propre conception du monde, ce qui permet au lecteur d'élaborer la sienne. En conséquence, je suis convaincu que mes lecteurs ne considèrent mon opinion sur le bien et le mal, mais aussi sur l'amour et le mariage ou maints autres sujets, que comme une façon de voir parmi d'autres.

Mais tout roman nous parle d'abord de la vie intime de personnages, ce qui explique le succès du genre. *Les Piliers de la terre* raconte ainsi avant tout les vies du prieur Philip, de Tom Builder, de William Hamleigh et d'Aliena. Nous partageons les sentiments des personnages, nous tournons les pages parce que nous ne sommes pas indifférents à leur sort, aux péripéties qu'ils traversent. Si un roman provoque les émotions du lecteur, il atteint son but, c'est une réussite. Dans le cas contraire, c'est un échec, et peu importe la valeur du reste – la découverte d'un monde, la portée morale, la qualité stylistique : tout cela est finalement secondaire.

Je suppose que la plupart d'entre vous se lanceront dans la lecture des *Piliers de la terre* avec cette envie d'être émus. Puisse ce roman ne pas vous décevoir...

Ken Follett
Stevenage, Hertfordshire

Traduit de l'anglais par
Virginie Manchado

La nuit du 25 novembre 1120, le *Vaisseau blanc* appareilla à destination de l'Angleterre et sombra corps et biens au large de Barfleur : il n'y eut qu'un survivant... Le vaisseau représentait le dernier cri en matière de transport maritime et il était muni des plus récents perfectionnements connus de la construction navale d'alors... Si l'on a beaucoup parlé de ce naufrage, c'est en raison du grand nombre de personnalités qui se trouvaient à bord ; outre le fils du roi, héritier présomptif du trône, il y avait deux bâtards de sang royal, plusieurs comtes et barons et presque toute la maison du roi... Cela eut pour conséquence historique de laisser Henry sans héritier... Cela provoqua la guerre de succession et la période d'anarchie qui suivit la mort de Henry.

A. L. POOLE,
From Domesday Book to Magna Carta

Prologue
1123

Les jeunes garçons arrivèrent de bonne heure pour la pendaison.

Il faisait encore sombre quand les trois ou quatre premiers d'entre eux s'étaient glissés hors de leur taudis, silencieux comme des chats dans leurs bottes de feutre. Une mince pellicule de neige fraîche recouvrait la petite ville, comme une couche de peinture neuve, et leurs empreintes furent les premières à en souiller la surface immaculée. Ils passèrent entre les huttes de bois serrées les unes contre les autres et suivirent les rues, où la boue avait gelé, jusqu'à la place du marché silencieuse où la potence attendait.

Les garçons méprisaient tout ce que leurs aînés appréciaient. Ils dédaignaient la beauté et raillaient la bonté. Ils éclataient de rire à la vue d'un infirme et, s'ils apercevaient un animal blessé, ils le lapidaient à mort. Ils se vantaient de leurs blessures, ils arboraient avec orgueil leurs cicatrices, et réservaient leur admiration toute particulière aux mutilations : un garçon à qui il manquait un doigt, c'était un roi. Ils adoraient la violence ; ils pouvaient parcourir des lieues pour voir le sang couler et jamais ils ne manquaient une pendaison. Un des garçons pissa au pied de la potence. Un autre gravit les marches de l'échafaud, posa ses pouces sur sa gorge et s'affala, le visage crispé dans une macabre parodie de strangulation ; les autres s'exclamèrent d'admiration, et deux chiens débouchèrent sur la place du marché en aboyant. Un très jeune garçon commença imprudemment à croquer une pomme et un des aînés lui donna un coup de poing sur le nez et la lui vola. Le cadet se soulagea en lançant une pierre aiguisée sur un chien qui rentra chez lui en hurlant. Puis il n'y eut plus rien à faire, alors ils s'accroupirent sur le pavé sec du portail de la grande église, attendant qu'il se passe quelque chose.

La lueur des chandelles vacilla derrière les volets des maisons cossues de bois et de pierre, alignées tout autour de la place, demeures d'artisans et de négociants prospères. Déjà les servantes et les apprentis allumaient les feux, faisaient chauffer l'eau et préparaient le porridge. Le ciel vira du noir au gris. Les gens sortirent de chez eux baissant la tête au passage du seuil de la porte, emmitouflés dans de lourds manteaux de grosse laine, et descendirent en frissonnant jusqu'à la rivière où ils s'approvisionnaient en eau.

Bientôt un groupe de jeunes gens, valets d'écuries, ouvriers et apprentis, firent leur entrée sur la place du marché. Ils chassèrent à coups de pied et à coups de poing les jeunes garçons du porche de l'église, puis s'adossèrent aux arches de pierre sculptée, se grattant, crachant par terre et discutant avec une assurance étudiée de la mort par pendaison. S'il a de la chance, dit l'un d'eux, son cou se brise dès qu'il tombe, c'est un trépas rapide et sans douleur ; mais sinon, il reste suspendu là à devenir cramoisi, sa bouche s'ouvrant et se fermant comme un poisson hors de l'eau, jusqu'à ce qu'il s'étrangle ; un autre affirma que mourir de cette façon peut prendre le temps qu'il faut à un homme pour parcourir une demi-lieue ; et un troisième déclara que ce pouvait être encore pire, qu'il avait assisté à une pendaison où, le temps que l'homme soit mort, son cou avait un pied de long.

Les vieilles femmes formaient un groupe de l'autre côté de la place, aussi loin que possible des jeunes gens qui risquaient de crier des remarques vulgaires à leurs grands-mères. Elles s'éveillaient toujours de bon matin, les vieilles, même si elles n'avaient plus à s'inquiéter de bébés ni d'enfants ; elles étaient les premières à avoir leurs feux allumés et leurs âtres balayés. Leur meneuse reconnue, la robuste veuve Brewster, vint les rejoindre, roulant un tonneau de bière aussi facilement qu'un enfant pousse un cerceau. Elle n'avait pas eu le temps d'ôter le couvercle qu'attendait déjà une petite foule de clients avec des cruches et des seaux.

Le bailli du prévôt ouvrit la grande porte, pour laisser entrer les paysans qui habitaient le faubourg, dans les maisons adossées au mur de la ville. Les uns apportaient des œufs, du lait et du beurre frais à vendre, d'autres venaient acheter de la bière

18

ou du pain, d'autres encore restèrent sur la place du marché en attendant la pendaison. De temps en temps, les gens levaient la tête, comme des moineaux inquiets, et jetaient un coup d'œil au château sur la colline qui dominait la ville. Ils voyaient la fumée monter régulièrement de la cuisine et la lueur parfois d'une torche derrière les fenêtres en meurtrière du donjon de pierre. Et puis, au moment où le soleil devait commencer à se lever derrière l'épais nuage gris, les lourdes portes en bois du poste de garde s'ouvrirent et un petit groupe apparut. Le prévôt allait en tête, montant un beau cheval noir, suivi d'un char à bœufs transportant le prisonnier ligoté. Derrière le chariot chevauchaient trois hommes. Bien que d'aussi loin on ne pût distinguer leurs visages, leurs vêtements révélaient qu'il s'agissait d'un chevalier, d'un prêtre et d'un moine. Deux hommes d'armes fermaient la marche.

Ils s'étaient tous rendus la veille à la cour de justice du comté, qui se tenait dans la nef de l'église. Le prêtre avait surpris le voleur la main dans le sac ; le moine avait identifié le calice d'argent comme appartenant au monastère ; le chevalier était le suzerain du voleur, il l'avait reconnu pour un fugitif ; et le prévôt l'avait condamné à mort.

Tandis qu'ils descendaient lentement la colline, le reste de la ville se groupa autour de l'échafaud. Parmi les derniers à arriver, les notables : le boucher, le boulanger, deux tanneurs, deux forgerons, le coutelier et l'armurier, tous avec leurs épouses.

La foule était d'humeur bizarre. En général on aimait bien une pendaison. Le prisonnier était d'ordinaire un voleur et ils détestaient les voleurs avec la passion de gens qui ont durement gagné ce qu'ils possèdent. Mais ce voleur-là n'était pas comme les autres. Personne ne savait qui il était ni d'où il venait. Ce n'était pas eux qu'il avait volés, mais un monastère à huit lieues d'ici.

Il avait volé un calice orné de joyaux, un objet d'une si grande valeur qu'il était pratiquement impossible à revendre : ce n'était pas comme voler un jambon, un couteau neuf ou une belle ceinture, dont la perte nuirait à quelqu'un. On ne pouvait pas haïr un homme pour un crime si absurde. Il y eut quelques lazzis et quelques railleries quand le prisonnier pénétra sur la place du marché, mais les injures manquaient de conviction et seuls les jeunes garçons se moquaient de lui avec un certain enthousiasme.

La plupart des gens de la ville n'étaient pas au tribunal, car les jours de session n'étaient pas fériés et ils devaient tous gagner leur vie, aussi était-ce la première fois qu'ils voyaient le voleur. Celui-ci paraissait très jeune, entre vingt et trente ans. De taille et de stature normales, il avait pourtant un aspect étrange, dû à sa peau aussi blanche que la neige sur les toits, à ses yeux protubérants d'un vert clair extraordinaire et à ses cheveux couleur carotte. Les filles le trouvèrent laid ; les vieilles le plaignirent ; et les petits garçons rirent en se roulant par terre.

Le prévôt était un personnage familier, mais les trois autres hommes qui avaient scellé le destin du voleur étaient des étrangers. Le chevalier, un gros homme aux cheveux jaunes, était de toute évidence quelqu'un d'une certaine importance, car il montait un destrier, une énorme bête qui coûtait autant d'argent qu'un charpentier en gagne en dix ans. Le moine était beaucoup plus âgé, au moins cinquante ans, un grand homme maigre affalé sur sa selle, comme si la vie était pour lui un fardeau accablant. Le plus remarquable était le prêtre, un jeune homme au nez pointu et aux cheveux noirs et plats, vêtu d'une robe noire et chevauchant un étalon bai. Il avait l'air vif et dangereux d'un chat noir flairant un nid de souriceaux.

Un gamin visa avec soin et cracha sur le prisonnier. Il avait bien ajusté son tir et toucha l'homme entre les yeux. Le condamné grommela un juron et voulut se jeter sur le cracheur, mais il était retenu par les cordes qui l'attachaient aux ridelles de la charrette. Incident banal, sinon que le prisonnier parlait en français normand, la langue des seigneurs. Ce jeune homme était-il de haute naissance ? ou simplement loin de chez lui ? Nul n'aurait su le dire. Le char à bœufs s'arrêta au pied de l'échafaud. Le bailli du prévôt monta sur le plateau, le nœud coulant à la main. Le prisonnier commença à se débattre. Les garçons poussèrent des vivats : ils auraient été déçus si le prisonnier était resté calme. Les mouvements de l'homme étaient entravés par les cordes qui lui ligotaient les poignets et les chevilles, mais il secouait la tête d'un côté à l'autre pour échapper au nœud. Au bout d'un moment, le bailli, un grand gaillard, recula d'un pas et frappa du poing le prisonnier au creux de l'estomac. L'homme se plia en deux, le souffle coupé, et le bailli en profita pour lui passer la corde au cou et serrer le nœud. Puis il sauta à terre et tendit la corde, en fixant l'autre extrémité à un crochet à la base de la potence.

C'était le tournant : si le prisonnier se débattait maintenant, il n'en mourrait que plus tôt. Les hommes d'armes dénouèrent les liens qui entravaient les jambes du prisonnier et le laissèrent seul debout dans le chariot, les mains liées derrière le dos. Le silence se fit dans la foule.

Souvent un incident se produisait à ce moment-là : la mère du prisonnier avait une crise de nerfs, ou bien sa femme tirait un couteau et se précipitait sur la plate-forme dans une tentative de dernière minute pour le sauver. Parfois le condamné implorait le pardon de Dieu ou accablait ses bourreaux de malédictions à vous glacer le sang. Les hommes d'armes s'étaient postés de chaque côté de l'échafaud, prêts à faire face à tout incident.

Ce fut alors que le prisonnier se mit à chanter, d'une voix haute de ténor, très pure. Les paroles étaient en français, mais même ceux qui ne comprenaient pas la langue devinaient à sa plaintive mélodie qu'il s'agissait d'un chant de tristesse et d'adieu.

> *Une alouette, prise au filet d'un chasseur,*
> *Chantait alors plus doucement que jamais,*
> *Comme si les doux accents jaillis de son cœur*
> *Pouvaient libérer l'aile du filet.*

En chantant, il regardait, droit dans les yeux, quelqu'un au milieu de la foule. Le vide peu à peu se fit autour de la personne qu'il fixait et chacun put la voir. Comment ne l'avait-on pas remarquée plus tôt ?

C'était une fille d'une quinzaine d'années, aux longs cheveux d'un brun sombre, drus et beaux, qui formaient une pointe sur son large front – ce qu'on appelait la pointe du diable. Elle avait des traits réguliers et une bouche sensuelle aux lèvres pleines. Les vieilles femmes notèrent sa taille épaisse et ses seins lourds, comprirent qu'elle était enceinte et supposèrent que le condamné était le père de son enfant à naître. Mais on vit surtout ses yeux, des yeux au regard intense, enfoncés dans leurs orbites, d'une stupéfiante couleur dorée, si lumineux et si pénétrants qu'on avait le sentiment qu'elle voyait jusqu'au fond de votre cœur. Aussitôt on détournait le regard, redoutant qu'elle découvrît vos secrets. Elle était en haillons et des larmes ruisselaient sur ses douces joues.

Le conducteur du chariot lança au bailli un regard interrogateur. Le bailli se tourna vers le prévôt, attendant un signe. Le jeune prêtre à l'air sinistre poussa le prévôt d'un geste impatient, mais l'autre n'y prit pas garde. Il laissa le voleur continuer à chanter. Il y eut un terrible silence tandis que la superbe voix de cet homme si laid tenait la mort en échec.

> *À la tombée du jour le chasseur prit sa proie,*
> *Jamais l'alouette ne retrouva sa liberté.*
> *Les oiseaux et les hommes sont assurés de mourir,*
> *Mais les chansons peuvent vivre à jamais.*

Quand la chanson s'acheva, le prévôt regarda le bailli et fit un signe de tête. Le bailli cria «hop!» et fouetta le flanc du bœuf. Le charretier en même temps fit claquer son fouet. Le bœuf fit un pas en avant, le prisonnier debout dans la charrette trébucha, le bœuf entraîna le chariot et le prisonnier tomba dans le vide. La corde se tendit et le cou du voleur se brisa avec un bruit sec.

Il y eut un hurlement, et tous les regards se tournèrent vers la fille.

Ce n'était pas elle qui avait hurlé, mais la femme du coutelier à côté d'elle. Mais c'était à cause de la fille qu'elle avait crié. Celle-ci à genoux devant la potence, les bras tendus devant elle, avait la position qu'on prend pour lancer une malédiction. Les gens s'écartèrent avec crainte : chacun savait que les malédictions de ceux qui ont souffert l'injustice sont particulièrement efficaces, et ils se doutaient tous qu'il y avait quelque chose de pas très régulier dans cette pendaison. Les jeunes garçons étaient terrifiés.

La fille tourna ses yeux dorés au regard hypnotique vers les trois étrangers, le chevalier, le moine et le prêtre; puis elle prononça sa malédiction, lançant les mots terribles d'une voix claire : «Je vous maudis par la maladie et le chagrin, par la faim et la douleur; votre maison sera consumée par le feu et vos enfants périront sur l'échafaud; vos ennemis prospéreront et vous vieillirez dans la tristesse et le regret pour mourir dans l'horreur et l'angoisse...» Comme elle disait ces derniers mots, la fille plongea la main dans un sac posé par terre à côté d'elle et en tira un coquelet vivant. Un couteau surgit dans sa main de nulle part et d'un geste vif elle trancha la tête du coq. Tandis que le sang jaillissait encore du cou sectionné, elle lança le coq décapité sur le prêtre aux cheveux noirs. Il ne l'atteignit pas, mais le sang l'éclaboussa tout comme le moine et le chevalier qui l'entouraient. Les trois hommes s'écartèrent horrifiés : le sang les avait tous aspergés, giclant sur leurs visages et tachant leurs vêtements. La fille tourna les talons et s'enfuit en courant. La foule s'ouvrit et se referma derrière elle. Pendant quelques instants, ce fut du délire. Le prévôt enfin attira l'attention de ses hommes d'armes et leur ordonna avec colère de la poursuivre. Ils fendirent la foule, bousculant sans douceur hommes, femmes et enfants sur leur chemin, mais en un clin d'œil la fille avait disparu et, bien que le prévôt la cherchât, il savait qu'il ne la retrouverait pas. Il se retourna, écœuré. Le chevalier, le moine et le prêtre n'avaient pas suivi la fuite de la fille. Ils contemplaient toujours la potence. Le prévôt suivit leur regard. Le voleur mort pendait au bout de la corde, son jeune et pâle visage bleuissant déjà, tandis que sous son cadavre qui se balançait doucement, le coq, décapité mais pas tout à fait mort, tournait en zigzaguant sur la neige tachée de sang.

Première partie

1.

Dans une large vallée, au pied d'une colline en pente douce, Tom bâtissait une maison auprès d'un torrent.

Les murs montaient vite : ils avaient déjà trois pieds de haut. Les deux maçons que Tom avait engagés travaillaient avec ardeur sous le soleil, étalant le mortier, puis l'aplatissant avec leur truelle, tandis que leur manœuvre suait sous le poids des gros blocs de pierre. Alfred, le fils de Tom, préparait le mortier en comptant tout haut les pelletées de sable. Un charpentier, occupé à l'établi auprès de Tom, découpait avec soin une longueur de bois de hêtre avec une herminette.

À quatorze ans, Alfred était presque aussi grand que Tom : Tom dépassait d'une tête la plupart des hommes et Alfred, qui n'avait que deux pouces de moins, continuait à grandir. Ils se ressemblaient aussi : tous deux avaient les cheveux châtain clair et des yeux verts pailletés de marron. Leur seule différence, c'était la barbe : brune et bouclée chez Tom, un fin duvet blond chez Alfred. Jadis, ses cheveux étaient de cette couleur, se rappelait Tom attendri. Maintenant qu'Alfred devenait un homme, Tom aurait voulu le voir s'intéresser plus intelligemment à son travail, car il avait beaucoup à apprendre s'il voulait devenir maçon comme son père ; mais, jusqu'à maintenant, Alfred restait indifférent à l'art du bâtiment.

La maison, une fois terminée, serait la plus luxueuse à des lieues à la ronde. Le rez-de-chaussée serait occupé par un spacieux magasin avec un plafond en voûte pour éviter les risques d'incendie. La pièce à vivre se situerait au-dessus, accessible par un escalier extérieur : sa position élevée la rendrait difficile à attaquer et facile à défendre. Contre le mur de cette salle, Tom construirait une cheminée pour évacuer la fumée du feu. C'était une innovation : Tom n'avait encore vu qu'une seule maison avec une cheminée, mais l'idée lui avait paru si bonne qu'il était décidé à la copier. À un bout de la maison, au fond de la salle, il prévoyait une petite chambre à coucher, car c'était ce que les filles de comte exigeaient aujourd'hui, trop raffinées pour dormir dans la salle commune avec les hommes, les servantes et les chiens de chasse. La cuisine occuperait un bâtiment séparé. Tôt ou tard une cuisine finit par prendre feu, c'est pourquoi il vaut mieux la bâtir à l'écart et se contenter d'une nourriture tiède.

Tom achevait l'entrée de la maison. Les montants de la porte seraient arrondis en manière de colonnes – petite touche distinguée pour les nobles époux qui allaient habiter ici. L'œil sur le modèle en bois qui lui servait de guide, Tom appuya son ciseau de fer à l'oblique contre la pierre et le tapota doucement avec un gros maillet. Les débris tombaient comme une petite pluie. Il accentuait l'arrondi, inlassablement, pour obtenir une surface aussi lisse que celle d'un pilier de cathédrale.

Il avait travaillé une fois sur le chantier d'une cathédrale, justement : à Exeter. Il s'était fâché quand le maître bâtisseur l'avait prévenu que son travail n'était pas tout à fait satisfaisant. Il se savait plus soigneux que le maçon moyen. Puis il avait compris que les murs d'une cathédrale ne devaient pas seulement être bien construits, ils devaient être *parfaits* : la cathédrale était destinée à Dieu. Mais, surtout, le bâtiment était si grand que la moindre inclinaison dans les parois, la plus légère variation de la verticale et de l'horizontale absolues risquait de menacer toute la structure. La mauvaise humeur de Tom céda la place à la fascination. La combinaison d'une construction extrêmement ambitieuse et de l'impitoyable attention au plus petit détail lui ouvrit les yeux sur les merveilles de son métier. Il apprit du maître d'Exeter l'importance des proportions, le symbolisme des divers nombres, et les formules presque magiques pour calculer la bonne largeur d'un mur ou l'angle d'une marche dans un escalier en spirale. Ces choses-là le captivaient et il fut surpris de découvrir que nombre de maçons les trouvaient incompréhensibles.

Peu de temps après, Tom, devenu le bras droit du maître bâtisseur, s'aperçut aussi de ses lacunes. L'homme était un grand artisan mais un mauvais organisateur, complètement dépassé par les difficultés du métier : se procurer assez de pierres pour suivre le rythme des maçons, s'assurer que le forgeron fabriquait les outils nécessaires, brûler la chaux et apporter le sable pour la confection du mortier, abattre les arbres pour les charpentiers et obtenir assez d'argent du chapitre de la cathédrale pour payer !

Si Tom était resté à Exeter jusqu'à la mort du bâtisseur, il aurait pu devenir maître lui-même ; mais le chapitre se trouva à court d'argent – en partie à cause de la mauvaise gestion du bâtisseur – et les artisans durent partir chercher du travail ailleurs. On offrit à Tom le poste de bâtisseur au château fort d'Exeter, pour entretenir et améliorer les fortifications de la ville. Sauf accident, c'était un travail à vie. Mais Tom avait refusé, car il voulait bâtir une autre cathédrale.

Sa femme, Agnès, n'avait jamais compris cette décision. Il aurait pu avoir une bonne maison de pierre, des domestiques, une étable et de la viande sur la table à chaque souper ; elle ne pardonna jamais à Tom d'avoir laissé passer cette occasion, incapable de comprendre l'irrésistible désir de bâtir une cathédrale. La passionnante complexité de l'organisation, le défi intellectuel des calculs, la dimension même des murs, la beauté et la grandeur de l'édifice terminé. Du jour où il eut tâté de ce vin-là, Tom ne put jamais se satisfaire de moins.

Il y avait dix ans de cela. Depuis lors, ils n'avaient jamais séjourné longtemps nulle part. Tom dessinait la nouvelle salle capitulaire d'un monastère, travaillait un an ou deux sur un château ou bâtissait un hôtel pour un riche marchand ; mais, dès qu'il avait économisé un peu d'argent, il reprenait la route avec sa femme et ses enfants, à la recherche d'une autre cathédrale.

Il leva les yeux de son établi et vit Agnès plantée au bord du chantier, un panier à provisions dans une main, une grosse cruche de bière posée sur la hanche. C'était midi. Il la regarda avec tendresse. Personne ne l'aurait dite jolie, mais elle avait un visage plein de vigueur : un front large, de grands yeux bruns, le nez droit, la mâchoire solide. Ses cheveux bruns étaient coiffés avec une raie au milieu et ramenés en chignon sur la nuque. Elle était l'âme sœur de Tom.

Elle versa à boire à Tom et à Alfred. Ils se reposèrent un moment, les deux grands gaillards et la robuste femme, en buvant leur bière dans des écuelles de bois ; puis un quatrième membre de la famille arriva du champ de blé en sautillant : Martha, six ans et jolie comme un narcisse – mais un narcisse à court d'un pétale, car elle venait de perdre deux dents de lait. Elle courut vers Tom, embrassa sa barbe poussiéreuse et quémanda une gorgée de sa bière. Il serra contre lui le petit corps anguleux. « Ne bois pas trop, sinon tu vas tomber dans un fossé », dit-il. Elle tourna autour de lui en titubant, mimant l'ivresse.

Ils s'assirent tous sur le tas de bois. Agnès tendit à Tom un quignon de pain, une épaisse tranche de bacon bouilli et un petit oignon. Il mordit dans la viande et se mit à peler l'oignon. Agnès donna ensuite leur part aux enfants avant de commencer à manger elle-même. Peut-être ai-je eu tort, songea Tom, de refuser ce travail assommant à Exeter et de partir en quête d'une cathédrale à bâtir ; pourtant, jusqu'à présent, j'ai toujours pu les nourrir tous.

Il découpa une tranche d'oignon et la mangea avec une bouchée de pain. Agnès annonça : « J'attends encore un enfant. »

Tom s'arrêta de mâcher. Un frisson de plaisir le parcourut. Ne sachant que dire, il se contenta de sourire bêtement. Après un moment de silence, elle rougit et ajouta : « Quelle surprise, tu ne trouves pas ? »

Tom la serra dans ses bras. « Eh bien, dit-il, un bébé pour me tirer la barbe ! Et moi qui pensais que le prochain serait celui d'Alfred.

— Ne te réjouis pas encore, répondit Agnès. Et n'oublie pas : cela porte malheur de nommer l'enfant avant sa naissance. »

Tom acquiesça. Agnès avait fait plusieurs fausses couches. Après un bébé mort-né, une autre petite fille, Mathilda, n'avait vécu que deux ans. « J'aimerais avoir un garçon, dit-il. Maintenant qu'Alfred est si grand. Pour quand est-ce ?

— Après Noël. »

Tom commença à calculer. La carcasse de la maison serait terminée au premier gel, il faudrait recouvrir la maçonnerie de paille pour la protéger pendant l'hiver. Les maçons passeraient la saison froide à tailler les pierres pour les fenêtres, les voûtes, l'encadrement des portes et de la cheminée, tandis que le charpentier préparerait les planchers, les portes et les volets, et Tom construirait l'échafaudage pour attaquer le premier étage. Puis, au printemps, il ferait la voûte du magasin, le plancher de la salle au-dessus et poserait le toit. Le travail nourrirait la famille jusqu'à la Pentecôte. À cette époque, le bébé aurait six mois. Ensuite ils partiraient.

«Bon, dit-il d'un ton satisfait. C'est bien.» Il croqua une autre tranche d'oignon.

«Je suis trop vieille pour porter des enfants, dit Agnès. Il faut que ce soit mon dernier.»

Tom réfléchit. Il ne connaissait pas exactement son âge, mais bien des femmes de la même génération avaient encore des enfants. Il était vrai pourtant qu'elles souffraient plus en vieillissant et que leurs bébés n'étaient pas aussi forts. Elle avait sans doute raison. Mais comment éviter de nouvelles naissances? se demanda-t-il. Il n'y avait qu'un seul moyen. Un nuage vint assombrir son humeur.

«Je trouverai peut-être un bon travail dans une ville, dit-il pour la rassurer. Une cathédrale ou un palais. Nous pourrions alors avoir une grande maison avec des parquets de bois, une servante pour t'aider à t'occuper du bébé.»

Le visage d'Agnès se durcit : «Peut-être», répliqua-t-elle seulement d'un ton sceptique. Elle n'aimait pas entendre parler de cathédrale. Si Tom n'avait jamais travaillé sur une cathédrale, disait son expression, elle vivrait peut-être aujourd'hui dans une maison en ville, avec des économies enfouies sous l'âtre, sans s'inquiéter pour l'avenir.

Tom détourna les yeux et mordit à nouveau dans le lard. Il se sentait découragé. Il mâchonna un moment la viande dure sans rien dire. Soudain, on entendit un cheval. Tom pencha la tête pour mieux écouter. Le cavalier arrivait sous le couvert des arbres, venant de la route, par un raccourci qui évitait le village.

Quelques instants plus tard, un jeune homme apparut au trot sur un poney et mit pied à terre. Il avait l'air d'un écuyer, une sorte d'apprenti chevalier. «Ton seigneur arrive», annonça-t-il. Tom se leva. «Vous voulez dire lord Percy?» Percy Hamleigh était un des notables du pays, propriétaire de cette vallée et de bien d'autres, et finançait la construction de la maison.

«Son fils, dit l'écuyer.

— Ah! Le jeune William.» C'était William, le fils de Percy, qui devait occuper cette maison après son mariage. Il était fiancé à lady Aliena, la fille du comte de Shiring.

«Lui-même, dit l'écuyer. Il est très en colère.»

Tom sentit son cœur se serrer. Il était toujours difficile de discuter avec le propriétaire d'une maison en construction, mais avec un propriétaire furieux, cela devenait impossible.

« Pourquoi cette colère ?

— Sa fiancée l'a repoussé.

— La fille du comte ? » fit Tom, surpris. La peur le saisit : lui qui venait de croire son avenir assuré. « Je pensais que tout était arrangé.

— Nous aussi... sauf lady Aliena, semble-t-il, répondit l'écuyer. Dès l'instant où elle l'a rencontré, elle a annoncé que pour rien au monde elle ne l'épouserait. »

Tom fronça les sourcils. Il refusait d'en croire ses oreilles.

« Mais, si je me souviens bien, le garçon n'est pas mal.

— Comme si dans sa position cela changeait quelque chose, intervint Agnès. Si les filles de comte pouvaient épouser qui leur plaît, nous serions tous gouvernés par des ménestrels et des hors-la-loi aux yeux tendres.

— Elle peut encore changer d'avis, remarqua Tom, plein d'espoir.

— Elle le fera si sa mère la fouette, affirma Agnès.

— Sa mère est morte », dit l'écuyer.

Agnès hocha la tête. « Cela explique pourquoi elle ne connaît pas la vie. Mais son père la forcera, non ?

— Il semble, reprit l'écuyer, qu'il a promis de ne jamais lui faire épouser quelqu'un contre son gré.

— Voilà un engagement bien stupide ! » fit Tom avec colère.

Comment un homme puissant pouvait-il céder ainsi au caprice d'une fille ? Le mariage d'Aliena affectait les alliances militaires, les finances du seigneur... même la construction de cette maison.

« Elle a un frère, poursuivit l'écuyer, alors ce n'est pas si important de savoir qui elle épouse.

— Tout de même...

— Le comte est un homme inflexible, poursuivit l'écuyer. Il ne veut pas revenir sur une promesse, même faite à une enfant. » Il haussa les épaules. « C'est ce que l'on dit. »

Tom regarda les murs de pierre de la future maison. Il n'avait pas encore épargné assez d'argent pour passer l'hiver avec sa famille, se rendit-il compte avec angoisse. Peut-être le garçon trouverait-il une autre épouse pour partager cette demeure avec lui. Il peut choisir dans tout le comté, pensa-t-il.

D'une voix incertaine d'adolescent, Alfred dit : «Par le Christ, je crois que c'est lui.» Ils regardèrent tous en direction du champ. Un cheval arrivait du village au galop, soulevant sur le chemin un nuage de poussière. C'était la taille aussi bien que la vitesse du cheval qui avait surpris Alfred : il n'avait jamais vu de bête si énorme. Ce destrier était au garrot aussi haut qu'un homme et large en proportion. Ces chevaux-là n'étaient pas élevés en Angleterre, ils venaient d'au-delà des mers et coûtaient des sommes considérables.

Tom fourra le reste de son pain dans la poche de son tablier en cuir, puis plissa les yeux dans le soleil. Le cheval couchait les oreilles, ses naseaux frémissaient, mais il relevait la tête, signe qu'il n'était pas emballé. En effet, le cavalier tira sur les rênes et l'énorme animal parut ralentir un peu. Tom percevait mainte-nant le martèlement des sabots sur le sol. Il chercha des yeux Martha pour la mettre à l'abri ; Agnès eut la même pensée. Mais l'enfant avait disparu. «Dans le blé», dit Agnès ; Tom avait déjà deviné et gagnait à grands pas le champ. Le cœur serré d'an-goisse, il parcourut du regard les épis qui ondulaient au vent, pas trace de la fillette.

Une seule idée lui vint : ralentir le cheval. Il s'avança sur le chemin, en écartant les bras, droit vers le destrier qui chargeait. Le cheval l'aperçut, et ralentit aussitôt. Mais, sous les yeux de Tom, horrifié, son cavalier l'éperonna.

«Maudit idiot !» rugit Tom, bien que le cavalier ne pût l'entendre.

Ce fut alors que Martha déboucha du champ sur le sentier, quelques pas devant Tom.

Celui-ci resta un instant pétrifié de terreur. Puis il bondit en avant, criant et agitant les bras ; mais la bête était un destrier, entraîné à charger des hordes hurlantes, et elle ne broncha pas. Martha demeurait plantée au milieu de l'étroit chemin, comme figée par la vue de ce monstre qui fonçait sur elle. En un éclair, Tom comprit avec désespoir qu'il ne la rejoindrait pas à temps. Il se jeta de côté, et, à la dernière seconde, le cheval fit un écart dans l'autre sens. L'étrier du cavalier effleura les cheveux de Martha ; un sabot marqua un trou rond dans le sol près de son pied nu, et le cheval fila, les aspergeant de terre. Tom saisit l'enfant dans ses bras et la serra contre son cœur battant.

Il resta un moment immobile, soulagé, les jambes molles. Puis il sentit la fureur monter en lui à cause de l'imprudence de ce stupide jeune homme juché sur son destrier. Il tourna vers lui un regard furieux. Lord William ralentissait son cheval, en tirant sur les rênes, les jambes tendues en avant. Le cheval évita le chantier, secoua la tête et rua, mais William resta en selle. Il mit son cheval au petit galop, puis au trot en lui faisant décrire un large cercle.

Martha sanglotait. Tom la confia à Agnès et attendit William.

Le jeune seigneur était un grand gaillard d'une vingtaine d'années, avec des cheveux jaunes et des yeux étroits qui lui donnaient l'air de toujours cligner. Il portait une courte tunique noire, des hauts-de-chausses noirs aussi et des chaussures de cuir dont les lacets se croisaient jusqu'aux genoux. Vissé sur sa selle, il ne semblait nullement ému de l'incident. Ce jeune imbécile ne sait même pas ce qu'il a fait, se dit Tom amèrement. Que j'aimerais lui tordre le cou !

William arrêta sa monture devant le tas de bois et regarda les bâtisseurs. « Qui commande ici ? » demanda-t-il.

Tom s'approcha du cheval et le prit par la bride. « C'est moi le maître bâtisseur, dit-il d'un ton crispé. Mon nom est Tom.

— Cette maison ne sert plus à rien, dit William. Renvoie tes hommes. »

C'était exactement ce que Tom redoutait. Mais il se cramponnait à l'espoir que William était simplement impétueux et que l'on pourrait le persuader de changer d'avis. Au prix d'un grand effort, il répondit d'un ton calme : « Mais il y a déjà tant de travail de fait ! Pourquoi gaspiller ce que vous avez dépensé ? Vous aurez besoin de cette maison un jour.

— Je ne te demande pas comment gérer mes affaires, Tom le bâtisseur, dit William. Vous êtes tous renvoyés. » Il tira sur les rênes, mais Tom tenait la bride. « Lâche mon cheval », cria William d'un ton menaçant.

Tom avala sa salive. William s'apprêtait à éperonner son cheval. Tom tira de sa poche le croûton de pain restant de son déjeuner, le montra au cheval qui baissa la tête et le croqua. « Il y a encore des choses à régler avant que vous partiez, monseigneur, dit Tom doucement.

— Lâche mon cheval, répéta William, ou je te fais sauter la tête. » Tom le regarda dans les yeux, essayant de ne pas montrer sa peur. Il était plus fort que William, mais cela ne servirait à rien si celui-ci dégainait son épée.

« Tom, murmura Agnès apeurée, fais ce que dit le seigneur. »

Il y eut un silence de mort. Transformés en statues, les autres ouvriers observaient la scène. Tom savait que la prudence serait de céder. Mais William avait failli piétiner sa fille et le maçon était furieux. Aussi, le cœur battant, reprit-il : «Il faut nous payer.»

William poussa sa monture, mais Tom tenait solidement la bride et le cheval n'obéit pas, cherchant encore du pain dans la poche du tablier de Tom. «Allez demander vos gages à mon père!» lança William excédé.

Tom entendit le charpentier répondre d'une voix blanche :
«C'est ce que nous allons faire, monseigneur, merci beaucoup.» Misérable lâche, pensa Tom, mais lui-même tremblait. Il se força néanmoins à dire : «Si vous voulez nous congédier, il faut nous payer selon la coutume. La maison de votre père est à deux jours de marche d'ici et, quand nous arriverons, il n'y sera peut-être pas.

— Des hommes sont morts pour moins que cela», dit William, les joues rouges de colère.

Du coin de l'œil, Tom vit l'écuyer poser la main sur le pommeau de son épée. Il savait qu'il devait renoncer maintenant, mais une colère obstinée lui nouait le ventre, et, si effrayé qu'il fût, il ne se décidait pas à lâcher la bride. «Payez-nous d'abord et tuez-moi ensuite, lança-t-il. Peut-être que l'on vous pendra pour cela, peut-être pas; mais vous mourrez tôt ou tard. Moi je serai au paradis et vous irez en enfer.»

Le ricanement se figea sur le visage de William qui devint très pâle. Tom s'étonna : qu'est-ce qui avait effrayé le garçon? Sûrement pas de lui avoir parlé de pendaison : un seigneur ne courait guère le risque d'être pendu pour le meurtre d'un artisan. Craignait-il l'enfer?

Ils se dévisagèrent quelques instants. Tom vit avec stupéfaction, puis soulagement, l'expression de colère et de mépris de William se dissiper pour céder la place à l'angoisse. Le jeune homme prit une bourse de cuir à sa ceinture et la lança à son écuyer en disant : «Paye-les.»

Tom alors força sa chance. Comme William tirait sur ses rênes et que le cheval s'écartait, le maçon le suivit sans lâcher la bride et dit : «Une pleine semaine de gages avec le congé, c'est la coutume.» Agnès retenait son souffle, juste derrière lui, et il savait qu'elle le trouvait fou de prolonger la confrontation. Mais il insista. «Cela fait six pence pour le manœuvre, douze pour le charpentier et chacun des maçons et vingt-quatre pour moi. Soixante-six pence en tout. » Il calculait vite.

L'écuyer interrogea son maître du regard. William acquiesça, rageur : « Très bien. »

Tom lâcha la bride et recula d'un pas. William fit tourner son cheval, le talonna vigoureusement et la bête bondit dans le champ de blé pour rejoindre la route.

Tom s'assit sur le tas de bois. Il se demandait ce qui l'avait pris. Quelle folie l'avait saisi de défier lord William ainsi ! Il pouvait s'estimer heureux d'être encore vivant.

Le martèlement des sabots du destrier s'éloignait. L'écuyer vida sur une planche le contenu de la bourse. Tom sentit une vague de triomphe en entendant les pièces d'argent, brillantes dans le soleil, tomber en cascade. Une folie, mais un succès : il avait obtenu un juste paiement pour lui-même et pour les hommes qui travaillaient sous ses ordres. « Même les seigneurs doivent suivre les usages », dit-il.

Agnès l'entendit. « J'espère simplement que tu n'auras jamais besoin de demander du travail à lord William », dit-elle avec aigreur. Tom lui sourit. Il comprenait qu'elle bougonnait parce qu'elle avait eu peur. « Ne me gronde pas, ou tu n'auras que du lait caillé à donner à ton bébé quand il naîtra.

— Je ne pourrai nourrir personne, à moins que tu ne trouves du travail pour l'hiver.

— L'hiver est encore loin », répondit Tom.

2.

Ils passèrent l'été au village. Plus tard, ils se rendirent compte que cette décision était une terrible erreur, mais sur le moment elle semblait raisonnable, car Tom, Agnès et Alfred pouvaient chacun gagner un penny par jour à travailler dans les champs durant les moissons. Quand l'automne arriva et qu'il leur fallut repartir, ils avaient un gros sac de pennies d'argent et un porc bien gras.

Ils passèrent la première nuit sous le portail d'une église de village mais, le lendemain, ils découvrirent un prieuré de campagne et profitèrent de l'hospitalité des moines. Le troisième jour, ils se trouvaient au cœur de la forêt de Chute, une vaste étendue de bois et de broussailles, sur une route guère plus large qu'un char à bœufs ; la végétation luxuriante de l'été mourait sous les chênes.

Tom transportait ses plus petits outils dans une sacoche et ses marteaux accrochés à sa ceinture. Son manteau était roulé sous son bras gauche et il tenait dans sa main droite son pic de fer qu'il utilisait comme une canne. Il était content de reprendre la route. Peut-être trouverait-il à s'employer sur le chantier d'une cathédrale. Il pourrait devenir maître maçon et travailler jusqu'à la fin de ses jours à bâtir une église si merveilleuse qu'elle lui garantirait l'accès au paradis.

Agnès gardait leurs maigres possessions dans une marmite qu'elle portait attachée à son dos. Alfred était chargé des outils dont ils se serviraient pour installer quelque part un nouveau foyer : une hache, une herminette, une scie, un petit marteau, un poinçon pour faire des trous dans le cuir et le bois et une pelle. Martha était trop petite pour porter autre chose que son écuelle, son couteau pendu à sa ceinture et son manteau ficelé sur son dos. Elle avait toutefois la tâche de conduire le porc jusqu'au moment où ils pourraient le vendre sur le marché.

Tom ne quitta pas des yeux Agnès, dans cette interminable traversée des bois. Elle était à mi-terme maintenant et, outre le fardeau qu'elle avait sur le dos, elle portait un poids considérable dans son ventre. Mais elle semblait infatigable. Alfred aussi paraissait en bonne forme : il était à l'âge où les garçons ont de l'énergie à revendre. Seule Martha peinait. Ses jambes maigres étaient faites pour gambader, pas pour de longues étapes, et comme elle traînait les autres devaient s'arrêter pour les attendre, elle et le cochon.

Tout en marchant, Tom songeait à sa future cathédrale. Il commençait comme toujours par imaginer le portail ; c'était très simple : deux montants soutenant un demi-cercle. Puis il en imaginait un second, comme le premier. Il les rapprochait pour former une profonde arcade. Ensuite il en ajoutait d'autres jusqu'à en obtenir toute une rangée accolées les unes aux autres pour former un tunnel. C'était l'essentiel d'une construction. Il ne fallait plus qu'un toit pour se protéger de la pluie et deux murs pour soutenir le toit. Une église n'est qu'un tunnel, avec quelques raffinements.

Un tunnel est sombre, d'où le besoin de fenêtres, un premier raffinement. Si les murs étaient solides, on pouvait y percer des

trous, arrondis en haut avec des côtés droits et une base plate :
la même forme que le portail original. Utiliser des formes simi-
laires pour les arcs, les fenêtres et les portes participait à la
beauté d'un bâtiment de même que la régularité. Tom se représentait douze fenêtres identiques, à intervalles réguliers le long
de chaque paroi du tunnel.

Tom essaya d'imaginer les moulures, les décorations...
Soudain, il eut le sentiment qu'on l'observait. C'est ridicule,
se dit-il, si je suis observé, c'est par les oiseaux, les renards, les
chats, les écureuils, les rats, les souris et les belettes, les her-
mines et les campagnols qui abondent dans la forêt !

À midi ils firent une halte, burent l'eau fraîche d'un ruisseau
et mangèrent le bacon froid et des pommes sauvages ramassées
sur place.

Dans l'après-midi, Martha se sentit fatiguée et prit du retard
dans la marche. Tandis qu'elle les rattrapait, Tom se rappela
Alfred au même âge. C'était un bel enfant aux cheveux blonds,
robuste et hardi. Avec un attendrissement mêlé d'agacement,
Tom regardait Martha pousser son cochon. Puis une silhouette
jaillit des broussailles, juste devant la petite. Ce qui se passa
ensuite fut si rapide que Tom put à peine en croire ses yeux.
L'homme qui était apparu si brusquement sur la route leva une
massue au-dessus de son épaule. Un cri horrifié monta à la
gorge de Tom mais, avant qu'il ait eu le temps d'émettre un
son, l'homme abattit son arme sur Martha. Le coup la frappa à
la tempe, Tom entendit un choc sourd et l'enfant s'effondra
comme une poupée désarticulée.

Tom se précipita vers l'enfant. La scène lui donna l'impression de contempler un tableau peint tout en haut d'un mur
d'église : il le voyait mais ne pouvait rien faire pour le changer.
L'agresseur, sûrement un hors-la-loi, était petit et trapu, vêtu
d'une tunique marron et pieds nus. Un instant il regarda Tom
droit dans les yeux et celui-ci put constater que son visage était
affreusement mutilé : on lui avait coupé les lèvres, sans doute
en châtiment d'un mensonge, et sa bouche était maintenant
crispée en une grimace permanente entourée de cicatrices en
zigzag. Cet horrible spectacle aurait arrêté Tom s'il n'y avait pas
eu le corps inerte de Martha gisant sur le sol.

Le bandit détourna son regard de Tom pour s'intéresser au
cochon. En un éclair, il se pencha, fourra sous son bras l'animal

gigotant et replongea dans les taillis, emportant avec lui le seul bien que possédât la famille.

Tom s'agenouilla auprès de Martha. Il posa sa grande main sur sa petite poitrine et sentit le cœur qui battait régulièrement, ce qui apaisa ses craintes ; mais elle avait les yeux clos et du sang dans ses cheveux blonds.

Agnès les rejoignit. Elle tâta la poitrine de l'enfant, son poignet et son front, puis elle lança à Tom un regard résolu. « Elle vivra, dit-elle d'une voix tendue. Va reprendre notre cochon. »

Tom se débarrassa aussitôt de sa sacoche et dégagea de sa ceinture son grand marteau à tête de fer. Il tenait toujours son pic dans la main droite. Il observa les buissons piétinés sur le passage du voleur et, entendant le cochon qui grognait dans les bois, s'enfonça au milieu de la broussaille.

La piste était facile à suivre. Le hors-la-loi, un homme vigoureusement bâti, alourdi par le cochon qu'il portait, ouvrait un large passage dans la végétation, aplatissant sur sa route fleurs, buissons et arbustes. Tom fonça derrière lui, en proie à une furieuse envie de lui sauter dessus et de le rouer de coups. Il traversa un bosquet de jeunes bouleaux, dévala une pente et franchit un bout de marécage avant d'arriver sur un étroit sentier. Là, il s'arrêta. Le voleur avait pu partir vers la gauche ou vers la droite et rien n'indiquait son chemin. Tom entendit les cris du porc quelque part sur sa gauche. Il perçut aussi le bruit de quelqu'un qui fonçait derrière lui dans la forêt – sans doute Alfred. Il repartit.

Le sentier l'entraîna dans un creux, puis tourna brusquement et se mit à monter. On entendait distinctement le cochon, maintenant. Tom grimpa la pente, le souffle court – les années passées à respirer la poussière de pierre avaient affaibli ses poumons. Il aperçut soudain le voleur non loin devant lui, courant comme s'il avait le diable aux trousses. Tom força l'allure, sûr de le rattraper, car un homme chargé d'un porc ne peut pas courir bien vite, ni bien longtemps. Mais sa poitrine lui faisait mal. Le voleur était maintenant à quinze pas, puis à douze. Tom leva le pic au-dessus de sa tête, comme un javelot. Encore quelques foulées et il le lancerait. Onze pas, dix...

Il aperçut tout à coup, du coin de l'œil, un visage maigre coiffé d'un bonnet vert émergeant des buissons. Trop tard pour l'éviter. Un gros bâton s'abattit en travers de sa route, il trébucha dessus et tomba. Il avait lâché son pic, mais il tenait toujours bon le marteau. Il roula par terre et se redressa sur un genou. Il le voyait maintenant : ils étaient deux, l'homme au bonnet vert et un chauve à la barbe blanche broussailleuse. Ils se précipitèrent sur Tom.

Celui-ci fit un pas de côté et balança son marteau en direction du bonnet vert. L'homme esquiva le coup mais la lourde tête de fer s'abattit sur son épaule. Il poussa un hurlement de douleur et s'effondra en se tenant le bras comme s'il était brisé. À peine Tom eut-il le temps de récupérer le marteau que le chauve se jetait sur lui. Tom brandit l'arme et lui fendit la joue.

Les attaquants reculèrent, tenant à deux mains leurs blessures. Tom sentait qu'ils avaient perdu tout esprit combatif. Il se retourna. Le voleur continuait à fuir le long du sentier. Tom se remit à sa poursuite, ignorant la douleur qui lui tenaillait la poitrine. Mais il n'avait parcouru que quelques pas lorsqu'il entendit une voix familière crier derrière lui. Alfred.

Il s'arrêta et se retourna.

Alfred se battait bec et ongles contre les deux brutes. Il frappa trois ou quatre fois à la tête l'homme au bonnet vert, puis donna un coup de pied dans les jarrets du chauve. Les deux hommes se jetèrent sur lui, amoindrissant beaucoup l'impact de ses coups. Tom hésita, partagé entre son désir de récupérer le cochon et celui de venir au secours de son fils. Le chauve fit alors un croche-pied à Alfred et, comme le garçon heurtait le sol, les deux hommes tombèrent sur lui à bras raccourcis.

Tom revint sur ses pas. Il chargea le chauve de plein fouet et l'envoya s'écraser dans les buissons; avant de se retourner vers le bonnet vert en balançant son marteau. L'homme esquiva le premier coup, tourna les talons et plongea dans le sous-bois sans laisser à Tom le temps de frapper encore. Tom se retourna pour voir le chauve détaler par le sentier. Il regarda dans la direction opposée : le voleur avec le cochon avait disparu. Il poussa un bref juron : ce porc représentait la moitié de ses économies de l'année. Il s'effondra sur le sol, hors d'haleine.

«Nous les avons rossés tous les trois!» cria Alfred, tout excité.

Tom le regarda. «Oui, mais ils ont notre cochon», dit-il. La colère lui brûlait l'estomac comme du cidre aigre. Un porc bien gras comme celui-ci pouvait se vendre soixante pence. Avec quelques choux et un sac de grains, il y avait de quoi nourrir une famille pour tout l'hiver et fabriquer une paire de chaussures de cuir et un sac ou deux. Cette perte était catastrophique.

Tom jeta un regard d'envie à Alfred, déjà remis de sa course et de son empoignade, qui attendait avec impatience. Autrefois, songea Tom, je pouvais courir comme le vent sans presque sentir mon cœur battre. Quand j'avais cet âge-là... il y a vingt ans. Vingt ans. Cela lui paraissait hier. Il se releva.

Il passa un bras autour des larges épaules d'Alfred et ils reprirent le sentier. Le garçon allait bientôt le rattraper en taille et peut-être même le dépasser. J'espère que son esprit se développera aussi, se dit Tom. «N'importe quel imbécile, déclara-t-il, peut se lancer dans une bagarre, mais le sage sait les éviter.» Alfred lui jeta un regard sceptique.

Ils quittèrent le sentier, traversèrent le coin de marécage et escaladèrent la pente, refaisant à l'envers le chemin suivi par le voleur. En repassant dans le bosquet de bouleaux, Tom pensa à Martha et la rage une fois de plus lui monta au ventre. Le hors-la-loi l'avait frappée comme un fou, alors qu'elle ne le menaçait pas.

Tom hâta le pas et, un moment plus tard, Alfred et lui débouchèrent sur la route. Martha gisait là, à la même place, elle n'avait pas bougé. Elle avait toujours les yeux fermés et le sang séchait dans ses cheveux. Agnès était agenouillée à son côté – et auprès d'elles, à la surprise de Tom, se trouvaient une autre femme et un jeune garçon. Pas étonnant qu'il se fût senti observé, la forêt semblait grouiller de monde. Il se pencha et posa de nouveau la main sur la poitrine de Martha. Le souffle était régulier.

«Elle va bientôt se réveiller, dit l'étrangère d'un ton autoritaire. Alors elle vomira. Après, elle ira bien.»

Tom la regarda avec curiosité. Jeune, une dizaine d'années de moins que Tom, elle était penchée sur Martha. Sa courte tunique de cuir révélait des membres hâlés et souples. Elle avait un joli visage, avec des cheveux châtain foncé qui formaient une pointe sur son front. Tom éprouva un élan de désir. Puis elle leva les yeux vers lui et il sursauta : elle avait des yeux au regard intense, d'une couleur de miel doré inhabituelle qui donnait à tout son visage une sorte de magie, et il eut la certitude qu'elle devinait ce qu'il pensait.

Il détourna son regard pour masquer son embarras et surprit Agnès qui l'observait d'un air réprobateur. «Et le cochon? dit-elle.

— Il y avait deux autres bandits, expliqua Tom.

— Nous les avons rossés, dit Alfred, mais celui qui avait le cochon s'est enfui. »

Agnès les regarda sévèrement sans répondre.

L'étrangère dit : « En nous y prenant doucement, nous pourrions transporter la fillette à l'ombre. » Elle se releva et Tom constata qu'elle était toute petite – un pied de moins que lui. Il se pencha et souleva Martha avec précaution. Son corps enfantin ne pesait presque rien dans ses bras. Il la porta quelques pas le long de la route, puis la déposa, encore inerte, sur un coin d'herbe à l'ombre d'un vieux chêne.

Alfred ramassa les outils. Le petit garçon de l'étrangère observait, les yeux et la bouche grands ouverts, sans mot dire. Il avait environ trois ans de moins qu'Alfred et c'était un enfant à l'air bizarre, sans rien de la beauté sensuelle de sa mère. Il avait la peau très pâle, les cheveux d'une drôle de couleur orangée, des yeux bleus un peu exorbités, et l'air un peu demeuré. Le genre d'enfant qui meurt jeune ou devient l'idiot du village, pensa Tom. Sous son regard fixe, Alfred était visiblement mal à l'aise.

L'enfant prit la scie des mains d'Alfred et l'examina comme une chose étonnante. Alfred, choqué par cette audace, la lui reprit et l'enfant l'abandonna avec indifférence. Sa mère intervint : « Jack ! Tiens-toi bien. » Elle semblait gênée.

Tom la regarda. Le garçon ne lui ressemblait pas du tout. « Vous êtes sa mère ? demanda Tom.

— Oui. Je m'appelle Ellen.

— Où est votre mari ?

— Mort. »

Tom s'étonna. « Vous voyagez seule ? » La forêt était déjà assez dangereuse pour un homme comme lui : impossible pour une femme seule d'espérer y survivre.

« Nous ne voyageons pas, dit Ellen. Nous vivons dans la forêt. » Tom sursauta : « Vous voulez dire que vous êtes... » Il s'arrêta, ne voulant pas la blesser.

« Des hors-la-loi, dit-elle. Oui. Vous pensiez que tous les hors-la-loi sont comme Pharamond Grande Gueule, le voleur de votre cochon ?

— Oui », dit Tom. Mais il pensait : Je n'aurais jamais imaginé qu'un hors-la-loi pouvait être une si belle femme. Incapable de maîtriser sa curiosité, il demanda : « Quel était votre crime ?

— J'ai maudit un prêtre », dit-elle, et elle détourna les yeux.

Tom ne voyait pas en cela un crime épouvantable, mais peut-être le prêtre était-il très puissant et très susceptible ; ou peut-être Ellen ne lui avouait-elle pas toute la vérité. Il regarda Martha. Lentement, elle ouvrait les yeux. Elle semblait perdue, un peu effrayée. Agnès s'agenouilla auprès d'elle. « Tu es sauve, dit-elle. Tout va bien. » Martha se redressa et vomit. Agnès la soutint jusqu'à l'arrêt des spasmes. Tom était impressionné : la prédiction d'Ellen s'était réalisée. Elle avait annoncé aussi que Martha se sentirait bien ensuite et sans doute était-ce vrai aussi. Le soulagement l'envahit et il fut un peu surpris de la violence de son émotion. Je ne pourrais pas supporter de perdre ma petite fille, pensa-t-il en refoulant un sanglot.

Il surprit un regard de sympathie d'Ellen et une fois de plus il eut le sentiment que ses yeux d'or pâle pouvaient lire dans son cœur.

Tom cassa une branche de chêne, la dépouilla de ses feuilles et les utilisa pour essuyer le visage de Martha. Elle était encore toute pâle.

« Elle a besoin de repos, dit Ellen. Laissez-la allongée le temps qu'il faut à un homme pour parcourir une bonne lieue. »

Tom jeta un coup d'œil vers le soleil. Il restait encore du jour. Il s'installa, résigné à attendre. Agnès se mit à bercer doucement la fillette dans ses bras. Le petit Jack avait reporté son attention sur Martha et la dévisageait avec la même intensité stupide. Tom aurait voulu en savoir plus sur Ellen. Il se demandait s'il pourrait la persuader de raconter son histoire. Il ne voulait pas la voir s'en aller. « Comment tout cela est-il arrivé ? » lui demanda-t-il avec un peu d'hésitation.

De nouveau elle le regarda dans les yeux puis elle se mit à parler.

Son père était un chevalier, leur raconta-t-elle ; un homme grand, robuste et violent souhaitant des fils avec qui monter à cheval, chasser et lutter, des compagnons pour boire et festoyer dans la nuit avec lui. Il eut à cet égard toute la malchance du monde, car après la naissance d'Ellen, sa femme mourut ; il se remaria, mais sa seconde épouse était stérile. Il en vint à mépriser la belle-mère d'Ellen et finit par la renvoyer. Il était sans doute cruel, mais Ellen l'adorait et partageait le mépris qu'il portait à sa seconde femme. Quand la belle-mère partit, Ellen grandit dans une maison devenue presque uniquement masculine. Elle se coupa les cheveux, porta une dague et apprit à ne pas jouer avec des chatons ni à se soucier des vieux chiens aveugles. À l'âge de Martha, elle crachait par terre, mangeait des pépins de pomme et donnait à un cheval un coup de pied assez violent pour lui couper le souffle avant de resserrer la sangle d'un cran. Tous les hommes qui ne faisaient pas partie de la bande de son père, elle avait entendu qu'on les traitait de lavettes, et toutes les femmes qui ne voulaient pas sortir avec eux, de baiseuses de porcs – encore qu'elle ne fût pas tout à fait sûre, ce qui lui importait peu d'ailleurs, de la signification réelle de ces insultes.

En écoutant sa voix dans l'air doux de cet après-midi d'automne, Tom ferma les yeux et se représenta une jeune fille à poitrine plate, au visage sale, assise à la longue table avec les canailles qui tenaient compagnie à son père, en train de boire de la bière forte, de roter et de chanter des chansons qui parlaient de batailles, de pillages et de viols, de chevaux, de châteaux et de vierges, jusqu'au moment où elle tombait endormie, sa petite tête aux cheveux ras sur la table.

Si seulement elle avait pu garder la poitrine plate, elle aurait vécu une vie heureuse. Mais le moment vint où les hommes se mirent à la regarder différemment. Ils ne riaient plus aux éclats quand elle disait : «Ôte-toi de mon chemin ou je te coupe les couilles pour les donner aux cochons.» Certains d'entre eux la regardaient longuement lorsqu'elle ôtait sa tunique de laine avant de s'endormir dans sa longue camisole de toile. Quand ils se soulageaient dans les bois, ils lui tournaient le dos, ce qu'ils n'avaient jamais fait auparavant.

Un jour, elle vit son père en conversation avec le prêtre de la paroisse – événement rare – et tous deux la regardaient comme si c'était d'elle qu'ils parlaient. Le lendemain matin, son père l'informa : «Tu vas partir avec Henry et Eveard et faire ce qu'ils te diront.» Puis il l'embrassa sur le front. Elle s'en étonna : s'amollissait-il sur ses vieux jours? Elle sella son coursier gris – elle refusait de monter un palefroi de dame ou un poney d'enfant – et s'en fut avec les deux hommes d'armes.

Ils la conduisirent dans un couvent de religieuses et l'y abandonnèrent.

Les deux hommes partis, tout le couvent retentit des jurons obscènes de la jeune fille qui se débarrassa de l'abbesse en lui donnant un coup de couteau, avant de refaire à pied tout le chemin jusqu'à la maison de son père. Celui-ci la renvoya, pieds et poings liés, attachée à la selle d'un âne. On la mit au cachot en attendant que la blessure de l'abbesse eût cicatrisé. Dans sa prison glacée, humide et noire comme la nuit, on lui donnait à boire mais rien à manger. Lorsqu'on l'en fit sortir, elle retourna une fois de plus chez elle. Son père la renvoya de nouveau et cette fois on la fouetta avant de la jeter au cachot.

On réussit bien sûr finalement à la mater et elle dut endosser la robe de novice, obéir aux règles et apprendre les prières, ce qui ne l'empêchait pas de haïr les nonnes, de mépriser les saints et de ne croire à rien de ce qu'on lui disait sur Dieu. Mais elle sut bientôt lire et écrire, elle apprit la musique, l'arithmétique et le dessin et ajouta le latin et le français à l'anglais qu'elle parlait chez son père.

Au bout du compte, la vie au couvent n'était pas si terrible. Une communauté unisexe, avec ses règles et ses rituels, elle en avait l'habitude. Toutes les religieuses devaient se livrer à quelques travaux matériels et Ellen se vit bientôt chargée de s'occuper des chevaux. Bientôt, on lui confia la responsabilité des écuries.

La pauvreté ne la tracassa jamais. L'obéissance, non sans peine, elle finit quand même par l'apprendre. La troisième règle, celle de chasteté, ne la gêna jamais beaucoup, mais de temps en temps, pour agacer l'abbesse, elle initiait une des autres novices à certains plaisirs...

À ce point du récit, Agnès interrompit Ellen et, emmenant Martha, s'en alla chercher un ruisseau pour laver le visage de l'enfant et nettoyer sa tunique. Elle se fit accompagner d'Alfred aussi pour la protéger, quoiqu'elle n'eût pas l'intention de s'éloigner. Jack s'apprêtait à les suivre, mais Agnès le pria fermement de rester à sa place. Tom comprit qu'Agnès emmenait ses enfants là où ils ne pouvaient plus entendre l'histoire impie et indécente de la jeune femme, tout en laissant Tom dûment chaperonné.

Un jour, poursuivit Ellen, le palefroi de l'abbesse se mit à boiter alors qu'elle se trouvait à plusieurs jours du couvent. Le prieuré de Kingsbridge se trouvant proche, l'abbesse emprunta au prieur un autre cheval. Une fois rentrée au couvent, elle demanda à Ellen d'aller rendre le cheval au prieuré et de ramener le palefroi maintenant guéri.

Là, dans l'écurie du monastère, à l'ombre de la vieille cathédrale croulante de Kingsbridge, Ellen rencontra un jeune homme. On aurait dit un jeune chien battu. Il avait la grâce maladroite d'un chiot et sa vivacité, mais paraissait timide et terrifié comme si on lui avait ôté toute sa gaieté. Lorsqu'elle lui parla, il ne comprit pas. Elle essaya le latin, mais ce n'était pas un moine. Elle finit par lui dire quelque chose en français et le visage du jeune homme s'inonda de joie. Il lui répondit dans la même langue.

Ellen ne revint jamais au couvent.

À compter de ce jour, elle vécut dans la forêt, d'abord dans un abri rudimentaire de branches et de feuillages et plus tard dans une grotte. Elle n'avait pas oublié son apprentissage de garçon manqué : elle savait encore chasser le daim, prendre des lapins au piège et tirer des cygnes à l'arc ; elle était capable de vider une volaille, de nettoyer et de cuire la viande ; elle savait même gratter et tanner les peaux et les fourrures pour s'en faire des vêtements. Outre le gibier, elle se nourrissait de fruits sauvages, de noix et de légumes. Le reste de ce qui leur était nécessaire – du sel, des tissus de laine, une hache ou un couteau neuf – elle devait le voler.

Le pire moment, ce fut quand Jack naquit...

Et le Français ? aurait voulu demander Tom. Était-il le père de Jack ? Dans ce cas, quand était-il mort ? Et comment ? Mais il devina qu'elle ne parlerait pas de cette partie de l'histoire et, comme elle semblait de ces gens qui ne se laisseraient pas persuader contre leur volonté, il garda ses questions.

Cependant le père d'Ellen était mort et sa bande de compagnons dispersée, si bien qu'il ne lui restait ni famille ni ami au monde. Quand Jack fut sur le point de naître, elle prépara un grand feu à l'entrée de sa grotte. Elle avait des vivres et de l'eau à portée de la main, son arc, ses flèches et des couteaux pour éloigner les loups et les chiens sauvages ; elle avait même une lourde cape violette, volée à un évêque, pour envelopper le nouveau-né. Mais elle ne s'attendait pas à la souffrance et à la peur de l'enfantement, et longtemps elle crut qu'elle allait mourir. Le bébé néanmoins naquit robuste et en bonne santé. Ellen survécut.

Ellen et Jack connurent une vie simple et frugale pendant les onze années suivantes. La forêt leur fournissait tout ce dont ils avaient besoin, dès l'instant qu'ils prenaient soin d'emmagasiner assez de pommes, de noix, de venaisons salées ou fumées pour les mois d'hiver. Ellen songeait souvent que, s'il n'y avait pas eu de rois, de seigneurs, d'évêques et de prévôts, tout le monde pourrait vivre ainsi et être parfaitement heureux.

Tom lui demanda comment elle s'arrangeait des autres hors-la-loi, des hommes comme Pharamond Grande Gueule. Et s'ils se glissaient la nuit jusqu'à sa grotte et tentaient de la violer ? demanda-t-il. Ses reins frémissaient à cette pensée, bien qu'il n'eût jamais pris une femme de force, pas même la sienne.

Les autres hors-la-loi avaient peur d'elle, expliqua Ellen à Tom, en le regardant avec ses yeux pâles et lumineux. Il comprit pourquoi : ils la croyaient sorcière. Quant aux gens respectables qui voyageaient à travers la forêt, des gens qui avaient le droit de dépouiller, de violer et de tuer les hors-la-loi sans crainte de châtiment – Ellen simplement les évitait. Pourquoi alors ne s'était-elle pas cachée de Tom ? Parce qu'elle avait vu une enfant blessée et qu'elle avait voulu la secourir. Elle-même n'avait-elle pas un enfant ?

Elle avait enseigné à Jack tout ce qu'elle avait appris chez son père en matière d'armes et de chasse. Puis elle lui avait enseigné tout ce qu'elle tenait des religieuses : la lecture, l'écriture, la musique et l'arithmétique, le français et le latin, le dessin, même les récits bibliques. Enfin, durant les longues soirées d'hiver, elle lui avait transmis l'héritage du français, et tous les contes, les poèmes et les chansons qu'elle connaissait dans cette langue.

Tom n'arrivait pas à croire que le petit Jack sût lire et écrire. Tom, lui, pouvait écrire son nom et une poignée de mots comme *pence, pied* et *boisseau*; Agnès, étant la fille d'un prêtre, en savait un peu plus, bien qu'elle écrivît lentement et laborieusement; quant à Alfred, il était incapable d'écrire un mot et pouvait à peine reconnaître son propre nom; Martha n'y arrivait pas du tout. Était-ce possible que cet enfant apparemment un peu retardé fût plus instruit que la famille de Tom ?

Ellen demanda à Jack d'écrire quelque chose : il aplanit un petit bout de sol et traça des lettres. Tom reconnut le premier mot, *Alfred*, mais pas les autres, et il se sentit stupide; Jack alors le sauva de son embarras en lisant la phrase tout haut : «Alfred est plus grand que Jack.» Le jeune garçon dessina rapidement deux silhouettes, l'une plus grande que l'autre, et, bien qu'elles fussent sommairement tracées, l'une avait les épaules larges et une expression un peu bovine tandis que l'autre était petite et souriante. Tom, qui avait lui-même un certain talent de dessinateur, fut stupéfait de la simplicité et de la vigueur des images tracées dans la poussière.

Pourtant l'enfant semblait idiot.

Ellen avait récemment commencé à s'en rendre compte, avoua-t-elle, devinant les pensées de Tom. Jack n'avait jamais eu la compagnie d'autres enfants, ni d'ailleurs d'autres humains, à l'exception de sa mère, et le résultat était qu'il grandissait comme un animal sauvage. Malgré toute son instruction, il ne savait pas se comporter avec les gens. Voilà pourquoi il gardait le silence, fixait les gens et cherchait à attraper tout ce qui passait à sa portée.

En disant cela, pour la première fois, Ellen parut soudain moins sûre d'elle et Tom la vit troublée, presque désespérée. Elle devait, pour Jack, rejoindre la société; mais comment? Si elle avait été un homme, elle aurait pu persuader quelque seigneur de lui faire don d'une ferme. Elle aurait pu prétendre, pour le fléchir, qu'elle revenait d'un pèlerinage à Jérusalem ou à Saint-Jacques-de-Compostelle. Les rares femmes qui cultivaient des fermes étaient toujours des veuves avec de grands fils. Aucun seigneur ne donnerait une ferme à une femme seule chargée d'un jeune enfant. Personne ne l'engagerait non plus comme ouvrière, ni à la ville ni à la campagne; d'ailleurs, elle n'avait pas d'endroit où habiter et il était rare qu'on fournît le logement aux simples manœuvres. Elle n'avait pas d'identité. Tout ce qu'elle pouvait, elle l'avait donné à son enfant et ce n'était pas assez. Tom compatissait à son malheur. Mais il ne voyait pas de solution. Si belle, pleine de ressources et redoutable qu'elle fût, elle était condamnée à passer le restant de ses jours cachée dans la forêt avec son étrange fils...

Agnès, Martha et Alfred revinrent. Tom examina Martha d'un regard anxieux, mais elle ne portait pas trace de blessure grave. Pendant qu'il écoutait Ellen exposer ses problèmes, il avait un peu oublié les siens. Mais la réalité s'imposait : il était sans travail et on lui avait volé son cochon. L'après-midi touchait à sa fin. Il commença à ramasser les affaires qui leur restaient.

«Où allez-vous? demanda Ellen.

— À Winchester», répondit Tom. La ville comportait plusieurs monastères et – surtout – une cathédrale.

«Salisbury est plus près, dit Ellen. Et la dernière fois que j'y étais, on rebâtissait la cathédrale, on l'agrandissait.»

Tom sentit son cœur bondir. C'était ce qu'il cherchait. Si seulement il pouvait trouver du travail sur le chantier d'une cathédrale, il était persuadé qu'il aurait la possibilité de finir maître bâtisseur.

«Quelle est la route de Salisbury? demanda-t-il aussitôt.

— Vous revenez sur vos pas pendant une lieue, une lieue et demie. Vous rappelez-vous un embranchement de la route où vous avez pris à gauche?

— Oui... Auprès d'une mare d'eau croupie.

— C'est cela. La branche de droite mène à Salisbury.»

Ils se séparèrent. Agnès n'éprouvait guère de sympathie pour Ellen, mais elle réussit néanmoins à dire avec grâce : «Merci de m'avoir aidée à soigner Martha.»

Ellen sourit et les regarda partir d'un air pensif. Au bout de quelques minutes, Tom se retourna. Debout, au milieu de la route, une main en visière au-dessus des yeux, son étrange garçon auprès d'elle, Ellen continuait à les suivre du regard. Tom la salua du bras et elle répondit.

«Une femme intéressante», dit-il à Agnès.

Agnès ne répliqua pas.

«Ce garçon était bizarre», dit Alfred.

Ils avançaient dans le soleil déclinant. Tom se demandait à quoi ressemblait Salisbury, cette ville qu'il ne connaissait pas. Il se sentait excité. Bien sûr, il rêvait de bâtir une nouvelle cathédrale, mais l'occasion se présentait rarement. Il était beaucoup plus courant de trouver une vieille bâtisse qu'on améliorait, qu'on agrandissait ou qu'on retapait en partie. Ce serait assez bon pour l'instant, en attendant la perspective, un jour ou l'autre, de construire suivant ses propres plans.

«Pourquoi l'homme m'a frappée? dit Martha.

— Parce qu'il voulait voler notre cochon, lui expliqua Agnès.

— Il n'a qu'à avoir un cochon à lui», dit Martha avec indignation, comme si elle venait de comprendre que le hors-la-loi avait fait quelque chose de mal.

Le problème d'Ellen aurait été résolu si elle avait eu un métier, songea Tom. Un maçon, un charpentier, un tisserand ou un tanneur ne se seraient pas trouvés dans sa situation. Ils pouvaient toujours aller en ville chercher du travail. Il existait quelques femmes artisans, en général épouses ou veuves d'artisans.

« Ce qu'il lui faut, dit Tom tout haut, c'est un mari.

— Eh bien, dit sèchement Agnès, elle ne peut pas avoir le mien. »

3.

Le jour où ils perdirent le cochon fut aussi le dernier de temps doux. Ils passèrent cette nuit-là dans une grange et, lorsqu'ils en sortirent au petit matin, le ciel était couleur de plomb et il soufflait un vent froid avec des rafales de pluie. Ils déroulèrent leurs manteaux d'épais tissu et se drapèrent dedans, puis ils partirent de méchante humeur, quatre tristes fantômes sous la pluie, leurs sabots de bois faisant gicler l'eau des flaques boueuses.

Tom essayait d'imaginer la cathédrale de Salisbury. En principe, une cathédrale est une église comme une autre, sauf que l'évêque y a son trône. En fait, les églises-cathédrales étaient les plus grandes, les plus riches, les plus grandioses et les plus décorées. Une cathédrale se réduisait rarement à un tunnel avec des fenêtres. La plupart comptaient trois tunnels, un grand flanqué de deux plus petits, comme une tête avec ses épaules, formant une nef avec des bas-côtés. Les murs latéraux du tunnel central devenaient deux rangées de piliers reliés par des arches pour former une arcade. Les bas-côtés servaient aux processions – qui pouvaient être spectaculaires – et abritaient aussi les petites chapelles dédiées à tel ou tel saint et qui attiraient d'importantes donations. Les cathédrales étaient les bâtiments les plus coûteux du monde, bien plus que les palais ou les châteaux forts, et elles devaient subvenir à leurs besoins.

Salisbury était plus proche que Tom ne l'avait cru. Vers le milieu de la matinée, ils franchirent une crête pour trouver une route qui descendait en pente douce devant eux, suivant une large courbe ; et, au-delà des champs balayés par l'averse, se dressant sur la plaine comme un bateau sur un lac, ils découvrirent la ville fortifiée de Salisbury. À travers le rideau de pluie, Tom distingua plusieurs tours, quatre ou cinq, s'élevant au-dessus des murs de la ville. Tant de maçonnerie lui rendit courage.

Quatre routes se rejoignaient au pied de la colline, parmi des maisons qui avaient débordé de l'enceinte de la ville, et ils retrouvèrent là d'autres voyageurs, marchant la tête basse et le dos rond pour gagner l'abri des murs. Un vent froid fouettait la plaine, gelant le visage et les mains.

Sur la pente qui menait à la porte de la ville, ils rencontrèrent un char à bœufs transportant un chargement de pierres, ce qui parut à Tom un excellent signe. Courbé derrière son engin, le charretier poussait de l'épaule, ajoutant sa force à celle des deux bœufs qui gravissaient péniblement la montée. Tom vit là une chance de nouer amitié. Il fit signe à Alfred et tous deux vinrent aider le charretier. Les grandes roues de bois franchirent en grondant un pont de madriers qui enjambait une énorme douve à sec. Les travaux de terrassement étaient formidables : creuser ce fossé et entasser la terre pour former le mur de la ville avait dû demander des centaines d'hommes, songea Tom ; un travail bien plus important même que de creuser les fondations d'une cathédrale.

La pente s'adoucissait et, en approchant de la porte, la charrette avança plus facilement. Le charretier se redressa, Tom et Alfred en firent autant.

« Merci bien à tous les deux, dit l'homme.

— À quoi va servir cette pierre ? demanda Tom.

— À la nouvelle cathédrale.

— Nouvelle ? Je croyais qu'on agrandissait seulement l'ancienne. »

Le charretier hocha la tête. « C'est ce qu'on disait il y a dix ans. Mais aujourd'hui, il y a plus de neuf que de vieux. » Encore une bonne nouvelle.

« Qui est le maître bâtisseur ?

— John de Shaftesbury, mais l'évêque Roger s'occupe beaucoup des plans. »

C'était normal. Les évêques laissaient rarement les maçons faire seuls le travail. Le rôle du maître bâtisseur consistait souvent à calmer les imaginations enfiévrées des clercs et à fixer des limites pratiques à leurs fantaisies. Mais ce devait être John de Shaftesbury qui engageait les hommes.

Le charretier désigna du menton la sacoche de Tom.

« Maçon ?

— Oui. À la recherche de travail.

— Tu en trouveras peut-être, dit le charretier sans s'émouvoir. Sinon à la cathédrale, peut-être au château.

— Qui gouverne le château ?

— Le même Roger est à la fois évêque et gouverneur. »

Bien sûr, se dit Tom. Il avait entendu parler du puissant Roger de Salisbury, un ami du roi depuis toujours.

Ils franchirent la porte et pénétrèrent dans la ville, qui débordait d'animation. Les maisons de bois se pressaient épaule contre épaule, comme des spectateurs à une pendaison. La moindre parcelle de terrain était utilisée : là où on avait bâti deux demeures séparées par une allée, quelqu'un avait édifié dans la ruelle une petite habitation, sans fenêtre parce que la porte occupait presque toute la façade. S'il n'y avait pas de place, même pour la plus étroite maisonnette, on avait installé un étal où l'on vendait de la bière, du pain ou des pommes ; et s'il n'y avait pas de place pour un étal, on trouvait une étable, une porcherie, un tas de fumier ou un tonneau d'eau.

Et que de bruit, aussi ! Vacarme des ateliers, cris des colporteurs vantant leur marchandise, des gens se saluant, discutant et se querellant, tumulte des bêtes hennissantes, aboyantes et combattantes...

D'une voix aiguë pour dominer le brouhaha, Martha demanda : « Qu'est-ce qui sent si mauvais ? »

Tom sourit. Cela faisait bien deux ans qu'elle n'était pas venue dans une ville. « C'est l'odeur des gens », lui dit-il. La rue était à peine plus large que le char à bœufs, mais le charretier ne voulait pas laisser ses bêtes s'arrêter de crainte qu'elles ne puissent pas repartir ; il les fouettait donc, ignorant tous les obstacles, elles se frayaient obstinément un chemin à travers la multitude, bousculant au passage un chevalier sur son destrier, un forestier avec un arc, un moine bedonnant sur un poney, des hommes d'armes et des mendiants, des ménagères et des prostituées.

Le sol sous leurs pas était une mer de boue et d'ordures. Faute de gouttières, toute la pluie qui tombait sur les toits de cette moitié de la ville s'écoulait dans cette rue. En cas de gros orage, se dit Tom, il doit falloir un bateau pour circuler !

À l'approche du château au sommet de la colline, la rue s'élargissait. Il y avait là des maisons de pierre, dont certaines nécessitaient quelques réparations. Elles appartenaient à des artisans et à des négociants, qui avaient leur boutique et leur magasin au rez-de-chaussée et leur habitation au-dessus. À la quantité et à la diversité de marchandises à vendre, Tom devina que c'était une ville prospère.

À côté des instruments indispensables comme les couteaux, on voyait des châles brodés, des ceintures décorées et des boucles d'argent, que seuls pouvaient s'acheter les riches.

Devant le château, le charretier fit tourner sa paire de bœufs vers la droite et Tom le suivit avec sa famille. La rue décrivait un quart de cercle pour contourner les remparts du château fort. Franchissant une autre porte, ils quittèrent le tohu-bohu de la ville aussi brusquement qu'ils y étaient entrés et se trouvèrent dans une autre sorte de maelström : l'animation frénétique mais ordonnée d'un grand chantier de construction.

Ils étaient à l'intérieur de l'enceinte de la cathédrale, qui occupait tout le quartier nord-ouest de la ville. Tom resta un moment à observer les lieux. Deux charrettes repartaient à vide. Dans des appentis, tous le long des murs latéraux de l'église, on pouvait voir des maçons sculpter des blocs de pierre avec des ciseaux et de grands maillets pour leur donner la forme de plinthes, de colonnes, de chapiteaux, de piliers, d'arcs-boutants, de voûtes, de fenêtres, de tourelles et de parapets. Au beau milieu de l'enceinte, à l'écart des autres bâtiments, se dressait la forge, dont on voyait la lueur du feu par la porte ouverte ; et le fracas du marteau sur l'enclume retentissait tandis que le forgeron fabriquait de nouveaux outils pour remplacer ceux que les maçons étaient en train d'user. Là où la plupart des gens n'auraient vu qu'une scène chaotique, Tom perçut un vaste et complexe mécanisme qu'il brûlait d'envie de contrôler. Il savait ce que chaque homme faisait et il voyait aussitôt comment le travail avait progressé : on était en train de construire la façade est.

Du côté est, une série d'échafaudages montait jusqu'à vingt-cinq ou trente pieds. Les maçons, sous le portail, attendaient que la pluie cesse, mais leurs manœuvres montaient et descendaient les échelles, des pierres sur l'épaule. Plus haut, dans la charpente du toit, on apercevait les couvreurs, comme des araignées sur une gigantesque toile de bois, occupés à clouer des feuilles de plomb sur les entretoises et à installer des gouttières et des tuyaux d'écoulement.

Tom se rendit compte, à regret, que la construction était presque terminée. Si on l'engageait ici, le travail ne durerait guère plus de deux ans – pas assez de temps pour arriver à la position de maître maçon, encore moins de maître bâtisseur. Il accepterait pourtant le travail si on le lui offrait, car le froid arrivait. Sans le cochon, sa famille et lui ne survivraient pas à un hiver de chômage.

Ils suivirent la charrette jusqu'à l'endroit où l'on entassait les pierres. Les bœufs plongèrent avec délices leurs têtes dans l'auge.

«Où est le maître bâtisseur? demanda le charretier à un maçon qui passait.

— Au château.»

Le charretier se tourna vers Tom. «Tu le trouveras sans doute au palais de l'évêque.

— Merci.

— Merci à toi.»

Tom s'éloigna, suivi d'Agnès et des enfants. Ils revinrent sur leurs pas par les rues étroites et grouillantes jusque devant le château. Une autre douve asséchée et un second grand rempart de terre entouraient le bastion central. Ils franchirent un pont-levis. Dans un poste de garde, un homme trapu, vêtu d'une tunique de cuir, était assis sur un tabouret, à regarder la pluie. Il portait une épée. Tom s'adressa à lui. «Bien le bonjour. On m'appelle Tom le Bâtisseur. Je voudrais voir le maître bâtisseur, John de Shaftesbury.

— Avec l'évêque», dit le garde d'un ton indifférent.

Ils entrèrent. Comme la plupart des châteaux forts, c'était une collection de bâtiments hétéroclites regroupés à l'intérieur d'un mur de terre. La cour avait une cinquantaine de toises de large. En face de la porte, tout au fond, se dressait le donjon massif, dernier refuge en cas d'attaque, qui s'élevait bien au-dessus des remparts pour servir de tour de guet. Sur leur gauche, des bâtiments bas pour la plupart en bois : une longue écurie, une cuisine, une boulangerie et plusieurs magasins. Il y avait un puits au milieu. Sur la droite, occupant presque toute la moitié nord de l'enceinte, une grande maison de pierre – de toute évidence le palais, comportant deux étages et bâti dans le même style que la nouvelle cathédrale, avec des portes et des fenêtres au faîte arrondi. Un palais tout neuf : d'ailleurs les maçons travaillaient encore dans un coin, à construire une tour, semblait-il. Une foule de gens allait et venait, se hâtant sous l'averse, d'un bâtiment à un autre : hommes d'armes, prêtres, marchands, ouvriers et serviteurs du palais.

Tom aperçut plusieurs portes, toutes ouvertes malgré la pluie. Il ne savait trop quoi faire. Si le maître bâtisseur parlait avec l'évêque, peut-être ne fallait-il pas les interrompre. D'un autre côté, un évêque n'est pas un roi ; et Tom était un homme libre et un maçon, non un humble serf venu faire ses doléances. Il décida de se montrer audacieux. Laissant là Agnès et Martha, il traversa avec Alfred la cour boueuse et entra par la première porte.

Ils se retrouvèrent dans une petite chapelle avec un plafond en voûte et une fenêtre tout au fond au-dessus de l'autel. Près de l'entrée, un prêtre, assis à un bureau, écrivait rapidement sur du parchemin. Il leva la tête.

« Où est maître John ? demanda Tom.

— Dans la sacristie », dit le prêtre en désignant de la tête une porte dans le mur de côté.

Tom ne se fit pas annoncer : ainsi ne risquait-il pas d'attendre. En deux enjambées, il traversa la petite chapelle et entra dans la sacristie.

C'était une petite pièce carrée éclairée par de nombreuses chandelles et presque entièrement occupée par une fosse emplie de sable qu'on avait soigneusement aplani avec une règle. Deux hommes se trouvaient dans la pièce. Ils jetèrent un bref coup d'œil à Tom, avant de reporter leur attention sur le sable. L'évêque, un vieil homme ridé aux yeux noirs étincelants, y traçait un dessin avec le bout d'un bâton. Le maître bâtisseur, en tablier de cuir, l'observait d'un air patient et sceptique.

Tom attendit. Il devait faire bonne impression : être courtois mais pas obséquieux et montrer son savoir sans faire preuve d'outrecuidance. Un maître artisan exigeait de ses subordonnés l'obéissance aussi bien que le talent, Tom le savait par expérience.

L'évêque Roger esquissait un bâtiment à deux étages avec de grandes fenêtres sur trois côtés. Il dessina aussi une élévation, puis ayant terminé, conclut : « Voilà. »

John se tourna vers Tom : « Qu'est-ce que c'est ? » Tom fit semblant de croire qu'on lui demandait son avis. Il dit aussitôt : « On ne peut pas avoir des fenêtres aussi grandes dans un magasin. »

L'évêque le regarda d'un air irrité. « C'est un bureau, pas un magasin.

— Il s'écroulera quand même.

— Il a raison, dit John.

— Mais il faut de la lumière pour écrire. »

John haussa les épaules et se tourna vers Tom.

« Qui es-tu ?

— Mon nom est Tom et je suis maçon.

— Je m'en doutais. Qu'est-ce qui t'amène ici?

— Je cherche du travail.» Tom retint son souffle.

John aussitôt secoua la tête. «Je ne peux pas t'engager.» Tom sentit son cœur se serrer. Il avait envie de disparaître, mais il attendit poliment pour entendre les raisons de ce refus.

«Cela fait dix ans que nous construisons ici, poursuivit John. La plupart des maçons ont des maisons en ville. Nous arrivons au bout et j'ai aujourd'hui plus de maçons sur le chantier que je n'en ai vraiment besoin.»

Tom savait que c'était sans espoir, mais il demanda quand même : «Et le palais?

— Même chose, dit John. C'est là que j'utilise les hommes que j'ai en trop. Sans ce chantier et les autres châteaux de l'évêque Roger, je congédierais déjà des hommes.»

Tom hocha la tête. D'une voix neutre, essayant de cacher sa déception, il demanda : «Savez-vous s'il y a du travail quelque part?

— Au début de l'année, on construisait au monastère de Shaftesbury. Ce n'est peut-être pas fini. Il faut compter une journée de voyage.

— Merci.» Tom s'apprêta à partir.

«Je suis désolé, lui lança John. Tu m'as l'air d'un brave homme.»

Tom sortit sans répondre, très déçu. Il s'était excité à l'idée de travailler de nouveau à une cathédrale. Peut-être maintenant allait-il devoir se contenter du monotone mur d'une ville ou d'une vilaine maison pour un quelconque orfèvre.

Il redressa les épaules, en traversant la cour du château, pour aller retrouver Agnès qui l'attendait avec Martha. Il ne lui montrait jamais sa déception. Il essayait toujours de donner l'impression que tout allait bien, qu'il maîtrisait la situation et que peu importait s'il n'y avait pas de travail ici parce qu'il en trouverait sûrement dans la ville suivante, ou dans celle d'après. Il savait que, s'il manifestait le moindre signe de désarroi, Agnès l'obligerait à se fixer quelque part, ce qu'il ne voulait surtout pas, sauf dans une ville où devait se bâtir une cathédrale.

«Il n'y a rien pour moi ici, dit-il à Agnès. Repartons.»

Elle parut déconfite. «On croirait pourtant, avec une cathédrale et un palais en construction, qu'il y aurait place pour un maçon de plus.

« — Les deux bâtiments sont presque finis, expliqua Tom. Les hommes sont plus nombreux que nécessaire. »

Tous les quatre, ils traversèrent le pont-levis et replongèrent dans les rues encombrées de la ville. Entrés à Salisbury par la porte est, ils en repartiraient par la porte ouest, car c'était la direction de Shaftesbury. Tom prit à droite, les entraînant dans la partie de la ville qu'ils n'avaient pas encore vue.

Il s'arrêta devant une maison de pierre qui semblait avoir grand besoin de réparations. Le mortier qu'on avait utilisé, trop faible, s'effritait. Le gel avait fait craquer certaines des pierres. Si l'on attendait un hiver de plus, les dégâts seraient pires. Tom décida d'en avertir le propriétaire.

On entrait au rez-de-chaussée par une grande voûte. La porte de bois était ouverte. Assis sur le seuil, un artisan, un marteau dans la main droite et un poinçon dans la gauche, sculptait le motif complexe d'une selle de bois posée sur l'établi devant lui. Tom apercevait au fond des réserves de bois et de cuir, et un garçon occupé à balayer les copeaux.

« Bien le bonjour, maître sellier », dit Tom.

Le sellier leva les yeux, rangea Tom dans la catégorie des hommes capables de fabriquer eux-mêmes leur selle s'ils en avaient besoin et lui fit un petit salut de la tête.

« Je suis bâtisseur, reprit Tom, je crois que vous avez besoin de mes services.

— Pourquoi donc ?

— Votre mortier s'effrite, vos pierres se fendent et votre maison ne durera peut-être pas un autre hiver. »

Le sellier secoua la tête. « Cette ville est pleine de maçons. Pourquoi emploierais-je un étranger ?

— Très bien, fit Tom. Dieu soit avec vous.

— Je l'espère, dit le sellier.

— Un bien grossier personnage », murmura Agnès à Tom en s'éloignant.

La rue les amena sur la place du marché. Là, dans une mer de boue d'un demi-arpent, les paysans de la campagne avoisinante échangeaient leurs maigres surplus de viande, de grain, de lait ou d'œufs pour ce dont ils avaient besoin et qu'ils ne pouvaient pas faire eux-mêmes : casseroles, socs de charrue, cordes et sel. Les marchés, d'ordinaire, étaient pittoresques et animés. On y marchandait avec entrain, on échangeait des railleries d'un éventaire à l'autre, on voyait passer parfois un ménestrel ou un groupe de jongleurs, des putains aux visages peints et peut-être un soldat mutilé qui parlait des déserts d'Orient et de hordes de Sarrasins déchaînés. Ceux qui avaient fait une bonne affaire cédaient souvent à la tentation de fêter l'aubaine et dépensaient leurs bénéfices en bière, si bien que vers midi l'atmosphère s'échauffait. D'autres perdaient leurs pennies aux dés, ce qui provoquait des bagarres. Mais, aujourd'hui, par une matinée de pluie, la moisson de l'année vendue ou engrangée, le marché était calme. Des paysans trempés discutaient sans animation avec des marchands frissonnants et tous ne pensaient qu'à rentrer chez eux devant un bon feu.

La famille de Tom traversa cette foule peu joyeuse, sans se soucier des appels peu convaincants du marchand de saucisses et du rémouleur. Ils étaient presque arrivés de l'autre côté de la place quand Tom aperçut son cochon.

Il fut si surpris que tout d'abord il n'en crut pas ses yeux. Puis Agnès s'écria : «Tom! Regarde!» et il comprit qu'elle l'avait vu aussi.

Aucun doute : il connaissait ce porc. La bête était tenue d'une main ferme par un homme dont le teint fleuri et la large panse désignaient quelqu'un qui mange toute la viande dont il a besoin et même davantage : un boucher sans doute. Tom et Agnès demeuraient plantés là à le dévisager et, comme ils lui barraient le chemin, il ne put les éviter.

«Eh bien?» dit-il, surpris de leur attitude et impatient de passer son chemin.

Ce fut Martha qui rompit le silence. «C'est notre cochon! dit-elle, tout excitée.

— Parfaitement», dit Tom, en regardant le boucher droit dans les yeux.

À l'expression furtive qui traversa le visage de l'homme, Tom comprit qu'il savait que le porc avait été volé. Mais il répliqua :

«Je viens de le payer cinquante pence et ça en fait mon cochon.

— Je ne sais pas à qui vous avez donné votre argent, mais le cochon n'était pas à cette personne. Voilà pourquoi vous l'avez eu si bon marché. À qui l'avez-vous acheté?

— À un paysan.

— Que vous connaissez?

— Non. Écoutez, je suis le boucher de la garnison. Je ne peux pas demander à chaque fermier qui me vend un porc ou une vache de me trouver douze hommes pour jurer que la bête lui appartient bien. »

L'homme fit mine de s'en aller, mais Tom le saisit par le bras et l'arrêta. Le boucher un moment parut furieux, puis il réfléchit : s'il se lançait dans une bagarre il devrait lâcher le cochon ; les adversaires s'en empareraient et l'équilibre des forces changerait aussitôt. Ce serait au boucher de prouver ses titres de propriété. Il se maîtrisa donc : « Si vous voulez porter une accusation, adressez-vous au prévôt. »

Tom considéra l'idée un instant, puis l'écarta. Il n'avait pas de preuves. « À quoi ressemblait, demanda-t-il, l'homme qui vous a vendu mon cochon ? »

Le boucher répondit sans se compromettre : « À n'importe qui.

— Gardait-il la bouche couverte ?

— Maintenant que j'y pense, en effet.

— C'était un hors-la-loi cachant une mutilation, expliqua Tom. J'imagine que vous n'y avez pas pensé.

— Il pleut à verse, protesta le boucher. Tout le monde est emmitouflé.

— Dites-moi juste depuis combien de temps il vous a quitté.

— À l'instant.

— Et où allait-il ?

— À mon avis, dans une taverne.

— Pour dépenser mon argent, dit Tom, écœuré. Bon, passez votre chemin. On vous volera peut-être un jour et vous regretterez alors que tant de gens soient prêts à conclure un marché sans poser de questions. »

Le boucher, l'air rageur, hésita comme s'il voulait répliquer ; puis il se ravisa et disparut.

« Pourquoi l'as-tu laissé partir ? fit Agnès.

— Parce qu'il est connu ici et moi pas, dit Tom. Si je me bats avec lui, je serai dans mon tort. Comme le cochon n'a pas mon nom écrit sur son cul, qui va dire si c'est le mien ou non ?

— Mais toutes nos économies...

— Nous pouvons encore remettre la main sur l'argent du cochon, dit Tom. Tais-toi et laisse-moi réfléchir. »

L'altercation avec le boucher l'avait mis en colère et c'est Agnès qui en faisait les frais. « Quelque part dans cette ville il y a un homme qui n'a plus de lèvres et cinquante pennies d'argent dans sa poche. Il suffit de le trouver et de lui reprendre l'argent.

— Très bien, dit Agnès avec détermination.

— Tu vas retourner d'où nous venons. Va jusqu'à l'enceinte de la cathédrale. Moi, je passerai de l'autre côté. Puis nous reprendrons la rue suivante et ainsi de suite. S'il n'est pas dehors, il est dans une taverne. Si tu le vois, reste auprès de lui et envoie Martha me chercher. Je vais prendre Alfred avec moi. Tâche que le hors-la-loi ne te voie pas.

— Ne t'inquiète pas, dit Agnès. Je veux cet argent pour nourrir mes enfants. »

Tom lui toucha le bras et sourit : «Tu es une lionne, Agnès. »

Elle le regarda un moment dans les yeux, puis soudain se dressa sur la pointe des pieds et lui planta sur la bouche un baiser bref et violent. Ensuite, elle s'en fut, Martha sur ses talons. Tom la regarda disparaître, inquiet pour elle malgré son courage ; à son tour, il s'éloigna dans la direction opposée avec Alfred.

Tom marchait à pas lents dans la rue boueuse, essayant de prendre un air nonchalant tout en jetant un coup d'œil à toutes les portes ouvertes. Il tenait à ne pas se faire remarquer, car cet épisode pouvait se terminer dans la violence et il ne voulait pas que les gens gardent le souvenir d'un grand maçon arpentant la ville. La plupart des maisons étaient des taudis ordinaires, de bois, de boue et de chaume, avec de la paille sur le sol, un foyer au milieu et quelques meubles rudimentaires. Un tonneau et des bancs faisaient une taverne ; un lit dans un coin, masqué par un rideau, annonçait la présence d'une prostituée ; une foule bruyante autour d'une table signalait une partie de dés.

Une femme aux lèvres peintes en rouge lui dévoila ses seins, mais il secoua la tête et hâta le pas. Il était secrètement curieux de faire l'amour à une parfaite inconnue, en plein jour, et de payer pour cela, mais de toute sa vie il n'avait jamais essayé.

Il repensa à Ellen, la hors-la-loi. Il y avait quelque chose d'intrigant chez elle. Elle était extrêmement séduisante, mais son regard intense l'intimidait. Il eut soudain la brusque et folle envie de retourner dans la forêt pour la retrouver et l'étreindre.

Il parvint à l'enceinte de la cathédrale sans avoir vu le voleur. Il observa les plombiers qui clouaient le plomb au toit triangulaire au-dessus de la nef. Ils n'avaient toujours pas commencé la couverture des appentis sur les bas-côtés de l'église et l'on pouvait encore distinguer les demi-arcs de soutien qui reliaient le bord extérieur du bas-côté au mur principal de la nef, en soutenant la partie supérieure de l'église. Il les montra à Alfred. «Sans ces soutiens, le mur de la nef s'inclinerait vers l'extérieur et s'effondrerait sous la pression des voûtes de pierre», expliqua-t-il. Alfred n'eut pas l'air de comprendre. Tom soupira.

Il aperçut Agnès qui arrivait du côté opposé et son esprit revint à ses problèmes immédiats. Le capuchon de sa femme dissimulait son visage, mais il la reconnut à son pas assuré. Des manœuvres aux larges épaules s'écartaient pour la laisser passer. Si elle tombait sur le hors-la-loi et s'il y avait bataille, se dit-il, ce serait un combat assez équilibré.

«Tu l'as vu? demanda-t-elle.

— Non. De toute évidence, toi non plus.» Tom espérait que le voleur n'avait pas encore quitté la ville. Il n'allait sûrement pas partir sans avoir dépensé quelques-uns de ses pennies. L'argent ne servait à rien dans la forêt.

Agnès faisait le même raisonnement. «Il est ici, quelque part. Continuons à chercher.

— Nous allons revenir par des rues différentes et nous retrouver sur la place du marché.»

Tom et Alfred retournèrent sur leurs pas et sortirent de l'enceinte. La pluie maintenant pénétrait à travers leurs manteaux et Tom un moment songea à une chope de bière et à un bol de bouillon auprès du feu d'une taverne. Puis il pensa au mal qu'il s'était donné pour acheter le cochon, il revit l'homme sans lèvres brandir sa massue au-dessus de la tête innocente de Martha. Sa colère l'enflamma.

On pouvait difficilement entreprendre une fouille systématique car il n'y avait pas d'ordre dans les rues. Ils erraient çà et là au gré des nombreux tournants et ruelles en impasse. L'artère droite était celle qui menait de la porte est au pont-levis du château. Ils exploraient maintenant les faubourgs, les quartiers les plus pauvres avec les bâtiments les plus délabrés, les tavernes les plus bruyantes et les prostituées les plus âgées. La lisière de la ville se trouvant en contrebas du centre, les ordures des quartiers plus riches dévalaient les rues pour se loger au pied des murs. Il semblait en être de même des habitants, car ce quartier avait plus que sa part de mutilés et de mendiants, d'enfants affamés, de femmes meurtries et d'ivrognes agressifs.

Mais pas trace de l'homme sans lèvres.

Par deux fois, Tom repéra un individu qui avait à peu près sa silhouette et regarda de plus près, pour constater que son visage était normal. Il se retrouva sur la place du marché où Agnès l'attendait avec impatience. «Je l'ai trouvé!» murmura-t-elle.

Tom sentit une vague d'excitation mêlée d'appréhension. «Où?

— Il est entré dans une rôtisserie près de la porte est.

— Conduis-moi.»

Ils contournèrent le château jusqu'au pont-levis, descendirent la rue droite qui menait à la porte, puis s'engagèrent dans un dédale de ruelles au pied des murs. Tom aperçut la rôtisserie. Ce n'était même pas une maison, rien qu'un toit en pente sur quatre poteaux, accolé au mur de la ville, avec, au fond, un grand feu devant lequel un mouton tournait sur une broche. Il était environ midi et l'endroit fourmillait de monde, des hommes surtout. Il repéra aussitôt le voleur, assis sur un tabouret, un peu à l'écart, en train de manger une écuelle de ragoût à la cuiller, le visage en partie dissimulé par une écharpe.

Tom se détourna aussitôt pour ne pas se faire voir. Il lui fallait maintenant décider de la façon de s'y prendre. Dans sa rage, il aurait bien assommé le hors-la-loi avant de lui prendre sa bourse. Mais la foule ne le laisserait pas partir. Il devrait s'expliquer, pas simplement devant les badauds, mais devant le prévôt. Bien sûr, Tom était dans son droit. Du fait que le voleur était un hors-la-loi, il ne trouverait personne pour se porter garant de son honnêteté, alors que Tom était de toute évidence un homme respectable, un maçon. Mais établir tout cela prendrait du temps, peut-être des semaines si le prévôt se trouvait dans une autre partie du comté; on pourrait aussi accuser Tom de troubler l'ordre public s'il déclenchait une bagarre.

Non. Il serait plus sage de prendre le voleur tout seul.

L'homme ne passerait sûrement pas la nuit en ville, car il n'avait pas de domicile et il ne trouverait pas à se loger sans donner quelques preuves de sa respectabilité. Il lui faudrait donc partir avant la fermeture des portes à la tombée de la nuit.

Et il n'y avait que deux portes.

«Il va sans doute repartir par où il est venu, dit Tom à Agnès. J'attendrai devant la porte est. Qu'Alfred surveille la porte ouest. Toi, reste en ville et surveille ce qu'il fait. Garde Martha avec toi, mais qu'il ne la voie pas. Si tu as besoin de m'envoyer un message ou de prévenir Alfred, sers-toi de Martha.

— Très bien, dit Agnès d'une voix tendue.

— Qu'est-ce que je fais, dit Alfred, s'il passe de mon côté? » Il avait l'air tout excité.

«Rien, dit Tom, d'un ton ferme. Regarde quelle route il prend, puis attends. Martha viendra me chercher et à nous deux nous le prendrons. » Alfred semblait déçu et Tom reprit : «Fais comme je te dis. Je ne veux pas perdre mon fils en plus de mon cochon. »

Alfred acquiesça à regret.

«Séparons-nous avant qu'il ne nous remarque. Va. »

Tom s'éloigna aussitôt sans se retourner. Il pouvait compter sur Agnès pour mettre le plan à exécution. Il se hâta vers la porte est et quitta la ville, franchissant la passerelle de bois branlante sur laquelle il avait ce matin même poussé le char à bœufs. Juste devant lui, c'était la route de Winchester, droit vers l'est, comme un long tapis déroulé sur les collines et les vallées. Sur sa gauche, la route par laquelle Tom – et sans doute le voleur – était arrivé à Salisbury s'enroulait autour d'une colline et disparaissait. C'était presque certainement celle que prendrait le malandrin.

Tom descendit la colline et traversa les maisons groupées à l'embranchement, puis tourna à gauche. Il avait besoin de se cacher. Il suivit la route, cherchant un endroit convenable, parcourut une centaine de toises sans rien trouver, jusqu'au moment où il s'aperçut qu'il était allé trop loin. Il ne pouvait plus distinguer les visages des gens à l'embranchement, et il ne saurait donc pas si l'homme sans lèvres prendrait ou non la route de Winchester. Il inspecta de nouveau le paysage. La route était bordée de chaque côté par des fossés qui auraient pu fournir des cachettes par temps sec mais qui, aujourd'hui, débordaient. Du côté sud de la route, quelques vaches broutaient le chaume. Tom remarqua une bête couchée au bord du champ, dominant la route et en partie dissimulée par le talus qui le longeait. Avec un soupir, il revint sur ses pas. Il sauta le fossé et d'un coup de pied délogea la vache. Tom s'allongea à la place tiède et sèche qu'elle avait abandonnée. Il tira son capuchon sur son visage et s'installa pour attendre, regrettant de ne pas avoir pensé à acheter du pain avant de quitter la ville.

Il était inquiet et un peu effrayé. Le hors-la-loi était plus petit, mais vif et mauvais, comme il l'avait montré en assommant Martha et en volant le cochon. Tom espérait qu'Agnès et Martha ne couraient aucun danger. Agnès pouvait se débrouiller seule, il le savait; d'ailleurs, même si le hors-la-loi la repérait, il ne l'attaquerait pas. En revanche, il se méfierait.

De son poste, Tom apercevait les tours de la cathédrale. Il regrettait de ne pas avoir trouvé un moment pour en visiter l'intérieur, voir comment étaient traitées les arcades. D'ordinaire de gros piliers supportaient des arcs partant du sommet : deux arcs nord-sud pour faire le lien avec les piliers voisins de l'arcade; un arc est-ouest en travers du bas-côté. Ce n'était pas très joli. Quand Tom bâtirait une cathédrale, chaque colonne serait un bouquet de tiges, avec un arc jaillissant du haut de chacune d'elles.

Il commença à se représenter la décoration des arcs. Les formes géométriques étaient les plus courantes, mais Tom aimait bien les feuillages qui donnaient de la douceur à la dure régularité des pierres.

La cathédrale imaginaire lui occupa l'esprit jusqu'au milieu de l'après-midi. C'est alors qu'il vit la frêle silhouette et la tête blonde de Martha s'avancer sur le pont, hésiter au carrefour, puis prendre la route de gauche. Tom la regarda marcher vers lui, la vit hésiter, comme si elle cherchait à se repérer. Lorsqu'elle arriva à sa hauteur, il l'appela doucement. Elle poussa un petit cri, puis l'aperçut et se précipita vers lui. «Maman t'a envoyé ça», dit-elle en prenant quelque chose sous son manteau.

C'était un pâté chaud à la viande. «Par la Croix, ta mère est une bonne femme!» dit Tom en engloutissant une énorme bouchée.

Martha s'accroupit sur l'herbe auprès de Tom. «Voici ce qui est arrivé à l'homme qui a volé notre cochon», dit-elle. Elle plissa le nez et fit un effort pour se rappeler ce qu'on l'avait chargée de dire. Elle était si mignonne! Tom en était ému. «Il est sorti de la rôtisserie, il a rencontré une dame au visage peint et il est entré dans sa maison. Nous avons attendu dehors. »

Pendant que le hors-la-loi dépensait notre argent avec une putain, songea Tom amèrement. «Continue.

— Il n'est pas resté longtemps chez la dame et, quand il est sorti, il est allé dans une taverne. C'est là qu'il est maintenant. Il ne boit pas beaucoup mais il joue aux dés.

— J'espère qu'il gagne, grommela Tom. Ensuite?

— C'est tout.

— As-tu faim?

— J'ai eu un beignet.

— As-tu raconté tout cela à Alfred?

— Pas encore. Je vais aller le trouver maintenant.

— Dis-lui qu'il doit essayer de rester au sec.

— Essayer de rester au sec, répéta-t-elle. J'aime bien ce jeu. »

Elle lui fit un geste de la main et partit en courant vers la ville. Tom la regardait, le cœur plein d'amour et de colère. Agnès et lui avaient travaillé dur pour avoir de quoi nourrir leurs enfants, et il était prêt à tuer pour reprendre ce qu'on leur avait volé.

Peut-être le hors-la-loi serait-il prêt à tuer aussi. Ce n'était peut-être pas la première fois que Pharamond Grande Gueule rencontrait l'une de ses victimes. Ce devait être un homme dangereux.

Le jour commença à décliner anormalement tôt, comme cela arrivait parfois par les pluvieux après-midi d'automne. Tom commençait à s'inquiéter en se demandant s'il reconnaîtrait le voleur sous la pluie. Avec le soir tombant, la circulation diminua, car la plupart des visiteurs étaient partis à temps pour regagner leurs villages avant la tombée de la nuit. Tom, pris de pessimisme, se demanda si le voleur n'allait pas, après tout, passer la nuit en ville. Peut-être avait-il dans la place des amis malhonnêtes prêts à le loger, même le sachant hors-la-loi...

Là-dessus, Tom aperçut un homme avec un foulard sur la bouche.

Il traversait la passerelle de bois en compagnie de deux autres hommes. Tom songea soudain que les complices du voleur, le chauve et l'homme au bonnet vert, étaient peut-être venus à Salisbury avec lui. Il ne les avait pas vus en ville, mais peut-être s'étaient-ils séparés un moment avant de se retrouver pour le voyage de retour. Tom jura sous cape. Il ne pensait pas pouvoir se battre seul contre trois. Mais, comme ils approchaient, le groupe se sépara et Tom comprit avec soulagement qu'ils n'étaient pas ensemble.

Ils prirent la route de gauche et l'homme à l'écharpe suivit.

En le voyant approcher, il étudia la démarche du voleur. Il n'avait pas l'air ivre. Dommage.

Jetant un coup d'œil du côté de la ville, il vit une femme et une fillette apparaître sur la passerelle; Agnès et Martha. Il fut consterné. Il n'avait pas envisagé leur présence lorsqu'il affronterait son homme. Mais il ne leur avait pas donné d'instructions contraires.

Les deux paysans passèrent, parlant chevaux. Tom prit à sa ceinture son marteau à tête de fer et le souleva dans sa main droite. Il détestait les voleurs qui au lieu de travailler prenaient le pain des braves gens. Il n'aurait aucun scrupule à frapper celui-ci avec son marteau.

L'autre parut ralentir, presque comme s'il sentait le danger. Tom attendit qu'il fût à quatre ou cinq pas puis il dévala le talus, franchit d'un bond le fossé et se planta devant lui.

L'homme s'arrêta net et le dévisagea. « Qu'est-ce que c'est ? » dit-il nerveusement.

Il ne me reconnaît pas, se dit Tom. « Tu as volé mon cochon hier et aujourd'hui tu l'as vendu à un boucher, déclara-t-il.

— Je n'ai jamais...

— Ne nie pas, fit Tom. Donne-moi juste l'argent que tu en as tiré et je ne te ferai pas de mal. »

Il crut un moment que le voleur allait obéir sans discuter. Hélas ! L'homme se retourna brusquement et se mit à courir – droit vers Agnès.

Il n'allait pas assez vite pour la renverser et tous deux trébuchèrent quelques instants dans une sorte de danse maladroite. Puis, quand il comprit qu'elle lui barrait délibérément le chemin il la poussa de côté. Alors, elle tendit la jambe ; son pied se glissa entre les genoux de l'homme et tous deux tombèrent.

Tom se précipita. Le voleur se relevait, un genou sur le dos d'Agnès. Tom l'empoigna par le col et le traîna jusqu'au bord de la route avant qu'il ait pu retrouver son équilibre puis il le jeta dans le fossé.

Agnès se releva. Martha se précipita sur elle.

« Ça va ? dit brièvement Tom.

— Oui », répondit Agnès.

Les deux paysans s'étaient arrêtés et contemplaient la scène, curieux. Le voleur était à genoux dans le fossé. « C'est un hors-la-loi, leur cria Agnès. Il a volé notre cochon. » Les paysans ne répondirent pas mais attendirent la suite.

Tom s'adressa de nouveau au voleur. « Donne-moi mon argent et je te laisserai partir. »

L'homme jaillit du fossé, un couteau à la main, vif comme un rat, et chercha la gorge de Tom. Agnès poussa un hurlement. Tom esquiva le coup. Le couteau lui effleura le visage et il sentit une douleur cuisante à la mâchoire.

Il recula et balança son marteau au moment où le couteau plongeait de nouveau. Le voleur sauta en arrière. Couteau et marteau glissèrent dans l'air humide du soir sans rien toucher.

Un instant les deux hommes restèrent immobiles, face à face, le souffle court. Tom sentait une douleur à la joue. Au fond, les forces s'équilibraient, car, si lui était plus fort, le voleur avait un couteau, arme plus redoutable qu'un marteau de maçon. Il sentit le froid de la peur en comprenant qu'il allait peut-être mourir.

Du coin de l'œil, il perçut un brusque mouvement. Le voleur le vit aussi et baissa la tête au moment où une pierre jaillissait vers lui.

Tom réagit avec la rapidité d'un homme qui craint pour sa vie et abattit son marteau sur la tête penchée du voleur.

L'homme fut touché au moment où il se relevait. Le fer du marteau lui frappa le front à la racine des cheveux. Mais c'était un coup précipité et où Tom n'avait pas mis toute sa force. Le voleur trébucha sans tomber.

Tom frappa encore.

Ce coup-là était plus dur. Tom avait eu le temps de lever le marteau au-dessus de sa tête et de viser. Tom pensa à Martha en abattant son outil. Il frappa de toutes ses forces et le voleur s'écroula sur le sol comme une poupée qu'on a lâchée.

Tom était trop tendu pour éprouver le moindre soulagement. Il s'agenouilla auprès du voleur et se mit à le fouiller. «Où est sa bourse? Où est sa bourse, damnation!» Le corps inerte était difficile à bouger. Tom finit par l'allonger sur le dos et ouvrit son manteau. Une grosse bourse de cuir pendait à sa ceinture. À l'intérieur il y avait un petit sac de laine avec un cordon. Tom l'ouvrit : «Vide! s'écria-t-il. Il doit en avoir une autre.»

Il dépouilla l'homme de son manteau et le palpa avec soin. Pas de poche cachée, rien de dur sous les doigts. Il lui ôta ses bottes : rien à l'intérieur. Il prit son couteau et fendit les semelles : rien.

D'un geste impatient, il glissa la lame de son couteau sous le col de la tunique de laine du voleur et la lacéra du haut en bas. Pas de ceinture où cacher de l'argent.

Le voleur gisait dans la boue, n'ayant plus pour vêtement que ses chaussettes. Les deux paysans regardaient Tom comme s'il était fou. Furieux, il dit à Agnès : «Il n'a pas d'argent!

— Il a dû tout perdre aux dés, dit-elle d'un ton amer.

— J'espère qu'il brûlera dans les flammes de l'enfer», dit Tom.

Agnès s'agenouilla et tâta la poitrine du voleur. «Il y est déjà, annonça-t-elle. Tu l'as tué. »

4.

Avec Noël vint la famine.

L'hiver apparut tôt – les pommiers portaient encore quelques fruits – aussi glacial, dur et inexorable que le ciseau d'un tailleur de pierre. Les gens parlèrent d'un coup de froid, croyant qu'il serait bref. Mais il ne le fut pas. Les fermiers qui attendirent trop pour labourer brisèrent le soc de leurs charrues sur la terre dure comme du roc. Les paysans se hâtèrent de tuer leurs porcs et de les saler pour l'hiver, et les seigneurs abattirent leur bétail car les pâturages d'hiver ne permettaient pas de nourrir autant de têtes qu'en été. Mais le froid sans fin dessécha l'herbe et certaines des bêtes qui restaient moururent quand même. Les loups désespérés faisaient irruption dans les villages au coucher du soleil pour emporter des poulets décharnés et des enfants apeurés. Sur les chantiers de construction, dans tout le pays, sitôt que frappa le premier froid, les murs construits cet été-là furent précipitamment couverts de paille et de crottin pour les isoler car le mortier n'était pas encore complètement sec. Certains des maçons, engagés seulement pour l'été, regagnèrent leur village où ils allaient passer l'hiver à fabriquer des socles, des selles, des harnais, des charrettes, des pelles, des portes et tout ce qui exigeait une main habile à manier le marteau, le ciseau et la scie. Tom et sa famille se rendirent de Salisbury à Shaftesbury, et de là à Sherborne, Wells, Bath, Bristol, Gloucester, Oxford, Wallingford et Windsor. Partout la réponse était la même : non, il n'y a pas de travail pour vous ici.

Chaque fois qu'ils le pouvaient, ils profitaient de l'hospitalité des monastères où les voyageurs pouvaient toujours trouver un repas et un endroit où dormir – mais uniquement pour une nuit. Dans la forêt, Agnès allumait du feu sous la marmite et faisait cuire du porridge. Mais, la plupart du temps, ils étaient obligés d'acheter du pain au boulanger, des harengs marinés au poissonnier ou de manger dans les tavernes et les rôtisseries, ce qui coûtait plus cher que de préparer leur nourriture; et leur argent s'épuisait inexorablement.

Martha, naturellement maigre, devint décharnée. Alfred grandissait encore, de plus en plus efflanqué. Agnès mangeait peu, et le bébé qu'elle portait absorbait tout. Tom obligeait parfois sa femme à se nourrir davantage et, malgré elle, elle cédait à l'autorité combinée de son mari et de son enfant à naître. Pourtant, elle n'avait rien de rose et rebondi comme lors de ses précédentes grossesses.

Depuis leur départ de Salisbury, ils avaient parcouru les trois quarts d'un grand cercle et, à la fin de l'année, ils furent de retour dans la vaste forêt qui s'étendait de Windsor à Southampton. Ils se dirigeaient vers Winchester. Tom avait vendu ses outils de maçon, mais de cet argent il ne leur restait que quelques pennies : dès qu'il trouverait du travail, il lui faudrait emprunter des outils ou de l'argent pour en acheter. S'il n'en trouvait pas à Winchester, il ne savait pas ce qu'il allait faire. Il avait des frères, là-bas dans sa ville natale; mais c'était dans le Nord, un voyage de plusieurs semaines, et la famille mourrait de faim avant d'y arriver. Agnès était fille unique et ses parents étaient morts. Il n'y avait pas de travaux des champs en plein hiver. Peut-être Agnès pourrait-elle gagner quelques pennies comme servante dans une riche maison de Winchester. Mais assurément elle ne pouvait arpenter les routes plus longtemps, car son terme approchait.

Winchester était encore à trois jours de marche. Ils n'avaient rencontré aucun monastère et Agnès n'avait plus d'avoine dans la marmite qu'elle portait sur son dos. La veille au soir ils avaient échangé un couteau contre un pain noir, quatre écuelles de bouillon sans viande et un endroit pour dormir auprès du feu dans la masure d'un paysan. Depuis lors ils n'avaient pas vu de village. Vers la fin de l'après-midi, Tom aperçut de la fumée au-dessus des arbres et ils trouvèrent la maison d'un garde forestier solitaire, un de ceux qui assuraient la police du roi dans les forêts. En échange de la hachette de Tom, il leur donna un sac de navets.

Ils n'avaient fait qu'un peu plus d'une lieue quand Agnès déclara qu'elle était trop épuisée pour continuer. Tom fut surpris. Durant toutes les années qu'ils avaient passées ensemble, il ne l'avait jamais entendue se plaindre d'être trop fatiguée.

Elle s'assit à l'ombre d'un grand châtaignier au bord de la route. Tom creusa un trou pour allumer du feu en utilisant une vieille pelle en bois, un des rares outils qu'il leur restait, car personne ne voulait l'acheter. Les enfants rassemblèrent des brindilles et Tom alluma le feu, puis il prit la marmite à la recherche d'un ruisseau. Il revint avec le récipient débordant d'eau glacée et le posa au bord du feu. Agnès coupa quelques navets en tranches. Martha ramassa les marrons tombés de l'arbre et Agnès lui montra comment les peler et en broyer l'intérieur pour faire une farine qui épaissirait la soupe de navets. Tom envoya Alfred chercher d'autre bois, puis lui-même prit un bâton et se mit à fouiller les feuilles mortes sur le sol de la forêt dans l'espoir de trouver un hérisson ou un écureuil en train d'hiberner pour mettre dans le bouillon. Mais il ne trouva rien.

Il vint s'asseoir auprès d'Agnès tandis que la nuit tombait et que la soupe cuisait. « Nous reste-t-il du sel ? » demanda-t-il.

Elle secoua la tête. « Tu manges du porridge sans sel depuis des semaines, répondit-elle. Tu n'as pas remarqué ?

— Non.

— La faim est le meilleur assaisonnement.

— Eh bien, nous n'en manquons pas. » Tom, soudain terriblement las, sentait l'accablant fardeau des déceptions accumulées de ces quatre derniers mois et se décourageait. D'une voix de vaincu, il dit : « Agnès, qu'est-ce qui a mal tourné ?

— Tout, dit-elle. Tu n'avais pas de travail l'hiver dernier. Tu en as trouvé au printemps ; là-dessus la fille du comte a annulé le mariage et lord William a annulé la maison. Nous avons alors décidé de rester et de travailler aux moissons : c'était une erreur.

— Ç'aurait sûrement été plus facile pour moi de trouver un travail de construction l'été qu'à l'automne.

— Et l'hiver est arrivé de bonne heure. Malgré tout cela, nous aurions pu nous en tirer, mais voilà qu'on nous a volé notre cochon. »

Tom acquiesça d'un air las. « Ma seule consolation est de savoir qu'en ce moment même le voleur souffre tous les tourments de l'enfer.

— Je l'espère.

— Tu en doutes ?

— Les prêtres n'en savent pas autant qu'ils le prétendent. Mon père en était un, n'oublie pas. »

Tom s'en souvenait très bien. Un mur de l'église du père d'Agnès s'était écroulé et Tom avait été engagé pour le reconstruire. Les prêtres n'avaient pas le droit de se marier, mais celui-ci avait une gouvernante, la gouvernante avait une fille et ce n'était un secret pour personne dans le village que le prêtre était le père de la fillette. Même en ce temps-là, Agnès n'était pas belle, mais sa peau avait l'éclat de la jeunesse et elle semblait déborder d'énergie. Elle bavardait avec Tom pendant qu'il travaillait et le vent parfois plaquait sa robe contre elle si bien que Tom distinguait les courbes de son corps presque aussi nettement que si elle avait été nue. Une nuit, elle arriva dans la petite hutte où il dormait, posa une main sur sa bouche pour signifier de ne pas parler et ôta sa robe, si bien qu'il put la voir nue dans le clair de lune, puis il prit dans ses bras ce jeune corps robuste et ils firent l'amour.

« Nous étions tous les deux vierges », dit-il tout haut.

Elle comprit à quoi il pensait. Elle sourit, puis son visage s'assombrit de nouveau et elle dit : « Ça me semble si loin !

— Est-ce qu'on peut manger maintenant ? » demanda Martha.

L'odeur de la soupe donnait à Tom des crampes d'estomac. Il plongea son écuelle dans la marmite bouillonnante et en retira quelques rondelles de navet dans le jus clair. Il tâta le navet du bout de son couteau : il n'était pas complètement cuit, mais Tom décida de ne pas prolonger l'attente. Il donna un plein bol à chaque enfant, puis en prépara un pour Agnès.

Elle avait l'air épuisée et songeuse. Elle souffla sur sa soupe pour l'attiédir, puis porta l'écuelle à ses lèvres.

Les enfants eurent tôt fait d'avaler les leurs et en réclamèrent d'autres. Tom vida ce qui restait de soupe dans les bols des enfants.

Lorsqu'il revint auprès d'Agnès, elle dit : « Et toi ?

— Je mangerai demain », répondit-il.

Elle semblait trop fatiguée pour discuter.

Tom et Alfred ramassèrent assez de bois pour que le feu tienne toute la nuit. Puis chacun s'enroula dans son manteau et s'allongea sur les feuilles pour dormir.

Tom avait le sommeil léger et, quand Agnès poussa un gémissement, il s'éveilla aussitôt. « Qu'y a-t-il ? »

Elle continua à gémir encore. Son visage était pâle et ses yeux fermés. Au bout d'un moment, elle murmura : « Le bébé vient. »

Le cœur de Tom se serra. Pas ici, songea-t-il ; pas ici, sur ce sol glacé au milieu de la forêt. « Mais ce n'était pas pour maintenant, dit-il.

— Il est en avance. »

Tom essaya de rester calme. « As-tu perdu les eaux ?

— Juste après avoir quitté la cabane du garde forestier », fit Agnès sans ouvrir les yeux.

« Et les douleurs ?

— Ça n'a pas cessé depuis. »

Tom reconnut la discrétion coutumière de sa femme.

Alfred et Martha étaient éveillés. « Qu'est-ce qui se passe ? dit Alfred.

— Le bébé arrive », annonça Tom.

Martha éclata en sanglots.

« Pourrais-tu retourner jusqu'à la cabane du garde forestier ? » demanda Tom à Agnès. Là ils auraient au moins un toit, de la paille et quelqu'un pour les aider.

Agnès secoua la tête. « Le bébé est déjà descendu.

— Alors, ce ne sera pas long ! » Ils se trouvaient dans la partie la plus déserte de la forêt. Ils n'avaient pas vu un village depuis le matin et le garde les avait prévenus qu'ils n'en verraient pas un de toute la journée du lendemain. Cela voulait dire pas de sage-femme. Tom allait devoir mettre le bébé au monde lui-même, dans le froid, avec seulement les enfants pour l'aider et, si quoi que ce soit tournait mal, il n'avait pas de médicaments, aucune connaissance...

C'est ma faute, se dit Tom ; je lui ai fait un enfant et je l'ai entraînée dans la misère. Elle comptait sur moi pour subvenir à ses besoins et voilà qu'elle va accoucher en plein air au milieu de l'hiver. Il avait toujours méprisé les hommes qui engendraient des enfants et les laissaient mourir de faim ; et voilà qu'il ne valait pas mieux qu'eux. Il était honteux.

« Je suis si lasse, dit Agnès. Je ne crois pas que je puisse mettre ce bébé au monde. J'ai envie de me reposer. » À la lueur du feu, son visage brillait d'une mince couche de sueur.

Tom comprit qu'il devait se ressaisir. « Je vais t'aider », dit-il. Il avait assisté à la naissance de plusieurs enfants. C'étaient généralement des femmes qui assistaient l'accouchée, car elles savaient ce qu'elle ressentait, mais, aussi bien, un homme pouvait les remplacer en cas de nécessité. Il fallait d'abord installer la mère confortablement ; puis voir à quel stade en était le travail ;

faire ensuite les préparatifs appropriés ; puis la calmer et la rassurer pendant qu'ils attendaient.

« Comment te sens-tu ? lui demanda-t-il.

— J'ai froid, répondit-elle.

— Viens plus près du feu », dit-il. Il ôta son manteau et l'étendit sur le sol à deux pas du foyer. Agnès essaya de se mettre debout. Tom la souleva sans effort et la reposa doucement sur le manteau.

Il s'agenouilla auprès d'elle. La tunique de laine qu'elle portait avait des boutons sur tout le devant. Il en défit deux et glissa ses mains à l'intérieur. Agnès sursauta.

« Ça fait mal ? demanda-t-il, surpris et inquiet.

— Non, dit-elle avec un bref sourire. Mais tu as les mains froides. »

Il tâta le contour de son ventre. En pressant un peu, il sentit la forme vague du bébé à naître. « Je peux sentir son derrière, dit-il, mais pas sa tête.

— C'est parce qu'il est en chemin », dit-elle.

Il l'enveloppa dans le manteau. Il allait devoir faire vite. Il regarda les enfants. Martha reniflait. Alfred avait l'air effrayé. Il fallait leur donner quelque chose à faire.

« Alfred, va jusqu'au ruisseau avec cette marmite. Lave-la bien et rapporte-la pleine d'eau fraîche. Martha, cueille-moi des roseaux et tresse-moi deux longueurs de corde, chacune assez grande pour un collier. Vite, maintenant. D'ici le jour, vous allez avoir un autre frère ou une autre sœur. »

Ils partirent. Tom prit son couteau et une petite pierre dure et se mit à aiguiser la lame. Agnès poussa un nouveau gémissement. Tom reposa son couteau et lui prit la main.

Il était resté ainsi avec elle à la naissance des autres : Alfred ; puis Mathilda, qui était morte au bout de deux ans ; et puis Martha ; et l'enfant mort-né, un garçon que Tom avait secrètement prévu d'appeler Harold. Mais chaque fois il y avait eu quelqu'un d'autre pour l'aider et la rassurer : la mère d'Agnès pour Alfred, une sage-femme de village pour Mathilda et pour Harold, et pour Martha la dame du manoir, pas moins. Cette fois, il serait seul. Pourtant il ne devait pas montrer son anxiété : il fallait qu'elle se sente heureuse et confiante.

Le spasme passa et elle se détendit. « Tu te souviens, dit Tom, quand Martha est née et que lady Isabella a fait office de sage-femme ?

— Tu bâtissais une chapelle pour le Seigneur, dit Agnès en souriant, et tu lui as demandé d'envoyer sa servante chercher la sage-femme du village...

— Et elle a dit : Cette vieille sorcière qui boit ? Je ne la laisserais pas mettre au monde une portée de chiens-loups ! Elle nous a emmenés dans sa propre chambre et lord Robert n'a pas pu se coucher avant que Martha soit née.

— C'était une brave femme.

— Il n'y a pas beaucoup de grandes dames comme elle. »

Alfred revint avec la marmite pleine d'eau froide. Tom la posa près du feu pour la faire tiédir. Agnès fouilla sous son manteau et lui tendit un petit sac de toile contenant des chiffons propres qu'elle avait préparés.

Martha revint, les bras chargés de roseaux, et s'assit par terre pour les tresser. « Pourquoi as-tu besoin de cordes ? demanda-t-elle.

— Pour quelque chose de très important, tu verras, dit Tom. Fais-les bien. »

Alfred avait l'air nerveux et embarrassé. « Va chercher d'autre bois, lui dit Tom. Il nous faut faire un grand feu. » Le garçon s'éloigna, ravi d'avoir à s'occuper.

Le visage d'Agnès était crispé tandis qu'elle commençait à pousser le bébé au prix d'un effort dont Tom voyait bien qu'il lui coûtait beaucoup, qu'il épuisait ses dernières forces ; il aurait voulu de tout son cœur pouvoir la soulager. La douleur enfin parut s'apaiser. Agnès sombra dans une sorte de somnolence. Alfred revint avec une pleine brassée de bois.

« J'ai si froid, murmura Agnès en se réveillant.

— Alfred, dit Tom, entretiens-moi ce feu. Martha, couche-toi auprès de ta mère et tiens-lui chaud. » Tous deux obéirent, l'air soucieux. Agnès prit Martha dans ses bras et la serra contre elle en frissonnant.

Tom était malade d'inquiétude. Le feu crépitait, mais l'air était de plus en plus froid. Peut-être serait-il si froid qu'il tuerait le bébé à son premier souffle. Il arrivait à des enfants de naître en plein air, en fait cela se produisait souvent à l'époque des moissons, quand tout le monde était si occupé et que les femmes travaillaient jusqu'à la dernière minute ; mais, aux moissons, le sol était sec, l'herbe douce et l'air embaumé. Il n'avait jamais entendu parler d'une femme mettant un bébé au monde dehors en hiver.

Agnès se souleva sur ses coudes et écarta les jambes.

« Qu'est-ce qu'il y a ? » dit Tom d'une voix affolée.

L'effort était trop grand pour qu'elle pût répondre.

« Alfred, dit Tom, agenouille-toi derrière ta mère pour qu'elle puisse prendre appui sur toi. »

Quand Alfred fut en position, Tom ouvrit le manteau d'Agnès et déboutonna la jupe de sa robe. S'agenouillant entre ses jambes, il vit que l'ouverture commençait déjà à se dilater un peu. « Il n'y en a plus pour longtemps maintenant, ma chérie », murmura-t-il en s'efforçant de dissimuler la peur qui faisait trembler sa voix.

Elle se détendit, fermant les yeux et laissant son poids reposer sur Alfred. La forêt était silencieuse, on n'entendait que le craquement du feu. Tom songea soudain qu'Ellen, la hors-la-loi, avait mis son fils au monde seule dans la forêt. Ç'avait dû être terrifiant. Elle craignait qu'un loup ne surgisse alors qu'elle était sans défense et ne lui ravisse le nouveau-né, avait-elle raconté. Cette année les loups étaient plus audacieux que d'habitude, disait-on, mais ils n'allaient sûrement pas attaquer un groupe de quatre personnes.

Agnès se crispa de nouveau et de nouvelles gouttes de sueur apparurent sur son visage. Ça y est, songea Tom. Il avait peur. Il regarda l'ouverture s'agrandir et cette fois il distingua, à la lueur du feu, les cheveux humides et noirs de la tête du bébé qui émergeait. Il pensa à prier, mais il n'avait plus le temps maintenant. Agnès se mit à respirer en petits halètements rapides. L'ouverture s'élargit encore, puis la tête commença à passer, le visage vers le bas. Un moment plus tard, Tom vit les oreilles fripées tout aplaties contre le crâne du bébé ; puis il aperçut la peau plissée du cou. Il ne pouvait voir encore si le bébé était normal.

« La tête est dehors », dit-il, mais Agnès le savait déjà, bien sûr, et elle s'était de nouveau détendue. Lentement, le bébé pivota, si bien que Tom aperçut les yeux et la bouche fermés, humides de sang et de fluide visqueux.

« Oh ! cria Martha. Regarde son petit visage ! »

Agnès l'entendit et eut un bref sourire, puis reprit son effort. Tom se pencha entre ses cuisses et soutint de sa main gauche la petite tête tandis que les épaules sortaient l'une après l'autre. Puis le reste du corps émergea très vite et Tom passa la main sous les hanches du bébé pour le soutenir tandis que les petites jambes se faufilaient dans cet univers glacé.

L'ouverture entre les jambes d'Agnès commença aussitôt à se refermer autour du cordon bleu rattaché au nombril du bébé.

Tom souleva le petit corps et l'inspecta avec angoisse. Il y avait du sang partout et il redouta tout d'abord qu'il ne fût arrivé quelque chose de terrible ; mais à l'examen, il ne vit aucune blessure. C'était un garçon.

« Il est horrible ! dit Martha.

— Il est parfait, dit Tom, soulagé. Un parfait petit garçon. »

Le bébé ouvrit la bouche et poussa un cri.

Tom regarda Agnès qui lui souriait. Tous deux sourirent.

Tom tenait le petit bébé tout contre sa poitrine. « Martha, va me chercher un bol d'eau dans cette marmite. » Elle se précipita. « Où sont ces chiffons, Agnès ? » Agnès désigna le sac de toile posé sur le sol auprès de son épaule. Alfred le passa à Tom. Le visage du jeune garçon ruisselait de larmes. C'était la première fois qu'il voyait naître un enfant.

Tom plongea un chiffon dans un bol d'eau tiède et lava doucement le sang et les mucosités qui souillaient le visage du bébé. Agnès déboutonna le haut de sa tunique et Tom déposa le bébé dans ses bras. Il criait toujours. Bientôt, le cordon bleuté qui allait du ventre du bébé à l'entrejambe d'Agnès cessa de battre et se ratatina en blanchissant.

Tom dit à Martha : « Donne-moi ces cordes que tu as faites. Tu vas voir maintenant à quoi elles servent. »

Elle lui passa les deux longueurs de roseaux tressés. Il les attacha en deux endroits autour du cordon ombilical en serrant bien les nœuds. Puis il se servit de son couteau pour couper le cordon entre les nœuds.

Il s'accroupit. Ils y étaient arrivés. Le pire était passé et le bébé allait bien. Tom se sentait fier.

Agnès déplaça le bébé pour qu'il eût le visage contre son sein. La petite bouche trouva le bouton de sein tout congestionné, il cessa de pleurer et se mit à téter.

Martha dit d'une voix étonnée : « Comment sait-il qu'il doit faire ça ?

— C'est un mystère, dit Tom, en lui tendant l'écuelle. Donne à ta mère de l'eau fraîche à boire.

— Oh oui », dit Agnès avec gratitude, comme si elle venait de se rendre compte qu'elle avait terriblement soif. Martha apporta l'eau et Agnès but d'une traite. «C'était bon, dit-elle. Merci. »

Elle regarda l'enfant qui tétait, puis Tom. «Tu es un homme bon, dit-elle doucement. Je t'aime. »

Tom sentit les larmes lui venir aux yeux. Il lui sourit, puis baissa la tête. Il vit qu'elle saignait encore beaucoup. Le cordon ombilical ratatiné gisait dans une mare de sang sur le manteau de Tom entre les jambes d'Agnès.

Il releva les yeux. Le bébé avait cessé de téter et s'était endormi. Agnès l'enveloppa dans son manteau, puis ferma à son tour les yeux.

Au bout d'un moment, Martha dit à Tom : «Tu attends quelque chose?

— La délivre, lui dit Tom.

— Qu'est-ce que c'est?

— Tu vas voir. »

La mère et le bébé sommeillèrent un moment, puis Agnès rouvrit les yeux. Ses muscles se tendirent, l'ouverture se dilata un peu et la délivre émergea. Tom la prit dans ses mains et l'examina. En regardant plus attentivement, il vit qu'elle semblait déchirée, comme s'il manquait un morceau. Mais il n'avait jamais regardé d'aussi près une délivre et il pensa que c'était toujours comme ça. Il la lança au feu. Cela brûla avec une odeur désagréable, mais s'il l'avait jetée, cela aurait pu attirer les renards ou même un loup.

Agnès saignait toujours. Tom se souvint qu'il y avait toujours un flux de sang après la délivre, mais il ne se rappelait pas qu'il y en eût autant.

«Tu saignes encore un peu, dit-il à Agnès, en essayant de dissimuler son inquiétude.

— Ça va bientôt s'arrêter, dit-elle. Couvre-moi. »

Tom boutonna la jupe de sa robe, puis enveloppa le manteau autour de ses jambes.

«Je peux me reposer maintenant?» demanda Alfred.

Il était toujours agenouillé derrière Agnès pour la soutenir. Il doit être engourdi, pensa Tom, d'être resté si longtemps dans la même position. «Je vais te remplacer», dit son père. Agnès serait plus à l'aise si elle pouvait s'asseoir un peu; et puis un corps derrière elle lui tiendrait chaud au dos et la protégerait du vent. Il changea de place avec Alfred. Puis il entoura de ses bras Agnès et le bébé.

« Comment te sens-tu ? lui demanda-t-il.

— Simplement fatiguée. »

Le bébé se mit à pleurer. Agnès le replaça sur son sein. Il se mit à téter et elle parut s'endormir.

Tom était mal à l'aise. C'était normal d'être fatiguée, mais il y avait chez Agnès une léthargie qui le tracassait. Elle était trop affaiblie.

Le bébé s'endormit et au bout d'un moment les deux autres enfants aussi, Martha pelotonnée aux côtés d'Agnès et Alfred allongé de l'autre côté du feu. Tom tenait Agnès dans ses bras en la caressant doucement. De temps en temps, il lui embrassait les cheveux. Il sentit son corps se détendre tandis qu'elle plongeait dans un sommeil plus profond. C'était sans doute le mieux pour elle, décida-t-il. Il lui toucha la joue. Elle avait la peau froide et humide malgré tous ses efforts pour lui tenir chaud. Il glissa une main à l'intérieur du manteau pour tâter la poitrine du bébé. L'enfant était tout chaud et son cœur battait régulièrement. Tom sourit. Un costaud, se dit-il, un survivant.

Agnès s'agita. « Tom ?

— Oui.

— Tu te souviens de la nuit où je suis venue te rejoindre, dans ta cabane, quand tu travaillais à l'église de mon père ?

— Bien sûr, dit-il en la caressant. Comment pourrais-je jamais oublier ?

— Je n'ai jamais regretté de m'être donnée à toi. Jamais un instant. Chaque fois que je pense à cette nuit-là, je suis si heureuse. »

Il sourit. « Moi aussi, dit-il. Je suis heureux que tu l'aies fait. »

Elle sommeilla un moment, puis reprit : « J'espère que tu bâtiras ta cathédrale », dit-elle.

Il fut surpris. « Je croyais que tu t'y opposais.

— C'est vrai, mais j'avais tort. Tu mérites quelque chose de beau. »

Il ne savait pas ce qu'elle voulait dire.

« Bâtis pour moi une belle cathédrale », dit-elle.

Délirait-elle ? Il fut content lorsqu'elle se rendormit. Son corps cette fois s'affala complètement et sa tête pencha de côté. Tom dut soutenir le bébé pour l'empêcher de tomber.

Ils restèrent ainsi un long moment. Le bébé finit par se réveiller et par se mettre à pleurer. Agnès ne réagit pas. Les pleurs éveillèrent Alfred qui se retourna pour regarder son petit frère.

Tom secoua doucement Agnès. «Réveille-toi, dit-il. Il faut nourrir le bébé.

— Père! fit Alfred, affolé. Regarde son visage!»

La panique submergea Tom. Elle avait trop saigné. «Agnès! dit-il. Réveille-toi!» Pas de réaction. Elle était inconsciente. Il se redressa et l'allongea sur le sol. Son visage était d'une mortelle pâleur.

Redoutant ce qu'il allait voir, il écarta les plis du manteau à la hauteur des cuisses.

Il y avait du sang absolument partout. Alfred eut un haut-le-cœur et tourna la tête.

«Jésus-Christ, protégez-nous», murmura Tom.

Réveillée à son tour, Martha vit le sang et se mit à hurler. Tom la prit, la gifla. Elle se tut. «Ne crie pas», dit-il calmement.

«Maman est en train de mourir?» demanda Alfred.

Tom posa la main sous la poitrine d'Agnès, juste sous le sein gauche. Le cœur ne battait plus.

Plus du tout.

Il pressa plus fort. Sa chair était tiède, mais elle ne respirait plus.

Un froid terrible enveloppa Tom comme un brouillard. Il regarda longuement sa femme. Comment pouvait-elle ne plus être là? Il voulait la voir bouger, ouvrir les yeux, respirer. Il gardait la main sur sa poitrine. Les gens disaient qu'un cœur parfois pouvait repartir... Mais elle avait perdu tant de sang...

Il se tourna vers Alfred. «Ta mère est morte», murmura-t-il.

Alfred ne parut pas comprendre. Martha se mit à pleurer. Le nouveau-né pleurait aussi. Il faut que je m'occupe d'eux, songea Tom. Il faut que je sois fort pour eux.

Mais il aurait voulu pleurer, prendre Agnès dans ses bras et serrer contre lui ce corps qui se refroidissait et se souvenir d'elle quand elle était jeune, qu'elle riait et qu'ils faisaient l'amour. Il aurait voulu sangloter de rage et secouer le poing vers le ciel impitoyable. Mais il fallait se maîtriser, il devait être fort pour les enfants.

Pas une larme ne lui vint aux yeux.

Qu'est-ce que je commence par faire? se demanda-t-il.

Creuser une tombe.

Il faut que je creuse un trou profond et que je la dépose là, pour la protéger des loups et sauvegarder ses ossements jusqu'au jour du Jugement; et puis dire une prière pour son âme. Ô Agnès, pourquoi m'as-tu laissé tout seul ?

Le bébé pleurait toujours. Il réclamait à manger. Les seins d'Agnès étaient pleins de lait tiède. Pourquoi pas ? se dit Tom. Il approcha le bébé de son sein. L'enfant trouva un bouton et se mit à téter. Tom drapa le manteau d'Agnès autour du bébé.

Martha regardait avec de grands yeux en suçant son pouce. Tom lui dit : « Pourrais-tu tenir le bébé là, pour qu'il ne tombe pas ? »

Elle fit oui de la tête et s'agenouilla auprès de la morte et du bébé.

Tom prit la pelle. Elle avait choisi cet endroit pour se reposer, sous les branches du châtaignier. Que ce soit son dernier lieu de repos. Il traça sur le sol un rectangle à quelques pas du tronc de l'arbre, là où il n'y aurait pas de racines près de la surface ; puis il se mit à creuser.

Il s'aperçut que cela l'aidait. Quand il se concentrait pour enfoncer sa pelle dans la terre dure, le reste de son esprit se vidait et il arrivait à garder son calme. Alfred le relaya, car lui aussi pouvait trouver un réconfort dans l'effort physique. Ils creusèrent avec énergie et, malgré la morsure de l'air froid, tous deux étaient en nage comme s'il était midi.

Au bout d'un moment, Alfred dit : « Ça ne suffit pas ? »

Tom se rendit compte qu'il était debout dans un trou et que sa tête dépassait à peine. Il ne souhaitait pas voir ce travail s'achever mais il acquiesça à regret. « Ça ira », dit-il, et il se hissa sur le sol.

L'aube pointait. Assise auprès du feu, Martha avait pris le bébé dans ses bras et le berçait. Tom s'approcha d'Agnès et s'agenouilla. Il l'enveloppa dans le manteau, ne laissant que le visage découvert, puis l'emporta au bord de la tombe où il la déposa. Il descendit dans le trou.

De là, il fit glisser le corps et l'allongea avec douceur dans la terre. Il regarda Agnès un long moment, agenouillé auprès d'elle au fond de la tombe glacée. Enfin il posa doucement un baiser sur ses lèvres.

Il ressortit du trou. « Venez, les enfants », dit-il. Alfred et Martha vinrent se placer de chaque côté de leur père, Martha tenant le bébé. Tom les serra contre lui. Ils contemplèrent la tombe. Puis Tom dit : « Répétez : Dieu bénisse notre mère. »

Tous deux répétèrent : « Dieu bénisse notre mère. »

Martha sanglotait et Alfred avait les yeux pleins de larmes. Tom ravala les siennes.

Puis il lâcha les enfants pour reprendre la pelle. Martha poussa un hurlement lorsqu'il jeta dans la tombe la première pelletée de terre. Alfred prit sa sœur dans ses bras. Tom continuait. Il ne pouvait pas supporter de jeter de la terre sur le visage d'Agnès, alors il couvrit d'abord ses pieds, puis ses jambes et son corps et entassa la terre de manière qu'elle forme un monticule. Chaque pelletée glissait sur la pente et peu à peu, la terre atteignit son cou, puis la bouche qu'il venait d'embrasser et enfin le visage disparut à jamais.

Il combla rapidement la tombe.

Quand ce fut terminé, il étala ce qu'il restait de terre alentour pour ne pas laisser de trace : les hors-la-loi étaient bien capables de violer une tombe dans l'espoir de trouver un bijou. Il regarda longuement la sépulture. «Adieu, ma chérie, murmura-t-il. Tu étais une bonne épouse, et je t'aime.»

Puis, avec un grand effort, il se détourna.

Son manteau était toujours sur le sol, là où Agnès s'était étendue pour mettre l'enfant au monde. Le bas était souillé de sang séché. Il prit son couteau et coupa comme il put le manteau en deux. Il jeta dans le feu le tissu taché de sang.

Martha tenait toujours le bébé, la peur au fond des yeux. «Donne-le-moi», dit Tom. Il posa le nouveau-né tout nu sur la moitié propre du manteau et l'enveloppa. Le bébé se mit à pleurer.

Il se tourna vers les enfants qui l'observaient sans mot dire. «Nous n'avons pas de lait, dit-il, pour maintenir le bébé en vie, alors il doit rester là avec sa mère.

— Mais il va mourir! s'écria Martha.

— Oui, dit Tom. Quoi que nous fassions, il mourra.» Il aurait voulu que le bébé cesse de pleurer.

Il ramassa leurs affaires et les remit dans la marmite, puis l'attacha à son dos comme le faisait Agnès.

«Allons», dit-il.

Martha se mit à sangloter. Alfred était blême. Ils repartirent sur la route dans la lumière grisâtre d'un matin glacé. Au bout d'un moment, ils n'entendirent plus les pleurs du bébé.

Tom allait d'un pas rapide, mais ses pensées maintenant se bousculaient librement et il n'arrivait plus à les contrôler. Que faire, sinon marcher? Pas d'arrangements à prendre, de travaux à faire, rien à organiser, rien à regarder que la lugubre forêt et les ombres qui s'agitaient à la lueur des torches. Il pensait à Agnès et suivait la piste d'un souvenir resurgi, il souriait tout seul, puis se tournait pour lui raconter ce qu'il venait de se rappeler ; alors le choc de son absence le frappait comme une douleur physique. Il se sentait désemparé, incapable de croire à ce qui venait d'arriver. Pourtant, c'était la chose la plus ordinaire du monde pour une femme de son âge de mourir en couches et pour un homme de son âge de rester veuf. Il avait pourtant l'impression d'avoir été amputé d'une partie de lui-même et il ne pouvait pas se faire à l'idée que ce fût pour toujours.

Il essayait de ne plus penser à elle, mais il se rappelait sans cesse son visage avant de mourir. Il se le rappelait tendu par l'effort de l'accouchement, puis éclairé de fierté à la vue du nouveau-né. Il se rappelait qu'elle lui avait dit ensuite : *J'espère que tu bâtiras ta cathédrale*, et puis : *Bâtis pour moi une belle cathédrale*. Elle avait dit cela comme si elle savait qu'elle mourait.

Tout en marchant, il ne cessait de penser au bébé qu'il avait abandonné, enveloppé dans une moitié de manteau, couché sur une tombe fraîche. Sans doute était-il encore en vie, à moins qu'un renard ne l'eût déjà repéré. Mais il mourrait avant le matin. Il pleurerait un moment, puis fermerait les yeux et la vie s'échapperait de lui tandis qu'il se refroidirait dans son sommeil.

À moins qu'un renard ne l'eût repéré.

Tom ne pouvait rien pour le bébé. Il avait besoin de lait pour survivre et il n'y en avait pas : pas de village où chercher une nourrice, pas de brebis, de chèvres ni de vaches pour en fournir l'équivalent. Tout ce que Tom avait à lui donner, c'étaient des navets, qui le tueraient aussi sûrement que le renard.

Plus le temps passait, plus il lui semblait abominable d'avoir abandonné le bébé. C'était une pratique assez courante, il le savait : les paysans avec des grandes familles et de petites fermes laissaient souvent les bébés mourir en plein air, et le curé parfois faisait semblant de ne pas voir. Mais Tom n'était pas de ces gens-là. Il aurait dû porter son fils dans ses bras jusqu'à ce qu'il meure et puis l'enterrer. Ça ne rimait à rien, bien sûr, mais tout de même ç'aurait été la chose à faire.

Il se rendit compte que le jour était levé.

Il s'arrêta soudain.

Les enfants l'imitèrent et se tournèrent vers lui. Ils étaient prêts à tout, plus rien n'était normal.

«Je n'aurais pas dû abandonner le bébé, dit Tom.

— Mais nous ne pouvons pas le nourrir, protesta Alfred. Il est condamné à mourir.

— Tout de même, dit Tom, je n'aurais pas dû le laisser.

— Retournons», suggéra Martha.

Il fit demi-tour. «C'est cela, dit Tom. Retournons là-bas.»

Maintenant tous les dangers qu'il avait quelques instants plus tôt essayé d'oublier lui paraissaient des plus menaçants. Sûrement qu'un renard avait trouvé le bébé et l'avait entraîné jusqu'à sa tanière. Ou même un loup. Les ours étaient dangereux aussi, même s'ils ne mangeaient pas de viande. Et les hiboux? Un hibou ne pouvait pas emporter un bébé, mais il pouvait lui crever les yeux...

Il hâtait le pas, étourdi d'épuisement et de faim. Martha était obligée de courir pour tenir l'allure. Pourtant, elle ne se plaignait pas.

Il redoutait ce qu'il allait peut-être voir en arrivant sur la tombe. Les impitoyables prédateurs sans merci devinaient très vite une créature sans défense.

Il ne savait plus très bien jusqu'où ils avaient marché : il avait perdu le sens du temps. Il ne reconnaissait plus la forêt alors qu'il venait de la traverser. Il cherchait d'un œil inquiet l'emplacement de la tombe. Le feu n'avait certainement pas pu s'éteindre déjà : il était si énorme... Il inspecta les arbres, essayant d'identifier les châtaigniers aux feuilles si reconnaissables. Puis ils prirent un tournant dont il ne se souvenait pas et il commença à se demander avec angoisse s'il n'avait pas déjà dépassé la tombe sans la voir ; enfin il crut apercevoir devant lui une faible lueur orange.

Son cœur défaillit. Il hâta le pas et plissa les yeux. Oui, c'était bien un feu. Il se mit à courir. Il entendit Martha éclater en sanglots et il cria par-dessus son épaule : «Nous y sommes!» et il entendit les deux enfants le rejoindre en courant.

Il s'arrêta à la hauteur du châtaignier, le cœur battant. Le feu brûlait joyeusement. Il y avait encore la pile de bois à côté. Et la tache sanglante sur le sol, là où Agnès était morte. Et la tombe, terre fraîchement creusée sous laquelle elle reposait maintenant. Mais sur la tombe... rien.

Tom promena autour de lui un regard affolé. Pas trace du bébé. Des larmes de déception montèrent à ses yeux. Même la moitié du manteau dans lequel le bébé était enveloppé avait disparu. La tombe pourtant était intacte : pas d'empreintes d'animaux dans le sol meuble, pas de sang, pas de traces, rien pour indiquer qu'une bête avait traîné le nourrisson.

Tom avait l'impression de ne plus voir clair. Il n'arrivait plus à réfléchir. Il savait maintenant qu'il avait commis un acte abominable en abandonnant le bébé encore vivant. Quand il aurait la certitude que l'enfant était mort, il pourrait trouver le repos. Mais peut-être était-il encore vivant quelque part... tout près. Il décida d'inspecter les lieux.

« Où vas-tu ? dit Alfred.

— Il faut chercher le bébé », dit-il sans se retourner. Étourdi, affaibli, il fit le tour de la petite clairière, fouillant sous les buissons, sans rien voir, pas même une trace indiquant où le loup aurait pu emporter le bébé. Il était sûr à présent que c'était un loup. La tanière était peut-être toute proche.

« Il faut agrandir le cercle de nos recherches », dit-il aux enfants. Il les entraîna loin du feu, parmi les buissons et la broussaille. Il commençait à ne plus savoir où il en était, mais il réussit à garder l'esprit fixé sur une seule chose : le besoin impératif de retrouver l'enfant. Il n'éprouvait pas de chagrin, rien qu'une farouche et rageuse détermination et, au fond de son esprit, l'horrible certitude de sa propre culpabilité. Il errait dans la forêt, scrutant le sol d'un regard anxieux, s'arrêtant à chaque instant pour guetter les gémissements d'un nouveau-né. Mais la forêt demeurait silencieuse.

Il perdit toute notion du temps. Les cercles toujours plus larges qu'il décrivait le ramenèrent à plusieurs reprises sur la route, mais il finit par se rendre compte qu'ils l'avaient traversée depuis belle lurette. Il pensa vaguement qu'ils s'étaient perdus et qu'au lieu de tourner autour de la tombe il errait plus ou moins au hasard dans la forêt ; peu lui importait, dès lors qu'il continuait à chercher.

« Père », appela Alfred.

Tom grogna, irrité d'être dérangé. Alfred portait Martha, qui semblait s'être endormie, sur son dos.

« Quoi ? fit Tom.

— On peut se reposer ? » demanda Alfred.

Tom hésita. Il n'avait pas envie de s'arrêter, mais Alfred semblait sur le point de s'effondrer. « Bon, fit-il à regret, mais pas longtemps. »

Ils étaient sur une pente. Peut-être au pied y avait-il un ruisseau. Il avait soif. Il prit Martha dans ses bras et descendit le talus. Comme il s'y attendait, il découvrit tout en bas un petit torrent frangé de glace. Il posa Martha sur la rive. Elle ne se réveilla pas. Alfred et lui s'agenouillèrent, prirent un peu d'eau froide dans leur main. Alfred s'allongea auprès de Martha et ferma les yeux. Tom examina l'endroit où il se trouvait : une clairière tapissée de feuilles mortes et cernée de chênes robustes, dont les branches nues s'entremêlaient au-dessus de sa tête. Tom traversa la clairière, pensant toujours au bébé, mais ses jambes se dérobèrent brusquement sous lui et il fut obligé de s'asseoir brusquement.

Il faisait grand jour maintenant, un jour brumeux, et le temps n'était guère plus chaud qu'à minuit. Il frissonnait. Il se rendit compte qu'il ne portait que sa camisole. Qu'était-il arrivé à son manteau, il ne s'en souvenait plus. Ou bien la brume s'épaississait ou bien quelque chose d'étrange lui affectait les yeux, car il ne distinguait plus les enfants de l'autre côté de la clairière. Il voulut se lever pour aller les rejoindre, mais ses jambes ne lui obéissaient plus. Au bout d'un moment, un faible soleil finit par percer et peu après l'ange arriva.

Il traversait la clairière, venant de l'est, vêtu d'un long manteau d'hiver, de laine vierge presque blanche. Il le regarda approcher sans surprise ni curiosité car il avait dépassé le stade de l'émerveillement ou de la peur. Il suivait la créature d'un œil vide et sans émotion : son visage ovale était encadré d'une somptueuse chevelure sombre et son manteau lui dissimulait les pieds, si bien qu'elle aurait pu glisser sur les feuilles mortes. Elle s'arrêta devant lui et ses yeux d'or pâle parurent voir dans son âme : comprendre sa souffrance. Tom eut l'impression d'avoir déjà vu ce visage familier dans une église tout récemment. Puis la créature ouvrit son manteau. Dessous, elle était nue. Elle avait le corps d'une femme d'une vingtaine d'années, avec une peau pâle et des boutons de seins roses. Tom croyait depuis toujours que les anges avaient un corps absolument glabre, mais ce n'était pas le cas.

Elle mit un genou en terre devant lui et, se penchant, elle l'embrassa sur la bouche. Il était trop assommé par les chocs précédents pour en éprouver le moindre étonnement. Elle le repoussa doucement pour l'obliger à s'allonger sur le dos, puis elle écarta son manteau, et pressa son corps nu contre celui de

Tom. Au travers de sa camisole, il sentait la chaleur de sa peau. Au bout de quelques instants, il cessa de frissonner.

Elle prit dans ses mains le visage barbu de Tom et l'embrassa encore, avidement, comme quelqu'un qui boit de l'eau fraîche après une longue journée sèche. Puis elle prit les mains de Tom et les posa sur ses seins. Dans un réflexe, il les pressa. Ils étaient doux et tendres, les boutons se durcirent sous ses doigts.

L'idée lui vint qu'il était mort. Le ciel n'était probablement pas ainsi, il le savait mais peu lui importait. Cela faisait des heures qu'il avait perdu tout sens de la réalité. Le peu de raisonnement qu'il lui restait avait disparu et il laissa ses sens prendre le dessus. Il se tendit, se pressant contre cet autre corps, puisant de la force dans sa chaleur et sa nudité. Elle écarta les lèvres et darda une langue agile dans sa bouche, cherchant sa langue à lui. Il réagit ardemment.

Un instant, elle s'écarta de lui. Il la regarda, abasourdi, remonter les pans de sa camisole jusqu'à la hauteur de sa taille, puis elle le chevaucha. Sans le quitter des yeux, elle se pencha vers lui, et il hésita; puis il se sentit la pénétrer. Une sensation si grisante qu'il crut éclater de plaisir. Elle bougea les hanches tout en lui souriant, couvrant son visage de baisers. Au bout d'un moment elle ferma les yeux et se mit à haleter, et il comprit avec une fascination ravie qu'elle perdait tout contrôle. Elle poussait des petits cris, remuait de plus en plus vite, et son extase l'émut jusqu'au plus profond de l'âme si bien qu'il ne sut plus s'il avait envie de pleurer de désespoir, de crier de joie ou d'éclater de rire. Puis une explosion de plaisir les secoua tous les deux comme des arbres dans la tempête, encore et encore; jusqu'au moment où enfin leur passion s'apaisa et où elle s'effondra sur sa poitrine.

Ils restèrent ainsi un long moment. La chaleur de ce corps le réchauffait. Il sombra dans une sorte de somnolence. Ce fut bref, plus une rêverie qu'un véritable sommeil. Mais quand il ouvrit les yeux son esprit était clair.

Il regarda la belle jeune femme allongée sur lui et il sut aussitôt que ce n'était pas un ange, mais Ellen, la femme hors-la-loi qu'il avait rencontrée dans cette partie de la forêt le jour où on lui avait volé le cochon. Elle le sentit remuer et elle ouvrit les yeux, le regardant avec un mélange d'affection et d'inquiétude. Il pensa soudain à ses enfants. Il la repoussa avec douceur et s'assit. Alfred et Martha étaient allongés sur les feuilles, enroulés dans leur manteau, le soleil éclairant leurs visages endormis. Les événements de la nuit lui revinrent dans un déferlement d'horreur et il se rappela qu'Agnès était morte et que le bébé – son fils ! – avait disparu ; il enfouit son visage dans ses mains.

Il entendit Ellen émettre un étrange sifflement. Il leva la tête. Une silhouette émergea de la forêt et Tom reconnut Jack, son fils à l'air bizarre, avec sa peau toute blanche, ses cheveux orange et ses yeux verts d'oiseau. Tom se releva et Ellen se redressa aussi en se drapant dans son manteau. Le jeune garçon portait quelque chose qu'il apporta pour le montrer à Tom. Celui-ci reconnut aussitôt la moitié de manteau dans laquelle il avait enveloppé le bébé avant de le déposer sur la tombe d'Agnès.

Sans comprendre, Tom dévisagea Jack, puis Ellen qui lui prit les mains dans les siennes et le regarda dans les yeux : « Ton bébé est vivant. »

Tom n'osait pas le croire. Ce serait trop merveilleux, trop beau. « Ce n'est pas possible, dit-il.

— Mais si. »

Tom se prit à espérer. « Vraiment ? Vraiment ? » Elle acquiesça : « Vraiment. Je vais te mener à lui. »

Tom se rendit compte qu'elle disait vrai. Un flot de soulagement et de bonheur l'envahit. Il tomba à genoux sur le sol ; puis enfin, comme une écluse qui s'ouvre, il éclata en sanglots.

5.

« Jack a entendu le bébé pleurer, expliqua Ellen. Il allait vers la rivière, un peu au nord d'ici, à un endroit où l'on peut tuer des canards avec des pierres si l'on vise bien. Il ne savait pas quoi faire, alors il est revenu en courant me chercher. Mais, tandis que nous revenions, nous avons vu un prêtre, montant un palefroi, qui emportait le bébé.

— Il faut que je le trouve..., dit Tom.

— Ne t'affole pas, dit Ellen, car je sais où il est. Il a pris un sentier près de la tombe qui mène à un petit monastère caché dans la forêt.

— Le bébé a besoin de lait.

— Les moines ont des chèvres.

— Dieu soit loué, dit Tom avec ferveur.

— Je t'emmènerai là-bas quand tu auras mangé quelque chose, dit-elle. Mais... ne parle pas encore à tes enfants du monastère. »

Tom jeta un coup d'œil vers la clairière. Alfred et Martha dormaient toujours. Jack les contemplait de son regard vide.

« Pourquoi donc ?

— Je ne sais pas trop... Je crois seulement que ce serait plus sage d'attendre.

— Ton fils va leur raconter l'affaire. »

Elle secoua la tête. « Il a vu le prêtre, mais je ne crois pas qu'il ait compris le reste.

— Très bien, fit Tom gravement. Si j'avais su que tu n'étais pas loin, je t'aurais appelée à l'aide pour Agnès. »

Ellen secoua la tête et ses cheveux sombres dansaient autour de son visage. « Il n'y avait rien à faire, sauf la tenir au chaud, et c'est ce que tu as fait. Quand une femme saigne de l'intérieur, ou bien cela s'arrête et elle se rétablit, ou bien cela ne cesse pas et elle meurt. » Des larmes vinrent aux yeux de Tom et Ellen ajouta : « Je suis désolée. »

Tom hocha la tête sans rien dire.

« Mais, poursuivit-elle, les vivants doivent s'occuper des vivants et ce qu'il te faut c'est de la nourriture chaude et une nouvelle tunique. » Elle se leva.

Tom réveilla les enfants. Il leur annonça que le bébé allait bien, qu'Ellen et Jack avaient vu un prêtre l'emmener, que Tom et Ellen se mettraient plus tard en quête de ce prêtre mais que, tout d'abord, Ellen allait leur donner à manger. Ils accueillirent la stupéfiante nouvelle avec calme. Plus rien maintenant ne pouvait les bouleverser. Tom n'était pas moins déconcerté. La vie allait trop vite pour qu'il pût accepter tous ces changements. C'était comme d'être emporté par un cheval au galop : tout allait si vite qu'on n'avait pas le temps de réagir aux événements, et tout ce qu'il pouvait faire, c'était de se cramponner pour essayer de ne pas perdre la tête. Agnès avait accouché dans l'air froid de la nuit ; le bébé était en bonne santé, tout semblait aller très bien et voilà qu'Agnès, l'âme sœur de Tom, était morte dans ses bras, vidée de son sang, et il avait perdu la tête ; le bébé avait été condamné et laissé pour mort ; puis ils avaient essayé de le retrouver, en vain ; ensuite Ellen était apparue, Tom l'avait prise pour un ange et ils avaient fait l'amour comme dans un rêve. Après quoi elle avait dit que le bébé était vivant et en bonne santé. La vie n'allait-elle jamais suffisamment ralentir pour laisser à Tom le temps de réfléchir à tous ces terribles événements ?

Ils se mirent en route. Tom avait toujours pensé que les hors-la-loi vivaient dans la misère, mais il n'y avait rien de misérable chez Ellen, et Tom se demandait à quoi ressemblerait son habitation. Elle les entraîna en zigzag dans la forêt. Il n'y avait pas de sentier, mais elle n'hésitait jamais en enjambant les ruisseaux, en se baissant sous les branches, en négociant un marais gelé, une masse de buissons et un énorme tronc d'un chêne abattu. Elle finit par se diriger vers un épais taillis dans lequel elle sembla disparaître. En la suivant, Tom s'aperçut que, contrairement à ce qu'il avait cru d'abord, il existait un étroit passage qui serpentait entre les buissons. Il s'y engagea. Les ronces se refermèrent au-dessus de sa tête et il se trouva dans une demi-obscurité. Il s'arrêta pour laisser à ses yeux le temps de s'habituer à la pénombre. Peu à peu il comprit qu'il était dans une grotte.

L'air était tiède : devant lui, un feu brûlait sur un lit de pierres plates. La fumée montait tout droit : il y avait quelque part une cheminée naturelle. À sa droite et à sa gauche deux peaux de bêtes, un loup et un daim, étaient fixées aux parois de la grotte par des chevilles. Un cuissot de venaison fumé pendait au-dessus de lui. Il vit une caisse rudimentaire pleine de pommes sauvages, des chandelles à mèche de jonc sur des rebords de pierre et des roseaux secs sur le sol. Au bord du feu une marmite, comme dans une maison ordinaire ; et, à en juger par l'odeur, elle contenait le même genre de potage qu'on mangeait partout : des légumes bouillis avec des os et des herbes. Tom était stupéfait. C'était là une demeure plus confortable que celle de bien des serfs.

De l'autre côté du feu, on voyait deux matelas en peau de daim bourrés sans doute de roseaux ; et, proprement roulée sur chacun, une fourrure de loup. Ellen et Jack devaient dormir là, avec le feu pour les séparer de l'entrée de la grotte. Au fond, une formidable collection d'armes et de matériel de chasse : un arc, des flèches, des filets, des pièges à lapin, quelques dagues acérées, une lance taillée avec soin avec la pointe aiguisée et durcie au feu ; et, parmi tous ces ustensiles primitifs, trois livres. Tom était abasourdi : il n'avait jamais vu de livres dans une maison, encore moins dans une grotte ; les livres, on les trouvait dans les églises.

Le jeune Jack prit une écuelle de bois, la plongea dans la marmite et se mit à boire. Alfred et Martha l'observaient avidement. Ellen lança à Tom un regard d'excuse et dit : «Jack, quand il y a des étrangers, nous les servons les premiers.» Le garçon la regarda, surpris.

«Et pourquoi ?

— Parce que cela se fait. Donne du potage aux enfants.»

Pas convaincu, Jack obéit à sa mère. Ellen offrit de la soupe à Tom qui s'assit sur le sol et la but. Le bouillon, outre un goût délicieux, lui réchauffa le ventre. Ellen lui posa une fourrure sur les épaules. Une fois le bouillon avalé, Tom pêcha avec ses doigts les légumes et la viande au fond de son écuelle. Cela faisait des semaines qu'il n'avait pas goûté de viande. Du canard, semblait-il : abattu sans doute par Jack avec des pierres et une fronde.

Ils mangèrent jusqu'à épuisement de la marmite ; puis Alfred et Martha s'allongèrent sur les paillasses. Avant qu'ils ne s'endorment, Tom leur annonça qu'Ellen et lui partaient à la recherche du prêtre et Ellen précisa que Jack resterait ici pour s'occuper d'eux jusqu'à leur retour. Les deux enfants épuisés hochèrent la tête et fermèrent les yeux.

Tom et Ellen sortirent, Tom portant toujours sur ses épaules la fourrure qu'Ellen lui avait donnée. Dès qu'ils eurent franchi le taillis, Ellen s'arrêta, se tourna vers Tom, attira sa tête contre la sienne et l'embrassa sur la bouche.

«Je t'aime, dit-elle d'un ton farouche. Je t'ai aimé dès l'instant où je t'ai vu. J'ai toujours voulu un homme qui serait fort et doux, et je croyais que cela n'existait pas. Et puis tu es venu. J'ai eu tout de suite envie de toi. Mais j'ai compris que tu aimais ta femme. Mon Dieu, comme je l'ai enviée. Je suis navrée qu'elle soit morte, vraiment navrée, car le chagrin se lit dans tes yeux et cela me brise le cœur de te sentir si triste. Mais maintenant qu'elle n'est plus là, je te veux pour moi.»

Tom ne sut quoi répondre. Il était difficile de croire qu'une femme si belle, si pleine de ressources et si indépendante fût tombée amoureuse de lui au premier regard ; il était plus difficile encore de savoir ce qu'il ressentait, lui. Il était anéanti par la disparition d'Agnès : Ellen avait raison de dire que le chagrin l'accablait. Mais en même temps il brûlait de désir pour Ellen, avec son corps ardent et merveilleux, ses yeux dorés et sa passion amoureuse impudique. Il se sentait terriblement coupable de désirer si fort Ellen alors qu'Agnès n'était dans la tombe que depuis quelques heures.

Il contempla Ellen longuement et une fois de plus les yeux de la jeune femme lurent dans son cœur. Elle déclara : « Ne dis rien. Tu n'as pas à avoir honte. Je sais que tu l'aimais. Elle le savait aussi, je l'ai bien senti. Tu l'aimes encore – bien sûr que oui. Tu l'aimeras toujours. »

Elle lui disait de se taire, mais de toute manière il n'y avait rien à dire. Cette femme extraordinaire le rendait muet. Sans qu'il comprît comment, le fait qu'elle parût savoir ce qu'il y avait dans son cœur le réconfortait, lui donnait presque le sentiment de ne plus devoir avoir honte de rien. Il soupira.

« Voilà qui est mieux », dit-elle. Elle le prit par la main et ils s'éloignèrent ensemble.

Ils s'enfoncèrent pendant près d'une demi-lieue dans la forêt, puis débouchèrent sur la route. Tout en marchant, Tom ne cessait de contempler Ellen auprès de lui. Il se rappela qu'en la voyant pour la première fois, il ne l'avait pas trouvée tout à fait belle à cause de ses yeux étranges. Comment avait-il pu penser cela ! Ces yeux étonnants lui paraissaient aujourd'hui exprimer à merveille une personnalité unique. Ellen représentait la perfection incarnée et la seule chose qui le surprenait, c'était qu'elle fût avec lui. Ils parcoururent plus d'une lieue. Sur la route Tom était toujours fatigué, mais le potage lui avait donné des forces ; et, bien qu'il fît toute confiance à Ellen, il avait quand même hâte de voir le bébé de ses propres yeux.

Alors qu'ils apercevaient le monastère à travers les arbres, Ellen dit : « Ne nous montrons pas tout de suite aux moines.

— Pourquoi ? demanda Tom, surpris.

— Tu as abandonné un bébé. C'est considéré comme un meurtre. Restons dans les bois pour observer l'endroit et voyons quelle sorte de gens l'habitent. »

Tom ne pensait pas risquer grand-chose, étant donné les circonstances, mais mieux valait se montrer prudent, aussi acquiesça-t-il et suivit-il Ellen dans le sous-bois. Quelques instants plus tard, ils étaient allongés au bord de la clairière.

Il s'agissait d'un très petit monastère. Tom, qui s'y connaissait pour en avoir bâti, estima que celui-ci devait être ce que l'on appelait une communauté, l'annexe ou l'avant-poste d'un grand prieuré ou d'une abbaye. Il ne comprenait que deux bâtiments de pierre, la chapelle et le dortoir. Le reste était fait de bois et de claies recouvertes de torchis : une cuisine, des écuries, une grange et quelques bâtiments agricoles plus petits. L'endroit paraissait propre et bien tenu, on avait l'impression que les moines se consacraient autant à l'élevage qu'à la prière.

On ne voyait pas grand monde. «La plupart des moines sont au travail, dit Ellen. Ils construisent une grange en haut de la colline.» Elle jeta un coup d'œil en direction du soleil. «Ils seront de retour vers midi pour le dîner.»

Tom examina la clairière. Sur leur droite, en partie dissimulées par un troupeau de chèvres, il entrevit deux silhouettes. «Regarde», dit-il. Puis, distinguant mieux les détails : «L'homme assis est un prêtre et...

— Il tient quelque chose sur ses genoux.

— Approchons-nous.» Ils s'avancèrent en contournant la clairière et se trouvèrent non loin des chèvres. Le cœur de Tom se mit à battre en voyant le prêtre assis sur un tabouret. Il avait un bébé dans les bras : celui de Tom. Oui, le bébé avait survécu. Il aurait voulu se précipiter sur le prêtre pour serrer l'enfant dans ses bras.

Un jeune moine se trouvait avec le prêtre. Tom le vit plonger un chiffon dans un seau de lait – sans doute du lait de chèvre – puis porter à la bouche du bébé le coin de chiffon imbibé de lait. C'était ingénieux.

«Allons, fit Tom, il vaut mieux que j'aille avouer ce que j'ai fait et reprendre mon fils.

— Réfléchis un moment, Tom, dit Ellen. Que feras-tu ensuite?» Tom ne voyait pas très bien où elle voulait en venir. «Je demanderai du lait aux moines, dit-il. Ils verront bien que je suis pauvre. Ils donnent l'aumône.

— Et ensuite?

— J'espère qu'ils me donneront assez de lait pour le nourrir trois jours, jusqu'à ce que j'arrive à Winchester.

— Et après? insista-t-elle. Comment nourriras-tu le bébé?

— Je chercherai du travail...

— Tu cherches du travail depuis que je t'ai rencontré à la fin de l'été, dit-elle avec une irritation dont Tom ne comprit pas la raison. Tu n'as pas d'argent, pas d'outils, poursuivit-elle. Qu'arrivera-t-il au bébé s'il n'y a pas de travail à Winchester?

— Je ne sais pas, répondit Tom, blessé qu'elle lui parlât si durement. Que dois-je donc faire ? Vivre comme toi ? Je ne peux pas abattre des canards à coups de pierres : je suis maçon.

— Tu pourrais laisser le bébé ici », dit-elle.

Tom n'en crut pas ses oreilles. « Le laisser ? dit-il. Alors que je viens juste de le retrouver ?

— Au moins tu le saurais au chaud et nourri. Tu n'aurais pas à le porter pendant que tu cherches du travail. Le jour où tu trouveras enfin quelque chose, tu pourras revenir ici le chercher. »

D'instinct, Tom se rebella contre cette idée. « Je ne sais pas, dit-il. Que penseraient les moines si j'abandonnais le bébé ?

— Ils savent déjà que tu l'as fait, répliqua-t-elle avec impatience. Il s'agit simplement de décider si tu le confesses maintenant ou plus tard.

— Est-ce que les moines savent s'occuper d'un bébé ?

— Ils en savent autant que toi là-dessus.

— J'en doute.

— Ma foi, ils ont trouvé le moyen de nourrir un nouveau-né qui ne sait que téter. »

Tom commençait à comprendre qu'elle avait raison. Malgré toute l'envie qu'il avait de tenir dans ses bras ce petit bonhomme, il ne pouvait nier que les moines fussent mieux armés pour le soigner que lui. Il n'avait pas de nourriture, pas d'argent et aucune certitude de trouver du travail. « L'abandonner encore, dit-il avec tristesse. C'est sans doute ce que je dois faire. » Il resta où il était à contempler le nouveau-né sur les genoux du prêtre. Il avait des cheveux bruns, comme ceux d'Agnès. Malgré la décision qu'il venait de prendre, Tom n'arrivait pas à s'en aller.

Là-dessus, un groupe de moines apparut à l'autre bout de la clairière. Ils étaient quinze ou vingt, portant des haches et des scies. Tom et Ellen risquaient maintenant d'être vus. Ils replongèrent dans le sous-bois à travers les taillis. Arrivés sur la route, ils se mirent à courir. Ils firent ainsi cent cinquante ou deux cents toises, main dans la main, et soudain Tom se sentit épuisé. Mais ils étaient suffisamment loin maintenant. Ils quittèrent la route et trouvèrent un endroit pour se reposer, à l'abri des regards.

Ils s'assirent sur un talus herbu où le soleil filtrait à travers le feuillage. Tom regarda Ellen allongée sur le dos, essoufflée, les joues rouges, un sourire aux lèvres. Sa robe s'était ouverte à l'encolure, révélant sa gorge et le gonflement d'un sein. Brusquement il éprouva l'envie de contempler de nouveau sa nudité. Le désir était bien plus fort que le remords qu'il éprouvait. Il se pencha pour l'embrasser, puis hésita tant elle était ravissante. Lorsqu'il parla, ce fut sans réfléchir et ses propres paroles le surprirent : «Ellen, dit-il, veux-tu être ma femme?»

6.

Peter de Wareham était un trublion-né.

De la maison mère de Kingsbridge, il avait été transféré à la petite communauté de la forêt, et on comprenait sans mal pourquoi le prieur de Kingsbridge avait tenu à se débarrasser de lui. Ce grand gaillard dégingandé qui frôlait la trentaine avait une vive intelligence et des façons méprisantes, et il vivait dans un état constant de vertueuse indignation. Lorsqu'il était arrivé et qu'il avait commencé à travailler aux champs, il avait imposé un rythme forcené, avant d'accuser les autres de paresse. Mais, à sa grande surprise, la plupart des moines avaient suivi le train et au bout du compte c'étaient les plus jeunes qui l'avaient épuisé. Cherchant alors un autre vice que la paresse, il avait porté son choix sur la gourmandise.

Il commença par ne manger que la moitié de son pain sans toucher à sa viande. Dans la journée, il buvait de l'eau des ruisseaux, coupait sa bière le soir et refusait le vin. Il réprimanda un jeune moine plein de santé qui redemandait du porridge et réduisit en larmes un novice qui par jeu avait bu le vin d'un de ses compagnons.

Les moines ne se montraient guère gourmands, songeait le prieur Philip comme ils redescendaient du haut de la colline vers le monastère, à l'heure du dîner. Les jeunes étaient minces et musclés, leurs aînés secs et brûlés par le soleil. Aucun d'eux n'avait la rondeur pâle et molle que procurent un excès de nourriture et un défaut de travail. Philip estimait que tous les moines devaient être maigres. Les moines gras provoquaient l'envie chez les pauvres et la haine des serviteurs de Dieu.

Peter avait tout naturellement lancé son accusation sous le couvert d'une confession. «Je me suis rendu coupable du péché de gourmandise », avait-il déclaré ce matin-là alors qu'ils faisaient une pause, assis sur les arbres qu'ils avaient abattus, à manger du pain de seigle et à boire de la bière. « J'ai enfreint la règle de saint Benoît qui dit que les moines ne doivent pas manger de viande ni boire de vin. » Il dévisagea les autres, la tête haute, ses yeux sombres flamboyant d'orgueil, et laissa son regard se poser enfin sur Philip. « Chacun ici est coupable du même péché », conclut-il.

Dommage que Peter fût ainsi, songea Philip. L'homme était dévoué à l'œuvre de Dieu, il avait l'esprit bien fait et beaucoup de détermination. Mais il semblait dévoré du désir de se faire sans cesse remarquer par les autres ; ce qui l'amenait à provoquer des scènes. Malgré ce défaut assommant, Philip l'aimait comme les autres car, derrière cette arrogance et ce mépris, il devinait une âme inquiète, un être persuadé que personne ne pourrait jamais l'aimer.

Philip avait déclaré : « Voilà qui nous donne l'occasion de rappeler ce que saint Benoît a dit là-dessus. Vous souvenez-vous des paroles exactes, Peter ?

— Il a dit : "Tous sauf les malades doivent s'abstenir de viande" et "Le vin n'est absolument pas le breuvage des moines" », répliqua Peter.

Philip hocha la tête. Comme il s'en doutait, Peter ne connaissait pas la règle aussi bien que lui. « C'est presque correct, Peter, lança-t-il. Car le saint n'a pas parlé de viande, mais de la "chair des quadrupèdes" et, même alors, il a fait des exceptions pas seulement pour les malades, mais aussi pour les faibles. Qu'entendait-il par les "faibles" ? Dans notre petite communauté, nous estimons que les hommes qui ont été affaiblis par un travail assidu aux champs peuvent avoir besoin de manger du bœuf de temps en temps pour garder leurs forces. »

Peter avait écouté dans un silence maussade, le front barré d'un pli désapprobateur, ses épais sourcils noirs froncés au-dessus de son grand nez aquilin, tout son visage empreint de défi.

Philip avait poursuivi : « Au sujet du vin, le saint dit : "Nous lisons que le vin n'est absolument pas le breuvage des moines." L'emploi des mots *nous lisons* implique qu'il ne souscrit pas pleinement à cette proscription. Il dit aussi qu'une pinte de vin par jour doit suffire à n'importe qui. Et il nous prévient de ne pas boire jusqu'à satiété. Il est clair, n'est-ce pas, qu'il ne s'attend pas à voir les moines s'abstenir de boire totalement ?

— Mais il dit, reprit Peter, que la frugalité doit être maintenue dans tous les domaines.

— Et vous affirmez qu'ici nous ne pratiquons pas la frugalité ? lui demanda Philip.

— En effet, lança Peter d'une voix claire.

— "Que ceux à qui Dieu accorde le don d'abstinence sachent qu'ils recevront leur récompense", cita Philip. Si vous estimez la nourriture ici trop généreuse, vous pouvez manger moins. Mais souvenez-vous d'une autre chose que dit le saint. Il cite la première épître aux Corinthiens dans laquelle saint Paul écrit : "Chacun a son propre don de Dieu, l'un de cette façon, l'autre d'une autre", et le saint nous dit alors : "Pour cette raison, on ne saurait déterminer la quantité de nourriture d'autrui." N'oubliez pas cela, Peter, je vous prie, quand vous jeûnerez en méditant sur le péché de gourmandise. »

Là-dessus ils s'étaient remis au travail, Peter arborant un air de martyr.

Il ne se laisserait pas réduire au silence facilement, comprit Philip. Des trois vœux monastiques : pauvreté, chasteté, et obéissance, c'était l'obéissance qui donnait le plus de mal à Peter.

Il existait, naturellement, bien des façons de traiter les moines rebelles : le cachot, le pain et l'eau, le fouet et, mesure ultime, l'expulsion du couvent et l'excommunication. Philip en général n'hésitait pas à recourir à de tels châtiments, surtout quand un moine semblait mettre à l'épreuve son autorité. On le tenait donc pour un sévère partisan de la discipline. Pourtant, il détestait infliger des punitions : cela troublait l'harmonie et la fraternité monastiques et rendait tout le monde malheureux. D'ailleurs dans le cas de Peter, le châtiment ne ferait aucun bien. En fait, il ne servirait qu'à rendre l'homme plus orgueilleux et rancunier. Philip devait trouver une façon de mater Peter et de l'assouplir en même temps. Ce ne serait pas commode. Il est vrai, songea-t-il, que si tout était facile les hommes n'auraient pas besoin d'être guidés par Dieu.

Ils atteignirent la clairière où se trouvait le monastère ; en la traversant, Philip aperçut frère John, dans l'enclos des chèvres, qui lui faisait de grands signes. On l'appelait Johnny Huit Pence et il était un peu retardé. Philip se demanda ce qui l'excitait. Auprès de Johnny se tenait un homme en robe de prêtre à l'allure vaguement familière. Philip se hâta vers lui.

En approchant du prêtre, un petit homme trapu d'une vingtaine d'années, aux cheveux noirs coupés en brosse et dont les yeux bleu clair pétillaient d'intelligence, Philip reconnut avec un choc son frère cadet Francis. En le voyant, il avait à chaque fois l'impression de se regarder dans un miroir.

Francis tenait dans ses bras un nouveau-né.

Philip ne savait pas ce qui était le plus surprenant, de Francis ou du bébé. Les moines faisaient cercle autour d'eux. Francis se leva et tendit l'enfant à Johnny ; puis Philip l'étreignit.

« Que fais-tu ici ? dit Philip, ravi. Et d'où vient ce nourrisson ?

— Je t'expliquerai plus tard pourquoi je suis ici, répondit Francis. Quant au bébé, je l'ai trouvé dans les bois, tout seul, couché près d'un grand feu. » Francis s'arrêta.

« Et... ? » demanda Philip.

Francis haussa les épaules. « Impossible de t'en dire plus, car je n'en sais pas davantage. J'espérais arriver hier au soir, mais je n'ai pas pu, alors j'ai passé la nuit dans la cabane d'un garde forestier. Je suis parti ce matin à l'aube et je suivais la route quand j'ai entendu un bébé pleurer. Un instant plus tard, je l'ai aperçu. Je l'ai ramassé et ramené ici. Voilà toute l'histoire. »

Philip regardait d'un œil incrédule le petit paquet dans les bras de Johnny. Il tendit une main hésitante et souleva la couverture. Il vit un visage rose tout fripé, une bouche édentée et une petite tête chauve, la miniature d'un moine vieillissant. Écartant un peu plus le tissu, il aperçut de petites épaules fragiles, des bras qui s'agitaient et des poings crispés. Il examina attentivement le bout de cordon ombilical qui pendait du nombril du bébé. C'était un peu répugnant. Était-ce naturel ? se demanda Philip. On aurait dit une blessure qui cicatrisait bien et qu'il valait mieux ne pas toucher. Il écarta encore davantage la couverture. « Un garçon », dit-il, tout embarrassé avant de le recouvrir. Un des novices pouffa de rire. Philip se sentit soudain désemparé. Au nom du ciel, que vais-je en faire ? songeat-il. Le nourrir ?

Le bébé se mit à pleurer. « Il a faim », annonça-t-il, et s'étonna : Comment le sais-je ?

« Nous ne pouvons pas le nourrir », intervint un des moines.

« Pourquoi pas ? » faillit répliquer Philip. Mais il s'en rendit compte : il n'y avait pas de femme à des lieues à la ronde.

Pourtant Johnny avait déjà résolu ce problème, constata Philip. Assis sur un tabouret, le bébé sur ses genoux, il avait à la main une serviette dont il trempait un coin tordu en spirale dans un seau de lait. Après avoir laissé la serviette absorber un peu de liquide, il l'approchait de la bouche du bébé qui l'ouvrait toute grande et tétait la serviette.

Philip eut presque envie d'applaudir. «Très malin, Johnny, fit-il avec surprise.

— J'ai déjà fait cela, dit fièrement Johnny, quand une chèvre est morte alors que son chevreau n'était pas sevré.»

Les moines regardaient Johnny répéter son simple geste. Quand il portait la serviette aux lèvres du bébé, certains des moines ouvraient eux-mêmes la bouche, constata Philip avec amusement. C'était une méthode un peu lente, mais à n'en pas douter nourrir les bébés prenait du temps. Peter de Wareham qui, succombant à la fascination générale exercée par le nouveau-né, avait oublié depuis un moment de tout critiquer, se reprit et lança : «Ce serait moins compliqué de retrouver la mère de l'enfant.

— Je ne crois pas, dit Francis. La mère n'est probablement pas mariée et s'est fait surprendre à transgresser la morale. J'imagine qu'elle est jeune. Peut-être a-t-elle réussi à garder sa grossesse secrète ; le temps approchant, elle s'est rendue dans la forêt où elle a accouché seule. Puis elle a abandonné l'enfant aux loups et s'en est retournée là d'où elle était venue. Elle fera en sorte que l'on ne puisse pas la retrouver.»

Le bébé s'était endormi. Dans un brusque élan, Philip, ému, le prit à Johnny. Il le posa contre sa poitrine en le soutenant d'une main et le berça. «Pauvre créature, dit-il. Pauvre créature.» Brusquement il se sentit envahi du besoin de protéger et de soigner cet enfant. Il remarqua que les moines le dévisageaient, stupéfaits de ce soudain accès de tendresse. Ils ne l'avaient évidemment jamais vu caresser personne, car les marques physiques d'affection étaient strictement interdites au monastère. De toute évidence on l'en croyait incapable. Eh bien, se dit-il, maintenant ils le connaîtraient mieux.

Peter de Wareham déclara : «Alors, il va nous falloir l'emmener pour tâcher de lui trouver une mère adoptive.»

Si tout autre que Peter avait fait pareille proposition, Philip n'aurait peut-être pas été aussi prompt à le contredire, mais il en fut ainsi : Peter parla, Philip répliqua un peu trop vite et sa vie s'en trouva transformée. «Nous ne le donnerons pas à une mère adoptive, dit-il d'un ton décidé. Cet enfant est un don de

Dieu. » Il les regarda tous à la ronde. Les moines le dévisageaient avec de grands yeux, suspendus à ses paroles. « Nous allons nous en occuper nous-mêmes, poursuivit-il. Nous le nourrirons, nous l'instruirons, nous l'élèverons dans les voies de Dieu. Puis, lorsqu'il sera un homme, il deviendra moine à son tour et ainsi nous le rendrons à Dieu. » Il y eut un silence stupéfait.

Puis Peter s'exclama, furieux : « Impossible ! Un bébé ne peut pas être élevé par des moines ! »

Philip surprit le regard de son frère et tous deux sourirent. Quand Philip reprit la parole, sa voix était lourde du poids du passé. « Impossible ? Mais non, Peter, au contraire je suis tout à fait sûr que cela peut se faire et mon frère pense comme moi. Nous le savons par expérience ! »

Le jour qui pour Philip fut le dernier de son enfance heureuse, son père était rentré blessé.

Philip avait été le premier à l'apercevoir, remontant à cheval le chemin en lacet menant au petit hameau des montagneuses Galles du Nord. Philip, âgé à l'époque de six ans, se précipita comme d'habitude à sa rencontre ; mais cette fois son père ne souleva pas son petit garçon pour l'installer devant lui sur la selle. Pâle, les vêtements éclaboussés de sang, il chevauchait lentement, affalé sur sa monture, tenant les rênes de la main droite, le bras gauche inerte. Philip fut tout à la fois intrigué et effrayé, car il n'avait jamais vu son père lui manifester aucune faiblesse.

« Va chercher ta mère », dit papa.

Après l'avoir fait entrer dans la maison, maman découpa la chemise de papa, à la grande horreur de Philip plus choqué de voir maman si économe gâcher délibérément le beau vêtement que par l'étalage de tout ce sang. « Ne vous occupez plus de moi maintenant », avait dit papa. Sa voix autoritaire se réduisait à un murmure et personne n'y prit garde – encore un événement insolite, car d'ordinaire ses paroles faisaient loi. « Laissez-moi et allez tous au monastère, dit-il. Ces maudits Anglais ne vont pas tarder. » Il y avait bien un monastère avec une église au sommet de la colline, mais Philip n'arrivait pas à comprendre pourquoi ils devraient aller là-haut alors qu'on n'était même pas dimanche. Maman répliqua : « Si tu perds encore du sang, tu ne pourras plus aller nulle part, jamais. » Mais tante Gwen dit qu'elle allait donner l'alarme et sortit.

Des années plus tard, en repensant aux événements qui avaient suivi, Philip se rendit compte qu'à ce moment tout le monde les avait oubliés, lui et son frère Francis âgé de quatre ans, personne ne songea à les emmener jusqu'à l'abri du monastère. Les gens ne pensèrent qu'à leurs propres enfants ou s'imaginaient que Philip et Francis ne risquaient rien, puisqu'ils étaient avec leurs parents. Mais papa perdait tout son sang et maman essayait de le sauver, si bien que les Anglais les prirent tous les quatre.

Rien dans la brève existence de Philip ne l'avait préparé à l'apparition des deux hommes d'armes qui ouvrirent la porte d'un coup de pied et s'engouffrèrent dans l'unique pièce de la maison. En d'autres circonstances, ils n'auraient rien eu d'effrayant car c'était le genre de grands adolescents maladroits qui se moquaient des vieilles femmes, injuriaient les Juifs et à minuit se laissaient entraîner dans des bagarres devant les tavernes. Mais cette fois (Philip le comprit des années plus tard quand il put enfin penser objectivement à ce jour-là), les deux jeunes gens étaient assoiffés de sang. Ils sortaient d'une bataille, ils avaient entendu les hommes hurler de douleur et vu des amis tombés morts, et la peur leur avait fait perdre littéralement l'esprit. Mais ayant remporté la bataille et survécu, ils traquaient désormais leurs ennemis, et rien ne pourrait les satisfaire que davantage encore de sang, d'autres hurlements, d'autres plaies et d'autres morts; cela se lisait sur leur visage lorsqu'ils entrèrent dans la salle comme des renards dans un poulailler.

Tout se passa très vite. Les deux hommes portaient une armure légère, rien qu'un gilet en cotte de mailles et un casque de cuir avec des bandes de fer, et leur épée à la main. L'un était hideux, avec un gros nez de travers, il louchait et un rictus de singe découvrait ses dents. L'autre avait une barbe abondante souillée de sang – le sang d'un autre sans doute, car il ne semblait pas blessé. Les deux hommes inspectèrent la pièce sans ralentir leur allure. Leur regard impitoyablement calculateur écarta Philip et Francis, s'arrêta une seconde sur maman puis se fixa sur papa. Avant que personne ait pu esquisser un geste, ils étaient sur lui. Penchée au-dessus de lui, leur mère était en train de nouer un bandage autour de son bras gauche. Elle se redressa et se tourna vers les intrus, les yeux flamboyants d'un courage sans espoir. Papa sauta sur ses pieds et porta sa main valide au pommeau de son épée. Philip poussa un cri de terreur.

L'homme au nez de travers souleva son épée au-dessus de sa tête et l'abattit, le pommeau en avant, sur la tête de leur mère, puis la repoussa. Philip courut jusqu'à elle sans comprendre qu'elle ne pouvait plus le protéger. Elle titubait, assommée, et l'homme à l'affreux visage passa à côté d'elle en brandissant de nouveau son épée. Philip se cramponnait aux jupes de sa mère, mais il ne pouvait s'empêcher de regarder son père...

Celui-ci tira son arme du fourreau et la levait pour se défendre. L'homme frappa et les deux lames se heurtèrent. Comme tous les petits garçons, Philip avait cru son père invincible ; et ce fut à cet instant-là qu'il comprit son erreur : son père était affaibli par tout le sang qu'il avait perdu. Les deux épées se touchèrent, la sienne tomba ; l'agresseur releva sa lame et frappa de nouveau très vite. Le coup porta là où les robustes muscles du cou de papa saillaient au-dessus de ses larges épaules. En voyant la lame s'enfoncer dans le corps de son père, Philip se mit à hurler. L'homme recula le bras et plongea la pointe de son épée dans le ventre de papa.

Paralysé de terreur, Philip leva les yeux vers sa mère. Leurs regards se croisèrent au moment où l'autre homme, le barbu, la frappait. Elle s'effondra sur le sol auprès de Philip, le sang ruisselant d'une plaie à la tête. Le barbu prit son épée à deux mains, la leva très haut et l'abattit de toutes ses forces. Il y eut un horrible bruit d'os qui se brisaient lorsque la pointe s'enfonça dans la poitrine de la mère. La lame plongea profondément, si profondément qu'elle dut ressortir par le dos et la clouer au sol.

Le regard affolé de Philip se reporta sur son père. Il le vit s'effondrer sur l'épée de l'homme au nez tordu, dans un flot de sang. Son assaillant recula d'un pas et tira sur son épée, essayant de la dégager. Papa fit un autre pas en trébuchant, sans lâcher prise. L'homme, avec un cri de rage, tourna son épée dans le ventre de sa victime et cette fois la lame sortit. Papa s'effondra sur le sol, portant les mains à son abdomen comme pour couvrir la plaie béante. Philip avait toujours cru que les entrailles étaient plus ou moins solides, et il fut déconcerté et apeuré par cet horrible mélange de tubes et d'organes dégoulinant du ventre de son père. L'agresseur leva bien haut son épée au-dessus du corps inerte, comme le barbu l'avait fait avec leur mère, et lui donna de la même façon le coup de grâce.

Les deux Anglais se consultèrent du regard. Philip fut surpris de voir le soulagement sur leur visage. Puis ils se tournèrent vers Francis et lui. L'un fit un signe de tête, l'autre haussa les épaules et Philip comprit qu'ils allaient les tuer tous les deux avec leurs grandes épées. La terreur explosa en lui et il crut que sa tête allait éclater.

L'homme à la barbe se pencha, attrapa Francis par une cheville et le tint en l'air, la tête en bas, tandis que le petit garçon réclamait sa mère en hurlant, sans comprendre qu'elle était morte. Son compagnon s'apprêta à plonger son épée dans le cœur de l'enfant.

Il n'acheva jamais son geste. Une voix autoritaire retentit et les deux hommes s'immobilisèrent. Philip leva la tête et vit l'abbé Peter, dressé sur le seuil de la porte, vêtu de sa robe de bure, la colère de Dieu dans les yeux, brandissant une croix de bois comme une épée.

Quand Philip revivait ce jour-là dans ses cauchemars et s'éveillait en sueur dans le noir, il parvenait toujours à se calmer et à se rendormir en évoquant cette dernière scène et la façon dont cet homme désarmé, une croix à la main, avait d'un geste fait oublier les cris et le sang.

L'abbé Peter reprit la parole : Philip ne comprenait pas la langue qu'il employait – c'était de l'anglais, bien sûr – mais le sens en était clair car les deux hommes prirent un air honteux et le barbu reposa très doucement Francis par terre. Le moine s'avança d'un pas assuré, les hommes d'armes reculèrent comme s'ils avaient peur de lui : eux avec leurs épées et leurs armures, et lui avec une robe de laine et une croix ! Il leur tourna le dos avec un geste de mépris et s'accroupit pour s'adresser à Philip. « Comment t'appelles-tu ?

— Philip.

— Ah oui ! Je me souviens. Et ton frère ?

— Francis.

— C'est cela. » L'abbé regarda les corps ensanglantés sur le sol en terre battue. « C'est ta maman, n'est-ce pas ?

— Oui », dit Philip, et il sentit la panique déferler sur lui tandis qu'il désignait le corps mutilé de son père, en murmurant : « Et c'est mon papa !

— Je sais, fit le moine d'un ton apaisant. Comprends-tu qu'ils sont morts ?

— Je ne sais pas », balbutia Philip. Il savait ce que cela voulait dire quand des animaux mouraient, mais comment cela pouvait-il arriver à maman et à papa ?

« C'est comme s'endormir, expliqua l'abbé Peter.

— Mais leurs yeux sont ouverts ! cria Philip.

— Chut ! Alors, nous ferions mieux de les fermer.

— Oui », acquiesça Philip. Il avait l'impression que cela résoudrait quelque chose.

L'abbé Peter se leva, prit Philip et Francis par le bras et les entraîna près du corps de leur père. Il s'agenouilla et serra dans sa main droite celle de Philip. « Je vais te montrer comment on fait », dit-il. Il approcha la main de Philip du visage de son père, mais Philip soudain n'osa plus toucher ce corps si étrange, et pâle, et inerte, et affreusement blessé. Il retira sa main. Il jeta un regard anxieux à l'abbé Peter – un homme à qui nul ne désobéissait –, mais l'abbé n'avait pas l'air en colère. « Allons », murmura-t-il doucement en reprenant la main de Philip. Philip cette fois ne résista pas. Tenant l'index du petit garçon entre son pouce et un doigt, le moine l'obligea à toucher la paupière de son père et à l'abaisser jusqu'à ce qu'elle recouvre l'œil qui les fixait de façon si terrible. Puis l'abbé libéra la main de Philip et dit : « Ferme-lui l'autre œil. » Sans aide maintenant, Philip obéit. Alors, il se sentit mieux.

L'abbé Peter reprit : « Allons-nous fermer aussi les yeux de ta mère ?

— Oui. »

Ils s'agenouillèrent auprès de son corps. L'abbé de sa manche essuya le sang qui lui maculait le visage. « Et Francis ? demanda Philip.

— Il devrait peut-être nous aider aussi, approuva l'abbé.

— Francis, ordonna Philip à son frère, fais ce que j'ai fait. Ferme les yeux de maman comme j'ai fermé ceux de papa, pour qu'elle puisse dormir.

— Ils dorment ? demanda Francis.

— Non, mais c'est la même chose, déclara Philip d'un ton autoritaire, alors il faut leur fermer les yeux.

— Très bien », dit Francis. Et, sans hésitation, il tendit une main potelée et ferma avec soin les yeux de sa mère.

L'abbé alors prit un enfant sous chaque bras. Sans un regard aux hommes d'armes, il les emmena et remonta avec eux le long du sentier raide qui montait au sanctuaire du monastère.

Il leur fit donner à manger à la cuisine ; puis, pour ne pas les laisser en proie à leurs pensées, il leur demanda d'aider le cuisinier à préparer le souper des moines. Le lendemain, il les emmená voir les corps de leurs parents, lavés et habillés, les blessures en partie dissimulées, allongés dans des cercueils côte à côte dans la nef de l'église, avec d'autres membres de leur famille, car tous les villageois n'avaient pas réussi à gagner le monastère à temps pour échapper aux envahisseurs. Ils assistèrent à l'enterrement avec l'abbé qui les obligea à regarder les deux cercueils que l'on descendait dans l'unique tombe. Philip éclata en sanglots, et Francis en fit autant. Quelqu'un voulut les faire taire, mais l'abbé Peter dit : «Laissez-les pleurer.» Ce ne fut qu'après, quand ils eurent bien compris que leurs parents avaient vraiment disparu pour ne jamais revenir, que le prêtre leur parla enfin de l'avenir.

De toute leur parenté, aucune famille n'était indemne : dans tous les cas, soit le père, soit la mère avait été tué. Il ne restait personne pour s'occuper des garçons. Ce qui réduisait le choix à deux solutions. On pouvait donner les deux frères et même les vendre à un fermier qui les utiliserait comme main-d'œuvre jusqu'à ce qu'ils soient assez grands pour s'enfuir. Ou bien on pouvait les donner à Dieu.

On voyait souvent de jeunes garçons entrer au monastère. L'âge habituel se situait aux environs de onze ans, cinq ans étant la limite inférieure, car les moines n'étaient pas équipés pour s'occuper de bébés. Parfois les garçons étaient des orphelins, parfois leurs parents avaient trop de fils. D'ordinaire la famille faisait en même temps au monastère un don substantiel : une ferme, une église, voire tout un village. Dans les cas de très grande pauvreté, elle pouvait en être dispensée. Mais le père de Philip et de Francis avait laissé une modeste ferme dans les collines, aussi leur cas ne relevait-il pas de la charité pure. L'abbé Peter proposa que le monastère se chargeât des garçons et de la ferme. Les cousins survivants acquiescèrent.

L'abbé avait l'expérience du chagrin, mais malgré toute sa sagesse il n'était pas préparé à ce qui arriva à Philip. Au bout d'un an ou deux, quand la peine eut semblé s'effacer et que les deux garçons se furent installés dans la vie du monastère, Philip tomba en proie à une sorte de rage implacable. La vie dans la communauté de la colline n'était pas pénible au point de justifier sa colère : il était nourri, vêtu, il y avait du feu dans le dortoir en hiver et même un peu de tendresse et d'affection ; la stricte discipline et les rituels monotones donnaient au moins un sentiment d'ordre et de stabilité ; mais Philip se mit à se comporter comme si on l'avait injustement emprisonné. Il déso-béissait aux ordres, se rebellait à la moindre occasion, volait de la nourriture, cassait des œufs, lâchait les chevaux, raillait les infirmes et insultait ses aînés. Le seul crime qu'il ne commettait pas, c'était le sacrilège et, pour cette raison, l'abbé lui pardonnait tout. Et puis la crise passa. Un beau jour de Noël, en repensant aux douze derniers mois, Philip s'aperçut que de toute l'année il n'avait pas passé une seule nuit au cachot.

Son retour à la normalité était dû à plusieurs raisons. Le fait qu'il s'intéressât à ses leçons l'aida sans doute. La théorie mathé-matique de la musique le fascinait et même la conjugaison des verbes latins obéissait à une certaine logique satisfaisante pour l'esprit. On lui avait confié la tâche d'aider le cellérier, le moine qui s'occupait de toutes les fournitures dont le monastère avait besoin, des sandales aux semences ; et cela aussi l'intéressait. Il portait un véritable culte à frère John, un jeune moine beau et musclé qui lui paraissait la quintessence du savoir, de la sainteté, de la sagesse et de la bonté. Que ce fût pour imiter John, par inclination, ou bien les deux, il commença à trouver une sorte de paix dans la série quotidienne des prières et des services. Il passa donc à l'adolescence avec à l'esprit l'organisation du monastère et dans les oreilles les saintes harmonies.

Dans leurs études, Philip comme Francis étaient très en avance sur les garçons de leur âge qu'ils connaissaient, mais ils croyaient que c'était parce qu'ils vivaient au monastère et ils n'avaient pas encore compris qu'ils étaient exceptionnels.

En repensant à sa jeunesse, Philip avait le sentiment d'avoir connu un bref âge d'or, une année ou peut-être moins, entre la fin de sa rébellion et les assauts du désir charnel. Vint alors la tor-turante époque des pensées impures, des émissions nocturnes, des séances horriblement embarrassantes avec son confesseur (c'était l'abbé), des pénitences sans fin et des flagellations.

Les tourments de la chair ne cessèrent jamais complètement de l'affecter, mais ils finirent par perdre leur importance, si bien qu'ils ne le tracassaient plus que de temps en temps, les rares fois où son esprit et son corps étaient oisifs – comme une vieille blessure qui se manifeste quand le temps change. Francis avait mené la même bataille un peu plus tard et, bien qu'il n'eût pas fait de confidence à Philip sur le sujet, l'aîné avait le senti-ment que le cadet avait combattu moins bravement la luxure et qu'il avait accepté ses défaites avec un peu trop d'entrain.

L'essentiel toutefois était que tous deux avaient fait la paix avec les passions, le plus grand ennemi de la vie monastique.

Philip travaillait avec le cellérier, et Francis avec le prieur adjoint de l'abbé Peter. Lorsque le cellérier mourut, Philip avait vingt et un ans et, malgré son jeune âge, il le remplaça. Quand Francis atteignit vingt et un ans à son tour, l'abbé lui proposa de créer pour lui un nouveau poste, celui de sous-prieur. Mais cette proposition précipita une crise. Francis demanda à être dispensé de cette responsabilité et du même coup à être libéré du monastère. Il voulait être ordonné prêtre et servir Dieu dans le monde.

Philip fut stupéfait et horrifié. L'idée que l'un d'eux puisse quitter le monastère ne lui était jamais venue et le déconcertait à présent autant que s'il avait appris qu'il était l'héritier du trône. Mais, après bien des débats et bien des larmes, Francis s'en fut dans le vaste monde et ne tarda pas à devenir chapelain du comte de Gloucester.

Jusqu'alors, les rares fois où il y pensait, Philip avait vu son avenir tout tracé : il serait moine, vivrait une vie d'humilité et d'obéissance, dans son vieil âge peut-être deviendrait-il abbé. Il s'efforcerait de suivre l'exemple donné par Peter. Voilà maintenant qu'il se demandait si Dieu n'envisageait pas pour lui un autre destin. Il se rappelait la parabole des talents : Dieu comptait sur Ses serviteurs pour accroître son royaume et pas seulement pour le préserver. Non sans appréhension, il s'ouvrit de ces pensées à l'abbé Peter, sachant fort bien qu'il risquait une réprimande pour un tel péché d'orgueil.

À sa surprise l'abbé dit : «Je me demandais combien de temps il te faudrait pour comprendre cela. Bien sûr que tu es destiné à autre chose. Né à l'ombre d'un monastère, orphelin à six ans, élevé par des moines, promu cellérier à vingt et un ans : Dieu ne se donne pas tant de mal pour former un homme qui va passer sa vie dans un petit monastère au faîte d'une colline dénudée, dans un royaume de montagnes perdues. Tu n'as pas assez d'espace ici, tu dois partir. »

Philip demeura stupéfait mais, avant de prendre congé de l'abbé, une question lui vint à l'esprit. «Si ce monastère a si peu d'importance, pourquoi Dieu vous a-t-Il mis, vous, ici ?

— Peut-être, répliqua l'abbé Peter en souriant, pour m'occuper de toi. »

Plus tard, cette année-là, l'abbé se rendit à Canterbury afin de présenter ses respects à l'archevêque et, à son retour, il dit à Philip : «Je t'ai donné au prieur de Kingsbridge.»

Philip se sentit intimidé. Le prieuré de Kingsbridge était un des plus grands et des plus importants monastères du pays. Il s'agissait d'un prieuré cathédrale avec pour église une cathédrale, le siège d'un évêque, en théorie l'abbé du monastère bien qu'en pratique celui-ci fût dirigé par son prieur. «Le prieur James est un vieil ami, expliqua l'abbé Peter à Philip. Depuis quelques années, il me semble avoir perdu courage, je ne sais pas pourquoi. En tout cas Kingsbridge a besoin de sang nouveau. James en particulier a des problèmes avec une des annexes de son prieuré, un petit couvent dans la forêt, et il a désespérément besoin d'un homme sur qui il puisse totalement compter pour ramener ce monastère sur le chemin de sainteté.

— Je vais donc en devenir le prieur?» dit Philip avec surprise.

L'abbé acquiesça. «Et si nous avons raison en pensant que Dieu te réserve beaucoup de travaux, nous pouvons nous attendre à ce qu'Il t'aide à résoudre les problèmes de cette communauté.

— Et si nous nous trompons?

— Tu peux toujours revenir ici et être mon cellérier. Mais nous ne nous trompons pas, mon fils ; tu verras.»

Les adieux se firent dans les larmes. Philip avait passé dix-sept ans ici et les moines étaient sa famille désormais plus réelle pour lui que les parents qu'on lui avait sauvagement arrachés. Sans doute ne reverrait-il jamais ces moines et cela l'emplissait de tristesse.

Kingsbridge tout d'abord l'impressionna. Entouré de murs, le monastère était plus grand que de nombreux villages ; la cathédrale lui parut une vaste et sombre caverne ; la maison du prieur, un petit palais. Mais une fois habitué aux dimensions peu communes de l'ensemble, Philip perçut les signes de ce découragement que l'abbé Peter avait remarqué chez son vieil ami le prieur. L'église avait visiblement besoin d'importantes réparations. On expédiait précipitamment les prières ; on ne cessait d'enfreindre la règle de silence ; et il y avait trop de serviteurs, plus de serviteurs que de moines. Philip était furieux. Il aurait voulu prendre le prieur James à la gorge, le secouer et dire : «Comment osez-vous faire cela ? Comment osez-vous adresser à Dieu des prières hâtives ? Comment osez-vous laisser les novices jouer aux dés et les moines avoir des chiens de compagnie ? Comment osez-vous vivre dans un palais, entouré de serviteurs, alors que l'église de Dieu tombe en ruine ? » Naturellement, il ne dit rien de la sorte. Il eut une brève et formelle entrevue avec le prieur James, grand, maigre et voûté, qui semblait porter sur ses épaules le poids des malheurs du monde. Puis il parla au sous-prieur, Remigius. Au début de leur conversation, Philip laissa entendre qu'à son avis le prieuré aurait besoin de quelques changements, s'attendant à entendre l'adjoint de l'abbé acquiescer de tout cœur. Mais Remigius toisa Philip avec l'air de dire : *Pour qui vous prenez-vous ?* et changea de sujet.

Remigius expliqua que la communauté de Saint-John-de-la-Forêt, fondée trois ans plus tôt avec de la terre et quelques biens, aurait dû maintenant subvenir à ses propres besoins, mais continuait à dépendre de la maison mère en matière d'approvisionnement. Il y avait d'autres problèmes : un diacre, qui avait passé la nuit là-bas, avait critiqué la façon dont étaient célébrés les services. Des voyageurs prétendaient avoir été dépouillés dans cette région par des moines ; on parlait aussi d'impureté.

Que Remigius ne pût ou ne voulût pas donner des détails précis n'était qu'un signe de plus de la négligence qui régnait. Philip partit, tremblant de rage. Un monastère se devait de glorifier Dieu faute de quoi il ne représentait rien. Mais le prieuré de Kingsbridge était pire : il faisait honte à Dieu par son laisser-aller. Mais Philip était impuissant devant cette gabegie. Le mieux qu'il pouvait espérer, c'était de réformer une des communautés de Kingsbridge.

Durant les deux jours à cheval qu'il fallut pour gagner son nouveau poste, il rumina les maigres informations que l'on lui avait fournies et songea tout en priant à la façon dont il aborderait ces problèmes. Il serait bien avisé, décida-t-il, de s'avancer d'abord avec prudence. Un prieur normalement était élu par les moines ; mais, dans le cas d'une communauté qui n'était qu'une annexe du monastère principal, le prieur de la maison mère pouvait simplement imposer son choix. On n'avait pas demandé à Philip de se soumettre à une élection, et cela signifiait qu'il ne pouvait pas compter sur la bonne volonté des moines. Il lui faudrait soigneusement tâter le terrain, bien se renseigner sur les problèmes qui se posaient avant de pouvoir décider de la meilleure solution à leur apporter. Il lui faudrait gagner le respect et la confiance des moines, surtout ceux qui étaient plus âgés que lui et qui pourraient lui en vouloir de sa position. Puis, une fois sa science faite et son autorité assurée, il prendrait des mesures énergiques.

Les choses ne se passèrent pas ainsi.

La lumière déclinait, le second jour, lorsqu'il arrêta son poney à la lisière d'une clairière pour inspecter sa nouvelle résidence. Il n'y avait en ce temps-là qu'une seule construction de pierre, la chapelle. L'année suivante, Philip ferait construire en dur le nouveau dortoir. Les autres bâtiments, de bois, paraissaient délabrés. Philip s'irrita : tout ce que faisaient les moines était censé durer et cela valait pour les porcheries aussi bien que pour les cathédrales. En regardant autour de lui, il enregistra de nouvelles preuves du laxisme qui l'avait choqué à Kingsbridge : pas de clôture, le foin débordait par la porte de la grange et un tas de fumier s'amoncelait auprès de l'étang à poissons. Il sentit son visage se tendre de colère : «Du calme», se dit-il. Tout d'abord il ne vit personne ; bien sûr, c'était l'heure des vêpres et les moines devaient être à la chapelle. Il effleura de sa cravache le flanc du poney et traversa la clairière jusqu'à la cabane qui semblait faire office d'écurie. Un jeune homme, de la paille dans les cheveux et l'air absent, passa la tête par-dessus la porte et regarda Philip avec surprise.

«Comment t'appelles-tu ?» dit Philip, avant d'ajouter un peu timidement : «Mon fils.

— On m'appelle Johnny Huit Pence», répondit le jeune homme.

Philip mit pied à terre et lui tendit les rênes : «Viens, Johnny Huit Pence, tu peux desseller mon cheval.

— Oui, mon père.» Le garçon passa les rênes autour d'une barrière et s'éloigna.

«Où vas-tu ? demanda sèchement Philip.

— Annoncer aux frères qu'un étranger est ici.

— Johnny, il faut pratiquer l'obéissance. Desselle mon cheval. Je dirai moi-même aux frères que je suis ici.

— Bien, mon père.» L'air effrayé, Johnny se mit à l'ouvrage. Philip regarda autour de lui. Au milieu de la clairière se dressait un long bâtiment, comme une grande halle. À côté se trouvait une petite construction ronde avec de la fumée qui s'élevait d'un trou dans le toit. Sans doute était-ce la cuisine. Il décida d'aller voir ce qu'il y avait pour souper. Dans les monastères stricts on ne servait qu'un seul repas par jour, le dîner à midi, mais à l'évidence il ne s'agissait pas d'un établissement très strict et il y aurait un léger souper après les vêpres, du pain avec du fromage ou des poissons salés, ou peut-être une écuelle de bouillon d'orge préparé avec des herbes. Mais, en approchant de la cuisine, Philip huma l'arôme reconnaissable et appétissant de la viande en train de rôtir. Il s'arrêta, fronçant les sourcils, puis entra.

Deux moines et un jeune garçon étaient assis autour du foyer central. L'un des moines passa une cruche à l'autre qui but une gorgée. Le garçon tournait une broche sur laquelle dorait un petit cochon.

Ils levèrent les yeux d'un air surpris quand Philip approcha. Sans un mot, il prit la cruche des mains du moine et la flaira. Puis il dit : « Pourquoi bois-tu du vin ?

— Parce que cela me réchauffe le cœur, étranger, dit le moine. Tiens... bois donc un coup. »

On ne les avait manifestement pas prévenus de l'arrivée prochaine de leur nouveau prieur. Il était tout aussi évident qu'ils ne craignaient pas davantage de voir un moine de passage rapporter leur conduite à Kingsbridge. Malgré son envie de casser la cruche de vin sur la tête de l'homme, Philip prit une profonde inspiration et dit avec douceur : « Les enfants des pauvres ont faim pour nous fournir de la viande et de la boisson, dit-il, le vin est fait pour la gloire de Dieu et non pas pour nous réchauffer le cœur. Plus de vin pour toi ce soir. » Il tourna les talons, partant avec la cruche.

Comme il s'éloignait, il entendit le moine dire : « Pour qui te prends-tu ? » Il ne répondit pas. On le saurait assez tôt.

Il déposa la cruche devant la cuisine et traversa la clairière en direction de la chapelle, serrant et desserrant les poings en essayant de maîtriser sa colère. Pas de précipitation, se dit-il, sois prudent. Prends ton temps.

Il s'arrêta un moment sous le petit porche de la chapelle, puis poussa sans bruit la lourde porte de chêne.

Une douzaine de moines et quelques novices éparpillés sans ordre lui tournaient le dos. Devant eux, le sacristain leur faisait face et lisait dans un livre ouvert. Il célébrait l'office en hâte et les moines marmonnaient négligemment les répons. Trois chandelles de longueurs inégales crachotaient sur une nappe d'autel sale.

Au fond, deux jeunes moines bavardaient avec animation, sans se soucier des prières. Comme Philip passait à leur hauteur, l'un d'eux dit quelque chose de drôle et l'autre éclata de rire, noyant les mots que marmonnait le sacristain. Pour Philip, ce fut la goutte d'eau qui fit déborder le vase. Il ouvrit la bouche et hurla à tue-tête : «Taisez-vous!» Les rires s'interrompirent, le sacristain arrêta sa lecture. Le silence se fit dans la chapelle et les moines se retournèrent pour dévisager Philip.

Il s'approcha du moine qui venait de rire et le saisit par l'oreille. À peu près de l'âge de Philip mais plus grand, il fut cependant trop surpris pour résister quand Philip lui appuya une main sur la tête en criant : «À genoux!» Le moine aurait peut-être tenté de se débattre s'il ne s'était pas senti coupable. Quand Philip accentua sa pression, le jeune homme s'agenouilla.

«Vous tous, ordonna Philip, à genoux!»

Tous avaient prononcé le vœu d'obéissance et la scandaleuse indiscipline dans laquelle ils vivaient visiblement depuis quelque temps n'avait pas réussi malgré tout à effacer des années d'habitude. La moitié des moines et les novices au complet s'agenouillèrent.

«Vous avez tous parjuré vos vœux, dit Philip, sans cacher son mépris. Vous êtes tous sans exception des blasphémateurs.» Il les regarda tour à tour droit dans les yeux. «Votre pénitence commence dès maintenant», conclut-il. Lentement ils s'agenouillèrent l'un après l'autre, seul resta debout le sacristain, un homme bien en chair, aux paupières tombantes, d'une vingtaine d'années plus âgé que Philip. Celui-ci s'approcha en contournant les moines agenouillés. «Donnez-moi le livre», dit-il.

Le sacristain soutint son regard d'un air de défi et ne dit rien.

Philip tendit la main et voulut s'emparer du gros volume. Le sacristain le serra plus fort contre lui et Philip hésita. Il venait de passer deux jours à se prêcher lenteur et prudence, et voilà qu'à peine arrivé, la poussière de la route encore sur ses pieds, il jouait au risque-tout en affrontant un homme dont il ne savait rien. «Donnez-moi le livre, mettez-vous à genoux», répéta-t-il.

Le sacristain esquissa un ricanement : «Qui es-tu?» dit-il.

De nouveau Philip hésita. Sa robe et sa coupe de cheveux leur avaient clairement indiqué à tous qu'il était moine et son comportement qu'il possédait un certain rang; mais personne ne savait encore si ce rang le plaçait au-dessus du sacristain. Il lui aurait suffi de dire : *Je suis votre nouveau prieur*, mais il ne le voulait pas. Il lui paraissait soudain très important de l'emporter par le seul poids de l'autorité morale.

Le sacristain perçut son incertitude et en profita aussitôt : «Dites-nous à tous, je vous prie, fit-il avec une courtoisie feinte. Qui est-ce donc qui nous ordonne de s'agenouiller en sa présence?»

Toute hésitation abandonna aussitôt Philip et il se dit : Dieu est avec moi, alors de quoi ai-je peur? Il prit une profonde inspiration et ses paroles jaillirent dans un rugissement qui retentit des pavés du sol jusqu'aux pierres de la voûte : «C'est Dieu qui te commande de t'agenouiller en *Sa* présence!» tonna-t-il...

Le sacristain sembla un rien moins sûr de lui. Philip saisit l'occasion et s'empara du livre. Ayant désormais perdu toute autorité, le sacristain finit, à regret, par s'agenouiller. Dissimulant son soulagement, Philip regarda les moines tour à tour et déclara : «Je suis votre nouveau prieur.»

Il les fit rester agenouillés tandis qu'il lisait le service. Cela prit longtemps, car il leur fit répéter les répons et les répéter encore jusqu'au moment où les moines purent les dire en parfait unisson. Puis, en silence, il les fit sortir de la chapelle et traverser la clairière jusqu'au réfectoire. Il renvoya le porc rôti à la cuisine, commanda du pain et de la petite bière, puis il désigna un moine pour lire tout haut pendant qu'ils mangeaient. Dès qu'ils eurent fini, il les entraîna, toujours en silence, jusqu'au dortoir.

Il ordonna qu'on apporte son lit de la maison séparée qu'occupait le prieur : il dormirait dans la même pièce que les moines. C'était la façon la plus simple et la plus efficace de prévenir tout péché d'impureté.

Il ne ferma pas l'œil de toute la première nuit, mais resta assis à prier en silence à la lueur d'une bougie jusqu'à ce qu'il soit minuit et l'heure de réveiller les moines pour les matines. Il célébra rapidement cet office afin de leur faire comprendre qu'il n'était pas absolument impitoyable. Ils revinrent se coucher, mais Philip, lui, ne dormit pas.

Il sortit au lever du jour, avant leur réveil, et regarda autour de lui en pensant à la journée qui l'attendait. Un des champs avait été récemment défriché et au beau milieu se dressait l'énorme souche de ce qui avait dû être un grand chêne. Cela lui donna une idée.

Après le service de prime et le petit déjeuner, il les emmena tous dans le champ avec des cordes et des haches, et ils passèrent la matinée à déraciner l'énorme souche, la moitié d'entre eux tirant sur les cordes tandis que l'autre attaquait les racines à coups de hache. «Ho!» Une fois le travail terminé, Philip leur distribua à tous de la bière, du pain et une tranche de porc qu'il leur avait refusée au souper.

Ce ne fut pas la fin des problèmes, mais le début des solutions. Dès le commencement, Philip refusa de demander à la maison mère autre chose que du grain pour le pain et des cierges pour la chapelle. La certitude qu'ils n'auraient pas d'autre viande que ce qu'ils auraient élevé ou pris eux-mêmes au piège fit des moines de soigneux éleveurs de bétail et d'habiles preneurs d'oiseaux; et, alors qu'ils avaient jusque-là considéré les services comme une façon d'échapper au travail, ils étaient heureux maintenant quand Philip réduisait les heures occupées à la chapelle pour leur permettre de passer plus de temps aux champs.

Au bout de deux ans, ils se suffisaient à eux-mêmes et, au bout de quatre, ils ravitaillaient le prieuré de Kingsbridge en viande, en gibier et en fromages de chèvre devenus une friandise convoitée. La communauté prospérait, les offices étaient irréprochables, les frères sains et heureux.

Philip aurait été satisfait si la maison mère, le prieuré de Kingsbridge, n'avait pas sombré, elle.

Kingsbridge aurait dû être un des principaux centres religieux du royaume, bourdonnant d'activité, avec sa bibliothèque fréquentée par les érudits étrangers, son prieur consulté par les barons, ses autels attirant des pèlerins de tout le pays, son hospitalité vantée par la noblesse, sa charité célèbre parmi les pauvres. Mais l'église tombait en ruine, la moitié des bâtiments monastiques étaient vides et le prieuré était endetté auprès des prêteurs. Philip se rendait à Kingsbridge au moins une fois par an et, chaque fois, il revenait bouillonnant de colère devant la façon dont les richesses, léguées par de fidèles dévots et accrues par des moines dévoués, se trouvaient dissipées avec insouciance comme l'héritage du fils prodigue.

Une partie du problème tenait à l'emplacement du prieuré. Kingsbridge était un petit village sur une route de campagne qui ne menait nulle part. Depuis le temps du premier roi Guillaume – qu'on avait appelé le Conquérant, ou le Bâtard, suivant les opinions de qui parlait – la plupart des cathédrales avaient été transférées dans de grandes villes; mais Kingsbridge avait échappé à ce bouleversement. Toutefois, pour Philip, ce n'était pas un problème insurmontable : un monastère actif avec une église cathédrale se devait d'être une ville en soi.

Le vrai problème venait de la léthargie du vieux prieur James. Avec une main molle à la barre, le navire avançait au gré des vents sans aller nulle part. Et, au vif regret de Philip, le prieuré de Kingsbridge continuerait à décliner tant que le prieur James vivrait.

Ils enveloppèrent le bébé dans de la toile propre et le couchèrent dans un grand panier à pain en guise de berceau. Son petit ventre plein de lait de chèvre, il s'endormit. Philip chargea Johnny Huit Pence de s'occuper de lui car, bien qu'il fût un peu demeuré, Johnny avait la main douce pour les créatures petites et frêles.

Impatient de savoir ce qui avait amené Francis au monastère, Philip fit quelques allusions durant le dîner, mais Francis ne réagit pas et son frère dut réprimer sa curiosité.

Après le dîner, venait l'heure d'étude. On n'avait pas ici de cloître à proprement parler, mais les moines pouvaient s'asseoir sous le porche de la chapelle et lire, ou bien se promener dans la clairière. Ils avaient le droit d'entrer de temps en temps dans la cuisine pour se réchauffer auprès du feu, selon la coutume. Philip et Francis se promenèrent côte à côte autour de la clairière, ainsi qu'ils le faisaient autrefois dans le cloître du monastère au pays de Galles ; et Francis se mit à parler.

« Le roi Henry a toujours traité l'Église comme une dépendance de son royaume, commença-t-il. Il a donné des ordres aux évêques, levé des impôts et empêché l'exercice direct de l'autorité papale.

— Je sais, dit Philip. Et alors ?

— Le roi Henry est mort. »

Philip s'arrêta net. Il ne s'attendait pas à cette nouvelle.

Francis reprit : « Il est mort dans son pavillon de chasse de Lyons-la-Forêt, en Normandie, après un repas de lamproies, qu'il adorait, même si elles ne lui réussissaient pas.

— Quand cela ?

— Nous sommes aujourd'hui au premier jour de l'année, c'était donc il y a exactement un mois. »

Philip fut bouleversé. Depuis sa naissance, Philip avait eu Henry pour roi. Il n'avait jamais vécu la mort d'un roi, mais il savait que cela signifiait des troubles et peut-être la guerre. «Que va-t-il se passer maintenant?» demanda-t-il fort inquiet.

Ils reprirent leur marche. «Le problème, dit Francis, c'est que l'héritier du roi a péri en mer voilà bien des années – tu t'en souviens peut-être.

— En effet.» Philip avait alors douze ans. Ce premier événement d'importance nationale à pénétrer sa conscience d'enfant lui avait fait prendre conscience du monde extérieur au monastère. Le fils du roi avait péri dans le naufrage d'un vaisseau appelé le *Vaisseau blanc*, juste au large de Cherbourg. L'abbé Peter, en racontant tout cela au jeune Philip, avait redouté que la guerre et l'anarchie suivent la mort du prince héritier; mais le roi Henry garda le contrôle du royaume et la vie continua paisiblement pour Philip et Francis.

«Le roi, bien entendu, avait d'autres enfants, poursuivit Francis, au moins vingt, y compris mon suzerain, le comte Robert de Gloucester; mais, comme tu le sais, ce sont tous des bâtards. Malgré sa fécondité effrénée, il n'a réussi à engendrer qu'un autre enfant légitime – et c'est une fille, Maud. Un bâtard ne peut pas hériter du trône, mais une femme ne vaut guère mieux.

— Le roi Henry n'a pas désigné d'héritier? dit Philip.

— Si, il a choisi Maud. Elle a un fils, qui s'appelle aussi Henry. C'était le vœu le plus cher du vieux roi que son petit-fils héritât du trône. Mais l'enfant n'a pas encore trois ans. Alors le roi a obligé les barons à jurer fidélité à Maud.»

Philip s'étonna. «Si le roi a fait de Maud son héritière et que les barons lui aient déjà prêté serment de loyauté... quel est le problème?

— La vie de cour n'est jamais aussi simple, répondit Francis. Maud est mariée à Geoffroi d'Anjou. L'Anjou et la Normandie sont en rivalité depuis des générations. Nos suzerains normands détestent les Angevins. Franchement, quel optimisme de la part du vieux roi que d'espérer qu'une bande de barons anglo-normands remettraient l'Angleterre et la Normandie à une Angevine, serment ou pas serment.»

Les propos informés de son frère cadet et son manque de respect pour les hommes les plus importants du pays surprenaient quelque peu Philip : «Comment sais-tu tout cela?

— Les barons se sont réunis au Neubourg pour décider quoi faire. Il va sans dire que mon suzerain, le comte Robert, était là; et je l'ai accompagné pour écrire ses lettres.»

Philip regarda son frère, songeant combien la vie de Francis devait être différente de la sienne. Puis il se rappela quelque chose. « Le comte Robert est le fils aîné du vieux roi, n'est-ce pas ?

— Oui, et il est *très* ambitieux ; mais il accepte l'opinion générale qui veut que les bâtards doivent conquérir leurs royaumes et non pas les recevoir en héritage.

— Qui d'autre peut prétendre au trône ?

— Le roi Henry avait trois neveux, les fils de sa sœur. L'aîné est Théobald de Blois, puis il y a Stephen, que le défunt roi aimait beaucoup et à qui il a fait don de vastes domaines ici en Angleterre ; et le benjamin de la famille, Henry, que tu connais comme l'évêque de Winchester. Les barons étaient en faveur de l'aîné, Théobald, suivant une tradition que tu estimes sans doute parfaitement raisonnable. »

Francis regarda Philip d'un air taquin.

« Parfaitement raisonnable, dit Philip avec un sourire. Théobald est donc notre nouveau roi ? »

Francis secoua la tête. « Il croyait l'être, mais nous autres, fils cadets, avons une façon de nous pousser au premier rang. »

Arrivés au coin le plus éloigné de la clairière, ils revinrent sur leurs pas. « Pendant que Théobald acceptait gracieusement l'hommage des barons, Stephen traversait la Manche pour gagner l'Angleterre, fonçait sur Winchester et, avec l'aide du petit frère Henry, l'évêque, il s'est emparé du château là-bas et – plus important que tout – du trésor royal. »

Philip faillit lancer : Alors, c'est Stephen notre nouveau maître. Mais il se mordit la langue : il s'était déjà trompé à deux reprises à propos de Maud et de Théobald.

« Stephen, poursuivit Francis, n'avait besoin que d'un atout de plus pour assurer sa victoire : le soutien de l'Église. Car, tant qu'il n'aurait pas été couronné à Westminster par l'archevêque, il ne serait pas *vraiment* roi.

— Mais c'était sûrement facile, dit Philip. Son frère Henry est un des plus importants prélats du pays – l'évêque de Winchester, abbé de Glastonbury, riche comme Crésus et presque aussi puissant que l'archevêque de Canterbury. Si Henry n'avait pas l'intention de soutenir Stephen, pourquoi l'aurait-il aidé à prendre Winchester ? »

Francis hocha la tête. « Je dois dire que l'évêque Henry a brillamment agi durant cette crise. Tu comprends, il n'a pas aidé Stephen par amour fraternel.

— Alors, quel était son mobile ?

— Je t'ai rappelé il y a quelques minutes que feu le roi Henry avait traité l'Église comme un vulgaire fief. L'évêque Henry veut s'assurer que notre nouveau roi, quel qu'il puisse être, la traitera mieux. Alors, avant de promettre son soutien, *Henry a fait jurer solennellement à Stephen de préserver les droits et les privilèges de l'Église.* »

Philip était impressionné. Les relations de Stephen avec l'Église étaient donc définies dès le début de son règne, suivant les termes fixés par le clergé. Mais plus important sans doute était le précédent que cela créait. S'il avait toujours appartenu à l'Église de couronner les rois, elle n'avait jamais eu cependant encore le droit d'imposer ses conditions. Le temps viendrait peut-être où aucun souverain ne pourrait accéder au pouvoir sans passer d'abord un accord avec le clergé. « Ceci pourrait beaucoup pour nous, dit Philip.

— Bien entendu, dit Francis, Stephen peut ne pas tenir ses promesses. Pourtant, tu as raison, il lui sera difficile de se montrer aussi impitoyable avec l'Église que le fut Henry. Il y a un autre danger. Deux des barons ont été vivement chagrinés par ce qu'a fait Stephen. L'un était Bartholomew, le comte de Shiring.

— J'ai entendu parler de lui. Shiring n'est qu'à une journée de voyage d'ici. On dit Bartholomew un homme pieux.

— Peut-être l'est-il. Je sais seulement que c'est un homme obstiné qui se pique de vertu et qui ne reviendra pas sur le serment de loyauté qu'il a prêté à Maud, malgré la promesse d'un pardon.

— Et l'autre baron mécontent ?

— C'est mon maître Robert de Gloucester. Je t'ai dit qu'il était ambitieux. Son âme est tourmentée à l'idée que, si seulement il était un enfant légitime, il serait roi. Il veut mettre sa demi-sœur sur le trône, persuadé qu'elle s'appuiera si fortement sur son frère pour qu'il la guide et la conseille que, même sans en avoir le titre, il sera roi.

— Va-t-il tenter quelque chose ?

— J'en ai bien peur. » Francis baissa la voix, quoiqu'il n'y eût personne à proximité. « Robert et Bartholomew, avec Maud et son mari, s'apprêtent à fomenter une rébellion. Ils projettent de renverser Stephen et de placer Maud sur le trône. »

Philip s'arrêta. « Ce qui déferait tout ce qu'a obtenu l'évêque de Winchester ! » Il étreignit le bras de son frère. « Mais, Francis...

— Je sais ce que tu penses. » Perdant soudain toute son assurance, Philip semblait inquiet et effrayé. « Si le comte Robert savait que je t'ai seulement parlé, il me ferait pendre. Il a en moi une confiance totale. Cependant mon ultime loyauté est envers l'Église : il le faut.

— Alors, que peux-tu faire ?

— J'ai songé à demander une audience au nouveau roi et à tout lui raconter. Naturellement, les deux comtes rebelles nieraient tout, et je serais pendu pour trahison ; mais la rébellion serait étouffée et j'irais au ciel. »

Philip secoua la tête. « On nous enseigne qu'il est vain de rechercher le martyre.

— Et je crois que Dieu a d'autres missions à me confier ici sur la terre. J'occupe un poste de confiance dans la maison d'un grand baron et, si je reste là et qu'au prix d'un dur travail je progresse, je pourrais faire avancer beaucoup les droits de l'Église et le règne de l'ordre.

— Y a-t-il une autre façon... ? »

Francis regarda Philip dans les yeux. « C'est pourquoi je suis ici. » Philip se sentit frissonner de peur. Manifestement Francis allait lui demander de se compromettre. Aucune autre raison ne justifiait qu'il lui révélât ce terrible secret.

« Moi, reprit Francis, je ne peux pas trahir la rébellion, mais toi, tu le peux.

— Jésus-Christ, dit Philip, et tous les saints, protégez-moi.

— Si le complot est démasqué ici, dans le Sud, aucun soupçon ne tombera sur la maison des Gloucester. Personne ne sait que je suis venu te voir, personne ne sait même que tu es mon frère. Tu pourras concevoir une explication plausible pour justifier l'origine de tes renseignements : tu as pu voir des hommes d'armes se rassembler, ou bien quelqu'un de la maison du comte Bartholomew aura révélé le complot en confessant ses péchés à un prêtre que tu connais. »

Philip serra son manteau autour de lui. Il semblait soudain faire plus froid. L'affaire était dangereuse, très dangereuse. Se mêler de politique royale conduisait régulièrement à leur perte des pratiquants expérimentés. Quelqu'un d'aussi peu informé que Philip serait fou de se lancer dans pareille aventure.

Mais les enjeux étaient si grands. Philip ne pouvait pas rester immobile devant une rébellion contre un roi choisi par l'Église, pas quand il avait l'occasion de l'empêcher. Et, si dangereux que ce fût pour Philip, il serait suicidaire pour Francis de dénoncer le complot.

« Quel est le plan des rebelles ? demanda Philip.

— Le comte Bartholomew rentre en ce moment même à Shiring. De là, il enverra des messages à ses partisans dans tout le sud de l'Angleterre. Le comte Robert arrivera à Gloucester un jour ou deux plus tard et rassemblera ses forces dans l'Ouest. Enfin, le comte Brian Fitz, qui tient le château de Wallingford, en fermera les portes ; et tout le sud-ouest de l'Angleterre tombera sans combat aux mains des rebelles.

— Alors il est presque trop tard ! s'écria Philip.

— Pas vraiment. Nous avons à peu près une semaine. Mais tu vas devoir agir vite. »

Le cœur défaillant, Philip se rendit compte qu'il avait plus ou moins déjà pris sa décision. « Je ne sais pas à qui parler, dit-il. Normalement, on s'adresserait au comte, mais dans ce cas, c'est lui le coupable. Le prévôt est sans doute de son côté. Il va falloir trouver quelqu'un dont nous soyons sûrs qu'il est dans notre camp.

— Le prieur de Kingsbridge ?

— Mon prieur est vieux et fatigué. Selon toute probabilité, il ne ferait rien.

— Il doit bien y avoir quelqu'un.

— Il y a l'évêque. » Philip en fait n'avait jamais parlé à l'évêque de Kingsbridge, mais il recevrait sûrement Philip et l'écouterait. Il se rangerait très certainement aux côtés de Stephen, car celui-ci était le choix de l'Église ; et il était assez puissant pour agir.

« Où habite-t-il ? dit Francis.

— À un jour et demi d'ici.

— Tu ferais mieux de partir aujourd'hui.

— Oui », dit Philip, le cœur lourd.

Francis paraissait plein de remords. « Je regrette qu'il n'y ait personne d'autre.

— Moi aussi, dit Philip avec conviction. Moi aussi. »

Philip convoqua les moines dans la petite chapelle et leur annonça que le roi était mort. « Nous devons prier pour une succession paisible et un nouveau roi qui aimera l'Église plus que le défunt Henry », déclara-t-il. Mais il ne leur dit pas que la clé d'une succession paisible venait par hasard de tomber entre ses mains. Il ajouta seulement : « D'autres nouvelles m'obligent à rendre visite à notre maison mère de Kingsbridge. Je dois partir sans tarder. »

Le sous-prieur célébrerait les offices et le cellérier ferait marcher la ferme, mais ni l'un ni l'autre n'étaient de taille à affronter Peter de Wareham, et Philip craignait que, s'il s'absentait trop longtemps, Peter n'allât causer tant de trouble qu'il n'y aurait plus de monastère à son retour. Il n'avait pas pu imaginer un moyen de contrôler Peter sans blesser son amour-propre et il n'avait plus le temps maintenant, aussi devait-il faire du mieux qu'il pouvait.

« Au début de la journée, dit-il après un silence, nous avons parlé de gourmandise. Frère Peter mérite nos remerciements pour nous avoir rappelé que, lorsque Dieu bénit notre ferme et nous donne la richesse, ce n'est pas pour que nous nous vautrions grassement dans le confort, mais pour sa plus grande gloire. Cela fait partie de notre saint devoir que de partager nos richesses avec les pauvres. Jusqu'à maintenant, nous avons négligé ce devoir, surtout parce que ici dans la forêt nous n'avons personne avec qui partager. Frère Peter nous a rappelé que c'est notre devoir d'aller à la recherche des pauvres de façon à pouvoir soulager leur misère. »

Les moines s'étonnèrent : ils s'étaient imaginé que le sujet de la gourmandise était clos. Peter lui-même semblait hésitant. Il était ravi de se retrouver au centre de l'attention générale, mais il se méfiait de ce que Philip pouvait cacher dans sa manche – et il n'avait pas tort.

« J'ai décidé, reprit Philip, que chaque semaine nous donnerions aux pauvres un penny pour chaque moine de notre communauté. Si cela veut dire que nous devons tous manger un peu moins, nous nous réjouirons en songeant à notre récompense céleste. Plus important encore, nous devons nous assurer que nos pennies seront bien dépensés. Quand on donne un penny à un autre pour acheter du pain pour sa famille, il risque fort d'aller droit à la taverne et s'enivrer, puis rentrer chez lui et battre sa femme, qui se serait donc mieux trouvée sans notre charité. Mieux vaut lui donner directement le pain ; mieux vaut même le donner à ses enfants. Faire l'aumône est une tâche sacrée qu'il faut accomplir avec la même diligence que le soin des malades ou l'éducation des jeunes. Pour cette raison, de nombreux établissements monastiques désignent un aumônier responsable de la distribution des aumônes. Nous allons faire de même. »

Philip regarda autour de lui. Ils étaient tous en alerte, inté-ressés. Peter arborait un air satisfait, ayant évidemment conclu que c'était là une victoire pour lui. Personne ne s'attendait à ce qui allait se passer.

«Le travail d'un aumônier est dur. Il lui faudra aller à pied jusqu'aux villes et aux villages les plus proches, et fréquemment jusqu'à Winchester. Là, il se mêlera aux classes les plus misé-rables, les plus sales, les plus laides et les plus perverses, car c'est ainsi que sont les pauvres. Il devra prier pour eux quand ils blasphémeront, leur rendre visite quand ils seront malades et leur pardonner quand ils essaieront de le tromper et de le voler. Il aura besoin de force, d'humilité et d'une patience sans fin. Il regrettera le confort de cette communauté, car il sera plus souvent en chemin qu'avec nous.»

Il parcourut une nouvelle fois des yeux l'assemblée des moines. Ils étaient maintenant sur leurs gardes, car aucun d'eux ne voulait de cette tâche. Il laissa son regard s'arrêter sur Peter de Wareham. Peter comprit ce qui se passait et se décomposa.

«C'est Peter qui a attiré notre attention sur nos lacunes dans ce domaine, dit Philip avec lenteur, aussi ai-je décidé que ce serait Peter qui aurait l'honneur d'être notre aumônier.» Il sou-rit. «Tu peux commencer aujourd'hui.»

Le visage de Peter se fit sombre comme l'orage.

Tu seras trop souvent absent pour causer des ennuis, pensa Philip; et le contact constant avec les pauvres pleins de vermine des ruelles puantes de Winchester calmera le mépris que tu portes à la vie trop facile.

Mais Peter évidemment prit cela comme une punition pure et simple, et il fixa Philip avec une expression de telle haine que celui-ci un moment se sentit vaciller.

Il se détourna pour s'adresser aux autres. «Après la mort d'un roi, il y a toujours danger et incertitude, dit-il. Priez pour moi pendant que je serai absent.»

7.

Le deuxième jour de son voyage, à midi, le prieur Philip n'était plus qu'à quelques lieues du palais de l'évêque. À mesure

...ngoisse monter en lui. L'histoire qu'il ... comment il avait entendu parler de ... l'évêque la croirait-il? Et s'il réclamait ...ore – Philip n'avait envisagé cette possibi- ...assez improbable, qu'après avoir pris congé ... évêque faisait lui-même partie de la conspira- ...nait la rébellion, s'il était complice du comte de ... avait déjà vu des évêques faire passer leurs propres ...vant ceux de l'Église.

...ésiterait peut-être pas à torturer Philip pour lui arracher ...rce d'information. Philip se rappela les instruments de tor- ...e représentés sur les peintures de l'enfer, qui s'inspiraient de ... réalité vécue dans les cachots des barons et des évêques. Philip ne se croyait pas la force de subir la mort d'un martyr.

Quand il vit un groupe de voyageurs marchant sur la route devant lui, son premier réflexe fut de retenir son cheval pour éviter de les dépasser, car il était seul et bien des détrousseurs de grand chemin n'auraient pas de scrupules à dépouiller un moine. Puis il reconnut deux silhouettes d'enfants et une de femme. Un groupe familial ne présentait guère de risque. Il mit sa monture au trot pour le rattraper.

Le groupe se composait d'un homme de haute taille, d'un jeune homme presque aussi grand que lui, d'une femme plutôt frêle et de deux enfants. Vêtus de haillons, ils étaient manifeste- ment pauvres car ils ne portaient pas de ballots contenant leurs possessions. L'homme paraissait robuste, quoique émacié, comme miné par la maladie – ou seulement affamé. Il lança un regard méfiant à Philip et resserra les enfants autour de lui en murmurant quelques mots. Il ne devait pas dépasser de beau- coup la trentaine, malgré son visage marqué par les soucis.

«Holà! Moine!» cria la femme.

Philip s'étonna. Une femme, habituellement, ne parlait pas avant son mari, et si le terme de «moine» n'était pas franche- ment impoli, elle aurait dû dire plutôt «mon frère» ou «mon père», expressions plus respectueuses. La femme paraissait d'une dizaine d'années plus jeune que l'homme. Ses yeux pro- fondément enfoncés dans l'orbite et d'une étrange couleur d'or pâle donnaient à son visage une personnalité peu ordi- naire. Philip eut le sentiment qu'elle était dangereuse.

«Bonjour à vous, mon père, dit l'homme, comme pour rat- traper la brusquerie de sa femme.

« — Dieu te bénisse, répondit Philip en ralentissant sa jument. Qui es-tu ?

— Tom, un maître bâtisseur qui cherche du travail.

— Et qui n'en trouve pas, me semble-t-il.

— C'est la vérité. »

Philip hocha la tête. Il connaissait l'histoire : les artisans bâtisseurs se déplaçaient en quête de travail et parfois n'en trouvaient pas, soit par malchance, soit parce qu'il n'y avait pas beaucoup de gens qui faisaient bâtir. Ces malheureux profitaient souvent de l'hospitalité des monastères auxquels, s'ils possédaient quelque argent après un emploi précédent, ils faisaient des dons généreux. Si leur chômage datait de plus longtemps, ils n'avaient rien à offrir. Réserver le même accueil chaleureux aux uns comme aux autres mettait parfois la charité monastique à l'épreuve.

Ce bâtisseur-là appartenait assurément à l'espèce sans le sou, encore que sa femme eût plutôt l'air assez prospère. « Eh bien, dit Philip, j'ai quelques vivres dans ma sacoche de selle. C'est l'heure du dîner et la charité est un devoir sacré ; alors si ta famille et toi voulez partager mon repas, je serai récompensé au ciel en même temps que j'aurai un peu de compagnie pendant mon repas.

— C'est bien aimable », dit Tom. Il se tourna vers la femme, qui haussa imperceptiblement les épaules, puis acquiesça de la tête. L'homme enchaîna aussitôt : « Nous acceptons votre charité et nous vous remercions.

— C'est Dieu qu'il faut remercier, pas moi, dit Philip machinalement.

— Merci aussi, ajouta la femme, aux paysans dont la dîme a fourni cette nourriture. »

En voilà une, songea Philip, qui n'a pas sa langue dans sa poche. Cependant, il ne releva pas la remarque.

Ils gagnèrent une petite clairière où le cheval de Philip put paître la pauvre herbe de l'hiver. Le moine était secrètement ravi de cette excuse qui s'offrait à lui de retarder son arrivée au palais et de reculer l'heure de l'entretien qu'il redoutait avec l'évêque. Le bâtisseur annonça que lui aussi se rendait au palais épiscopal dans l'espoir d'y trouver des réparations à faire ou des travaux d'agrandissement. Tout en bavardant, Philip examinait discrètement la famille. La femme semblait beaucoup trop jeune pour être la mère de l'aîné des garçons. Celui-ci, d'ailleurs, faisait penser à un veau : fort, maladroit, l'air stupide. Le plus jeune, petit et bizarre, avec des cheveux couleur carotte, la peau blanche et des yeux d'un vert vif un peu exorbités, avait une façon de regarder fixement les choses d'un air absent qui rappelait à Philip le pauvre Johnny Huit Pence ; sauf que, contrairement à Johnny, ce garçon lançait le regard très mûr d'un adulte averti quand on attirait son attention. À sa façon, il intriguait autant que sa mère, pensa Philip. Le troisième enfant était une fillette d'environ six ans. Elle pleurait par intermittence. Son père la surveillait constamment avec une inquiétude affectueuse et lui caressait de temps en temps les cheveux en silence. De toute évidence, il l'aimait beaucoup. Il aimait sûrement aussi sa femme, car Philip surprit un éclair de désir entre eux quand par hasard leurs mains s'effleurèrent.

La femme envoya les enfants chercher de grandes feuilles pour servir d'assiettes. Philip ouvrit ses sacoches de selle.

« Où est votre monastère, mon père ? demanda Tom.

— Dans la forêt, à une journée de voyage d'ici, vers l'ouest. »

La femme leva brusquement la tête et Tom haussa les sourcils.

« Vous le connaissez ? » interrogea Philip.

Bizarrement, Tom semblait embarrassé. « Nous avons dû passer tout près en allant à Salisbury, dit-il.

— Peut-être, mais comme il est très éloigné de la grand-route, vous n'avez pas dû le voir.

— Ah bon ! » fit Tom, l'esprit ailleurs.

Une pensée surgit soudain dans l'esprit de Philip. « Dites-moi... Vous n'auriez pas croisé une femme sur la route ? Sans doute très jeune, seule, et... euh... attendant un enfant ?

— Non », dit Tom. Malgré son expression volontairement neutre, Philip avait la certitude qu'il était vivement intéressé. « Pourquoi demandez-vous cela ? »

Philip sourit. « Voilà : de bonne heure hier, un bébé a été trouvé dans la forêt et amené à mon monastère. C'est un garçon, qui à mon avis n'a pas plus d'un jour ou deux. La mère devait donc se trouver dans le voisinage en même temps que vous.

— Nous n'avons vu personne, répéta Tom. Qu'avez-vous fait du bébé ?

— On l'a nourri au lait de chèvre, qui d'ailleurs semble très bien lui réussir. »

Le couple observait Philip intensément. Au bout d'un moment, Tom reprit la parole : « Vous recherchez la mère ?

— Oh non ! Je posais la question à tout hasard. Si je la rencontrais, bien sûr, je lui rendrais son bébé ; mais il est clair qu'elle n'en veut pas et qu'elle fera tout pour qu'on ne la retrouve pas.

— Que va devenir cet enfant ?

— Nous l'élèverons au monastère comme un enfant de Dieu. Mon frère et moi avons ainsi été élevés, nous avons perdu nos parents tout jeunes ; l'abbé fut notre père et les moines notre famille. Nous étions nourris, au chaud et instruits.

— Et vous êtes tous deux devenus des moines », constata la femme, avec un rien d'ironie, comme pour souligner que la charité du monastère n'était pas dénuée d'intérêt égoïste.

Philip fut heureux de pouvoir la contredire. « Non, mon frère a quitté l'ordre. »

Les enfants revinrent. Comme ils n'avaient pas trouvé de grandes feuilles – rares en hiver –, ils mangèrent donc sans assiette. Philip leur distribua à tous du pain et du fromage. Ils se jetèrent sur la nourriture comme des bêtes affamées. « Nous fabriquons ce fromage à mon monastère, expliqua-t-il. La plupart des gens l'aiment quand il est frais, comme ceci, mais il devient encore meilleur si on le laisse mûrir. » Ils avaient trop faim pour tant de subtilité. En un instant, pain et fromage disparurent. Philip avait trois poires. Il les tira de sa sacoche et les donna à Tom, qui en tendit une à chacun des enfants. Philip se leva. « Je vais prier pour que tu trouves du travail.

— Si vous y pensez, mon père, dit Tom, parlez de moi à l'évêque. Vous connaissez notre besoin et vous constaterez que nous sommes honnêtes.

— Je n'y manquerai pas. »

Tom lui tint le cheval tandis que Philip remontait en selle.

« Vous êtes un brave homme, mon père », dit-il, et Philip vit avec surprise que le maçon avait les larmes aux yeux.

« Dieu soit avec vous », dit-il.

Tom ne lâchait pas la bride. Il hésita, puis demanda : « Le bébé dont vous nous avez parlé... le nouveau-né... » Il parlait tout bas, comme s'il ne voulait pas que les enfants l'entendent. « Est-ce que... est-ce que vous lui avez donné un nom ?

— Oui. Nous l'appelons Jonathan, ce qui veut dire "don de Dieu".

— Jonathan. Ça me plaît. » Tom lâcha le cheval.

Philip le suivit des yeux avec curiosité, puis donna un coup de talon à sa monture et s'éloigna au trot.

L'évêque de Kingsbridge ne vivait pas à Kingsbridge. Son palais se dressait au flanc d'une colline exposée au sud, dans une vallée verdoyante, à une pleine journée de voyage de la froide cathédrale de pierre et de ses tristes moines. Il préférait cet arrangement, car trop de pratique religieuse risquait de le gêner dans ses autres obligations : percevoir les loyers, rendre la justice et manœuvrer à la cour royale. Cet arrangement convenait aussi aux moines car plus loin demeurait l'évêque, moins il intervenait dans leurs affaires.

Cet après-midi-là, c'est par un temps de neige que Philip arriva à destination. Un vent âpre balayait la vallée et des nuages gris et bas s'amassaient au-dessus du manoir de l'évêque bâti à flanc de coteau et aussi bien défendu qu'un château. On avait déboisé sur une cinquantaine de toises à la ronde. Une solide palissade de bois à hauteur d'homme entourait le bâtiment, bordée à l'extérieur d'un fossé pour l'écoulement des eaux de pluie. Le garde à la poterne avait des façons peu martiales, mais son épée était impressionnante.

Le palais était une belle maison de pierre en forme de E. Au rez-de-chaussée une grange, dont les robustes murs étaient percés de plusieurs lourdes portes, mais non de fenêtres. Par une porte ouverte, Philip aperçut dans la pénombre des barils et des sacs. Les autres portes étaient fermées et enchaînées. Que cachaient-elles ? Peut-être, pensa Philip, les prisonniers de l'évêque.

La petite branche du E était constituée par un escalier extérieur menant aux quartiers d'habitation au-dessus de la grange. La pièce principale, qui occupait le jambage vertical du E, devait être la salle commune. Les deux pièces formant le haut et le bas du E contenaient sans doute une chapelle et une chambre, se dit Philip. Les étroites fenêtres fermées par des volets ressemblaient à des yeux regardant le monde avec méfiance.

L'enceinte abritait aussi une cuisine et une boulangerie de pierre, ainsi que des étables et une grange en bois. Tous les bâtiments paraissaient en bon état – dommage pour Tom le bâtisseur, pensa Philip.

Dans l'écurie se trouvaient quelques bons chevaux, dont une paire de destriers ; une poignée d'hommes d'armes s'agitaient vaguement pour tuer le temps. Peut-être l'évêque avait-il des visiteurs.

Philip confia sa monture à un garçon d'écurie et gravit les marches, non sans une certaine appréhension. Tout cet endroit sentait désagréablement le militaire. Où étaient les files de plaignants venant exposer leurs griefs, les mères avec leurs bébés à faire bénir ? Philip pénétrait dans un monde peu familier porteur d'un lourd et dangereux secret. Je ne suis peut-être pas près de sortir d'ici, songea-t-il avec crainte. Combien je regrette que Francis soit venu me voir !

Il arriva en haut du perron. Voilà bien des pensées indignes, se dit-il. Alors que j'ai une chance de servir Dieu et l'Église, je réagis en me préoccupant de ma propre sécurité. Il y a des hommes qui affrontent le danger chaque jour, au combat, en mer, lors de pèlerinages hasardeux ou de croisades. Même un moine se doit de supporter quelques peurs et quelques tremblements. Il prit une profonde inspiration et entra.

La salle était sombre et enfumée. Philip referma prestement la porte pour empêcher l'air froid d'entrer, puis scruta la pénombre. Un grand feu flamboyait au fond de la pièce, seule source de lumière avec les petites ouvertures des fenêtres. Autour de l'âtre, un groupe d'hommes, les uns en tenue ecclésiastique, les autres portant des costumes de petite noblesse, plongés dans une grave discussion, parlaient à voix basse et calme. Les regards et les propos s'adressaient à un prêtre assis au milieu du groupe comme une araignée au centre de sa toile. C'était un homme maigre ; ses longues jambes qui se déployaient et ses longs bras qui glissaient sur les appuis de son fauteuil faisaient penser qu'il s'apprêtait à bondir. Il avait des cheveux d'un noir de jais, un visage pâle au nez acéré, et ses vêtements noirs lui donnaient une allure à la fois élégante et menaçante.

Ce n'était pas l'évêque.

Un intendant se leva d'une chaise placée auprès de la porte et s'adressa à Philip : « Bonjour à vous, mon père. Qui voulez-vous voir ? » À cet instant, un chien de chasse allongé devant le feu leva la tête en grognant. Alerté, l'homme en noir se retourna, aperçut Philip et interrompit sur-le-champ la conversation d'un geste de la main. « Qu'y a-t-il ? dit-il avec brusquerie.

— Je vous souhaite le bonjour, répondit poliment Philip. Je suis venu voir l'évêque.

— Il n'est pas ici », déclara le prêtre d'un ton qui ne souffrait pas de réplique.

Philip sentit son cœur se serrer. Lui qui avait tant redouté cette entrevue et les dangers qu'elle comportait, maintenant il se sentait déçu. Qu'allait-il faire de son terrible secret? Il revint au prêtre : « Quand attendez-vous son retour ?

— Nous n'en savons rien. Quelles affaires voulez-vous traiter avec lui ? » La brusquerie de cet homme agaçait quelque peu Philip. « Les affaires de Dieu, répliqua-t-il sèchement. Qui êtes-vous ? » Le prêtre haussa les sourcils, comme surpris d'être interpellé, et tout le monde observa un silence gêné, annonciateur d'explosion ; mais le prêtre en noir répondit calmement : « Je suis son archidiacre. Mon nom est Waleran Bigod.

— Le mien est Philip. Je suis le prieur du monastère de Saint-John-de-la-Forêt. C'est une annexe du prieuré de Kingsbridge.

— J'ai entendu parler de vous, dit Waleran. Vous êtes Philip de Gwynedd. »

Philip, fort étonné, ne comprenait pas comment un archidiacre connaissait le nom d'un personnage aussi peu important que lui. Mais ce nom, si modeste qu'il fût, suffit à adoucir Waleran, dont l'expression irritée disparut. « Approchez-vous du feu, dit-il. Vous prendrez bien une tirée de vin chaud pour vous ranimer le sang ? » Il fit signe à quelqu'un, assis sur un banc contre le mur, et une silhouette dépenaillée surgit aussitôt.

Philip s'approcha du feu. Waleran prononça quelques mots à voix basse après lesquels les autres membres de l'assistance commencèrent à sortir, raccompagnés par Waleran jusqu'à la porte ; pendant ce temps, Philip s'assit et se chauffa les mains en se demandant de quoi ces gens discutaient et pourquoi l'archidiacre n'avait pas conclu la réunion sur une prière.

Le serviteur en haillons lui tendit une écuelle. Philip but une gorgée du vin brûlant et épicé. Que devait-il faire maintenant ? En l'absence de l'évêque, à qui pouvait-il s'adresser ? Il songea à aller trouver le comte Bartholomew pour lui demander simplement de renoncer à sa rébellion. Aussitôt l'idée lui parut ridicule : le comte le précipiterait dans un cachot pour le restant de ses jours. Il restait le prévôt, qui en théorie représentait le roi dans le comté. Mais impossible de dire dans quel camp le prévôt se rangeait alors qu'on ne savait pas encore qui allait être roi. Tout de même, se dit Philip, il faudra bien que je prenne ce risque-là, à la fin. Il avait envie de retrouver la vie simple du monastère, où son ennemi le plus dangereux était Peter de Wareham.

Les derniers hôtes de Waleran s'en allèrent et la porte se referma sur le brouhaha des chevaux dans la cour. Waleran revint auprès du feu et en approcha un grand fauteuil.

Philip, préoccupé par son problème, n'avait pas vraiment envie de soutenir une conversation avec l'archidiacre, mais il se crut obligé d'être poli. «J'espère que je n'ai pas interrompu votre réunion», dit-il.

Waleran eut un geste désinvolte. «Elle devait bien se terminer, dit-il. Ces choses-là durent toujours plus longtemps que nécessaire. Nous discutions le renouvellement des baux sur les terres diocésaines : le genre de problème qui pourrait se régler en quelques instants, si seulement les gens acceptaient de prendre des décisions.» Il leva une main osseuse, comme pour chasser les baux diocésains et leurs bénéficiaires. «Dites-moi, il paraît que vous faites du bon travail dans cette petite communauté de la forêt.

— Je suis surpris que vous en connaissiez l'existence, répondit Philip.

— L'évêque est abbé de Kingsbridge *ex officio*, il est donc normal qu'il s'y intéresse.»

Ou alors il a un archidiacre bien informé, se dit Philip *in petto*.

«Ma foi, reprit-il à voix haute, Dieu nous a bénis.

— En effet.»

Ils parlaient en français normand, la langue que Waleran et ses hôtes employaient tout à l'heure, la langue du gouvernement, mais Philip remarqua chez Waleran un accent un peu étrange qu'il identifia comme une trace d'anglais. Autrement dit, l'archidiacre n'était pas un aristocrate normand, mais un natif du pays qui s'était élevé grâce à ses propres efforts – comme Philip.

Il eut bientôt confirmation de son hypothèse car Waleran passa à l'anglais pour dire : «J'aimerais bien que Dieu étende la même bénédiction au prieuré de Kingsbridge.»

Philip n'était donc pas le seul à s'inquiéter de la situation à Kingsbridge. Du reste, Waleran en savait probablement plus sur ce qui s'y passait. Philip demanda : «Comment va le prieur James?

— Il est malade», répondit brièvement Waleran.

Dans ce cas, on ne pourrait pas compter sur lui dans l'affaire du comte Bartholomew, pensa Philip, accablé. Il allait devoir se rendre à Shiring pour tenter sa chance auprès du prévôt.

L'idée lui vint que Waleran était le genre d'homme à être au courant de tous les événements importants du comté. «Comment est le prévôt de Shiring?» interrogea-t-il.

Waleran haussa les épaules. «Impie, arrogant, cupide et corrompu. Comme tous les prévôts. Pourquoi me demandez-vous cela?

— Si je ne peux pas parler à l'évêque, je devrais sans doute voir le prévôt.

— Je suis dans la confidence de l'évêque, vous savez, fit Waleran avec un petit sourire. Si je peux vous aider...» Il eut un geste de la main ouverte, comme un homme qui se montre généreux mais qui sait qu'on le repoussera peut-être.

Philip s'était un peu détendu en apprenant que l'entrevue critique avec l'évêque était retardée mais l'inquiétude maintenant le reprenait. Pouvait-il faire confiance à l'archidiacre Waleran? Sa nonchalance était étudiée, se dit-il. Sous sa méfiance et son indifférence apparentes, il cachait la brûlante envie de savoir ce que Philip avait à dire de si important. Toutefois, le moine n'avait aucune raison valable de ne pas lui faire confiance. Il semblait judicieux. Était-il assez puissant pour repousser la rébellion? En tout cas, il pouvait se mettre en rapport avec l'évêque. Philip songea soudain qu'il tenait en fait un avantage majeur à se confier à Waleran; l'évêque, lui, insisterait pour connaître la véritable source des renseignements de Philip. Mais l'archidiacre, qui n'avait pas l'autorité pour l'interroger, devrait se contenter du récit que lui ferait Philip, qu'il y crût ou non.

Waleran eut de nouveau son petit sourire. «Si vous ne me parlez pas, je vais croire que vous vous méfiez de moi!»

Philip avait l'impression de comprendre Waleran. Il lui ressemblait un peu: jeune, instruit, de petite naissance et intelligent. Un peu trop mondain au goût de Philip, peut-être, mais c'était excusable chez un prêtre obligé de passer tant de temps avec les seigneurs et les dames, et qui ne bénéficiait pas de la vie d'un moine. Waleran était au fond du cœur un homme pieux, pensa Philip. Il agirait dans l'intérêt de l'Église.

Pourtant, il hésitait encore, au bord de la confidence. Seuls Francis et lui connaissaient le secret. Dès l'instant où il s'en ouvrirait à un tiers, la situation lui échapperait. Il prit une profonde inspiration.

«Voilà trois jours, un homme blessé est arrivé à mon monastère dans la forêt, commença-t-il, implorant en silence le pardon de son mensonge. Il était armé, montait un beau cheval rapide et avait fait une chute à une demi-lieue de là. Sans doute chevauchait-il à vive allure quand il est tombé, car il avait le bras cassé et les côtes enfoncées. Nous lui avons remis le bras en place, mais nous ne pouvions rien faire pour ses côtes. De plus, il crachait du sang, signe de lésions internes. » Tout en parlant, Philip guettait les expressions sur le visage de Waleran. On n'y lisait rien de plus pour l'instant qu'un intérêt poli. «Je lui ai conseillé de confesser ses péchés, car il était en danger de mort. C'est alors qu'il m'a révélé un secret. »

Il hésita, ne sachant pas jusqu'à quel point Waleran était informé des nouvelles de la politique. «Vous savez, je pense, que Stephen de Blois a revendiqué le trône d'Angleterre avec la bénédiction de l'Église.

— Et il a été couronné à Westminster, trois jours avant Noël, précisa l'archidiacre, prouvant qu'il en savait plus que Philip.

— Déjà? s'étonna celui-ci, pris de court.

— Quel était son secret?» demanda Waleran avec un rien d'impatience.

Philip se jeta à l'eau. «Avant de mourir, le cavalier m'a dit que son maître Bartholomew, comte de Shiring, conspirait avec Robert de Gloucester pour mener une rébellion contre Stephen.» Il s'arrêta, retenant son souffle.

Les joues pâles de Waleran devinrent si possible plus blêmes. Il se pencha dans son fauteuil. «Croyez-vous qu'il disait vrai? demanda-t-il d'un ton pressant.

— Un mourant d'ordinaire dit la vérité à son confesseur.

— Peut-être répétait-il une rumeur qui court dans la maison du comte. »

Philip ne s'attendait pas au scepticisme de Waleran. Il improvisa en hâte. «Oh, non! dit-il. C'était un messager envoyé par le comte Bartholomew pour rassembler les forces du comte dans le Hampshire. »

Les yeux intelligents de Waleran scrutaient le visage de Philip.

«Avait-il un message écrit?

— Non.

— Un sceau, ou quelque insigne de l'autorité du comte?

— Rien.» Philip commença à transpirer. «J'ai supposé qu'il était bien connu de ceux qu'il allait voir, comme représentant autorisé du comte.

— Comment s'appelait-il?

« — Francis, dit stupidement Philip, qui aurait voulu se mordre la langue.

— Simplement?

— Il ne m'a pas dit le reste de son nom. » Philip avait le sentiment que son histoire s'effilochait sous les questions de Waleran.

« Ses armes et son armure auraient pu l'identifier.

— Il n'avait pas d'armure, dit Philip, à bout de ressources. Nous avons enterré ses armes avec lui : les moines n'ont pas besoin d'épée. Nous pourrions les déterrer, mais je peux vous affirmer qu'elles étaient simples et sans marque particulière : je ne pense pas que vous trouveriez des indices... » Il fallait absolument détourner Waleran de cette direction. « Que croyez-vous qu'on puisse faire ? » demanda-t-il.

Waleran réfléchissait, soucieux. « C'est difficile, en l'absence de preuves, de savoir quoi faire. Les conspirateurs nieront simplement l'accusation, et c'est l'accusateur qui risque de se voir condamné. » Il n'ajouta pas : *Surtout si l'histoire se révèle être fausse*, mais Philip devina qu'il le pensait. « En avez-vous parlé à quelqu'un d'autre ? » poursuivit Waleran.

Philip secoua la tête.

« Où allez-vous en partant d'ici ?

— À Kingsbridge. Comme je devais inventer une raison de quitter la communauté, j'ai prétendu que je me rendais au prieuré ; et maintenant je dois le faire pour donner substance à ce mensonge.

— Ne parlez de rien à personne là-bas.

— Je m'en garderai. » Philip ne comptait pas parler, en effet, mais il se demanda pourquoi Waleran insistait sur ce point. Peut-être par intérêt personnel : s'il choisissait de dénoncer le complot, il voulait être sûr d'en recevoir le crédit. Cet homme était ambitieux – un avantage pour Philip.

« Laissez-moi faire. » Waleran avait repris ses façons brusques et ce contraste démontrait que son amabilité était quelque chose qu'il pouvait revêtir et ôter comme un manteau. « Vous allez vous rendre maintenant au prieuré de Kingsbridge, reprit Waleran, et ne plus penser au prévôt, voulez-vous ?

— Oui. » Allons, tout s'arrangerait, du moins pour quelque temps, Philip se sentit soulagé d'un poids. On n'allait pas le jeter au cachot, le mettre à la question ni l'accuser de sédition. De plus il s'était déchargé de la responsabilité sur quelqu'un d'autre, quelqu'un qui semblait enchanté de l'assumer.

Il se leva et s'approcha d'une fenêtre. On était au milieu de l'après-midi et il restait encore quelques heures de jour. Il avait envie de quitter les lieux en abandonnant le secret derrière lui. «Si je pars maintenant, je peux faire trois ou quatre lieues avant la tombée de la nuit», dit-il. Waleran ne le pressa pas de rester. «Cela vous conduira au village de Bassingbourn. Là vous trouverez un lit. Si vous repartez de bon matin, vous serez à Kingsbridge à midi.

— Oui.» Philip se détourna de la fenêtre pour regarder Waleran. Plongé dans ses pensées, l'archidiacre fixait le feu d'un air soucieux. Philip l'observa un moment. Waleran ne lui fit pas part de ses réflexions. Pourtant, Philip aurait voulu savoir ce qui se passait dans cette tête bien faite. «Je vais partir tout de suite», annonça-t-il.

Waleran sortit de sa rêverie et, de nouveau charmant, sourit et se leva. «Très bien», dit-il. Il accompagna Philip jusqu'à la porte, puis le suivit sur le perron dans la cour.

Un garçon d'écurie amena le cheval de Philip et le resangla. Waleran aurait pu lui dire adieu dès cet instant et retourner auprès de son feu, mais il ne le fit pas. Philip supposa qu'il voulait s'assurer de la direction que prenait son hôte : la route de Kingsbridge, pas celle de Shiring.

Philip monta en selle, plus heureux qu'à son arrivée. Il allait prendre congé lorsqu'il vit Tom le bâtisseur franchir la poterne, suivi de sa famille. Le moine se retourna vers Waleran : «Cet homme est un bâtisseur que j'ai rencontré sur la route. Il m'a l'air d'un honnête garçon qui a eu des malheurs. Si vous avez besoin de réparations, vous n'aurez qu'à vous louer de ses services.»

Waleran ne répondit pas, regardant la famille qui s'avançait dans l'enceinte. On aurait dit que son sang-froid l'avait quitté d'un seul coup. Bouche bée, il ouvrait de grands yeux fixes.

«Qu'y a-t-il? demanda Philip avec inquiétude.

— Cette femme!» articula Waleran d'une voix qui n'était guère plus qu'un murmure.

Philip la regarda. «Elle est plutôt belle, constata-t-il en s'en apercevant pour la première fois. Mais on nous a enseigné la chasteté, à nous autres prêtres. Détournez les yeux, archidiacre.»

Waleran n'écoutait pas. «Je la croyais morte», murmura-t-il. Il parut soudain se rappeler la présence de Philip. Il détourna son regard de la femme et, retrouvant son calme, s'adressa au moine. «Présentez mes respects au prieur de Kingsbridge», dit-il. Puis il donna une claque sur la croupe du cheval qui bondit en avant et franchit au trot le poste de garde ; quand Philip réussit à rattraper les rênes, il était trop loin pour dire adieu.

8.

Philip arriva en vue de Kingsbridge vers midi le lendemain, comme prévu. Du haut d'une pente boisée, il découvrit un paysage de champs gelés et sans vie, qu'animait seulement çà et là le squelette nu d'un arbre. Pas une âme en vue, car au cœur de l'hiver les terres ne réclamaient aucun travail. À une lieue de là, la cathédrale de Kingsbridge se dressait au sommet d'une crête : une énorme construction trapue comme une tombe sur un monticule funéraire.

Philip suivit une route qui plongeait dans la vallée et Kingsbridge disparut à ses regards. Sa jument placide avançait prudemment entre les ornières gelées. Philip pensait à l'archidiacre Waleran. Cet homme montrait tant d'assurance, de confiance et semblait si compétent qu'il donnait à Philip l'impression d'être lui-même jeune et naïf, malgré le peu de différence d'âge entre eux. Sans effort Waleran avait dirigé la rencontre : il s'était débarrassé habilement de ses hôtes, avait écouté avec attention le récit de Philip, avait aussitôt soulevé le problème crucial du manque de preuve, s'était vite rendu compte que cet interrogatoire ne le mènerait à rien et avait promptement renvoyé Philip – sans aucune promesse, Philip s'en apercevait maintenant, de prendre des mesures.

Philip eut un sourire amer en constatant comment il avait été manipulé. Waleran n'avait pas même promis de rapporter à l'évêque ce que Philip avait révélé. Mais, le moine en était certain, étant donné l'ambition qu'il décelait chez l'archidiacre, cette information serait utilisée d'une façon ou d'une autre.

Très impressionné par Waleran, il était d'autant plus intrigué par le signe de faiblesse qu'il avait remarqué chez lui : sa réaction devant la femme de Tom le bâtisseur. Philip, lui, avait perçu en elle un vague danger ; Waleran apparemment la trouvait désirable – ce qui pourrait revenir au même, naturellement. Mais il y avait autre chose. Waleran avait dû la rencontrer déjà, sinon pourquoi ces étranges paroles : *Je la croyais morte*? Aurait-il péché avec elle dans un lointain passé? Il avait certainement *quelque chose* à se reprocher, à en juger par la façon dont il avait congédié le témoin gênant qu'était Philip.

Même ce soupçon ne le faisait pas baisser dans l'estime de Philip. Waleran était un prêtre, pas un moine. La chasteté, élément essentiel de la vie monastique, n'avait jamais été imposée aux prêtres. Les évêques avaient des maîtresses et les curés de paroisse des gouvernantes. De même que l'interdiction des pensées mauvaises, le célibat des clercs était une loi trop dure à suivre. Si Dieu ne pardonnait pas aux prêtres luxurieux, il n'y aurait pas beaucoup de représentants du clergé au paradis.

Kingsbridge réapparut au moment où Philip arrivait en haut de la côte suivante. Le paysage était dominé par l'église massive, avec ses voûtes arrondies et ses petites fenêtres ménagées dans les murs épais, tout comme le village était dominé par le monastère. Le côté ouest de l'édifice, auquel Philip faisait face, arborait deux courtes tours jumelles, dont l'une s'était écroulée lors d'un orage quatre ans plus tôt. On ne l'avait pas encore reconstruite, et la façade portait comme un air de reproche. Ce spectacle ne manquait jamais de mettre Philip en colère, car le tas de pierres à l'entrée de l'église symbolisait scandaleusement l'effondrement de la vertu monastique au prieuré. Les bâtiments eux-mêmes, construits dans la même pierre à chaux pâle, se tassaient en groupe près de l'église, comme des conspirateurs autour d'un trône. De l'autre côté du mur bas qui entourait le prieuré s'éparpillaient les taudis habituels de madriers et de boue, couverts de toits de chaume, occupés par les paysans qui labouraient les champs alentour et les serviteurs qui travaillaient pour les moines. Un étroit ruisseau impatient se hâtait au coin sud-ouest du village, apportant de l'eau fraîche au monastère.

Philip était déjà de fort méchante humeur lorsqu'il franchit la rivière par un vieux pont de bois. Le prieuré de Kingsbridge faisait honte à l'Église de Dieu et au mouvement monastique, mais lui n'y pouvait rien, et la colère alliée à l'impuissance lui brûlait l'estomac.

Le prieuré, propriétaire du pont, réclamait un péage; aussi, quand la charpente grinça sous le poids de Philip et de son cheval, un vieux moine émergea-t-il d'un abri sur l'autre rive et s'avança pour lever la branche de saule qui faisait office de barrière. Reconnaissant Philip, il lui fit signe de passer. Comme

Philip remarquait qu'il boitait, il demanda : « Qu'est-ce que tu as donc au pied, frère Paul ?

— Juste une engelure. Ça se passera avec le printemps. »

Il ne portait rien que ses sandales, ce qui, bien qu'il fût un robuste vieil homme, était bien insuffisant pour passer toute la journée dehors par ce temps. « Tu devrais avoir un feu, dit Philip.

— Ce serait une miséricorde, dit Paul. Mais frère Remigius dit que le feu coûterait plus que ne rapporte le péage.

— Combien demandons-nous ?

— Un penny par cheval et un farthing par homme.

— Beaucoup de gens utilisent le pont ?

— Oh oui ! Des tas.

— Alors comment se fait-il que nous ne puissions pas nous permettre un feu ?

— Eh bien, les moines ne paient pas, bien sûr, ni les serviteurs du prieuré, ni les villageois. Il n'y a donc qu'un chevalier de passage ou un chaudronnier ambulant de temps à autre. Les jours fériés, quand les gens viennent de tout le pays entendre le service à la cathédrale, nous récoltons des farthings à foison.

— Alors faisons surveiller le pont les jours fériés seulement, et faisons un feu avec l'argent gagné », dit Philip.

Paul s'inquiétait : « Ne dites rien à Remigius, surtout. S'il croit que je me suis plaint, il sera fâché.

— Ne t'en soucie pas. » Philip poussa son cheval en avant, si bien que Paul ne vit pas la colère qui crispait son visage. Tant de stupidité le mettait en fureur. Paul avait donné sa vie au service de Dieu et du monastère et voilà que dans ses dernières années on le laissait souffrir du froid pour un farthing ou deux par jour. Ce n'était pas seulement cruel, c'était du gaspillage ; on aurait pu confier à un vieil homme patient comme Paul une tâche productive – élever des poulets, peut-être – et le prieuré en aurait tiré plus de profit que quelques farthings. Mais le prieur de Kingsbridge était trop vieux et trop apathique pour comprendre cela. De même Remigius, le sous-prieur. C'était un grave péché, songea Philip amèrement, que de gâcher avec une telle insouciance le capital humain et matériel offert à Dieu avec piété.

Sa mauvaise humeur augmenta lorsqu'il guida sa monture au milieu des taudis jusqu'à la porte du prieuré, un enclos rectangulaire avec l'église en son milieu. Les bâtiments étaient disposés de telle façon que tout le secteur nord et ouest de l'église était public, séculier et pratique, alors que le secteur sud et est était privé, spirituel et sacré.

L'entrée de l'enclos se trouvait donc au coin nord-ouest du rectangle. La porte était ouverte et le jeune moine de garde salua Philip à son passage. Juste à l'intérieur, contre le mur ouest de l'enclos, se trouvait l'écurie, une petite construction de bois plutôt mieux bâtie que certaines des habitations de l'autre côté du mur. Deux palefreniers étaient assis à l'intérieur sur des bottes de paille. Ce n'étaient pas des moines, mais des employés du prieuré. Ils se levèrent sans entrain, comme mécontents de voir un visiteur leur apporter un surcroît de travail. L'air âcre piqua les narines de Philip et il constata que les stalles n'avaient pas été nettoyées depuis plusieurs semaines. Or il n'était pas d'humeur à passer sur la négligence des garçons d'écurie. En leur remettant les rênes, il ordonna : « Avant de panser mon cheval, vous nettoierez une des stalles, vous y mettrez de la paille fraîche. Faites de même pour les autres chevaux. Des litières constamment humides provoquent des champignons aux sabots. Vous n'avez pas tant de travail que vous ne puissiez garder cette écurie propre. » Comme ils prenaient tous deux un air maussade, il ajouta : « Faites ce que je dis, ou je m'assurerai que l'on vous retienne à chacun une journée de paye pour paresse. » Il allait partir lorsqu'il se rappella quelque chose. « Il y a un fromage dans ma sacoche de selle. Portez-le à la cuisine et donnez-le à frère Milius. »

Il sortit sans attendre de réponse. Le prieuré disposait de soixante employés pour s'occuper de ses quarante-cinq moines, un excès honteux de l'avis de Philip. Les gens insuffisamment occupés devenaient aisément si paresseux qu'ils esquivaient le peu de travail qu'on leur demandait. Les deux garçons d'écurie ne constituaient qu'un exemple de plus de la mollesse du prieur James.

Philip suivit le mur ouest et passa devant l'hôtellerie, curieux de voir si le prieuré abritait des visiteurs. Mais le grand bâtiment avec son unique salle commune était froid et désert. Les feuilles mortes de l'an passé poussées par le vent en couvraient le seuil. Il tourna à gauche et traversa la large étendue d'herbe rare séparant l'hôtellerie – qui abritait parfois des gens impies et même des femmes – de l'église. Il approcha du côté ouest de l'édifice, l'entrée publique. Les pierres brisées de la tour effondrée gisaient là où elles étaient tombées, en un grand tas haut comme deux fois la taille d'un homme.

Comme la plupart des églises, la cathédrale de Kingsbridge avait la forme d'une croix. L'extrémité ouest donnait sur la nef, qui constituait la branche longue de la croix. La partie transversale comprenait les deux transepts qui s'étendaient vers le nord et vers le sud, de part et d'autre de l'autel. Au-delà de la croisée, la partie est de l'église, le chœur, était principalement réservée aux moines. Tout au bout se trouvait la tombe de saint Adolphe, qui attirait encore de temps en temps des pèlerins.

Philip s'avança dans la nef et contempla l'avenue d'arcs arrondis et de puissants piliers. Ce spectacle le désola davantage. L'édifice humide et lugubre s'était encore détérioré depuis sa dernière visite. Les fenêtres des bas-côtés ressemblaient à d'étroits tunnels percés dans les murs extrêmement épais. Dans le haut de la nef, les ouvertures plus grandes des claires-voies montraient que le plafond de bois peint pâlissait de plus en plus. Les apôtres, les saints et les prophètes s'effaçaient et se mêlaient inexorablement à l'arrière-fond. Malgré l'air froid qui soufflait – car il n'y avait pas de carreaux aux fenêtres – une légère odeur de chasubles pourrissantes viciait l'atmosphère. De l'autre extrémité de l'église, arrivaient les rumeurs de la grand-messe, les phrases latines psalmodiées et les répons chantés. Philip descendit la nef. Le sol n'avait jamais été dallé, aussi la mousse poussait-elle sur la terre nue dans les recoins que foulaient rarement les sabots des paysans et les sandales des moines. Les spirales et les cannelures sculptées dans les piliers massifs, les chevrons taillés qui décoraient les arcs avaient jadis été peints et dorés ; aujourd'hui, tout ce qui subsistait, c'étaient quelques paillettes d'or et une mosaïque de taches informes. Le mortier s'écaillait entre les pierres et tombait en petits tas au pied des murs. Philip sentit sa colère habituelle monter en lui. En entrant ici les gens auraient dû être frappés par la majesté de Dieu tout-puissant. Les paysans étaient des gens simples qui jugeaient sur les apparences et, devant ce spectacle, ils devaient penser que Dieu était une divinité insouciante, indifférente, qui ne tenait aucun compte de leur piété ni de leurs péchés. Au bout du compte, c'étaient eux qui payaient l'église à la sueur de leur front et c'était scandaleux que leurs efforts n'aient d'autre récompense que ce mausolée croulant.

Philip s'agenouilla devant l'autel un moment, conscient que sa vertueuse indignation n'était pas l'état d'esprit convenant à un pratiquant. Quand il se fut un peu calmé, il se leva et poursuivit son chemin.

Le bras est de l'église, le chœur, était divisé en deux. Tout près de la croisée se trouvait le chapitre, avec des stalles de bois où les moines prenaient place durant les services. Plus loin, le sanctuaire abritait la tombe du saint. Philip passa derrière l'autel, comptant trouver une place dans le chœur ; sa progression fut arrêtée par un cercueil.

Il s'arrêta, surpris. Personne ne lui avait dit qu'un moine était mort. Il est vrai qu'il n'avait parlé qu'à trois personnes : Paul, vieux et un peu distrait, et les deux garçons d'écurie auxquels il n'avait pas donné l'occasion de faire la conversation. Il s'approcha du cercueil pour voir qui s'y trouvait. Son cœur fit un bond.

C'était le prieur James.

Philip le contempla, bouche bée. Maintenant tout était changé. On allait avoir un nouveau prieur, un nouvel espoir...

Cette jubilation n'était pas la réaction qui convenait devant le trépas d'un véritable frère, quelles que fussent ses fautes. Philip imposa à son esprit et à son visage plus de sérieux. Il examina le défunt. Le prieur était un homme aux cheveux blancs et au visage émacié, qui de son vivant marchait voûté. Dans la mort, son expression perpétuellement soucieuse avait disparu, son visage autrefois inquiet et souvent affligé semblait maintenant en paix. Comme Philip s'agenouillait auprès de la bière en murmurant une prière, il se demanda si, dans les dernières années de sa vie, quelque grand poids ne pesait pas sur le cœur du vieil homme : un péché qu'il n'aurait pas confessé, une femme regrettée ou un tort causé à un innocent. De toute façon il n'en parlerait plus désormais jusqu'au jour du Jugement.

Malgré sa résolution, Philip ne pouvait empêcher son esprit de se tourner vers l'avenir. Le prieur James, indécis, anxieux et sans caractère, avait posé sur le monastère une main morte. Allait apparaître à présent quelqu'un de nouveau, quelqu'un qui saurait discipliner les serviteurs paresseux, réparer l'église en ruine et mettre de l'ordre dans la grande richesse que représentait la propriété, pour faire du prieuré une puissante force au service du bien. Philip était trop excité pour rester immobile. Il se releva et avança d'un pas plus léger jusqu'au chœur pour prendre une place vide dans une des stalles.

Le service était célébré par le sacristain, Andrew de York, un homme irascible et congestionné qui semblait constamment au bord de l'apoplexie. Il faisait partie des obédienciers, haut placés dans la hiérarchie du monastère. Sa responsabilité s'étendait aux services, aux livres, aux reliques, aux vêtements sacerdotaux, aux ornements et à tout ce qui concernait l'essentiel du bâtiment. Sous ses ordres travaillaient un chantre responsable de la musique et un trésorier responsable des chandeliers d'or et d'argent, des calices et autres vases sacrés. Le sacristain n'avait au-dessus de lui que le prieur et le sous-prieur, Remigius, un grand ami d'Andrew.

Andrew lisait la messe de son ton habituel de colère à peine maîtrisée. Philip, dont l'esprit était fort agité, mit quelque temps avant de remarquer que l'office ne se déroulait pas de façon convenable. Un groupe de jeunes moines bavardaient et riaient bruyamment. Philip vit qu'ils se moquaient du vieux maître des novices, qui s'était endormi à sa place. Les jeunes moines – dont la plupart étaient encore récemment des novices sous la tutelle du vieux maître, et dont la peau cuisait encore des coups de sa férule – lui lançaient des boulettes de terre. Chaque fois que l'une touchait son visage, il sursautait, mais sans se réveiller. Andrew, apparemment, ne s'apercevait pas de ce qui se passait. Philip chercha des yeux le prévôt, le moine responsable de la discipline. Celui-ci était à l'autre bout du chœur, en grande conversation avec un autre moine, sans prêter la moindre attention à l'office ni au comportement des plus jeunes.

Philip observa encore un moment la scène. Même de bonne humeur, il n'avait aucune patience pour ce genre d'attitude. Celui qui semblait le meneur, un assez beau garçon d'une vingtaine d'années au sourire malicieux, plongea le bout de son couteau dans le haut d'un cierge en train de se consumer et lança de la cire fondue sur la calvitie du maître des novices. Quand la graisse brûlante atterrit sur son crâne, le vieux moine s'éveilla avec un petit cri et les jeunes éclatèrent de rire.

Avec un soupir, Philip quitta sa place. Il approcha du jeune homme par-derrière, le prit par l'oreille et, le tirant avec énergie, l'entraîna dans le transept sud. Andrew leva les yeux de son livre de prières et regarda Philip en fronçant les sourcils : il n'avait rien vu de la scène.

Lorsqu'ils furent hors de portée de voix des moines, Philip s'arrêta, lâcha l'oreille du jeune homme et demanda : « Ton nom ?

— William Beauvis.

— Quel démon t'a pris pendant la messe? »

William se renfrogna : « J'étais fatigué du service », dit-il.

Les moines mécontents de leur sort ne risquaient pas de trouver un écho compatissant chez Philip. « Fatigué? dit-il en haussant un peu le ton. Qu'as-tu fait aujourd'hui? »

William prit un ton de défi : « Matines et laudes au milieu de la nuit, prime avant le déjeuner, puis tierce, messe du chapitre, étude et maintenant grand-messe.

— As-tu mangé?

— J'ai déjeuné.

— Tu comptes souper?

— Oui.

— La plupart des gens de ton âge font dans les champs un travail éreintant du lever au coucher du soleil pour gagner leur déjeuner et leur souper – et encore te donnent-ils un peu de leur pain. Sais-tu pourquoi ils font cela?

— Oui, dit William en se dandinant sur ses pieds, les yeux baissés.

— Va.

— Ils le font parce qu'ils veulent que les moines chantent les services pour eux.

— Exact. Des paysans qui triment dur te donnent du pain, de la viande et un dortoir en pierre avec un feu en hiver – et toi, tu es si fatigué que tu ne peux pas rester assis durant la grand-messe qu'on dit pour eux!

— Pardon, mon frère. »

Philip examina plus longuement William. Il n'y avait pas de méchanceté en lui. Les vrais responsables étaient ses supérieurs, assez insouciants pour tolérer le chahut à l'église. « Si les services te fatiguent, dit Philip avec plus de douceur, pourquoi es-tu devenu moine?

— Je suis le cinquième fils de mon père. »

Philip hocha la tête. « Et sans doute a-t-il fait don au prieuré d'un peu de terre à condition que nous te prenions?

— Oui... une ferme. »

C'était une histoire ordinaire : un homme qui avait un surplus de fils en offrait un à Dieu, s'assurant que Dieu ne refuserait pas ce don en ajoutant une propriété suffisante pour subvenir aux besoins de son fils dans la pauvreté monastique. Ainsi, bien des hommes qui n'avaient pas la vocation devenaient des moines désobéissants.

Philip reprit : «Si on te déplaçait – dans une grange, disons, ou dans la petite communauté de Saint-John-de-la-Forêt, où il y a beaucoup de travail à faire à l'extérieur et où l'on passe moins de temps au culte –, crois-tu que cela pourrait t'aider à retrouver la piété qui convient aux offices? »

Le visage de William s'illumina. «Oui, mon frère, je le pense !

— C'est aussi mon avis. Je vais voir ce qu'on peut faire. Mais ne t'excite pas trop : il faudra peut-être attendre la désignation d'un nouveau prieur pour lui demander ton transfert.

— En tout cas, merci ! »

Le service s'acheva et les moines commencèrent à quitter l'église en procession. Philip porta un doigt à ses lèvres pour mettre un terme à la conversation. Comme la procession passait par le transept sud, Philip et William rallièrent leurs rangs et sortirent dans le cloître qui jouxtait le côté sud de la nef. Là, on se dispersa. Philip se dirigea vers la cuisine, mais il trouva son chemin barré par le sacristain, qui se planta devant lui dans une posture agressive, les pieds écartés et les mains sur les hanches.

«Frère Philip, commença-t-il.

— Frère Andrew?

— Quelle mouche vous a piqué de troubler le service de la grand-messe? » Philip était abasourdi. «Troubler la messe? fit-il d'un ton incrédule. Ce garçon se conduisait mal. Il...

— Je suis tout à fait capable de maîtriser l'inconduite durant mes offices ! » fit Andrew en haussant la voix. Les moines s'arrêtèrent à proximité pour entendre ce qu'on disait.

Philip ne comprenait pas pourquoi Andrew montrait tant de susceptibilité. De temps en temps les jeunes moines et les novices devaient être rappelés à l'ordre par leurs frères plus âgés et aucune règle ne précisait que seul le sacristain y était autorisé. Philip reprit : «Mais vous n'avez pas vu ce qui se passait?

— Ou peut-être l'ai-je bien vu, mais ai-je décidé de m'occuper de cela plus tard. »

Philip était tout à fait certain qu'il n'avait rien remarqué. «Qu'avez-vous vu alors? lança-t-il.

— Vous ne prétendez pas m'interroger? » s'écria Andrew. Son visage rouge vira au violet. «Vous êtes peut-être prieur d'une petite communauté dans la forêt, mais voilà douze ans que je suis sacristain ici, et je conduirai les offices à la cathédrale comme je l'entends – sans l'assistance d'étrangers deux fois plus jeunes que moi ! »

Philip commençait à penser que peut-être il avait vraiment mal agi – sinon pourquoi Andrew était-il si vexé ? Mais le plus important, c'était qu'une querelle dans le cloître ne constituait pas un spectacle édifiant pour les autres moines, il fallait y mettre un terme. Philip ravala son orgueil, serra les dents et s'inclina docilement.

« Je reconnais mon erreur, frère, et je vous demande humblement pardon », dit-il.

Andrew était prêt à une violente discussion et cette retraite prématurée de son adversaire ne le satisfaisait pas.

« Que ça ne se reproduise pas, alors », dit-il avec arrogance.

Philip ne répondit pas. Andrew voulait avoir le dernier mot, aussi toute nouvelle remarque de Philip ne ferait qu'attirer une nouvelle réplique. Il fixa le sol en se mordant la langue, tandis qu'Andrew le foudroyait du regard. Le sacristain enfin tourna les talons et s'éloigna, la tête haute.

Philip était agacé d'avoir subi une telle humiliation, mais force lui était de la supporter, car un moine orgueilleux est un mauvais moine. Sans un mot, il quitta le cloître sous le regard curieux des autres moines.

Les quartiers d'habitation occupaient le sud du cloître carré, le dortoir le coin sud-est et le réfectoire le coin sud-ouest. Philip sortit par le côté ouest, traversant le réfectoire pour se retrouver du côté public de l'enceinte du prieuré, avec vue sur l'hôtellerie et les écuries. C'était là que se trouvait la cour de la cuisine, bordée sur trois côtés par le réfectoire, la cuisine proprement dite, la boulangerie et la brasserie. Une charrette où s'entassaient des navets attendait dans la cour d'être déchargée. Philip gravit les marches jusqu'à la porte de la cuisine et entra.

L'atmosphère le frappa littéralement au visage. L'air était brûlant et lourd de l'odeur du poisson en train de cuire, il y avait un abominable vacarme de casseroles entrechoquées et d'ordres lancés çà et là. Trois cuisiniers, tout rouges de chaleur et de précipitation, s'occupaient à préparer le souper avec l'aide de six ou sept jeunes marmitons. Deux grands âtres, chacun à une extrémité de la pièce, brûlaient d'un beau feu et une vingtaine de poissons cuisaient sur une broche que tournait un jeune garçon en nage. Le fumet du poisson fit venir l'eau à la bouche de Philip. On faisait bouillir des carottes entières dans de grosses marmites en fer accrochées au-dessus des flammes. Des jeunes gens plantés devant un billot découpaient des miches de pain blanc en tranches épaisses destinées à servir d'assiettes que l'on mangerait ensuite. Un seul moine surveillait cet apparent chaos : frère Milius, le cuisinier, un homme à peu près de l'âge de Philip. Juché sur un haut tabouret, il suivait l'activité frénétique qui se déployait autour de lui avec un sourire imperturbable, comme si tout se passait dans l'ordre et dans la plus parfaite organisation – ce qui était sans doute le cas pour son œil exercé. Il sourit à Philip et dit : « Merci pour le fromage.

— Ah, oui ! » Philip avait oublié ce détail, tant il était arrivé de choses depuis son arrivée. « Il est fait avec du lait de la traite matinale seulement : tu trouveras une subtile différence de goût.

— J'en ai déjà l'eau à la bouche. Mais vous avez l'air consterné. Quelque chose ne va pas ?

— Ce n'est rien. J'ai eu quelques mots avec Andrew. » Philip eut un geste méprisant, comme pour chasser le sacristain de ses pensées. « Est-ce que je peux prendre une pierre chaude dans ton feu ?

— Bien sûr. »

Il y avait toujours quelques pierres dans les feux de cuisine, qu'on pouvait emporter et utiliser pour chauffer rapidement de petites quantités d'eau ou de soupe. « Frère Paul qui est de garde sur le pont, expliqua Philip, a des engelures, et Remigius ne veut pas le laisser allumer un feu. » Il prit une paire de pincettes à long manche et retira du foyer une pierre brûlante.

Milius ouvrit un placard d'où il sortit un vieux bout de cuir qui avait dû jadis appartenir à un tablier. « Tenez... enveloppez-la dedans.

— Merci.

— Faites vite, dit Milius. Le souper est prêt. »

Philip le salua de la main, quitta la cuisine et s'engagea dans la cour en direction de la porte. À sa gauche, juste contre le mur ouest, se trouvait le moulin. Voilà bien des années, on avait creusé un canal en amont du prieuré pour amener l'eau de la rivière jusqu'à la retenue du moulin. Au-delà de la roue, l'eau s'écoulait par un conduit souterrain jusqu'à la brasserie, la cuisine, la fontaine du cloître où les moines se lavaient les mains avant les repas, et enfin les latrines auprès du dortoir, puis elle repartait vers le sud rejoindre la rivière. Le fondateur était un architecte fort intelligent.

Il y avait un tas de paille sale devant l'écurie, observa Philip : les garçons suivaient donc ses ordres et nettoyaient les stalles. Il franchit la porte et traversa le village vers le pont.

Était-ce présomptueux de ma part de réprimander le jeune William Beauvis ? se demanda-t-il alors qu'il passait au milieu des taudis. À la réflexion, il ne le pensait pas. Et même, ç'aurait été mal d'ignorer un tel désordre durant le service. Au pont il passa la tête dans le petit abri de Paul. « Réchauffe-toi les pieds là-dessus », dit-il en lui tendant la pierre brûlante enveloppée dans le cuir. « Quand elle se refroidira, ôte l'enveloppe et pose les pieds directement sur la pierre. Ça devrait durer jusqu'à la tombée de la nuit. » Frère Paul se montra éperdument reconnaissant. Il ôta ses sandales et posa aussitôt les pieds sur le paquet. « Je sens déjà la douleur qui se calme, dit-il.

— Si tu remets la pierre ce soir dans le feu de la cuisine, elle sera de nouveau chaude demain matin, dit Philip.

— Frère Milius ne protestera pas ? fit Paul nerveusement.

— Je te le garantis.

— Vous êtes très bon, frère Philip.

— Ce n'est rien. » Il partit avant que les remerciements de Paul deviennent embarrassants. Après tout, ce n'était qu'une pierre chaude.

Il revint au prieuré, passa dans le cloître, se lava les mains au bassin de pierre de l'allée sud, puis entra dans le réfectoire. Un des moines lisait tout haut derrière un pupitre. On était censé souper en silence, à l'écoute de la lecture, mais le bruit d'une quarantaine de moines occupés à manger formait un murmure constant d'autant plus que, malgré la règle, on entendait pas mal de chuchotements. Philip se glissa à une place vide au bout d'une des longues tables. Le moine assis à côté de lui dévorait de fort bon appétit. Il surprit le regard de Philip et murmura : « Il y a du poisson frais aujourd'hui. »

Philip acquiesça. Son estomac grondait.

« Il paraît que vous avez du poisson frais tous les jours dans votre communauté de la forêt », dit le moine avec une pointe d'envie dans la voix.

Philip secoua la tête. « Tous les deux jours nous avons de la volaille », chuchota-t-il.

Le moine écarquilla les yeux. « Ici, c'est du poisson salé, six fois par semaine. »

Un serviteur mit devant Philip une épaisse tranche de pain en guise d'assiette, puis posa dessus un poisson qui sentait bon les herbes de frère Milius. Philip en avait l'eau à la bouche. Il s'apprêtait à attaquer le mets avec son couteau quand un moine, à l'autre bout de la table, se leva et le montra du doigt. C'était le prévôt, le responsable de la discipline. Philip soupira : Quoi encore ?

Le prévôt rompit la règle du silence, ainsi que c'était son droit : «Frère Philip ! » Les autres moines s'arrêtèrent de manger et le silence se fit dans la salle.

Philip suspendit son geste, le couteau levé.

«La règle, dit le prévôt, interdit aux retardataires de prendre leur souper. »

Philip gémit. Décidément, il ne faisait rien de bien aujourd'hui. Il reposa son couteau, rendit la tranche de pain et le poisson au serviteur et courba la tête pour écouter la lecture.

Durant la période de repos, après le souper, Philip se rendit au magasin situé derrière la cuisine pour parler à Cuthbert le Chenu, le cellérier. C'était une grande caverne sombre, avec de courts piliers épais et de minuscules fenêtres. L'air était sec et plein d'odeurs : le houblon et le miel, les vieilles pommes et les herbes desséchées, le fromage et le vinaigre. On y trouvait d'ordinaire frère Cuthbert, car ses tâches ne lui laissaient guère de temps pour les services, ce qui lui convenait parfaitement : en homme habile et pratique, il ne portait guère d'intérêt à la vie spirituelle. Le cellérier était la contrepartie matérielle du sacristain : Cuthbert devait répondre à tous les besoins pratiques des moines, en rassemblant le produit des fermes et des granges du monastère pour aller au marché acheter ce que les moines et leurs employés ne pouvaient fournir eux-mêmes. Ce poste nécessitait le sens du calcul et de la prévision. Cuthbert ne s'en acquittait pas seul : Milius, le cuisinier, était responsable de la préparation des repas, et un chambellan s'occupait des vêtements des moines. Ils travaillaient tous deux sous les ordres de Cuthbert. De plus, trois autres moines se trouvaient théoriquement sous son contrôle tout en jouissant d'une certaine indépendance : le maître d'hôtellerie, l'infirmier, qui s'occupait des moines âgés et malades dans un bâtiment séparé, et l'aumônier. Même avec ses aides, Cuthbert croulait sous la tâche ; pourtant il gardait tout en tête, prétendant que c'était une honte de gaspiller du parchemin et de l'encre. Philip soupçonnait Cuthbert de ne jamais avoir appris très bien à lire ni à écrire. Il avait les cheveux blancs depuis sa jeunesse, d'où son surnom de chenu, et maintenant, à plus de soixante ans, ce qui lui restait de poils poussait en épaisses touffes blanches hors de ses oreilles et de ses narines, comme pour compenser sa calvitie. Pour avoir occupé les mêmes fonctions dans son premier monastère, Philip comprenait les problèmes de Cuthbert et compatissait à ses doléances. Le cellérier avait donc beaucoup d'affection pour Philip. Sachant que ce dernier avait manqué son souper, Cuthbert alla prendre une demi-douzaine de poires dans un tonneau. Elles étaient un peu ratatinées, mais goûteuses, et Philip les dévora avec reconnaissance tandis que Cuthbert grommelait à propos des finances du monastère.

« Je n'arrive pas à comprendre comment le prieuré peut être en dette, dit Philip, entre deux bouchées de fruit.

— Il ne devrait pas, en effet. Il possède plus de terres et recueille plus de dîmes que jamais.

— Alors pourquoi ne sommes-nous pas riches ?

— Vous connaissez le système que nous avons ici : les propriétés du monastère sont essentiellement partagées entre les obédienciers. Le sacristain a ses terres, j'ai les miennes et il y a des dotations moins importantes pour le maître des novices, le maître hôtelier, l'infirmier et l'aumônier. Le reste appartient au prieur. Chacun utilise le revenu de sa propriété pour remplir ses obligations.

— Quel mal y a-t-il à cela ?

— Eh bien, il faudrait s'occuper de tous ces biens. Imaginez, par exemple, que nous ayons un peu de terre et que nous la louions contre un loyer en espèces. Il ne s'agirait pas de la céder au plus offrant pour récolter l'argent. Nous devrions choisir un bon métayer et le surveiller pour être certain qu'il cultive bien ; sinon les pâturages s'engorgent d'eau, la terre s'épuise et le locataire se trouve incapable de payer le loyer. De plus, il nous rend la terre en mauvaise condition. Ou encore, prenez une grange exploitée par nos employés et gérée par les moines : si personne ne rend visite à la grange sauf pour en emporter les produits, les moines deviennent négligés, les employés volent les récoltes et la grange produit de moins en moins à mesure que les années passent. Même une église, il faut s'en occuper. Il ne suffit pas de prélever la dîme. Il faut mettre un bon prêtre qui connaisse le latin et mène une vie sainte. Sinon les gens sombrent dans l'impiété, se marient, mettent des enfants au monde et meurent sans la bénédiction de l'Église ; sans compter qu'ils trichent sur le montant de leur dîme.

— Les obédienciers devraient gérer convenablement leurs biens», dit Philip en terminant la dernière poire.

Cuthbert tira une coupe de vin d'un tonneau. «Ils devraient, mais ils ont d'autres choses en tête. D'ailleurs, que connaît le maître des novices à l'agriculture ? Pourquoi l'infirmier serait-il un régisseur compétent ? Bien sûr, un prieur énergique les contraindra, dans une certaine mesure, à bien gérer leurs ressources. Mais depuis treize ans que nous avons un prieur faible, aujourd'hui nous n'avons plus d'argent pour réparer la cathédrale, nous mangeons du poisson salé six jours par semaine, l'école est presque vide de novices et personne ne vient à l'hôtellerie.»

Philip sirotait son vin dans un silence pensif. Il avait du mal à réfléchir calmement à une aussi consternante dissipation des bienfaits de Dieu. Il aurait voulu s'attaquer au responsable pour lui faire entendre raison. Mais, en l'occurrence, le responsable gisait dans un cercueil derrière l'autel. Sur ce point-là au moins, il y avait une lueur d'espoir. «Bientôt, dit Philip, nous aurons un nouveau prieur. Il devrait remettre les choses en ordre.»

Cuthbert lui lança un regard bizarre. «Remigius ? Remettre les choses en ordre ?»

Philip s'étonna : «Remigius ne va tout de même pas devenir le nouveau prieur ?

— C'est probable.

— Mais il ne vaut pas mieux que le prieur James, s'écria Philip, consterné. Pourquoi les frères voteraient-ils pour lui ?

— Oh! Ils se méfient des étrangers, ils ne voteront pas pour quelqu'un qu'ils ne connaissent pas. Ce sera donc l'un de nous. Or Remigius est le sous-prieur, le premier des moines ici.

— Mais aucune règle ne dit que nous devons choisir le premier des moines, protesta Philip. Ce pourrait être un autre des obédienciers. Ce pourrait être vous.»

Cuthbert acquiesça. «On m'a déjà demandé. J'ai refusé.

— Mais pourquoi ?

— Je me fais vieux, Philip. Le travail que j'ai maintenant m'accablerait si je n'y étais pas tellement habitué que je peux le faire machinalement. Mais davantage de responsabilités, ce serait trop. Je n'ai certainement pas l'énergie de prendre en main un monastère affaibli et de le réformer. Au bout du compte, je ne serais pas mieux que Remigius. »

Philip ne pouvait en croire ses oreilles. « Mais il y en a d'autres ! Le sacristain, le prévôt, le maître des novices...

— Le maître des novices est vieux et plus fatigué que moi. L'hôtelier est un glouton et un ivrogne. Et le sacristain et le prévôt voteront sûrement pour Remigius. Pourquoi ? Je n'en sais rien, mais je le devine. Je dirais que Remigius a promis d'élever le sacristain au rang de sous-prieur et de faire du prévôt le sacristain, en récompense de leur appui. »

Philip s'effondra sur les sacs de farine qui servaient de siège. « Vous voulez dire que Remigius a déjà arrangé l'élection ? »

Cuthbert ne répondit pas tout de suite. Il se leva et gagna l'autre côté du magasin, où il avait aligné une cuve en bois pleine d'anguilles vivantes, un seau d'eau fraîche et un baril plein au tiers de saumure. « Aidez-moi », dit-il. Il prit un couteau, choisit une anguille dans le bain, lui cogna la tête contre le sol dallé, puis la vida avec son couteau. Il tendit à Philip le poisson qui se tortillait encore faiblement. « Lavez-la dans le seau, puis jetez-la dans le baril. Ces poissons calmeront notre appétit pendant le carême. »

Philip obéit. Cuthbert, en vidant l'anguille suivante, dit : « Il y a une autre possibilité : un candidat qui serait un bon prieur réformateur et dont le rang, bien qu'inférieur à celui de sous-prieur, soit le même que celui du sacristain ou celui du cellérier.

— Qui donc ?

— Vous.

— Moi ! » Philip fut si étonné qu'il lâcha l'anguille qu'il tenait. C'est vrai que théoriquement il avait rang d'obédiencier au prieuré, mais il ne s'était jamais considéré comme l'égal du sacristain ni des autres, parce qu'ils étaient beaucoup plus vieux que lui. « Je suis trop jeune...

— Réfléchissez-y, dit Cuthbert. Vous avez passé toute votre vie dans des monastères. Vous étiez cellérier à vingt et un ans. Vous êtes prieur d'une petite communauté depuis quatre ou cinq ans – et vous l'avez réformée. Il est clair aux yeux de tous que la main de Dieu est sur vous. »

Philip ramassa l'anguille et la laissa tomber dans le tonneau de saumure. « La main de Dieu est sur nous tous », dit-il sans s'engager. Il était quelque peu abasourdi par la suggestion de

Cuthbert. Il voulait certes un nouveau prieur énergique pour Kingsbridge, mais il n'avait pas pensé à lui-même pour ce poste. «C'est vrai que je ferais un meilleur prieur que Remigius», dit-il d'un ton songeur.

Cuthbert parut satisfait. «Si vous avez un défaut, Philip, c'est votre innocence.»

Philip n'était pas du même avis. «Que voulez-vous dire?

— Vous ne cherchez pas chez les gens de motifs bas. La plupart d'entre nous le font. Par exemple, tout le monastère suppose déjà que vous êtes candidat et que vous êtes venu ici pour gagner des voix.»

Philip s'indigna. «Sur quoi se fonde-t-on pour dire ça?

— Essayez donc d'examiner votre comportement comme un esprit vil et méfiant le verrait. Vous arrivez quelques jours après la mort du prieur James, comme si quelqu'un d'ici vous avait secrètement prévenu.

— Mais comment imagine-t-on que j'ai organisé cela?

— Personne n'en sait rien – mais ils sont persuadés que vous êtes plus malin qu'eux.» Cuthbert se remit à vider ses anguilles. «Et regardez comment vous vous êtes conduit aujourd'hui. À peine arrivé, vous donnez l'ordre de nettoyer les écuries. Ensuite, vous intervenez dans ce chahut pendant la grand-messe. Vous parlez de transférer le jeune William Beauvis dans une autre communauté, quand tout le monde sait que le transfert des moines d'un couvent à un autre est le privilège du prieur. Vous critiquez implicitement Remigius en apportant à frère Paul sur le pont une pierre chaude. Pour finir vous donnez à la cuisine un fromage délicieux dont nous avons tous mangé une bouchée après le dîner – et même si personne n'a dit d'où il venait, aucun de nous ne pouvait se méprendre sur le goût d'un fromage venant de Saint-John-de-la-Forêt.»

Philip n'en revenait pas que ses actions aient été ainsi mal interprétées. «N'importe qui aurait pu agir de même.

— N'importe quel moine d'un certain rang aurait pu faire *une* de ces choses. Personne ne les aurait faites *toutes*. Vous êtes arrivé, vous avez pris le commandement! Vous avez déjà commencé à réformer le couvent. Bien entendu, les amis de Remigius ripostent déjà. Voilà pourquoi Andrew le sacristain vous a réprimandé dans le cloître.

— Voilà donc l'explication! Je me demandais quelle mouche l'avait piqué.» Philip rinça distraitement l'anguille. «Et j'imagine que quand le prévôt m'a fait renoncer à mon dîner, c'était pour la même raison.

— Exactement. Une façon de vous humilier devant les moines. Je crois d'ailleurs que les deux opérations ont raté : aucun reproche n'était justifié, et pourtant vous les avez acceptés avec grâce. En fait, vous avez réussi à paraître un vrai saint homme.

— Je ne l'ai pas fait dans ce but.

— Les saints non plus. Ah ! Voici la cloche de nones. Vous feriez mieux de me laisser le restant des anguilles. Après le service, c'est l'heure d'étude, et les discussions sont permises dans le cloître. Un grand nombre de frères va vouloir vous parler.

— Pas si vite ! s'exclama Philip avec inquiétude. Même si certains s'imaginent que je veux être prieur, cela ne signifie pas que je vais me présenter à l'élection. » La perspective d'une lutte électorale lui déplaisait et il n'était pas du tout sûr d'avoir envie d'abandonner sa communauté bien organisée de la forêt pour prendre en charge les redoutables problèmes du prieuré de Kingsbridge. « J'ai besoin de temps pour réfléchir, ajouta-t-il.

— Je sais. » Cuthbert se redressa et regarda Philip droit dans les yeux. « Et en réfléchissant, rappelez-vous ceci, je vous prie : l'excès d'orgueil est un péché courant, mais un homme peut tout aussi bien décevoir la volonté de Dieu par un excès d'humilité. »

Philip acquiesça. « Je m'en souviendrai. Merci. »

Il quitta le magasin et se hâta vers le cloître. Mille pensées s'agitaient dans son esprit lorsqu'il rejoignit les autres moines pour pénétrer avec eux dans l'église. Il était très excité à l'idée de devenir prieur de Kingsbridge, il s'en rendait compte. Il s'était élevé pendant des années contre la façon honteuse dont ce prieuré était dirigé, et voilà maintenant que l'occasion se présentait de remettre lui-même de l'ordre dans tout cela. Tout à coup, il n'était plus certain d'en être capable. Ce n'était pas seulement la question des mesures à prendre et des ordres à donner. Il fallait persuader les gens, gérer les biens, trouver de l'argent. Le poste réclamait une tête bien faite. La responsabilité serait lourde.

L'ambiance de l'église le calma, comme toujours. Après leur inconduite du matin, les moines étaient graves et silencieux. Tout en écoutant les phrases familières du service et en murmurant les répons comme il le faisait depuis tant d'années, il sentit ses pensées s'éclaircir.

Est-ce que je veux être prieur de Kingsbridge? se demanda-t-il, et la réponse vint aussitôt : Oui! Prendre en charge cette église croulante, la réparer, la redécorer et l'emplir du chant de cent moines, des voix d'un millier de fidèles récitant le *Notre Père* – rien que pour cela, il désirait ce poste. Et puis il y avait les biens du monastère à réorganiser, à revitaliser, à rendre de nouveau sains et productifs. Il voulait voir une foule de jeunes garçons apprenant à lire et à écrire dans un coin du cloître. Il voulait voir l'hôtellerie pleine de lumière et de chaleur, si bien que barons et évêques viendraient en visiteurs et offriraient au prieuré des dons précieux avant de repartir. Il voulait faire installer une salle spéciale en bibliothèque et l'emplir de livres de sagesse et de beauté. Oui, il voulait être prieur de Kingsbridge.

Y a-t-il d'autres raisons? se demanda-t-il. Quand je m'imagine en prieur, occupé à ces améliorations pour la gloire de Dieu, n'y a-t-il aucun orgueil dans mon cœur?

Oh que si!

Dans l'atmosphère froide et sainte de l'église, il ne pouvait pas se tromper lui-même. Son but était de servir la gloire de Dieu, mais la gloire de Philip ne lui déplaisait pas. Il aimait l'idée de donner des ordres que personne ne pourrait discuter. Il se voyait prenant des décisions, rendant la justice, prodiguant des conseils et des encouragements, distribuant pénitences et pardons à son gré. Il imaginait les gens disant : «Philip de Gwynedd a vraiment réformé ce couvent. C'était une honte avant qu'il ne le prenne en main, et regardez-le maintenant!»

Mais je *serai* bon, se dit-il. Dieu m'a donné un cerveau pour gérer des biens et le don de mener des groupes d'hommes. Je l'ai prouvé comme cellérier de Gwynedd et comme prieur de Saint-John-de-la-Forêt. Quand je dirige une communauté, les moines sont heureux. Dans mon prieuré, les vieillards n'ont pas d'engelures et les jeunes ne se sentent pas frustrés par manque de travail. Je m'occupe des gens.

D'autre part, aussi bien Gwynedd que Saint-John-de-la-Forêt paraissaient des endroits faciles comparés au prieuré de Kingsbridge. Le couvent de Gwynedd était déjà bien mené. La communauté de la Forêt avait connu des problèmes avant son arrivée, mais elle était minuscule et facile à contrôler. Auprès de cela, la réforme de Kingsbridge était un travail herculéen. Il faudrait peut-être des semaines rien que pour faire l'inventaire des ressources : la surface des terres, leur emplacement, leur emploi – forêts, pâturages ou champs de blé. Prendre le contrôle de ces domaines éparpillés, trouver ce qui n'allait pas et le remettre en ordre, faire de toutes ces parties un ensemble prospère demanderait des années. Tout ce que Philip avait réalisé dans la communauté de la Forêt, c'était d'amener une douzaine de jeunes gens à travailler dur dans les champs et à prier solennellement à l'église.

Bon, reconnut-il, mes motifs ne sont pas tout à fait purs et mes talents encore incertains. Peut-être devrais-je refuser de me présenter. Du moins éviterais-je le péché d'orgueil. Mais qu'avait donc dit Cuthbert? « Un homme peut tout aussi bien décevoir la volonté de Dieu par un excès d'humilité. »

Quelle est la volonté de Dieu? finit-il par se demander. Veut-il Remigius? Les capacités de Remigius ne sont pas supérieures aux miennes ni probablement ses motifs plus purs. Connaît-on un autre candidat? Pas à présent. Reste donc le choix entre Remigius et moi. À l'évidence Remigius dirigerait le monastère comme il l'a fait pendant la maladie du prieur James, c'est-à-dire dans la paresse et la négligence. Ce n'est pas lui qui arrêtera le déclin. Et moi? Je suis plein d'orgueil, sans doute, mais je veux essayer de réformer le monastère et, si Dieu m'en donne la force, je réussirai.

Très bien, dit-il à Dieu alors que le service touchait à sa fin, très bien. Je vais accepter la nomination et je vais lutter de toutes mes forces pour remporter l'élection ; et si, pour quelque raison que Vous préférez ne pas me révéler, Vous ne voulez pas de moi, eh bien alors, Vous n'aurez qu'à m'arrêter comme Vous pourrez.

Bien que Philip eût passé vingt-deux ans dans des monastères, il n'avait jamais connu d'élection. Il s'agissait d'un événement unique dans la vie monastique, le seul cas où les frères dérogeaient à la règle de l'obéissance : le vote les rendait tous égaux.

À en croire la légende, à l'origine les moines étaient égaux en tout. Un groupe d'hommes décidant de tourner le dos au monde des passions charnelles et de bâtir un sanctuaire dans le désert, pour y mener une vie de piété et de renoncement, choisir un coin de terre nue, défricher la forêt, assécher les marécages, labourer le sol et bâtir leur église ensemble. En ce temps-là, ils étaient vraiment comme des frères. Le prieur, ainsi que l'indiquait son titre, n'étant que le premier parmi des égaux, ils juraient obéissance à la seule règle de saint Benoît, et non à quelque dignitaire ecclésiastique. Ce qui demeurait aujourd'hui de cette démocratie primitive, c'était l'élection du prieur et de l'abbé.

Un tel pouvoir, soudain, embarrassait certains moines, qui auraient voulu qu'on les conseille; ou bien ils suggéraient de laisser la décision à un comité de moines plus âgés. D'autres abusaient du privilège et réclamaient insolemment des faveurs en échange de leur soutien. La plupart, cependant, souhaitaient simplement savoir prendre la bonne décision.

Dans le cloître, cet après-midi-là, Philip s'adressa à plusieurs d'entre eux, individuellement ou par petits groupes, et leur expliqua à tous avec sincérité qu'il désirait le poste et qu'il avait le sentiment de pouvoir faire mieux, malgré sa jeunesse, que Remigius. Il répondit aux questions, dont la plupart touchait aux rations de nourriture et de boisson. Il terminait chaque entretien par les mêmes mots : «Si chacun de nous prend sa décision dans la réflexion et la prière, Dieu en bénira sûrement le résultat.» Il en était lui-même convaincu.

«Nous sommes sur le chemin de la victoire», dit le cuisinier Milius, le lendemain matin, alors que Philip et lui déjeunaient de pain de son et de petite bière tandis que les marmitons chargeaient les feux.

Milius était un bouillant jeune homme à l'esprit vif, un protégé de Cuthbert et un admirateur de Philip. Il avait des cheveux sombres et raides, un petit visage aux traits nets et réguliers. Comme Cuthbert, il préférait servir Dieu de façon pratique et manquait la plupart des offices. Philip se méfiait de son optimisme.

«Comment le sais-tu? demanda-t-il d'un ton sceptique.

— Tout le camp de Cuthbert au monastère vous soutient – le chambellan, l'infirmier, le maître des novices, moi-même –, parce que nous savons que vous êtes un bon pourvoyeur et que l'approvisionnement constitue le grand problème actuel. Bon nombre des moines ordinaires voteront en votre faveur pour une raison analogue : ils pensent que vous gérerez mieux la richesse du prieuré et qu'il en résultera plus de confort et une meilleure nourriture.»

Philip se rembrunit. «Je ne voudrais pas de malentendu. Ma priorité sera de réparer l'église et d'animer les services, cela passe avant la nourriture.

« — Certainement, et ils le savent, s'empressa de répondre Milius. C'est pourquoi l'hôtelier et quelques autres voteront pour Remigius : ils préfèrent un régime douillet et une vie tranquille. Ses autres partisans sont tous de ses amis qui attendent des privilèges particuliers le jour où il sera aux commandes : le sacristain, le prévôt, le trésorier et ainsi de suite. Le chantre est un ami du sacristain, mais je pense qu'on pourrait le rallier à notre camp, surtout si vous promettez de désigner un bibliothécaire. »

Philip acquiesça. Chargé de la musique, le chantre estimait qu'il ne devrait pas avoir à s'occuper des livres en plus de ses autres charges. « De toute façon, dit Philip, c'est une bonne idée. Il nous faut un bibliothécaire pour augmenter notre collection de livres. »

Milius descendit de son tabouret et entreprit d'aiguiser un couteau de cuisine. Débordant d'énergie, il devait occuper perpétuellement ses mains, songea Philip. « Quarante-quatre moines vont voter, dit Milius. D'après mes estimations, dix-huit sont pour nous, et dix pour Remigius, ce qui laisse seize hésitants. Il nous faut vingt-trois voix pour obtenir la majorité. Vous devez donc vous gagner cinq hésitants.

— Quand tu présentes les choses de la sorte, elles semblent faciles, dit Philip. De combien de temps disposons-nous ?

— Impossible à dire. Ce sont les frères qui décident de la date de l'élection, mais si elle est fixée trop tôt, l'évêque peut refuser de confirmer notre choix. Si par contre nous attendons trop, il fixera lui-même la date. De plus, il a le droit de désigner un candidat. À l'heure qu'il est, il n'a peut-être même pas appris la mort du vieux prieur.

— Cela pourrait prendre un certain temps, alors.

— Oui. Et, dès que nous serons sûrs d'une majorité, il vous faudra regagner votre communauté et vous tenir éloigné d'ici jusqu'à ce que tout soit fini. »

Philip s'étonna. « Et pourquoi donc ?

— La familiarité engendre le mépris, dit Milius en brandissant avec enthousiasme un couteau bien affûté. Pardonnez-moi si je parais manquer de respect, mais c'est vous qui m'avez demandé une explication. La voici. Pour le moment, vous bénéficiez d'une certaine aura. Vous êtes un personnage distant, sanctifié, surtout pour nous jeunes moines. Vous avez effectué un vrai miracle dans votre petite communauté, en la réformant et en la rendant autonome. Vous avez le sens de la discipline, et vous nourrissez bien vos moines. Vous êtes un chef-né, mais vous savez courber la tête et accepter les réprimandes comme le plus jeune des novices. Vous connaissez les Écritures et vous faites le meilleur fromage du pays.

— Tu n'exagères pas un peu?

— Pas beaucoup.

— Je n'arrive pas à croire que les gens me considèrent comme tu le dis : ce n'est pas naturel.

— Bien sûr que non, reconnut Milius avec un petit haussement d'épaules. Justement, votre prestige ne durera pas dès l'instant où ils vous connaîtront mieux. Si vous restiez ici, vous perdriez cette aura. On vous verrait vous curer les dents et vous gratter le derrière, on vous entendrait ronfler et péter, on vous verrait de mauvaise humeur, vexé ou migraineux. Nous ne voulons pas de cela. Remigius accumulera les faux pas et les erreurs pendant que votre image s'incrustera dans leur esprit, étincelante et parfaite.

— Je n'aime pas ce discours, dit Philip d'une voix incertaine. Cela ressemble à une tromperie.

— Il n'y a rien de malhonnête là-dedans, protesta Milius. C'est ce qui fait la différence entre Remigius et vous – l'incapable et le capable. »

Philip secoua la tête. «Je ne veux pas faire semblant d'être un ange. Très bien, je ne resterai pas ici : de toute façon, il faut que je retourne dans la forêt. Mais nous devons nous montrer francs avec les frères. Nous leur demandons d'élire un homme faillible et imparfait qui aura besoin de leur aide et de leurs prières.

— Dites-leur ça! s'écria Milius avec enthousiasme. C'est parfait... Ils vont adorer. »

Quel incorrigible gamin, songea Philip. Il changea de sujet. «Que penses-tu des hésitants, les frères qui n'ont pas encore pris leur décision?

— Ce sont des conservateurs. Ils voient en Remigius l'homme plus âgé, plutôt hostile aux changements, un homme prévisible et déjà en place. »

Philip acquiesça de la tête. «Et moi, je suis comme un chien inconnu qui risque à tout instant de mordre. »

La cloche sonna pour le chapitre. Milius avala sa dernière gorgée de bière. «Une attaque va se déclencher contre vous maintenant, Philip. Je ne peux pas prévoir quelle forme elle prendra, mais le but sera de vous faire apparaître comme quelqu'un de jeune, d'inexpérimenté, de têtu, sur qui on ne peut pas compter. Il faudra que vous vous montriez calme, prudent et judicieux, mais laissez à Cuthbert et à moi le soin de vous défendre. »

Philip commençait à éprouver une certaine appréhension. Désormais il faudrait peser chaque geste, estimer comment les autres allaient l'interpréter et le juger. D'un ton légèrement impatient il reprit : « En temps normal, je ne pense qu'à la façon dont Dieu juge mon comportement.

— Je sais, je sais, fit Milius avec une pointe d'agacement. Mais ce n'est pas un péché d'aider des gens plus simples à juger de vos actions sous leur vrai jour. »

Philip fronça les sourcils. Milius décidément n'avait pas tort.

Ils quittèrent la cuisine et traversèrent le réfectoire jusqu'au cloître. Philip était tout de même très anxieux. Une attaque ? Qu'est-ce que cela voulait dire, une attaque ? Allait-on colporter des mensonges à son sujet ? Comment devrait-il réagir ? Si les gens inventaient des mensonges sur lui, devrait-il réprimer sa colère ? Mais s'il ne réagissait pas, les frères ne croiraient-ils pas que les ragots disaient vrai ? Il se comporterait comme d'habitude, décida-t-il, juste un peu plus gravement et plus dignement.

La salle du chapitre, un petit bâtiment rond, jouxtait l'allée est du cloître. Elle était meublée de bancs disposés en cercles concentriques. Il n'y avait pas de feu et après la chaleur de la cuisine, on sentait désagréablement le froid. La lumière venait de hautes fenêtres placées au-dessus des têtes, si bien qu'il n'y avait rien à regarder que les autres moines dans la salle.

Philip les observa. Presque tous étaient là : des âgés, des jeunes, des grands et des petits, des bruns et des blonds – tous vêtus de la grosse robe de bure et chaussés de sandales de cuir. L'hôtelier arborait sa panse ronde et son nez rouge révélant ses vices – des vices qui pourraient être pardonnables, se dit Philip, s'il avait un jour des hôtes à recevoir. Il y avait le chambellan, qui obligeait les moines à changer de robe et à se raser pour Noël et pour la Pentecôte (un bain à cette occasion était recommandé, mais non obligatoire). Adossé au mur du fond, se trouvait le doyen, un vieil homme frêle, pensif et imperturbable dont les cheveux étaient encore gris plutôt que blancs ; il parlait rarement mais jamais pour ne rien dire ; il aurait dû être prieur sans doute s'il n'avait pas été si effacé. Frère Simon, avec son regard furtif et ses mains nerveuses, avait confessé si souvent des péchés d'impureté que (comme Milius l'avait chuchoté à

Philip) sans doute aimait-il la confession encore plus que le péché. Il y avait William Beauvis, qui se tenait fort bien ; frère Paul, qui ne boitait presque pas ; Cuthbert le Chenu, l'air sûr de lui ; John Small, le petit trésorier ; et Pierre, le prévôt, celui qui avait privé Philip de son dîner la veille. Bientôt Philip se rendit compte que tous les regards étaient tournés vers lui et il baissa les yeux, embarrassé.

Remigius arriva avec Andrew, le sacristain, et ils s'assirent auprès de John Small et de Pierre. Voilà, se dit Philip, la faction réunie.

Le chapitre commença par la lecture d'un texte sur Siméon le stylite, le saint du jour. C'était un ermite qui avait passé presque toute sa vie juché sur une colonne et, si l'on ne pouvait mettre en doute son don de renoncement, Philip avait toujours nourri en secret des doutes sur la vraie valeur de son témoignage. Les fidèles accouraient en foule, mais venaient-ils pour l'exaltation spirituelle ou pour regarder un phénomène ?

Après les prières, on lut un chapitre du livre de saint Benoît. C'était ce chapitre qui donnait son nom à la réunion ainsi qu'au petit bâtiment dans lequel elle avait lieu. Comme Remigius se levait pour lire dans le livre ouvert devant lui, Philip observa attentivement son profil, pour la première fois avec les yeux d'un rival. Remigius avait des façons vives et efficaces qui lui donnaient un air de compétence en total désaccord avec sa vraie nature. Une observation plus poussée révélait des indices sur ce que dissimulait la façade : ses yeux bleus un peu proéminents se déplaçaient avec une rapidité inquiète, sa bouche un peu molle hésitait avant de parler et il serrait et desserrait sans cesse les mains tandis que le reste de son corps était immobile. Il tirait son autorité de son arrogance, de son irritation permanente et de cette façon qu'il avait d'écarter avec dédain les subordonnés.

Philip se demanda pourquoi il avait choisi de lire le chapitre lui-même, mais il en comprit vite la raison. «Le premier degré d'humilité et la prompte obéissance», lut Remigius. Il avait choisi le chapitre cinq, sur l'obéissance, afin de rappeler à tous la supériorité de sa position et leur rôle de subordonnés. Tactique évidemment destinée à les intimider. Remigius était d'abord un homme rusé. «Ils ne vivent pas comme eux-mêmes le souhaitent, pas plus qu'ils se plient à leurs propres désirs ni à leurs envies de plaisir ; mais, suivant les ordres et les directives d'un autre, en se montrant obéissants dans leurs monastères, leur volonté est d'être régi par un abbé, lut-il. Sans doute ceux-là mettent-ils en œuvre la parole de Notre-Seigneur, *je ne suis pas venu pour accomplir ma volonté, mais la volonté de Celui qui m'a envoyé.* » Remigius venait de tracer les lignes de bataille de manière prévue : dans cet affrontement, c'était lui qui représenterait l'autorité établie.

Cette lecture fut suivie par la nécrologie et ce jour-là, naturellement, toutes les prières furent destinées à l'âme du prieur James. On garda pour la fin la partie la plus animée du chapitre : la discussion des affaires courantes, la confession des fautes et les accusations d'inconduite.

Remigius prit la parole : « Il y a eu des désordres pendant la grand-messe d'hier. »

Philip se sentit presque soulagé. Il savait maintenant comment on allait l'attaquer. Il était prêt à se défendre.

Remigius poursuivit : « Je n'étais pas présent moi-même – retenu dans la maison du prieur à régler des affaires urgentes –, mais le sacristain m'a rapporté les faits. »

Cuthbert le Chenu l'interrompit : « Ne vous faites pas de reproches, frère Remigius, dit-il d'un ton apaisant. Nous savons qu'en principe les affaires du monastère ne devraient jamais prendre le pas sur la grand-messe, mais nous comprenons que le décès de notre bien-aimé prieur vous a obligé à traiter bien des problèmes qui dépassent votre compétence habituelle. Nous sommes tous d'accord, j'en suis sûr, qu'aucune pénitence ne s'impose. »

Le rusé vieux renard, se dit Philip. Remigius, bien sûr, n'avait aucune intention de confesser une faute. Néanmoins, Cuthbert lui accordait son pardon comme s'il était coupable. Maintenant, même si Philip était lui-même accusé, ils se retrouveraient, Remigius et lui, sur le même plan. En quelques mots prononcés avec bonté, Cuthbert venait de saper l'autorité de Remigius. Celui-ci d'ailleurs bouillait de rage. Philip sentit le plaisir du triomphe lui serrer la gorge.

Andrew le sacristain lança un regard noir à Cuthbert. « Je suis certain qu'aucun de nous ne voudrait critiquer notre vénéré sous-prieur, dit-il. Le désordre en question a été causé par frère Philip, venu en visiteur de la communauté de Saint-John-de-la-Forêt. Philip a arraché de sa place dans le chœur le jeune William Beauvis, l'a traîné jusqu'au transept et l'a réprimandé lui-même alors que je célébrais l'office. »

Remigius se composa une expression de reproche peiné. «Nous conviendrons tous sans doute que Philip aurait dû attendre la fin de la messe. »

Philip examina l'expression des autres moines. Ils ne semblaient ni approuver ni désapprouver ce que l'on venait de dire. Ils suivaient la discussion comme des spectateurs assistent à un tournoi, où il n'y a ni bon ni méchant et où le seul enjeu est de connaître le vainqueur.

Philip aurait voulu protester : *Si j'avais attendu, ce manque de discipline aurait duré tout l'office*, mais il se rappela le conseil de Milius et garda le silence. Ce fut Milius qui parla pour lui. «J'ai manqué la grand-messe, moi aussi, comme c'est hélas fréquemment mon cas, car elle vient juste avant le dîner; alors peut-être pourriez-vous me décrire, frère Andrew, ce qui se passait dans le chœur avant l'intervention de frère Philip. Tout se déroulait-il dans l'ordre et la bienséance?

— Il y avait un peu d'agitation parmi les jeunes, reconnut le sacristain d'un ton maussade. Je comptais leur en parler plus tard.

— Je comprends que vous restiez vague sur les détails : votre esprit était tout entier à l'office, dit Milius charitablement. Par bonheur, nous avons un prévôt dont la tâche précisément est de s'occuper de l'inconduite parmi nous. Dites-nous, frère Pierre, ce que *vous*, vous avez observé. »

Le prévôt prit un air hostile. «Exactement ce que le sacristain vient de vous dire. »

Milius insista : «Il me semble alors qu'il faudrait demander à frère Philip lui-même de nous rapporter les détails. »

Habile Milius, pensa Philip. Il avait établi que ni le sacristain ni le prévôt n'avaient vu ce que les jeunes moines faisaient pendant le service. Mais, bien que Philip admirât l'habileté dialectique du cuisinier, il répugnait à cette petite manigance. Il ne s'agissait pas pour choisir un prieur de jouer au plus fin, il fallait tenter de connaître la volonté de Dieu. Il hésita. Milius lui lança un regard qui disait : *C'est maintenant votre chance!* Mais il y avait chez Philip une obstination innée qui se manifestait d'autant plus nettement qu'on essayait de le pousser dans une position morale douteuse. Il regarda Milius droit dans les yeux et répondit : «Cela s'est passé comme mes frères l'ont décrit. »

Le visage de Milius se décomposa. Il ouvrit la bouche, mais visiblement ne savait plus que dire. Philip se sentit coupable de l'abandonner. Je m'en expliquerai auprès de lui plus tard, se dit-il, s'il ne m'en veut pas trop.

Remigius allait pousser l'accusation lorsqu'une autre voix s'éleva : « J'aimerais me confesser. »

Toutes les têtes se tournèrent. C'était William Beauvis, le fauteur de troubles, qui s'était levé, l'air honteux. « Je lançais des boulettes de boue au maître des novices et je riais, dit-il d'une voix basse mais claire. Frère Philip m'a fait honte. J'implore le pardon de Dieu et je demande aux frères de m'infliger une pénitence. » Sur quoi, il se rassit.

Sans laisser à Remigius le temps de réagir, un autre jeune moine se leva : « J'ai une confession à faire. J'ai agi de même. Je demande une pénitence. » Il se rassit à son tour. Ce brusque accès de remords se révéla contagieux : un troisième moine se confessa, puis un quatrième, puis un cinquième.

En dépit des scrupules de Philip, la vérité avait éclaté au grand jour, et il ne pouvait s'empêcher d'en être ravi. Il vit que Milius luttait pour réprimer un sourire de triomphe. Toutes ces confessions établissaient clairement qu'une petite émeute s'était déroulée sous le nez d'un sacristain et d'un prévôt aveugles.

Un Remigius extrêmement mécontent infligea leurs châtiments aux coupables : une semaine de silence absolu; ils ne devaient pas parler et personne ne devait leur adresser la parole. C'était une punition plus dure qu'il n'y paraissait. Philip l'avait subie lorsqu'il était jeune. Un seul jour d'isolement était déjà accablant; que dire de toute une semaine de ce régime !

Remigius venait de se faire remarquablement manœuvrer. Dès l'instant où les fautifs s'étaient confessés, il n'avait d'autre choix que de les punir, même si en les châtiant il reconnaissait que Philip avait raison depuis le début. Son attaque avait mal tourné et Philip triomphait qui, malgré un petit sursaut de remords, ne pouvait s'empêcher de savourer sa victoire.

Mais l'humiliation de Remigius n'était pas encore complète. Cuthbert reprit la parole. « Il y a eu un autre désordre dont nous devrions discuter et qui s'est produit dans le cloître juste après la grand-messe. » Philip se demanda où le cellérier voulait en venir. « Frère Andrew a abordé frère Philip et l'a accusé d'inconduite. » Bien sûr, songea Philip, tout le monde le sait. Cuthbert poursuivit : « Or nous savons tous que le lieu et l'heure pour de telles accusations, c'est ici et maintenant, au chapitre, ainsi que nos ancêtres en ont décidé, pour de fort bonnes raisons. Les colères se calment avec la nuit et l'on peut discuter le lendemain matin des doléances dans une atmosphère de calme et de modération ; et la communauté tout entière peut employer sa sagesse collective à étudier le problème. Mais, j'ai le regret de le dire, Andrew a passé outre cette règle raisonnable en préférant faire une scène dans le cloître, en dérangeant tout le monde et en s'exprimant sans mesure. Laisser passer une telle erreur serait injuste pour nos jeunes frères qui ont été punis de leurs propres fautes. »

Impitoyable et brillant, se dit Philip, avec bonheur. La question de savoir s'il avait eu raison d'expulser William du chœur pendant le service n'avait en fait jamais été discutée. Toute tentative s'était terminée par des questions sur le comportement de l'accusateur. Tant mieux, car la plainte d'Andrew contre Philip relevait de la mauvaise foi. À eux deux, Cuthbert et Milius venaient de discréditer Remigius et ses deux principaux alliés, Andrew et Pierre.

Le visage habituellement rougeaud d'Andrew devint violet de fureur et Remigius eut l'air presque effrayé. Philip n'était pas mécontent – ils le méritaient –, mais il craignait maintenant de voir leur humiliation aller trop loin. Il prit la parole : « Il est inconvenant pour de jeunes frères de discuter le châtiment de leurs aînés. Que le sous-prieur règle cette affaire en privé. » Regardant autour de lui, il vit que les moines approuvaient sa magnanimité, et il se rendit compte qu'il avait marqué encore un point.

L'affaire semblait terminée. Les moines, dans l'ensemble, s'étaient rangés du côté de Philip, certain maintenant d'avoir gagné à lui la plupart des hésitants. Là-dessus, Remigius annonça : « Il y a une autre question que je dois aborder. »

Philip examina le visage du sous-prieur. Il avait l'air désespéré. Andrew le sacristain et Pierre le prévôt semblaient surpris. Il s'agissait donc d'un imprévu : Remigius allait-il plaider pour obtenir le poste de prieur ?

« La plupart d'entre vous savent que l'évêque a le droit de désigner des candidats dont nous examinerons les mérites, commença Remigius. Il peut aussi refuser de confirmer notre choix. Cette division des pouvoirs amène parfois une querelle entre l'évêque et le monastère, comme certains frères plus âgés le savent peut-être d'expérience. Au bout du compte, l'évêque ne peut nous forcer à accepter son candidat, pas plus que nous ne pouvons imposer le choix du nôtre ; quand il y a conflit, c'est par la négociation qu'il doit être résolu. Dans ce cas, l'issue dépend beaucoup de la détermination et de l'unité des frères – surtout de leur unité. »

Philip eut un mauvais pressentiment. Remigius, de nouveau calme et hautain, avait maîtrisé sa rage. Son sentiment de triomphe s'était évaporé.

« La raison pour laquelle je parle de tout cela aujourd'hui est que deux importants renseignements m'ont été communiqués, poursuivit Remigius. Le premier est qu'il peut y avoir plus d'un candidat de désigné parmi nous ici dans cette salle. »

Voilà qui ne surprenait personne, se dit Philip. « Le second est que l'évêque va lui aussi désigner un candidat. »

Un lourd silence. Mauvaise nouvelle pour les deux camps. Quelqu'un demanda : « Savez-vous qui l'évêque veut nommer ?

— Oui », dit Remigius. En cet instant Philip eut la certitude que l'homme mentait. « Le choix de l'évêque s'est porté sur frère Osbert de Newbury. »

Plusieurs moines sursautèrent, horrifiés. Ils connaissaient Osbert, car il avait été prévôt à Kingsbridge pendant quelque temps. Fils illégitime de l'évêque, il considérait l'Église uniquement comme un moyen de mener une vie d'oisiveté et d'abondance. Il n'avait jamais fait aucun effort sérieux pour respecter ses vœux, mais il maintenait une sorte de faux-semblant et il comptait sur la personnalité de son père pour lui éviter les ennuis. La perspective de l'avoir comme prieur était consternante, même pour les amis de Remigius. Seuls l'hôtelier et un ou deux de ses compagnons irrémédiablement dépravés pouvaient approuver le choix d'Osbert dans l'attente d'un régime de discipline relâchée et de molle indulgence.

Remigius poursuivait. « Si nous désignons deux candidats, mes frères, l'évêque risque de nous croire divisés et incapables de prendre une décision collective. Il se sentira donc autorisé à décider pour nous et nous devrons accepter son choix. Si nous voulons nous opposer à Osbert, nous serions bien avisés de ne proposer qu'un seul candidat ; et peut-être, ajouterais-je, devrions-nous nous assurer que l'on ne puisse faire reproche à notre candidat de sa jeunesse ou de son inexpérience. »

Il y eut un murmure d'assentiment. Philip était consterné. Le moment d'avant, il était sûr de la victoire, mais on venait de la lui arracher. Tous les moines maintenant se ralliaient à Remigius, qu'ils voyaient comme le candidat sûr, le candidat de l'unité, l'homme capable de battre Osbert. Philip était certain que Remigius mentait à propos d'Osbert, mais cela ne changerait rien. Les moines avaient peur et ils soutiendraient Remigius ; cela signifiait d'autres années de déclin pour le prieuré de Kingsbridge.

Avant que personne pût commenter ses paroles, Remigius ajouta : « Séparons-nous maintenant et allons prier et réfléchir à ce problème tout en accomplissant aujourd'hui l'œuvre de Dieu. » Il se leva et sortit, suivi d'Andrew, de Pierre et de John Small, tous trois triomphants.

À peine furent-ils partis qu'éclata un brouhaha de conversations. Milius vint vers Philip : « Je n'aurais jamais cru que Remigius oserait monter un coup pareil.

— Il ment, dit Philip avec amertume, j'en suis certain. »

Cuthbert qui venait les rejoindre entendit la remarque de Philip.

« Quelle importance s'il ment, n'est-ce pas ? La menace suffit.

— La vérité finira par éclater, dit Philip.

— Pas nécessairement, répliqua Milius. Imaginez que l'évêque ne désigne pas Osbert. Remigius dira simplement qu'il a cédé devant la perspective d'une bataille contre un prieuré uni.

— Je ne suis pas prêt à abandonner, déclara Philip avec obstination.

— Qu'allons-nous faire ? dit Milius.

— Découvrir la vérité.

— C'est impossible », rétorqua Milius.

Philip se creusait la cervelle. Cette déception était insupportable. « Pourquoi ne pas simplement demander ?

— Demander ? Que voulez-vous dire ?

— Demander à l'évêque quelles sont ses intentions.

— Comment ?

— Nous pourrions envoyer un message au palais de l'évêque, non ? dit Philip en pensant à voix haute. Il se tourna vers Cuthbert. Celui-ci répliqua, songeur : « Oui. J'envoie des messagers tout le temps. On peut en envoyer un au palais.

— Pour demander à l'évêque quelles sont ses intentions ? » répéta Milius, sceptique.

Philip fronça les sourcils. C'était bien le problème.

Cuthbert approuvait Milius. « L'évêque ne nous le dira pas », fit-il.

Philip eut une soudaine inspiration. Son front s'éclaircit et il frappa vigoureusement dans sa paume, entrevoyant la solution. «Non, l'évêque ne nous le dira pas. Mais son archidiacre nous le dira.»

Philip cette nuit-là rêva de Jonathan, le bébé abandonné. Dans son rêve, l'enfant se trouvait sous le porche de la chapelle de Saint-John-de-la-Forêt et Philip, dans le sanctuaire, lisait l'office de prime, quand un loup sortait des bois et traversait furtivement le champ, souple comme un serpent, vers le bébé. Philip n'osait pas bouger de crainte de provoquer un désordre pendant l'office et d'être réprimandé par Remigius et Andrew, tous les deux présents (bien qu'en réalité aucun d'eux ne fût jamais venu dans la communauté). Il essayait de crier, mais aucun son ne sortait, comme c'est souvent le cas dans les rêves. Il finit par faire un tel effort pour appeler à l'aide qu'il se réveilla et resta dans l'obscurité à trembler tout en écoutant le souffle des moines endormis autour de lui. Enfin il réussit à se persuader peu à peu que le loup n'avait jamais existé.

Il n'avait guère pensé au bébé depuis son arrivée à Kingsbridge. Que ferait-il de l'enfant s'il devenait prieur? Tout serait différent. Un bébé élevé dans un petit monastère au fond d'une forêt, ça n'a pas d'importance, si insolite que soit sa présence. Le même bébé au prieuré de Kingsbridge provoquerait bien des remous. D'un autre côté, qu'y avait-il de mal à cela? Ce n'est pas un péché que de donner aux gens un sujet de commérage. Il serait prieur, il pourrait donc faire ce que bon lui semblerait. Il appellerait Johnny Huit Pence à Kingsbridge pour s'occuper de l'enfant. L'idée lui plaisait énormément. Voilà ce que je vais faire, songea-t-il. Puis il se souvint que, selon toute probabilité, il ne deviendrait pas prieur.

Il resta éveillé jusqu'à l'aube, dans une fièvre d'impatience. Il ne pouvait rien maintenant pour faire avancer ses affaires. Inutile de parler aux moines, obsédés par la menace d'Osbert. Quelques-uns d'entre eux avaient même approché Philip pour déplorer son échec, comme si l'élection avait déjà eu lieu. Résistant à la tentation de les traiter de couards sans foi, il s'était contenté de sourire et de leur dire qu'ils auraient peut-être une surprise. Mais sa propre foi vacillait. L'archidiacre Waleran ne se trouverait peut-être pas au palais de l'évêque; et s'il y était, n'aurait-il pas quelque raison de refuser de révéler à

Philip les plans de l'évêque ? Ou bien – ce qui était le plus probable étant donné le caractère de l'archidiacre –, peut-être avait-il des plans à lui.

Philip se leva à la pointe du jour avec les autres moines et se rendit à l'église pour prime, le premier office de la journée. Il se dirigea ensuite vers le réfectoire, comptant prendre son déjeuner, mais Milius l'arrêta au passage et d'un geste furtif lui fit signe de venir à la cuisine. Philip le suivit, les nerfs tendus. Si le messager était déjà de retour, il avait fait vite ! Philip ne connaissait pas un cheval dans l'écurie du prieuré qui fût capable de boucler le trajet en si peu de temps. Mais seule la réponse importait.

Ce n'était pas le messager qui attendait dans la cuisine : c'était l'archidiacre en personne, Waleran Bigod.

Philip le dévisagea avec étonnement. La silhouette mince et drapée de noir de l'archidiacre était juchée sur un tabouret comme un corbeau sur une souche. L'extrémité de son nez crochu était rouge de froid. Il réchauffait ses mains blanches et osseuses autour d'une coupe de vin chaud aux épices.

« C'est bien aimable à vous de vous déranger ! balbutia Philip.

— Je suis heureux que vous m'ayez écrit, dit calmement Waleran.

— Alors ? demanda Philip avec impatience. L'évêque va-t-il désigner Osbert ? »

Waleran l'arrêta d'un geste. « J'y arrive. Cuthbert que voici vient tout juste de me conter les événements d'hier. »

Philip dissimula sa déception. Ce n'était pas franchement une réponse nette. Il scruta le visage de Waleran, essayant de lire ses pensées. Waleran avait ses propres projets, assurément, mais Philip n'arrivait pas à les deviner.

Cuthbert – que Philip tout d'abord n'avait pas remarqué, assis auprès du feu à tremper son pain de son dans la bière afin de l'amollir pour ses vieilles dents – reprit un récit du chapitre de la veille. Philip s'agitait nerveusement, essayant de comprendre où l'archidiacre voulait en venir. Il mit un morceau de pain dans sa bouche, mais il était trop crispé pour avaler. Il but une gorgée de bière, rien que pour occuper ses mains.

« Il nous a donc semblé, dit enfin Cuthbert, que notre seule chance était de nous assurer des intentions de l'évêque. Par bonheur, Philip a cru pouvoir compter sur ses relations avec vous et nous vous avons envoyé le message.

— Et maintenant, intervint Philip d'une voix tendue, voulez-vous nous dire ce que nous voulons savoir?

— Oui, je vais vous le dire. » Waleran reposa sa coupe sans avoir goûté au vin. «L'évêque aimerait voir son fils prieur de Kingsbridge. »

Philip sentit son cœur se serrer. «Remigius a donc dit la vérité.

— Toutefois, reprit Waleran, l'évêque n'est pas disposé à risquer une querelle avec les moines. »

Philip fronça les sourcils. Remigius n'avait pas tout prévu, alors? «Vous n'avez pas fait tout ce chemin, dit Philip à Waleran, rien que pour nous dire cela. »

L'archidiacre lança un coup d'œil admiratif à Philip, et celui-ci comprit qu'il avait deviné juste. «Non, dit Waleran. L'évêque m'a demandé de prendre la température du monastère. Et il m'a donné pouvoir de faire une nomination en son nom. J'ai d'ailleurs avec moi son sceau, de façon à pouvoir écrire une lettre de nomination qui rendra la chose officielle. J'ai tout pouvoir pour agir, vous voyez. »

Il fallut un moment à Philip pour digérer la nouvelle. Waleran était autorisé à faire une nomination et à la sceller du sceau de l'évêque. Donc l'évêque avait confié toute l'affaire aux mains de Waleran qui parlait maintenant avec l'autorité de l'évêque.

Philip prit une profonde inspiration : «Admettez-vous ce que Cuthbert vous a raconté : que si Osbert est nommé, cela provoquera la querelle que l'évêque veut éviter?

— Oui, je comprends cela, dit Waleran.

— Alors, vous n'allez pas désigner Osbert.

— Non. »

Philip se sentit tendu comme un arc. Les moines seraient si heureux d'échapper à la menace d'Osbert qu'ils voteraient avec gratitude pour quiconque Waleran désignerait.

C'était l'archidiacre maintenant qui avait le pouvoir de choisir le nouveau prieur.

«Alors, demanda Philip, qui allez-vous nommer?

— Vous..., fit Waleran, ou Remigius.

— La capacité de Remigius à diriger le prieuré...

— Je connais ses capacités et les vôtres, interrompit Waleran, levant sa blanche main maigre pour arrêter Philip. Je sais lequel de vous deux ferait le meilleur prieur. » Il marqua un temps. «Mais il y a un autre problème. »

Quoi encore? se demanda Philip. Qu'y a-t-il d'autre à considérer, sinon de savoir qui serait le meilleur? Il regarda les autres. Milius lui aussi paraissait déconcerté, mais le vieux Cuthbert affichait un petit sourire, comme s'il savait ce qui allait venir.

« Comme vous, reprit Waleran, je tiens à ce que les postes importants de l'Église aillent à des hommes énergiques et capables, sans tenir compte de leur âge, plutôt que d'être confiés comme récompense de longs et loyaux services à des hommes âgés dont la sainteté est peut-être plus grande que leurs talents d'administrateur.

— Naturellement », dit Philip avec impatience. Il ne voyait pas où menait ce sermon.

« Il nous faut travailler ensemble à cette fin – vous trois et moi.

— Je ne sais pas, dit Milius, où vous voulez en venir.

— Moi, si », dit Cuthbert.

Waleran lança un sourire fugitif à Cuthbert, puis son attention revint à Philip. « Permettez-moi d'être clair, dit-il. L'évêque lui-même est âgé. Un jour il va mourir, et il nous faudra un nouvel évêque, tout comme aujourd'hui nous avons besoin d'un nouveau prieur. Les moines de Kingsbridge ont le droit d'élire le nouvel évêque, car celui-ci est aussi l'abbé du prieuré. »

Philip plissa le front. Tout se brouillait : c'était un prieur qu'ils allaient élire, pas un évêque.

Mais Waleran poursuivait : « Évidemment, les moines ne seront pas complètement libres de choisir qui leur plaît comme évêque, car l'archevêque et le roi lui-même auront leur opinion. Mais, en fin de compte, ce sont les moines qui légitiment la nomination. Et, quand ce temps viendra, vous aurez tous les trois une puissante influence sur la décision. »

Cuthbert hochait la tête d'un air entendu, et Philip à son tour commençait à se douter de la suite.

« Vous voulez, conclut Waleran, que je vous fasse prieur de Kingsbridge. Je veux que vous me fassiez évêque. »

C'était donc cela!

Philip contempla en silence Waleran. Tout devenait très simple. L'archidiacre proposait un marché.

Philip fut scandalisé. On n'en était pas tout à fait à acheter et vendre une charge ecclésiastique, ce que l'on classait comme péché de simonie; mais cela vous avait quand même un relent désagréablement commercial.

Il essaya de réfléchir objectivement à la proposition. Il deviendrait donc prieur. Son cœur battit plus vite à cette pensée. Cela voulait dire qu'à un moment Waleran deviendrait sans doute évêque. Serait-il un bon évêque ? Il serait certainement compétent. Il semblait ne pas avoir de vices graves. Il avait un point de vue pratique et mondain sur le service de Dieu, mais après tout Philip aussi. Philip avait le sentiment que Waleran avait un côté impitoyable qui lui manquait à lui-même, mais il sentait aussi que cette dureté se fondait sur une sincère détermination de protéger et de développer les intérêts de l'Église.

Qui d'autre pourrait être candidat quand l'évêque mourrait ? Sans doute Osbert. On voyait souvent des charges ecclésiastiques passer de père en fils, malgré l'obligation officielle du célibat des prêtres. Osbert, manifestement, serait un risque plus grand pour l'Église comme évêque que comme prieur. Cela valait de soutenir un candidat pire que Waleran rien que pour barrer la route à Osbert.

Y aurait-il quelqu'un d'autre dans la course ? Impossible de le deviner. Des années pouvaient s'écouler avant la mort de l'évêque.

Cuthbert s'adressa à Waleran : « Nous ne pouvons pas vous garantir l'élection.

— Je sais, dit Waleran. Je ne demande que votre nomination. D'ailleurs c'est exactement ce que j'ai à vous offrir en retour : une nomination. »

Cuthbert acquiesça. « Je suis d'accord, dit-il gravement.

— Moi aussi », ajouta Milius.

L'archidiacre et les deux moines regardèrent Philip. Celui-ci hésitait, déchiré. Ce n'était pas à son avis la bonne façon de choisir un évêque, il le savait ; mais le prieuré était à portée de sa main. Peut-être ne convenait-il pas d'échanger une sainte charge pour une autre, comme des maquignons – mais, s'il refusait, le résultat serait que Remigius deviendrait prieur et Osbert évêque.

Toutefois les arguments rationnels n'étaient plus de mise. Le désir d'être prieur bouillait en lui comme une force irrésistible, et il ne pouvait pas refuser. Il se rappela la prière qu'il avait adressée la veille, dans laquelle il disait à Dieu qu'il comptait se battre pour obtenir le poste. Il ferma alors les yeux et lui en adressa une autre : *Si Vous ne voulez pas que cela arrive, alors, faites taire ma langue, paralysez ma bouche, arrêtez mon souffle dans ma gorge et empêchez-moi de parler.*

Puis il regarda Waleran et dit : « J'accepte. »

Le lit du prieur était énorme, trois fois aussi large que tous ceux où Philip avait jamais dormi. Le cadre en bois se dressait à mi-hauteur d'homme, et il y avait dessus un matelas de plumes. Tout autour des rideaux protégeaient des courants d'air, et sur le tissu les mains patientes d'une femme pieuse avaient brodé des scènes bibliques. Philip examinait la pièce avec perplexité. Il lui semblait extravagant que le prieur eût une chambre à lui tout seul : Philip n'avait jamais de sa vie eu sa chambre à lui, et cette nuit serait la première fois qu'il dormirait seul. Mais le lit, c'était trop. Il envisagea de faire apporter une paillasse du dortoir et transporter le lit à l'infirmerie où il fournirait une couche confortable aux vieux os d'un moine malade. Mais, naturellement, le lit n'était pas seulement destiné à Philip. Quand le prieuré recevrait un hôte particulièrement distingué, un évêque, un grand seigneur ou même un roi, l'hôte serait accueilli dans cette chambre et le prieur s'installerait du mieux qu'il pourrait ailleurs. Philip ne pouvait donc pas s'en débarrasser.

«Vous allez bien dormir cette nuit, dit Waleran Bigod, non sans une nuance d'envie.

— Je pense que oui», dit Philip, sceptique.

Tout s'était passé très vite. Waleran avait écrit une lettre adressée au prieuré, là, dans la cuisine, donnant l'ordre aux moines d'organiser sans tarder une élection et désignant Philip comme candidat. Il avait signé la lettre du nom de l'évêque et y avait apposé son sceau. Puis tous les quatre s'étaient rendus au chapitre.

Dès que Remigius les vit entrer, il sut que la bataille était terminée. Waleran lut la lettre et les moines poussèrent des acclamations quand il prononça le nom de Philip. Remigius eut l'intelligence de se dispenser de la formalité du vote et de concéder sa défaite.

Philip était prieur.

Il avait présidé le reste du chapitre dans une sorte de stupeur, puis il avait gagné la maison du prieur, dans le coin sud-est de l'enceinte, pour s'y installer. En voyant le lit, il se rendit compte que sa vie avait irrévocablement changé. Il était différent des autres moines, à part. Il détenait le pouvoir et les privilèges. Mais aussi les responsabilités. Lui seul devait s'assurer que cette petite communauté de quarante-cinq hommes survivrait et prospérerait. Si les moines souffraient de la faim, ce serait sa faute ; s'ils se dévergondaient, c'est à lui qu'on le reprocherait ; s'ils déshonoraient l'Église de Dieu, Dieu l'en tiendrait responsable. Il avait recherché ce fardeau, se rappelait-il, il devait maintenant le supporter.

Son premier devoir comme prieur serait de conduire les moines à l'église pour la grand-messe. C'était aujourd'hui l'Épiphanie, le douzième jour après Noël, jour férié. Tous les villageois assisteraient à l'office, et d'autres viendraient des environs. Une bonne cathédrale avec un solide corps de moines et la réputation d'offices spectaculaires pourraient attirer mille fidèles ou davantage. Même sinistre, Kingsbridge regroupait l'essentiel de la noblesse locale, car la messe était une occasion mondaine aussi où l'on pouvait rencontrer ses voisins et parler affaires.

Mais, avant l'office, Philip avait autre chose à discuter avec Waleran, maintenant qu'enfin ils étaient seuls.

« Cette information que je vous ai transmise, commença-t-il, à propos du comte de Shiring... »

Waleran hocha la tête. « Je n'ai pas oublié... Ce pourrait même être plus important que la désignation d'un prieur ou d'un évêque. Le comte Bartholomew est déjà arrivé en Angleterre. On l'attend à Shiring demain.

— Qu'allez-vous faire ? demanda Philip avec angoisse.

— Me servir de lord Percy Hamleigh. J'espère même qu'il sera aujourd'hui dans l'assistance.

— J'ai entendu parler de lui, dit Philip, mais je ne l'ai jamais vu.

— Cherchez un gros seigneur avec une femme hideuse et un fils de belle figure. Vous ne pouvez pas manquer la femme : elle est abominable à regarder.

— Qu'est-ce qui vous fait croire qu'ils vont prendre le parti du roi Stephen contre le comte Bartholomew ?

— Ils portent au comte une haine passionnée.

— Pourquoi ?

— Le fils, William, était fiancé à la fille du comte, mais elle l'a pris en grippe et le mariage a été décommandé, à la grande humiliation des Hamleigh. Ils frémissent encore de l'insulte et ils sauteront sur la moindre occasion de rendre la pareille à Bartholomew. »

Philip acquiesça, satisfait. Il se félicita d'avoir écarté cette responsabilité : il en avait suffisamment sur les épaules avec le prieuré de Kingsbridge. À Waleran de s'occuper du monde extérieur.

Ils quittèrent la maison du prieur et regagnèrent le cloître où attendaient les moines. Philip prit sa place en tête du cortège et la procession s'avança.

Ce fut un heureux moment lorsqu'il entra dans l'église avec les moines chantant derrière lui. Il aima cette cérémonie plus qu'il ne l'avait prévu. Sa nouvelle éminence symbolisait le pouvoir qu'il avait maintenant de faire le bien et cela l'enchantait profondément. Comme il regrettait que l'abbé Peter de Gwynedd ne pût pas le voir : le vieil homme en aurait été si fier.

Il conduisit les moines jusqu'aux stalles du chœur. Une messe de cette importance était souvent célébrée par l'évêque. Elle le serait aujourd'hui par son adjoint, l'archidiacre Waleran. Comme celui-ci commençait, Philip parcourut du regard l'assistance cherchant la famille que Waleran avait décrite. Il y avait environ cent cinquante personnes dans la nef, les riches dans leurs lourds manteaux d'hiver et leurs chaussures de cuir, les paysans dans leurs vestes de gros tissu, leurs bottes de feutre ou leurs sabots. Philip n'eut aucun mal à repérer les Hamleigh. Ils étaient au premier rang, tout près de l'autel. Ce fut la femme qu'il vit d'abord. Waleran n'avait pas exagéré : elle était repoussante. Elle portait un capuchon, mais son visage restait visible, avec sa peau couverte de vilains boutons qu'elle tripotait sans cesse nerveusement. Auprès d'elle se tenait un gros homme d'une quarantaine d'années : Percy, sans doute. Ses vêtements montraient qu'il était riche et puissant, mais pas au premier rang des barons et des comtes. Le fils, adossé à l'un des énormes piliers de la nef, était un bel homme, aux cheveux très jaunes, avec des yeux étroits au regard hautain. Un mariage avec la famille d'un comte aurait permis aux Hamleigh de franchir la ligne qui séparait la noblesse du comté de la noblesse du royaume. Pas étonnant s'ils enrageaient à cause de l'annulation du mariage.

Philip reporta son attention sur la messe que Waleran menait un peu trop vite au goût de Philip. Il se demanda encore une fois s'il avait eu raison d'accepter de désigner Waleran comme candidat à l'épiscopat, lorsque l'évêque actuel trépasserait. L'archidiacre était un homme pieux, mais il semblait sous-estimer l'importance du culte. La prospérité et la puissance n'étaient après tout que des moyens vers une fin ultime : le salut des âmes. Philip se rassura : il n'avait plus à s'inquiéter de Waleran. La chose maintenant était faite. D'ailleurs l'évêque vivrait peut-être encore vingt ans, décevant ainsi les ambitions de Waleran.

L'assistance était bruyante. Personne ne connaissait les répons. Seuls les prêtres et les moines participaient aux rites, sauf pour quelques prières familières. Certains fidèles suivaient la messe dans un silence respectueux, mais d'autres circulaient, se saluant entre eux et bavardant. Ce sont des gens simples, songea Philip ; il faut *faire* quelque chose pour retenir leur attention.

La messe touchant à sa fin, l'archidiacre Waleran s'adressa aux fidèles. «La plupart d'entre vous savent que le bien-aimé prieur de Kingsbridge est mort. Son corps, qui repose ici avec nous dans l'église, sera inhumé aujourd'hui après le dîner dans le cimetière du prieuré. L'évêque et les moines ont choisi pour lui succéder frère Philip de Gwynedd, qui nous a conduits ce matin à l'église.» Il s'arrêta et Philip se leva pour prendre la tête de la procession à la sortie de la cathédrale. Waleran dit alors : «J'ai une autre nouvelle à vous annoncer, bien triste.» Pris au dépourvu, Philip se rassit précipitamment. «Je viens de recevoir un message», ajouta Waleran. Il n'avait reçu aucun message, Philip le savait. Ils avaient passé toute la matinée ensemble. Où voulait donc en venir le rusé archidiacre ?

«Ce message me fait part d'une perte qui va nous toucher tous profondément.» Il marqua un nouveau temps.

Quelqu'un était mort – qui ? Waleran le savait avant d'arriver, mais il avait gardé le secret et il allait prétendre qu'il venait seulement d'apprendre la nouvelle. Pourquoi ?

Philip ne voyait qu'une possibilité et, si ses soupçons se révélaient fondés, alors Waleran était encore plus ambitieux et dénué de scrupules qu'il ne l'avait imaginé. Les avait-il vraiment tous trompés et manipulés ? Philip n'avait-il été qu'un pion dans le jeu de Waleran ?

Les derniers mots de Waleran confirmèrent ses doutes. «Mes bien chers frères, dit-il solennellement, l'évêque de Kingsbridge est mort.»

9.

« Cette garce sera là, dit la mère de William. J'en suis sûre. »

William contempla la haute façade de la cathédrale de Kingsbridge avec un mélange de crainte et de nostalgie. Si lady Aliena devait assister à la messe de l'Épiphanie, ce serait douloureusement embarrassant pour eux tous, mais son cœur néanmoins se mit à battre plus vite à la pensée de la revoir.

Ils trottaient tous sur la route de Kingsbridge, William et son père sur des destriers, sa mère sur un beau palefroi, accompagnés de trois chevaliers et de trois valets. Ils formaient un cortège impressionnant et même redoutable, ce qui plaisait à William ; et les paysans qui passaient sur la route s'éparpillaient devant leurs puissantes montures ; mais la mère bouillait de colère.

« Ils savent tous, y compris ces coquins de serfs, dit-elle entre ses dents. Ils font des plaisanteries sur notre dos. "Quand une fiancée est-elle sûre de ne pas se marier ? Quand elle épouse Will Hamleigh !" J'ai fait fouetter en vain un homme pour de telles paroles. Ah ! Si je mettais la main sur cette garce, je la flagellerais vivante et je la clouerais au mur en laissant sa peau aux oiseaux. » William aurait tant voulu que sa mère se taise. L'humiliation de la famille suffisait – William en portait la responsabilité, du moins à ce que disait Mère – et il ne tenait pas à ce qu'on le lui rappelât.

Ils franchirent le pont de bois branlant qui menait au village de Kingsbridge et poussèrent leurs chevaux dans la grand-rue en pente vers le prieuré. Il y avait déjà vingt ou trente chevaux rassemblés sur l'herbe rase du cimetière, du côté nord de l'église, mais pas un n'égalait ceux des Hamleigh. Ils continuèrent jusqu'à l'écurie où ils confièrent leurs montures aux palefreniers du prieuré.

Ils traversèrent la pelouse en formation groupée, William et son père encadrant Mère, les chevaliers derrière eux et les valets fermant la marche. Les gens s'écartaient sur leur passage, mais William les voyait se donner des coups de coude et les montrer du doigt. À coup sûr ils cancanaient sur ce fameux mariage annulé. Il risqua un coup d'œil vers Mère, dont la sombre expression révélait qu'elle pensait à la même chose.

Ils entrèrent dans la cathédrale.

William détestait les églises. Elles étaient froides et sombres, même par beau temps, elles sentaient toujours cette vague odeur de pourriture qui flottait dans les recoins obscurs et les tunnels des nefs latérales. Pire, les églises évoquaient dans son esprit les tourments de l'enfer, et il avait peur de l'enfer.

Il parcourut des yeux l'assistance, s'habituant peu à peu à la pénombre. Pas d'Aliena. La famille avança dans le bas-côté. Aliena ne se trouvait nulle part. William en éprouva tout à la fois du soulagement et du regret. Mais soudain il l'aperçut et son cœur se mit à battre la chamade.

Elle se tenait du côté sud de la nef, escortée par un chevalier que William ne connaissait pas, entourée d'hommes d'armes et de dames d'honneur. Elle lui tournait le dos, mais il reconnaissait la masse de ses cheveux sombres et bouclés. Elle fit un mouvement qui révéla la douce courbe d'une joue, un nez droit et impérieux. Ses yeux, si sombres qu'ils étaient presque noirs, rencontrèrent ceux de William. Il retint son souffle. Il aurait voulu paraître indifférent, comme s'il ne l'avait pas reconnue, mais il ne pouvait pas détacher d'elle son regard. En vain tenta-t-il d'esquisser un sourire, rien de plus qu'un signe de politesse. Il se contenta d'incliner la tête. Le visage de la jeune fille se durcit et elle se détourna.

William se crispa, mal à l'aise. Il se sentait comme un chien qu'on vient d'écarter d'un coup de pied, et comme un chien il aurait voulu se tapir dans un coin caché. Il jeta autour de lui un coup d'œil furtif : quelqu'un avait-il surpris la scène muette ? Sûrement, car les gens les observaient, lui et Aliena, tandis que s'échangeaient force coups de coude et chuchotements. William gardait les yeux fixés droit devant lui, se forçant à redresser la tête. Comment a-t-elle pu nous faire un tel affront ? pensait-il. Nous qui représentons l'une des plus fières familles du sud de l'Angleterre, elle nous a humiliés. À cette idée, sa colère redoublait et il brûlait d'envie de dégainer son épée et d'attaquer quelqu'un, n'importe qui.

Le prévôt de Shiring accueillit le père de William en lui touchant la main. Les gens déjà cherchaient une nouvelle pâture à leurs commérages. William, en rage, observait le cortège incessant de jeunes nobles qui abordaient Aliena et s'inclinaient devant elle. À eux, elle souriait.

La messe commença. William poursuivait ses pensées : comment l'affaire avait-elle pu si mal tourner ? Puisque le comte

Bartholomew avait un fils qui hériterait de son titre et de sa fortune, tout ce que pouvait donc lui apporter une fille, c'était une alliance prestigieuse. Aliena, à seize ans, était vierge et ne montrait aucune envie de devenir nonne, aussi pouvait-on supposer qu'elle serait ravie d'épouser un robuste gentilhomme de dix-neuf ans. Après tout, des considérations politiques auraient tout aussi bien pu décider son père à la marier à quelque comte quadragénaire, obèse et goutteux, ou même à un baron chauve de soixante ans.

Une fois les fiançailles conclues, William et ses parents avaient fièrement annoncé la nouvelle à tous les comtés alentour. La rencontre entre William et Aliena était considérée par tout le monde comme une formalité – tout le monde, sauf Aliena, comme on le vit bien vite.

Bien sûr, William et Aliena n'étaient pas des étrangers l'un pour l'autre. Il se souvenait d'elle petite fille, de son visage malicieux au nez retroussé, de ses cheveux rebelles coupés court. Elle était autoritaire, têtue, batailleuse et hardie. C'était toujours elle qui organisait les jeux des enfants, décidant des équipes, réglant les disputes et marquant les points. Il était fasciné par elle en même temps qu'un peu réticent devant la façon dont elle dominait les jeux. Parfois il réussissait à attirer un moment l'attention sur lui, par exemple en déclenchant une bagarre ; mais bien vite Aliena reprenait les choses en main, le laissant déconcerté, méprisé, furieux et malgré tout enchanté – exactement comme aujourd'hui.

Après la mort de sa mère, Aliena avait beaucoup voyagé avec son père et William l'avait moins vue. Toutefois, il la rencontrait encore assez souvent pour constater qu'elle devenait une ravissante jeune femme et sa joie avait éclaté quand on lui avait annoncé qu'elle allait devenir son épouse. Il résolut de faire tout son possible pour aplanir la voie jusqu'à l'autel.

Si elle était vierge, lui certainement pas. Nombre des filles qu'il avait séduites étaient aussi jolies qu'Aliena, ou presque, mais aucune d'elles n'était aussi bien née. Il les impressionnait par ses beaux vêtements, ses chevaux fougueux et la nonchalance avec laquelle il dépensait de l'argent pour du vin doux et des rubans ; ainsi finissaient-elles en général par lui céder de plus ou moins bon gré.

La désinvolture qu'il affichait d'ordinaire avec les filles l'abandonna dès qu'il fut en face d'Aliena. Elle portait une robe de soie bleu clair, large et flottante, mais il ne pouvait penser qu'au corps qu'elle dissimulait et que bientôt il pourrait voir nu chaque fois qu'il en aurait envie. Il l'avait trouvée en train de lire un livre, étrange occupation pour une femme qui n'était pas nonne. Il avait engagé la conversation sur ce sujet afin de ne plus penser à la façon dont ses seins bougeaient sous la soie bleue.

« Le livre s'appelle *Le Roman d'Alexandre*. C'est l'histoire d'un roi, d'Alexandre le Grand, et de la façon dont il a conquis des pays merveilleux en Orient, là où les pierres précieuses poussent dans les vignes et où les plantes parlent. »

William était incapable d'imaginer qu'on puisse perdre son temps à de telles bêtises, mais il n'en avait rien dit. Il lui avait parlé de ses chevaux, de ses chiens, de ses exploits à la chasse, à la lutte et aux joutes. Elle n'avait pas été aussi impressionnée qu'il l'espérait. Il lui parla de la maison que son père lui faisait construire et, pour la préparer au moment où elle allait diriger la maisonnée, il lui esquissa quelques règles qu'il entendait voir respecter. Il se rendit bien compte qu'il ne retenait plus son attention, sans savoir vraiment pourquoi. Il était assis tout près d'elle, il aurait aimé la toucher, caresser ses seins qu'il devinait ronds et doux. Mais elle s'écarta soigneusement de lui, bras et jambes croisés, si intimidante qu'il dut renoncer à ses tentatives et se consoler en pensant que bientôt il pourrait faire avec elle tout ce dont il aurait envie.

À ce moment-là, elle n'avait rien laissé paraître des problèmes qu'elle allait poser plus tard. Les quelques mots qu'elle avait prononcés d'un ton assez calme – « Je ne pense pas que nous soyons bien assortis » –, il les avait pris pour un trait de charmante modestie et l'avait assurée qu'elle lui conviendrait fort bien. Il ne se doutait absolument pas qu'Aliena, à peine était-il reparti, s'était précipitée chez son père pour lui annoncer qu'elle n'épouserait jamais ce garçon, que rien ne l'en persuaderait, qu'elle préférait entrer au couvent, qu'on pouvait la traîner enchaînée jusqu'à l'autel, mais que sa bouche ne prononcerait pas les vœux du mariage. La garce, pensa William, la garce. Mais ses insultes, contrairement à celles de sa mère, ne contenaient pas de venin. Il ne rêvait pas de la fouetter jusqu'au sang. Il rêvait de s'allonger sur son corps brûlant et d'embrasser sa bouche.

La messe de l'Épiphanie se termina avec l'annonce de la mort de l'évêque. Les moines sortirent en procession et les fidèles gagnèrent les portes dans un brouhaha de conversations excitées. Nombre d'entre eux avaient des liens matériels aussi bien que spirituels avec l'évêque – locataires, sous-locataires ou employés sur ses terres – et tous étaient intéressés à la question de sa succession, qui risquait d'apporter d'inquiétants changements. La mort d'un grand seigneur est toujours périlleuse pour ceux qui vivent sous sa coupe.

Comme William suivait ses parents dans la nef, il fut surpris de voir l'archidiacre Waleran se diriger vers eux, traversant d'un pas vif la foule des fidèles, comme un grand chien noir dans un champ plein de vaches ; et comme les vaches, les gens lui jetaient un coup d'œil nerveux par-dessus leur épaule et s'écartaient d'un pas ou deux. Sans se soucier des paysans, il adressait quelques mots à chacun des nobles qu'il rencontrait. Lorsqu'il arriva auprès des Hamleigh, il salua le père de William, ignora ce dernier et se tourna vers Mère. « Quelle honte, ce mariage annulé », dit-il, sans préambule. William s'empourpra. Cet imbécile allait lui gâcher sa journée.

Mère n'avait pas plus envie que William d'évoquer ce malheureux sujet. « Ce n'est pas mon genre de garder rancune », dit-elle, peu gênée de son mensonge.

Waleran ignora la remarque. « J'ai entendu quelque chose à propos du comte Bartholomew qui pourrait vous intéresser », dit-il. Il avait baissé le ton et William dut tendre l'oreille. « Il semblerait que le comte ne reniera pas ses vœux au défunt roi. »

Père intervint : « Bartholomew a toujours été collet monté et hypocrite. »

Waleran tiqua. Il voulait qu'on écoute ses paroles, pas qu'on les commente. « Bartholomew et le comte Robert de Gloucester ne sont pas disposés à accepter le roi Stephen qui, comme vous le savez, est le choix de l'Église et des barons. »

William s'étonnait intérieurement qu'un archidiacre entretînt un seigneur d'une querelle routinière entre barons. Père se contenta de répondre : « Les comtes n'y peuvent rien. »

Mère s'agaçait autant que Waleran des interruptions de son époux. « Écoute donc », commanda-t-elle.

Waleran reprit : « Ce qu'on me rapporte, c'est qu'ils envisagent de fomenter une rébellion et de choisir Maud comme reine. »

William accusa le coup. Comment l'archidiacre avait-il osé lancer cette téméraire déclaration ici même, dans la nef de la cathédrale de Kingsbridge? Quelle que fût la vérité, on pouvait pendre un homme pour de tels propos.

Père était surpris, lui aussi, mais Mère dit d'un ton songeur : «Robert de Gloucester est le demi-frère de Maud... cela s'explique.»

William se demandait comment elle pouvait rester d'un tel calme en apprenant une nouvelle aussi scandaleuse.

«Celui qui pourrait éliminer le comte Bartholomew, dit Waleran, et arrêter la rébellion avant qu'elle n'éclate se gagnerait l'éternelle gratitude du roi Stephen et de notre sainte mère l'Église.

— Vraiment? dit Père, stupéfait, mais Mère acquiesça d'un air entendu.

— On attend le retour de Bartholomew pour demain.» Waleran se tourna vers Mère et reprit : «J'ai pensé que votre famille, plus que toute autre, serait intéressée par cette nouvelle.» Là-dessus, il s'éloigna pour saluer quelqu'un d'autre.

William le suivit des yeux. Était-ce vraiment tout ce qu'il avait à dire?

Les parents de William poursuivirent leur chemin et il sortit avec eux par la grande porte voûtée. Tous trois demeurèrent silencieux. Au cours des cinq dernières semaines, William avait entendu pas mal de conversations à propos de la succession du roi, mais l'affaire avait paru réglée avec le couronnement de Stephen à l'abbaye de Westminster trois jours avant Noël. Et voilà maintenant, si Waleran avait raison, que la question se posait de nouveau. Mais pourquoi Waleran avait-il tenu à en prévenir les Hamleigh?

Ils traversèrent la pelouse en direction des écuries. Dès qu'ils se furent éloignés de la foule massée auprès du portail et qu'ils ne risquèrent plus d'être entendus, Père dit d'un ton excité : «Quel heureux coup du sort : l'homme qui a insulté notre famille coupable de haute trahison!» William ne voyait pas en quoi il s'agissait d'un si heureux coup du sort, mais Mère de toute évidence le comprenait car elle acquiesçait du chef.

Père reprit : «Nous pouvons l'arrêter à la pointe de l'épée et le pendre à l'arbre le plus proche.» William n'avait pas pensé à cela, mais il comprit soudain en un éclair. Si Bartholomew était un traître, on pouvait le tuer sans enfreindre la loi. «Nous pouvons nous venger, s'exclama William, et, au lieu d'être châtiés, nous serons récompensés par le roi!» Ils allaient pouvoir relever la tête...

«Pauvres imbéciles, lança Mère avec une soudaine méchanceté. Aveugles, idiots, sans cervelle! Vous pendriez Bartholomew à l'arbre le plus proche? Voulez-vous que je vous dise ce qui se passerait alors?»

Ils gardèrent tous deux le silence. Mieux valait ne pas lui répondre quand elle était de cette humeur.

«Robert de Gloucester, dit-elle, nierait qu'il y ait jamais eu complot, il se jetterait aux pieds du roi Stephen en jurant fidélité; et l'affaire s'arrêterait là, sauf que vous seriez tous les deux pendus comme meurtriers.»

William frémit. L'idée d'être pendu le terrifiait. Mais il se rendait compte que Mère avait raison : le roi pourrait croire, ou faire semblant de croire, que personne n'aurait jamais la témérité de se rebeller contre lui; et cela ne le gênerait pas de sacrifier deux vies pour plus de crédibilité.

«Tu as raison, dit Père. Nous le trousserons comme un porc qu'on mène à l'abattoir et nous l'amènerons vivant au roi à Winchester; là nous le dénoncerons et réclamerons notre récompense.

— Pourquoi ne réfléchis-tu pas?» répliqua Mère avec mépris. Elle était très tendue et William la sentait tout aussi excitée que Père par l'affaire, mais de façon différente. «Est-ce que l'archidiacre Waleran n'aimerait pas amener au roi un traître ainsi troussé? Ne voudrait-il pas une récompense pour lui-même? Tu ne sais donc pas qu'il désire ardemment devenir évêque de Kingsbridge? Pourquoi t'a-t-il donné le privilège de procéder à l'arrestation? Pourquoi s'est-il arrangé pour nous rencontrer à l'église, comme par hasard, au lieu de venir nous voir à Hamleigh? Pourquoi notre conversation a-t-elle été si brève et si allusive?»

Elle se tut un instant, comme si elle attendait une réponse, mais William et Père savaient tous les deux qu'elle n'en voulait pas vraiment. William se rappela que les prêtres n'étaient pas censés encourager la violence et il y vit d'abord la raison pour laquelle Waleran ne voulait pas se trouver impliqué dans l'arrestation de Bartholomew; mais, à la réflexion, il comprit que l'archidiacre n'avait pas de tels scrupules.

«Je vais vous dire pourquoi, reprit Mère. Parce qu'il n'est pas sûr que Bartholomew soit bien un traître. Les informations de Waleran ne sont pas fiables. Je ne sais pas d'où elles proviennent : peut-être a-t-il surpris une conversation entre ivrognes, ou intercepté un message ambigu, peut-être a-t-il parlé avec un espion douteux. Dans tous les cas, il n'a pas envie de prendre de risques. Il n'accusera pas ouvertement le comte Bartholomew de trahison, de peur que cette accusation ne se révèle fausse et que lui-même ne soit condamné pour calomnie. Il veut que quelqu'un d'autre coure le risque et fasse le sale travail pour lui. Et puis, une fois la trahison prouvée, il viendra revendiquer le mérite de l'affaire. Mais que Bartholomew soit reconnu innocent et Waleran n'admettra jamais ce qu'il nous a confié aujourd'hui.»

L'affaire devenait évidente quand elle l'expliquait ainsi. Sans elle, William et son père seraient tombés tout droit dans le piège tendu par Waleran. Avec autant d'enthousiasme l'un que l'autre, ils auraient pris les risques à sa place. Le jugement politique de Mère les avait sauvés.

«À ton avis, fit Père, nous devrions simplement oublier ses propos ?

— Certainement pas.» Elle avait les yeux brillants. «Nous tenons là une chance de détruire les gens qui nous ont humiliés.» Un palefrenier lui amenait son cheval. Elle prit les rênes et congédia le valet, mais resta un moment auprès de sa monture, lui caressant le cou d'un air songeur, et reprit à voix basse : «Il nous faut des preuves de la conspiration, de façon que personne ne puisse la nier une fois que nous aurons porté notre accusation. Nous allons devoir trouver ces preuves discrètement, sans révéler ce que nous cherchons. Alors seulement nous pourrons arrêter le comte Bartholomew et le traîner devant le roi. Confronté à l'évidence, Bartholomew avouera et implorera merci. Et nous pourrons réclamer notre récompense.

— Et nier que Waleran nous a aidés», ajouta Père.

Mère secoua la tête. «Qu'il ait sa part de gloire et sa récompense. Ainsi restera-t-il notre débiteur. Nous n'en pourrons tirer que du bien.

— Mais comment se procurer ces fameuses preuves ? demanda Père d'un air anxieux.

— Il va falloir trouver un moyen d'aller fureter dans le château de Bartholomew, fit Mère en fronçant les sourcils. Cela ne sera pas facile. Personne ne croira que nous venons en visite de politesse : tout le monde sait que nous détestons Bartholomew. »

William eut une soudaine inspiration : « Moi, dit-il, je pourrais y aller. »

Ses parents parurent un peu surpris. « Tu éveillerais moins de soupçon que ton père, dit Mère. Mais quel prétexte aurais-tu ? »

William y avait pensé. « Je pourrais aller voir Aliena » dit-il. À cette idée son pouls se mit à battre plus vite. « Je pourrais la supplier de reconsidérer sa décision. Après tout, elle ne me connaît pas vraiment. Elle m'a mal jugé quand nous nous sommes rencontrés. Je pourrais faire pour elle un bon mari. Peut-être a-t-elle simplement besoin d'être courtisée avec un peu plus d'énergie. » Il essaya de mettre dans son sourire autant de cynisme que possible, de façon qu'on ne se doutât pas qu'il pensait exactement ce qu'il disait.

« C'est un prétexte parfaitement crédible », dit Mère. Elle scruta le visage de William. « Par le Christ, je me demande si après tout ce garçon n'aurait pas un peu de la cervelle de sa mère. »

Pour la première fois depuis des mois, William était d'humeur optimiste lorsqu'il partit pour le château du comte le lendemain de l'Épiphanie, par un matin froid et clair. Le vent du nord lui mordait les oreilles et l'herbe gelée crissait sous les sabots de son destrier. Il portait un manteau gris de beau drap des Flandres, bordé de lapin, par-dessus une tunique écarlate.

Walter, son valet, l'escortait. Quand William avait atteint douze ans, Walter, devenu son maître d'armes, lui avait enseigné à monter, à chasser, à manier l'épée et à lutter. Aujourd'hui son valet, son compagnon et son garde du corps, Walter était aussi grand que William, mais plus large, avec une carrure redoutable. De neuf ou dix ans plus âgé, assez jeune pour aller boire et courir les filles, mais assez vieux pour tirer le jeune homme du pétrin si cela s'avérait nécessaire, il était aussi son plus proche ami.

Même s'il savait qu'une fois de plus il se trouverait rejeté et humilié, William éprouvait une étrange excitation. En l'apercevant dans la cathédrale de Kingsbridge, il avait senti se rallumer tout son désir pour elle. Il était impatient de lui parler, de l'approcher, de voir la masse de ses boucles se défaire et trembler au rythme de ses paroles, de suivre sous la robe les mouvements de son corps.

En même temps, la possibilité de se venger avait aiguisé la haine du jeune homme.

Il pensait être capable de vérifier l'authenticité de l'histoire de Waleran, car il y aurait sûrement au château des signes annonçant qu'on se préparait à la guerre – des chevaux qu'on rassemblait, des armes qu'on fourbissait, des vivres qu'on amassait –, même si ce surcroît d'activité se dissimulait sous d'autres apparences, les préparatifs d'une expédition peut-être, pour tromper l'observateur négligent. Toutefois, se convaincre de l'existence d'un complot n'était pas la même chose qu'en trouver des preuves.

Plus il approchait, plus il était tendu. Et si on lui refusait l'accès au château? Il connut un moment de panique, puis il se reprit : le château était ouvert à tous et, si le comte s'avisait de le fermer à la noblesse locale, ce serait pratiquement annoncer qu'un complot se fomentait.

Le comte Bartholomew habitait à quelques lieues de la ville de Shiring. Le château de Shiring étant occupé par le prévôt du comté, le comte avait sa propre résidence un peu plus loin. Le village qui s'était développé autour des murailles du château avait pris le nom d'Earlscastle. William le connaissait, mais il l'examinait maintenant avec les yeux d'un agresseur.

La douve, large et profonde, avait la forme d'un huit, dont le cercle supérieur aurait été plus petit que le cercle inférieur. La terre qu'on avait déblayée s'entassait à l'intérieur des cercles jumeaux, pour former des remparts.

Au pied du huit on franchissait la douve par un pont puis une ouverture dans les remparts permettait l'accès au cercle inférieur. C'était la seule entrée. On ne pouvait accéder au cercle supérieur qu'en passant par celui d'en bas. Le cercle supérieur, c'était le saint des saints.

En traversant les champs qui entouraient le château, William et Walter observèrent pas mal d'allées et venues. Deux hommes d'armes franchirent le pont sur des chevaux rapides et partirent chacun dans une direction différente. Un groupe de quatre cavaliers précéda William sur le pont au moment où Walter et lui arrivaient.

William remarqua que la dernière partie du pont pouvait se soulever devant le massif corps de garde qui constituait l'entrée du château. Il y avait des tours de pierre à intervalles réguliers tout le long du remblai de terre, si bien que chaque secteur du périmètre pouvait être couvert par les archers qui en assuraient la défense. Prendre ce château en l'attaquant de front serait une longue et sanglante entreprise pour laquelle jamais les Hamleigh ne pourraient rassembler assez d'hommes, conclut tristement William.

Aujourd'hui, évidemment, le château était ouvert à tous les visiteurs. William donna son nom à la sentinelle du corps de garde et on le laissa passer sans plus de cérémonie. À l'intérieur de la basse-cour, abrités du monde extérieur par le rempart, se dressaient les habituels bâtiments annexes : écuries, cuisines, ateliers, latrines, chapelle. On sentait dans l'air une certaine excitation. Les valets, les écuyers, les serviteurs et les filles de charge, tout le monde marchait d'un pas vif et parlait à voix haute, se lançant des saluts et échangeant des plaisanteries. Pour un observateur sans méfiance, cette agitation, ces allées et venues pouvaient fort bien n'être que l'activité normale provoquée par le retour du maître, mais William y vit davantage.

Il laissa Walter à l'écurie avec les chevaux et se dirigea vers l'autre côté de l'enceinte où un pont franchissait la douve pour accéder au cercle supérieur. Lorsqu'il l'eut traversé, un garde lui demanda cette fois ce qui l'amenait et il dit : «Je suis venu voir dame Aliena. »

Le garde le toisa de la tête aux pieds, notant son manteau de beau drap et sa tunique rouge, et le jugea sur sa bonne mine. «Vous trouverez la jeune dame dans la grande salle », dit-il avec un petit ricanement.

Au centre de la cour d'honneur, se dressait un bâtiment de pierre carré, haut de trois étages, aux murs épais : le donjon. Comme d'habitude, le rez-de-chaussée était occupé par un magasin. La grande salle se trouvait au-dessus et l'on y parvenait par un escalier de bois extérieur qu'on pouvait rentrer à l'intérieur du bâtiment. Au dernier étage se trouvait la chambre du comte et ce serait là son dernier bastion lorsque les Hamleigh viendraient le chercher.

L'ensemble présentait une redoutable série d'obstacles dressés devant l'attaquant. Bien sûr, c'était là le problème, mais maintenant que William essayait de voir comment les franchir, il perçut avec une grande clarté la fonction des différents éléments du château fort. Même si les attaquants maîtrisaient le cercle inférieur, il leur faudrait encore passer un autre pont, un autre corps de garde et puis donner l'assaut à ce robuste donjon. Ils devraient d'une façon ou d'une autre parvenir jusqu'au dernier étage – peut-être en bâtissant eux-mêmes leur escalier – et même alors sans doute y aurait-il encore un combat, selon toute probabilité, pour passer de la salle à la chambre du comte. La seule façon de prendre ce château, c'était par la ruse, comprit William.

Il gravit l'escalier et pénétra dans la grande salle. Elle était pleine de gens, mais le comte ne se trouvait pas parmi eux. Dans le fond, sur la gauche, l'escalier menant à sa chambre et quinze ou vingt chevaliers et hommes d'armes assis au pied des marches, discutant entre eux à voix basse. Spectacle inhabituel : les chevaliers et les hommes d'armes constituaient des classes sociales séparées. Les chevaliers étaient des propriétaires qui vivaient de leurs loyers, alors que les hommes d'armes touchaient des soldes. Les deux groupes ne fraternisaient que quand l'odeur de la guerre flottait dans l'air.

William reconnut certains personnages : Gilbert le Chat, un vieux guerrier au méchant caractère avec une barbe passée de mode et de longs favoris, quarante ans passés mais encore un robuste gaillard ; Ralph de Lyme, plus dépensier pour ses vêtements qu'une jeune mariée, vêtu aujourd'hui d'un manteau bleu doublé de soie rouge ; Jack Fitz Guillaume, déjà chevalier bien qu'à peine plus âgé que William ; et quelques autres dont les visages lui parurent vaguement familiers. Il fit un signe de tête dans leur direction, mais on ne lui prêta guère attention : quoiqu'on le connût bien, il était trop jeune pour être important.

Il se retourna pour inspecter l'autre partie de la salle et aussitôt vit Aliena.

Elle avait un tout autre air aujourd'hui. Hier, elle était vêtue, pour aller à la cathédrale, de soie, de bonne laine et de lin, avec des bagues, des rubans et des bottes pointues. Aujourd'hui, elle portait la courte tunique d'une paysanne ou d'une enfant et elle avait les pieds nus. Assise sur un banc, elle examinait une table de jeu sur laquelle étaient disposés des pions de différentes couleurs. Tandis que William l'observait, elle remonta sa tunique pour croiser les jambes, dévoilant ses genoux, puis elle plissa le nez d'un air soucieux. Hier, elle lui avait paru redoutablement sophistiquée ; aujourd'hui, c'était une enfant vulnérable et William la trouva encore plus désirable. Soudain honteux de s'être laissé infliger tant de détresse par cette gamine, il brûlait d'envie de lui démontrer sa capacité à la dompter. Elle jouait avec un garçon de trois ou quatre ans plus jeune qu'elle, à l'air turbulent et à qui, visiblement, le jeu ne plaisait pas. William distingua entre les deux joueurs un air de famille. Le garçon en effet ressemblait à Aliena comme William se la rappelait petite, avec un nez retroussé et les cheveux courts. Ce devait être son frère cadet, Richard, l'héritier du comté.

William s'approcha. Richard lui jeta un coup d'œil, puis reporta son attention sur le jeu. La table en bois, en forme de croix, se divisait en carrés de différentes couleurs. Les pions étaient noirs ou blancs : il s'agissait manifestement d'une variante des marelles, connu également sous le nom de jeu des mérelles. Mais William s'intéressait davantage à Aliena. Lorsqu'elle se pencha sur la table, le col de sa tunique s'écarta et il aperçut la naissance de ses seins. Il se sentit la bouche sèche.

Richard déplaça un pion et Aliena dit : «Non, tu ne peux pas faire ça.»

Le jeune garçon s'étonna. «Pourquoi donc?

— Parce que c'est contre la règle, idiot.

— Je n'aime pas les règles», dit Richard énervé.

Aliena s'emporta. «Tu dois obéir aux règles!

— Et pourquoi?

— Tu obéis, c'est tout!

— Eh bien, pas du tout!» Il renversa la table par terre, faisant voler les pions.

Vive comme l'éclair, Aliena le gifla.

Richard poussa un cri, blessé dans son orgueil aussi bien que sur son visage. «Espèce...» Il hésita. «Espèce de baise-démon», cria-t-il. Il tourna les talons pour s'enfuir en courant... et se cogna à William.

Celui-ci l'empoigna par un bras et le souleva en l'air. «Que le prêtre ne t'entende pas traiter ta sœur d'un nom pareil», dit-il.

Richard se débattit en poussant des cris. «Vous me faites mal... lâchez-moi!»

William le serra encore un moment. Richard cessa de résister et éclata en sanglots. William alors laissa partir l'enfant qui s'enfuit.

Aliena dévisageait William. Elle avait oublié son jeu, un pli étonné barrait son front. «Pourquoi êtes-vous ici?» dit-elle. Elle avait une voix basse et calme. La voix d'une personne plus âgée.

William s'assit sur le banc, assez content de la façon dont il avait agi avec Richard. «Je suis venu vous voir», dit-il.

Elle prit un air méfiant. «Pourquoi?»

William s'installa de façon à pouvoir surveiller l'escalier. Il aperçut, descendant dans la salle, un homme d'une quarantaine d'années vêtu comme un serviteur important, avec une calotte ronde et une courte tunique de beau drap. Le domestique fit signe à quelqu'un, et un chevalier et un homme d'armes montèrent ensemble l'escalier. William se tourna de nouveau vers Aliena.

«Je voudrais vous parler.

— De quoi?

— De vous et de moi.» Par-dessus l'épaule de la jeune fille, il vit le serviteur qui approchait. Il avait une démarche un peu efféminée. Dans une main il tenait un pain de sucre de couleur brune. Dans l'autre main, une racine tordue qui ressemblait à du gingembre. Ce devait être l'intendant et il revenait du coffre à épices, un placard fermé à clé dans la chambre du comte où il était allé prélever ce qu'il fallait de précieux ingrédients pour les besoins de la journée, qu'il portait maintenant au cuisinier : du sucre pour adoucir la tarte aux pommes sauvages, peut-être, et du gingembre pour parfumer les lamproies.

Aliena suivit le regard de William. «Oh! Bonjour, Matthew.»

L'intendant sourit et lui offrit du sucre. William eut l'impression que Matthew était très attaché à Aliena. Quelque chose dans l'attitude de celle-ci avait dû lui montrer qu'elle était mal à l'aise, car son sourire céda vite la place à un air soucieux et il dit : «Tout va bien?» Il avait la voix très douce.

«Oui, merci.» Matthew regarda William et son visage exprima la surprise. «C'est le jeune William Hamleigh, n'est-ce pas?»

William fut gêné d'être reconnu. «Garde ton sucre pour les enfants, dit-il, bien qu'on ne lui en eût pas offert. Je n'aime pas ça.

— Très bien, monseigneur.» Le regard de Matthew laissait entendre qu'il n'était pas arrivé à la position qu'il occupait aujourd'hui en faisant des histoires aux fils des gentilshommes. Il se tourna vers Aliena : «Votre père a rapporté de la soie d'une merveilleuse douceur... Je vous la montrerai plus tard.

— Merci», fit-elle.

Matthew s'éloigna.

«Imbécile efféminé, dit William.

— Pourquoi avez-vous été si grossier avec lui? dit Aliena.

— Je ne permets pas aux domestiques de m'appeler "jeune William"!»

William se rendit compte, le cœur serré, qu'il avait pris un mauvais départ. Il devait se montrer charmant. Il sourit et déclara : «Si vous étiez mon épouse, mes serviteurs vous appelleraient lady.

— Êtes-vous venu ici pour parler mariage ?» répliqua Aliena, et William crut déceler dans sa voix une note d'incrédulité.

«Vous ne me connaissez pas», protesta William. Il s'aperçut avec consternation qu'il n'arrivait pas à contrôler cette conversation. Il avait prévu d'échanger quelques aimables banalités avant d'en arriver aux faits, mais Aliena était si directe et candide qu'il fut obligé de parler. «Vous m'avez mal jugé. Je ne sais pas ce que j'ai fait, lors de notre dernière rencontre, pour me rendre antipathique à vos yeux ; mais, quelles qu'aient été vos raisons, vous m'avez condamné avec trop de hâte.»

Elle détourna les yeux, réfléchissant à sa réponse. Derrière elle, William vit le chevalier et l'homme d'armes redescendre l'escalier et sortir, l'air préoccupé. Un moment plus tard, un homme en tenue ecclésiastique – sans doute le secrétaire du comte – apparut en haut des marches et fit un signe. Deux chevaliers se levèrent et montèrent l'escalier : Ralph de Lyme et un homme plus âgé au crâne chauve. De toute évidence, les hommes qui attendaient dans la salle voyaient le comte dans sa chambre par groupes de deux ou trois. Mais pourquoi ?

«Après tout ce temps ?» disait Aliena. Elle se contrôlait. Peut-être était-elle en colère, mais William avait la pénible impression qu'elle avait surtout envie de rire. «Après toutes les histoires, la colère et le scandale, juste au moment où enfin les choses se calment, c'est maintenant que vous me dites que j'ai fait une erreur ?

— Ça ne s'est pas du tout calmé : les gens en parlent encore, ma mère est toujours furieuse, et mon père ne peut pas garder la tête haute en public, dit-il avec feu. Ce n'est pas fini pour nous.

— Pour vous, tout ceci est une question d'honneur familial, n'est-ce pas ?»

Il y avait dans sa voix un accent un peu menaçant, mais William n'en tint pas compte. Il venait de comprendre ce que le comte devait faire avec tous ces chevaliers et hommes d'armes : il leur confiait des messages. «L'honneur de la famille ? dit-il d'un ton absent. Oui.

— Je sais que je devrais penser à l'honneur et aux alliances entre familles et le reste, dit Aliena. Mais il n'y a pas que cela dans le mariage. » Elle parut hésiter un moment, puis se décida. « Je devrais peut-être vous parler de ma mère. Elle détestait mon père. Mon père n'a rien d'un mauvais homme, en fait il est merveilleux et je l'adore. Mais il est terriblement strict et solennel, et il n'a jamais compris ma mère. C'était une femme heureuse et gaie, qui aimait rire, raconter des histoires et faire de la musique, et mon père l'a rendue très malheureuse. C'est pour ça qu'elle est morte. Et il le sait aussi, vous voyez. C'est pourquoi il a promis de ne jamais me faire épouser quelqu'un que je n'aime pas. Comprenez-vous, maintenant ? »

Ces messages sont des ordres, se dit William ; des ordres aux amis et aux alliés du comte Bartholomew les avertissant de se préparer à combattre. Et les messagers sont des preuves.

Il s'aperçut qu'Aliena le dévisageait. « Épouser quelqu'un que vous n'aimez pas ? dit-il en répétant ses derniers mots. Vous ne m'aimez donc pas ? »

Les yeux de la jeune fille flambèrent de colère. « Vous ne m'avez pas écoutée, dit-elle. Vous êtes si replié sur vous-même que vous êtes incapable de penser un instant aux sentiments de quelqu'un d'autre. La dernière fois que vous êtes venu ici, qu'avez-vous fait ? Vous avez parlé et parlé de vous sans jamais me poser une question ! »

Elle criait maintenant, et, lorsqu'elle s'arrêta, William s'aperçut que les hommes au fond de la salle écoutaient, silencieux. Il se sentit embarrassé. « Pas si fort », lui dit-il.

Elle poursuivit sans se soucier de sa gêne. « Vous voulez savoir pourquoi je ne vous aime pas ? Très bien, je vais vous le dire. Je ne vous aime pas parce que vous n'avez aucun raffinement. Je ne vous aime pas parce que vous savez à peine lire. Je ne vous aime pas parce que vous ne vous intéressez qu'à vos chiens, à vos chevaux et à vous-même. »

Gilbert le Chat et Jack Fitz Guillaume se mirent à rire tout haut. William se sentit rougir. Ces hommes n'étaient que des rien-du-tout, de simples chevaliers, et ils se moquaient de lui, le fils de lord Percy Hamleigh. Il se leva, pensant ainsi faire taire Aliena.

Mais c'était en vain. « Je ne vous aime pas parce que vous êtes égoïste, assommant et stupide », hurla-t-elle. Tous les chevaliers riaient maintenant. « Je ne vous aime pas, je vous méprise, je vous déteste. Voilà pourquoi je ne vous épouserai pas ! »

Les chevaliers applaudirent en l'acclamant. William se recroquevilla. Leurs rires lui donnaient le sentiment d'être petit, faible et désemparé, comme un enfant. Quand il était enfant, il avait tout le temps peur. Il se détourna d'Aliena, faisant un effort pour dissimuler ses sentiments. Il traversa la salle aussi vite qu'il put sans courir, tandis que les rires redoublaient. Il arriva enfin à la porte, l'ouvrit toute grande et sortit en trombe. Il dévala l'escalier, étranglé de honte; les échos des rires résonnaient encore à ses oreilles pendant qu'il traversait la cour vers le corps de garde.

À une demi-lieue d'Earlscastle, le chemin qui menait à Shiring croisait une grand-route. Au carrefour, le voyageur pouvait prendre soit la direction du nord, vers Gloucester et la frontière galloise, soit celle du sud, vers Winchester et la côte. William et Walter prirent au sud.

L'appréhension de William avait tourné à la rage. Il était trop furieux pour parler. Il aurait voulu faire mal à Aliena et tuer tous ces chevaliers. Il aurait aimé plonger son épée dans chacune de ces bouches béantes de rire et l'enfoncer jusqu'à la gorge. Justement, il venait de trouver un moyen de se venger sur au moins l'un d'eux. Et de se procurer du même coup la preuve dont il avait besoin. Cette perspective le consolait un peu. Il fallait d'abord piéger un de ces gredins.

Une fois dans les bois, William mit pied à terre et se mit à marcher, tenant son cheval par la bride. Walter le suivait sans rien dire, respectant sa méchante humeur. William parvint à un endroit où le sentier se rétrécissait et s'arrêta. Il se tourna vers Walter : «Qui est le meilleur au couteau, toi ou moi?

— Au combat rapproché, je suis meilleur, dit prudemment Walter. Mais vous lancez avec plus de précision, monseigneur.» Tout le monde l'appelait monseigneur quand il était en colère.

«Je suppose que tu es capable de faire trébucher et tomber un cheval au galop? dit William.

— Oui, avec une bonne perche.

— Choisis-toi un arbuste, arrache-le et taille-le : tu auras une bonne perche.»

Walter obtempéra.

William mena les deux chevaux à travers les bois et les attacha dans une clairière, à l'écart de la route. Il les débarrassa de leurs selles et prit dans le paquetage des cordes et des courroies – de quoi ligoter les mains et les pieds d'un homme. Son plan était rudimentaire, mais il n'avait pas le temps d'en concevoir un plus élaboré. Il comptait sur sa chance.

En revenant vers la route, il trouva un solide morceau de bois mort, une branche de chêne, lourde et dure, qui lui servirait de massue.

Walter l'attendait, muni de sa perche. William choisit l'endroit où le valet se posterait en embuscade, derrière le large tronc d'un hêtre qui poussait au bord du sentier. « Ne tends pas la perche en avant trop tôt, sinon le cheval sautera par-dessus, conseilla-t-il. Mais n'attends pas non plus, parce qu'il ne trébuchera pas sur les postérieurs. L'idéal est de glisser la barre entre ses antérieurs. Tâche d'enfoncer le bout dans le sol pour qu'il ne puisse pas s'en débarrasser d'un coup de pied. »

Walter acquiesça. « J'ai déjà fait cela. »

William avança d'une trentaine de pas dans la direction d'Earls-castle. Son rôle serait de s'assurer que le cheval passait au galop, trop vite pour éviter la perche de Walter. Il se cacha aussi près que possible de la route. Tôt ou tard, un des messagers du comte Bartholomew passerait. Tôt, de préférence, pensait William en proie à une certaine inquiétude. Il avait hâte d'en avoir fini.

Ces chevaliers ne se doutaient pas, pendant qu'ils riaient de moi, que je les espionnais, songea-t-il. Cette pensée l'apaisa un peu. Mais l'un d'eux ne va pas tarder à regretter d'avoir ri. Il va pleurer, supplier et m'implorer de lui pardonner, et je ne l'en ferai souffrir que davantage.

Il avait d'autres consolations. Si son plan réussissait, il pourrait provoquer la chute du comte Bartholomew et la résurrection des Hamleigh. Alors tous ceux qui s'étaient gaussés de ce mariage annulé trembleraient de peur, et certains souffriraient plus que de peur.

La chute de Bartholomew serait aussi la chute d'Aliena, et c'était ce qui le ravissait le plus. Il faudrait qu'elle renonce à son orgueil insensé et à ses airs supérieurs quand son père aurait été pendu comme traître. Si elle voulait encore de la belle soie et des cônes de sucre, il faudrait qu'elle épouse William. Il l'imaginait, humble et contrite, lui apportant une pâtisserie toute chaude dans la cuisine, levant vers lui ses grands yeux noirs, soucieuse de lui plaire, espérant une caresse, sa douce bouche entrouverte dans l'attente d'un baiser.

Sa rêverie fut troublée par un bruit de sabots sur la boue durcie par l'hiver. Il tira son couteau et le soupesa pour l'avoir bien en main. Le bout était affûté en pointe pour mieux pénétrer. Il se redressa, le dos plaqué contre l'arbre qui le dissimulait, prit l'arme par la lame et attendit, retenant son souffle. Il était nerveux. Il avait peur de manquer son coup, peur que le cheval ne tombe pas. Et si le cavalier tuait Walter d'un coup heureux? William devrait le combattre seul... Il vit Walter qui, à travers les broussailles, tournait vers lui un regard inquiet : l'imprévu, c'est qu'il n'y avait pas qu'un seul cheval. Il fallait prendre une décision rapide. Attaquer deux cavaliers? Le combat ne serait plus égal. William décida de les laisser passer et d'attendre un solitaire. C'était décevant, mais sage. De la main, il fit signe à Walter de ne pas bouger. Le valet acquiesça de la tête et se remit en embuscade, au moment où deux chevaux apparaissaient. William vit voler un éclat de soie rouge : Ralph de Lyme. Puis il distingua le crâne chauve du compagnon de Ralph. Les deux hommes passèrent au trot et disparurent.

Malgré sa déception, William se félicitait de son hypothèse : le comte envoyait bel et bien ces hommes en mission. Le risque, c'était que Bartholomew eût pour principe de les envoyer par paires – précaution d'ailleurs bien naturelle. Autant que possible on voyageait en groupe, pour plus de sécurité. D'un autre côté, Bartholomew disposait d'un nombre limité d'hommes pour une entreprise d'envergure. Aussi hésiterait-il à utiliser deux chevaliers pour porter un seul message. En outre, les chevaliers étaient des hommes forts et violents sur qui l'on pouvait compter pour mettre rapidement le hors-la-loi moyen hors de combat.

William s'installa pour attendre. La forêt était silencieuse. Un faible soleil hivernal apparut, brilla quelque temps de façon intermittente à travers l'épaisse verdure, puis disparut. L'estomac du jeune homme lui rappela que l'heure du dîner était passée. Un daim traversa le sentier à quelques coudées, sans savoir qu'il était guetté par un homme affamé.

William s'impatientait. Si un autre couple de cavaliers se présentait, décida-t-il, il faudrait attaquer. C'était dangereux, mais il avait l'avantage de la surprise et l'appui de Walter, redouté au combat. D'ailleurs, William n'avait pas le choix : il risquait la mort, certes, et il avait peur, mais cela valait mieux que de vivre dans une constante humiliation. Du moins était-ce une fin honorable que de mourir en se battant.

L'idéal, songea-t-il, serait qu'Aliena arrive toute seule, au petit galop sur un poney blanc. Elle dégringolerait du cheval, dans un buisson de ronces, se meurtrissant les bras et les jambes. Les épines égratigneraient sa peau douce. William bondirait sur elle et la clouerait au sol. Elle serait mortifiée.

Il peaufinait son idée, inventant une blessure après l'autre, savourant la façon dont la jeune fille halèterait tandis qu'il la chevaucherait, et imaginant l'expression de terreur sur son visage lorsqu'elle se rendrait compte qu'elle était complètement à sa merci. Là-dessus, il entendit de nouveau un bruit de sabots.

Cette fois, il n'y avait qu'un cavalier.

William se redressa, dégaina son couteau, se plaqua contre l'arbre et tendit l'oreille.

C'était un bon cheval rapide qui arrivait, pas un destrier, mais sans doute un robuste coursier. Il portait une charge modeste, un homme sans armure : son trot était régulier, sans trace d'essoufflement. William surprit le regard de Walter et fit un signe de tête. C'était celui-là, il tenait la preuve qu'il lui fallait. William leva son bras droit, tenant le couteau par la pointe.

Au loin, le cheval de William choisit cet instant pour se mettre à hennir. Le bruit s'entendit aussi clairement que possible dans la forêt silencieuse. Le cavalier inconnu l'entendit et rompit son allure pour prendre le pas. William jura sous cape. L'homme allait se méfier maintenant. William se maudit trop tard de ne pas avoir éloigné davantage son cheval.

Maintenant l'inconnu avançait au pas. Tout se passait mal. William, incapable d'estimer à quelle distance il se trouvait, résista à la tentation de jeter un coup d'œil de derrière son arbre. Brusquement, il entendit le cheval s'ébrouer, étonnamment près, puis le vit surgir à deux coudées de sa cachette. Le cheval fit un écart et le chevalier poussa un grognement de surprise.

William réprima une exclamation. Il comprit aussitôt que le cheval risquait de tourner bride et de détaler dans la mauvaise direction. Il recula à l'abri de son arbre et reparut de l'autre côté, derrière le cheval, bras levé. Le temps d'entrevoir le cavalier, un homme barbu et grave, il reconnut le vieux Gilbert le Chat. William lança le couteau. Parfait. La pointe toucha la croupe du cheval et s'enfonça de quelques centimètres dans la chair.

Le cheval sursauta comme un homme surpris, puis, sans laisser à Gilbert le temps de réagir, piqua un galop affolé, droit vers l'embuscade de Walter.

William se précipita à sa poursuite. Gilbert ne cherchait pas à maîtriser sa monture, trop occupé à rester en selle. Il arriva à la hauteur de Walter que William encouragea intérieurement : « Maintenant, Walter, maintenant ! »

Le valet calcula si bien son mouvement que William ne vit même pas la perche jaillir de derrière l'arbre. Il vit seulement les antérieurs du cheval fléchir comme si toute force les abandonnait soudain. Puis son arrière-train parut rattraper les antérieurs et tout cela s'emmêla. Pour finir, il baissa la tête, sa croupe se dressa et il tomba lourdement. Gilbert vola par-dessus l'animal. Mais il se reçut bien, roula sur lui-même et se retrouva à genoux. Tandis que William se désespérait de le voir s'échapper, Walter émergea des broussailles, plongea et heurta comme un boulet le dos de Gilbert, le plaquant au sol. Les deux hommes retrouvèrent en même temps leur équilibre et William constata avec horreur que le rusé Gilbert se relevait, un poignard à la main. Le jeune homme sauta par-dessus le cheval toujours au sol et brandit sa massue de chêne en direction de Gilbert juste au moment où celui-ci levait son couteau. La massue toucha Gilbert à la tempe.

L'homme trébucha, mais se remit debout. Le gaillard était résistant, se dit William. Il s'apprêtait à lui assener un nouveau coup de massue, mais Gilbert fut plus rapide et plongea sur William, couteau en avant. Le jeune homme était habillé pour faire la cour et non pour se battre. La lame acérée trancha son manteau de drap. Mais il fut assez rapide pour esquiver et sauver sa peau. Gilbert poussa son avantage, s'arrangeant pour empêcher son adversaire de manier sa massue et gagnant inexorablement du terrain. William soudain eut peur pour sa vie. C'est alors que Walter surgit derrière Gilbert et d'un croche-pied le déséquilibra.

William soupira profondément, remerciant Dieu de l'intervention de Walter. Il avait vu la mort de près.

Gilbert tenta de se relever, mais Walter lui lança un coup de pied au visage. Pour faire bonne mesure, William le frappa à deux reprises avec sa massue et Gilbert ne bougea plus.

Ils le roulèrent à plat ventre. Walter s'assit sur sa tête pendant que William lui attachait les mains derrière le dos, lui ôtait ses hautes bottes noires et ligotait ses chevilles nues. Après quoi, il se releva, sourit à son valet qui lui sourit à son tour. Il fallait maintenant forcer le vieux soldat à avouer le complot.

Gilbert revenait à lui. Dès qu'il aperçut William, il le reconnut aussitôt et son visage exprima la surprise, puis la crainte.

Ah ! il regrettait déjà ses rires, songea William avec jubilation. Dans un moment, il les regretterait davantage encore.

Le cheval de Gilbert s'était redressé et regardait de tous côtés, affolé, sursautant chaque fois que le vent agitait une feuille dans un arbre. William ramassa son couteau et Walter alla rattraper le cheval.

William guettait tout bruit insolite. Un autre messager pouvait surgir inopinément. Il fallait se mettre à l'abri des regards et observer le silence. Personne n'apparut le temps que Walter ramène sans trop de difficultés le cheval de Gilbert.

Ils jetèrent ce dernier en travers de la selle, puis l'entraînèrent dans la forêt jusqu'à l'endroit où William avait laissé leurs propres montures. Les chevaux s'agitèrent à cause de l'odeur du sang qui suintait de la blessure à la croupe du cheval attaqué, aussi William l'attacha-t-il un peu plus loin. Puis, cherchant du regard un arbre qui conviendrait à son projet, il repéra un orme dont une grosse branche faisait saillie à une hauteur de cinq ou six coudées. Il le désigna à Walter. « On va suspendre Gilbert là », dit-il.

Walter eut un sourire cruel. « Qu'allez-vous lui faire, seigneur ?
— Tu verras. »

Le visage tanné de Gilbert était blême. William passa une corde sous les aisselles de l'homme, la noua derrière le dos et la lança par-dessus la branche.

« Hisse-le », commanda-t-il à Walter.

Gilbert se débattit, échappa à Walter et tomba par terre. Le valet ramassa la massue de William et donna un coup sur la tête de Gilbert qui resta groggy, puis le releva. La deuxième tentative réussit. Bientôt Gilbert se balançait doucement à la branche, les pieds à deux coudées au-dessus du sol.

« Ramasse un peu de petit bois », ordonna William à son valet.

Ils amassèrent sous les pieds de Gilbert quelques branchages, auxquels William mit le feu. Dès que les flammes s'élevèrent, la chaleur ranima Gilbert.

Aussitôt il se mit à pousser des gémissements de terreur. « Je vous en prie, dit-il. Je vous en prie, lâchez-moi. Je suis désolé de m'être moqué de vous, je vous en prie, soyez miséricordieux. »

William restait silencieux. Les plaintes de Gilbert l'amusaient, mais ce n'était pas le plus important.

Comme les flammes léchaient les orteils nus de Gilbert, il replia les jambes sous lui. Son visage ruisselait de sueur. William jugea qu'il était temps de commencer l'interrogatoire.

« Pourquoi êtes-vous allé au château aujourd'hui ? » demanda-t-il.

Gilbert le dévisagea avec innocence. « Pour présenter mes respects. Quelle question !

— Pourquoi êtes-vous allé présenter vos respects ?

— Le comte vient tout juste de rentrer de Normandie.

— On vous a convoqué spécialement ?

— Non. »

C'est peut-être vrai, se dit William. Interroger un prisonnier n'était pas aussi facile qu'il l'avait imaginé. Il réfléchit quelques secondes. « Que vous a dit le comte quand vous l'avez rencontré dans sa chambre ?

— Il m'a salué et m'a remercié d'être venu. »

Y avait-il une lueur d'inquiétude dans le regard de Gilbert ? William n'en était pas sûr. « Quoi encore ? fit-il.

— Il m'a demandé des nouvelles de ma famille et de mon village.

— Rien d'autre ?

— Rien. Pourquoi vous intéressez-vous à notre conversation ?

— Que vous a-t-il dit sur le roi Stephen et l'impératrice Maud ?

— Rien, je vous le répète ! »

Incapable de garder les genoux pliés plus longtemps, Gilbert laissa retomber ses pieds dans les flammes qui crépitaient. Un hurlement de douleur lui échappa et son corps se convulsa. Le spasme l'écarta provisoirement du feu. Il comprit alors qu'il pouvait soulager sa souffrance en se balançant. Cependant à chaque mouvement, il traversait les flammes sans pouvoir s'empêcher de crier.

William une fois de plus se demanda si Gilbert ne lui disait pas la vérité. Comment le savoir ? Il finirait à coup sûr par avouer n'importe quoi pour abréger la torture. William ne devait pas lui souffler trop précisément ce qu'il voulait entendre de lui, car il admettrait tout. Qui aurait cru que la torture se révélerait un exercice tellement compliqué ?

William reprit d'un ton calme et détaché : « Où allez-vous maintenant ? »

Gilbert poussa une exclamation de douleur et d'exaspération : « Mais qu'importe ?

« — Où allez-vous ?

— Chez moi ! »

L'homme perdait son sang-froid. William savait qu'il habitait vers le nord. Il était dans la mauvaise direction.

« Où allez-vous ? répéta William.

— Que voulez-vous de moi ?

— Je sais quand vous mentez, dit William. Dites-moi la vérité. »

Walter poussa une espèce de grognement approbateur et William en conclut qu'il progressait dans son nouveau rôle.

« Où allez-vous ? » dit-il pour la quatrième fois.

Gilbert commençait à s'épuiser. En gémissant, il arrêta de se balancer et recroquevilla ses jambes au-dessus des flammes. Mais le feu maintenant brûlait assez haut pour lui roussir les genoux.

William nota que l'odeur légèrement écœurante, celle de la chair qui brûlait, lui était familière parce qu'elle lui rappelait les cuisines. La peau de Gilbert brunissait et se craquelait, les poils de ses jambes noircissaient. Fasciné, William observait son supplice ; un frémissement profond le traversait au spectacle de la douleur. Il avait le pouvoir d'infliger la souffrance à un homme et ça lui faisait du bien. C'était un peu comme ce qu'il éprouvait quand il entraînait une fille dans un endroit où personne ne pouvait l'entendre protester et qu'il la clouait au sol en retroussant ses jupes autour de sa taille, sachant bien que rien ne pourrait l'empêcher de la posséder.

Presque à regret, il reprit : « Où allez-vous ? »

D'une voix réduite à un souffle, Gilbert dit : « À Sherborne.

— Pourquoi ?

— Coupez la corde, pour l'amour du Christ, et je vous dirai tout. »

William sentit la victoire à portée de la main. Il s'adressa à Walter : « Écarte ses pieds du feu. »

En le tirant par sa tunique Walter maintint Gilbert à l'abri des flammes.

« Alors ? dit William.

— Le comte Bartholomew a cinquante chevaliers à Sherborne et dans les environs, fit Gilbert d'une voix hoquetante. Je dois les rassembler et les ramener à Earlscastle. »

William sourit. Ce qu'il avait deviné se révélait exact. « Et qu'envisage de faire le comte avec ces chevaliers ?

— Il ne l'a pas dit. »

William ordonna à Walter : «Lâche-le, qu'il grille encore un peu.

— Non! hurla Gilbert. Je vais parler!»

Walter hésita.

«Vite, insista William.

— Ils doivent se regrouper autour de l'impératrice Maud pour éliminer Stephen», avoua enfin Gilbert.

Enfin la preuve! William savoura son succès. «Quand je vous poserai la question devant mon père, répondrez-vous de même? reprit-il.

— Oui, oui.

— Quand mon père vous questionnera en présence du roi, direz-vous encore la vérité?

— Oui!

— Jurez sur la Croix.

— Je le jure sur la Croix, je dirai la vérité!

— Amen», dit William très content. Et il se mit à disperser le feu.

Ils attachèrent Gilbert à sa selle, prirent son cheval par la bride et repartirent au pas. Le chevalier pouvait à peine se tenir droit. William ne voulait surtout pas le voir mourir, car mort il ne servirait plus à rien, aussi s'efforça-t-il de le traiter avec ménagements. Au passage d'un ruisseau, il jeta de l'eau froide sur ses pieds brûlés. Gilbert faillit s'évanouir.

William éprouvait un merveilleux sentiment de triomphe mêlé d'une étrange frustration. Lui qui n'avait jamais tué un homme, il aurait voulu tuer Gilbert. Torturer quelqu'un sans le tuer, c'était comme déshabiller une fille sans la violer. Plus il y pensait, plus il ressentait le besoin urgent d'une femme.

Peut-être quand ils seraient rentrés... Non, il n'aurait pas le temps. Il devrait raconter ce qui s'était passé à ses parents, qui exigeraient que Gilbert répète ses aveux devant un prêtre et peut-être quelques autres témoins; puis il faudrait préparer la capture du comte Bartholomew, probablement pour le lendemain, avant que Bartholomew ait eu le temps de rassembler trop de guerriers. William n'avait pas encore trouvé le moyen de prendre ce château par la ruse et d'éviter ainsi un siège prolongé...

Il s'énervait à la pensée qu'un long moment se passerait peut-être avant qu'il ne voie même une jolie femme. Au même moment, il en vit une apparaître sur la route devant lui. Un groupe de cinq personnes s'avançait vers William, dans lequel se trouvait une femme aux cheveux bruns d'environ vingt-cinq ans, encore presque une jeune fille. Comme elle approchait, l'intérêt de William s'accentua : elle était très belle, avec des cheveux bruns qui formaient une pointe sur son front et des yeux profondément enfoncés dans les orbites, d'une étonnante couleur dorée. Elle avait une silhouette mince et souple, et la peau joliment hâlée.

« Attends-moi là, dit William à Walter. Garde le chevalier derrière toi pendant que je leur parle. »

Le groupe s'était arrêté et le regardait avec méfiance. De toute évidence, il s'agissait d'une famille : un homme de haute taille, sans doute le mari, un jeune garçon bien planté, mais qui n'avait pas encore de barbe, et deux gamins. L'homme lui rappelait quelqu'un, se dit William. « Je te connais ? demanda-t-il.

— Moi, je vous connais, répliqua l'homme. Et je connais votre cheval, car à vous deux vous avez failli tuer ma fille. »

La mémoire revenait à William. Son cheval n'avait pas touché l'enfant mais n'était pas passé loin. « C'est toi qui construisais ma maison, dit-il. Et quand je t'ai congédié, tu as réclamé paiement, tu m'as même presque menacé. »

L'homme prit un air de défi et ne nia pas.

« Tu n'es pas si faraud maintenant », dit William en ricanant.

Toute la famille semblait affamée. Décidément, c'était le jour pour régler ses comptes avec ceux qui l'avaient offensé, lui, William Hamleigh. « Vous avez faim ?

— Oui, nous avons faim », reconnut le bâtisseur d'un ton où perçait une sourde colère.

William regarda de nouveau la femme. Les pieds un peu écartés, le menton levé elle le dévisageait sans crainte. La vue d'Aliena avait enflammé ses sens et maintenant il avait envie d'étancher son désir. Pourquoi pas cette fille ? Une fière luronne, il en était sûr : elle se débattrait et le grifferait. Tant mieux.

« Tu n'es pas marié à cette femme, n'est-ce pas, bâtisseur ? dit-il. Je me souviens de ton épouse... une vilaine vache. »

Une ombre traversa le visage du maçon : « Ma femme est morte.

— Et tu n'as pas encore emmené celle-ci à l'église, n'est-ce pas ? Tu n'as pas un penny pour payer le prêtre ! » Derrière William, Walter toussa et les chevaux s'agitèrent avec impatience. « Et si je te donnais de l'argent pour acheter de quoi manger ? continua William pour le tenter.

— Je l'accepterais avec gratitude, dit l'homme, mais William sentait bien qu'il avait parlé à contrecœur.

— Il ne s'agit pas d'un cadeau. Je veux acheter la femme qui est avec toi. »

Ce fut elle qui prit la parole. « Je ne suis pas à vendre, mon garçon. »

Son ton méprisant mit William en rage. Je vais te montrer si je suis un homme ou un garçon, songea-t-il, quand nous serons seuls. Il se tourna vers le bâtisseur : « Je la paierai une livre d'argent.

— Elle n'est pas à vendre. »

La colère de William enflait. Cet homme affamé osait refuser la fortune offerte ? « Imbécile, dit-il, si tu ne prends pas l'argent, je vais te passer au fil de mon épée et baiser cette femme devant les enfants ! »

Le bras du bâtisseur bougea sous son manteau. Il doit avoir une arme, se dit William. Et puis, bien qu'il fût mince comme une lame, il était bien capable de se battre méchamment pour protéger sa femme. Celle-ci écarta sa pèlerine et posa la main sur le pommeau d'une dague étonnamment longue qu'elle portait à la ceinture. Le garçon était assez grand, lui aussi, pour créer des problèmes.

Walter lança d'une voix sourde, mais distincte : « Seigneur, nous n'avons pas le temps. »

William acquiesça, la rage au cœur. Il fallait ramener Gilbert au manoir des Hamleigh. L'affaire était trop importante pour qu'ils perdent leur temps dans une bagarre pour une femme.

William toisa la petite famille, ces cinq malheureux affamés et dépenaillés, prêts à se battre jusqu'au bout contre deux robustes gaillards munis de chevaux et d'épées. Il ne les comprenait pas. « Très bien, alors crevez de faim », dit-il. Il éperonna son cheval et repartit au trot. Quelques instants plus tard, les cavaliers avaient disparu.

10.

Lorsqu'ils eurent marché environ une demi-lieue après leur rencontre avec William Hamleigh, Ellen dit : « Est-ce qu'on peut ralentir maintenant ? »

Tom se rendit compte que, par peur, il leur avait imposé un train rapide. Il avait bien vu qu'Alfred et lui allaient devoir affronter ces deux hommes armés à cheval. Il n'avait même pas d'arme. Cherchant sous son manteau son marteau de maçon, il s'était rappelé, avec consternation, l'avoir vendu quelques semaines plus tôt pour un sac d'avoine. Il ne savait pas pourquoi William avait fini par battre en retraite, mais il tenait à mettre la plus grande distance possible entre eux au cas où une nouvelle idée germerait dans le méchant petit esprit du jeune seigneur.

Tom n'avait pas réussi à trouver du travail au palais de l'évêque de Kingsbridge et pas davantage ailleurs. Il y avait toutefois une carrière dans les environs de Shiring, et une carrière – contrairement à un chantier de construction – employait autant d'hommes en hiver qu'en été. Certes, le métier de Tom était plus spécialisé et mieux payé que celui de tailleur de pierre, mais il voulait simplement nourrir sa famille. La carrière de Shiring appartenait au comte Bartholomew, que, d'après ses renseignements, Tom pourrait trouver dans son château à une ou deux lieues à l'ouest de la ville.

Maintenant qu'Ellen l'accompagnait, il était encore plus désespéré qu'avant. Il savait qu'elle avait uni son destin au sien par amour, sans peser vraiment les conséquences. Elle ne se rendait pas bien compte de la difficulté pour Tom à trouver du travail. Elle n'avait pas envisagé la possibilité qu'ils pourraient ne pas survivre à l'hiver, et Tom s'était bien gardé de lui ôter ses illusions, car il désirait qu'elle reste avec lui. Mais, en tant que femme, ne choisirait-elle pas le bien de son enfant avant tout le reste ? Tom craignait qu'Ellen le quittât.

Ils vivaient ensemble depuis une semaine. Sept jours de désespoir et sept nuits de bonheur. Chaque matin, Tom s'éveillait, heureux et optimiste. À mesure que la journée passait, la faim le tenaillait, les enfants se fatiguaient et Ellen devenait morose. Certains jours, ils trouvaient de quoi manger – comme lorsqu'ils avaient rencontré le moine et son fromage – et certains jours ils mâchaient des tranches de venaison séchées au soleil provenant des réserves d'Ellen. C'était comme de la peau de daim, mais avaient-ils le choix ? Lorsque la nuit tombait, Tom et Ellen s'allongeaient, gelés et misérables, et se serraient l'un contre l'autre pour se réchauffer ; puis, au bout d'un moment, ils commençaient à se caresser et à s'embrasser. Au début, Tom se montrait impatient, mais elle refusait avec douceur ses avances trop précises : elle voulait prolonger les jeux et les baisers. Il céda et s'en trouva enchanté. Il explorait hardiment le corps de la jeune femme, la caressant comme il n'avait jamais caressé Agnès. Certaines nuits, ils riaient ensemble, la tête sous leurs manteaux. À d'autres moments, la tendresse l'emportait. Une nuit où ils étaient seuls dans l'hôtellerie d'un monastère, les enfants plongés dans un lourd sommeil, elle prit l'initiative, lui montrant comment l'exciter davantage et il obéit, surpris et enflammé par son impudeur. Après, ils sombraient dans un sommeil profond et réparateur, la peur et la colère de la journée emportées par l'amour.

Midi approchait. Tom estima William Hamleigh suffisamment loin, et décida de faire halte. Ils n'avaient pas d'autre nourriture que la venaison séchée. Toutefois, le matin, ils avaient quémandé du pain dans une ferme isolée, et la femme leur avait donné un peu de bière dans une grande bouteille en bois sans bouchon, qu'elle leur avait permis de garder. Ellen avait mis de côté la moitié de la bière pour le dîner.

Tom s'assit sur une large souche, Ellen auprès de lui. Elle but une gorgée de bière et lui passa la bouteille. «Veux-tu de la viande aussi ? » demanda-t-elle.

Il secoua la tête et but un peu de bière. Il aurait volontiers tout avalé, mais il fallait penser aux enfants. «Garde la viande, dit-il à Ellen. On nous donnera peut-être à souper au château. »

Alfred porta la bouteille à ses lèvres et la vida.

Jack fit la moue et Martha éclata en sanglots. Alfred leur lança un drôle de petit sourire.

Ellen attendit en vain la réaction de Tom et observa : «Tu ne devrais pas laisser Alfred faire ça.

— Il est plus grand qu'eux, répliqua Tom en haussant les épaules. Il a besoin de davantage.

— De toute façon, il a toujours une grosse part. Il faut bien que les petits mangent aussi.

— On ne va pas perdre notre temps à intervenir dans les querelles d'enfants», dit Tom.

La voix d'Ellen se durcit. «Tu veux dire qu'Alfred peut malmener les petits autant qu'il veut, et que tu ne feras rien ?

— Il ne les malmène pas, protesta Tom. Les enfants, ça se bat toujours. »

Elle secoua la tête, déconcertée. «Je ne te comprends pas. À tous égards, tu es bon. Mais quand il s'agit d'Alfred, tu deviens aveugle.»

Pour ne pas lui déplaire, Tom céda : «Eh bien, donne un peu de viande aux petits.»

Ellen ouvrit son sac, l'air sombre. Elle découpa une bande de venaison séchée pour Martha et une autre pour Jack. Alfred tendit la main, mais Ellen l'ignora. Tom en fut contrarié. Alfred ne pensait pas à mal, mais Ellen ne le comprenait pas. C'était un grand gaillard, songea Tom avec fierté, il avait bon appétit et le sang vif : ce n'était pas un péché !

Ils se reposèrent un moment puis reprirent leur marche. Jack et Martha allaient en tête, mâchouillant leur viande racornie. Ils s'entendaient bien malgré leur différence d'âge : Martha avait six ans et Jack sans doute onze ou douze. Martha admirait Jack et lui semblait apprécier l'expérience nouvelle d'avoir une compagne de jeux. Malheureusement, à la surprise de Tom, Alfred n'aimait pas Jack.

Tom refusait de s'inquiéter. Ce n'étaient que de jeunes garçons. Il avait trop de soucis pour s'occuper des disputes d'enfants. Son obsession, c'était de trouver du travail. Parfois il se désespérait en secret. Peut-être continuerait-il à traîner sur les routes jour après jour jusqu'à ce qu'ils meurent tous l'un après l'autre : un enfant retrouvé froid et sans vie par un matin de gel, un autre trop étiolé pour lutter contre une fièvre, Ellen violée et tuée par une canaille de passage comme William Hamleigh, et Tom lui-même s'amaigrissant sans cesse jusqu'au jour où, trop faible pour se lever le matin, il resterait couché sur le sol de la forêt en attendant de glisser dans l'inconscience.

Ellen, naturellement, le quitterait avant que cela arrive. Elle regagnerait leur grotte, où il y avait toujours un tonneau de pommes et un sac de noix, de quoi nourrir deux personnes jusqu'au printemps, mais pas cinq. Tom en aurait alors le cœur brisé.

Il se demandait comment allait le bébé. Les moines l'avaient baptisé Jonathan. Tom aimait ce nom. D'après le moine au fromage, cela voulait dire don de Dieu. Tom se représentait le petit Jonathan, rouge, fripé et chauve, comme il était né. Il avait dû changer aujourd'hui : il devait déjà être plus grand et ses yeux plus ouverts. Tom espérait que les moines le soignaient bien. Le moine au fromage lui avait donné l'impression d'un être bon et capable. De toute façon, ils s'occuperaient certainement mieux du bébé que Tom, qui n'avait ni toit ni argent. Si jamais je deviens le maître d'un grand chantier de construction et que je gagne mes quatre shillings par semaine plus le défraiement, je donnerai de l'argent à ce monastère, songea-t-il.

Ils débouchèrent de la forêt et, peu après, arrivèrent en vue du château.

Ils prirent un sentier qui traversait les champs nus. Martha et Jack aperçurent soudain un oiseau blessé et tous s'arrêtèrent pour regarder. C'était un roitelet, si petit qu'ils auraient pu facilement ne pas le remarquer. Comme Martha se pencha vers lui, il s'éloigna en sautillant, incapable de voler. Elle le ramassa, abritant dans ses mains la minuscule créature.

« Il tremble ! dit-elle. Je le sens. Il doit avoir peur. »

L'oiseau, sans faire la moindre tentative pour s'échapper, restait immobile dans les mains de Martha. « Je crois, dit Jack, qu'il a une aile cassée.

— Laisse-moi voir » intervint Alfred. Il lui prit l'oiseau.

« Nous pourrions le soigner, dit Martha.

— Non, sûrement pas », dit Alfred. D'un geste vif de ses grosses mains, il tordit le cou de l'oiseau.

« Oh ! Au nom du ciel ! » fit Ellen.

Martha éclata en sanglots pour la seconde fois ce jour-là.

Alfred éclata de rire et laissa tomber l'oiseau par terre.

Jack le ramassa. « Mort, annonça-t-il.

— Qu'est-ce qui te prend, Alfred ? dit Ellen.

— Rien ne le prend, dit Tom. L'oiseau allait mourir. »

Il reprit sa marche et les autres suivirent. Ellen une fois de plus était furieuse contre Alfred, et cela agaçait Tom. Pourquoi tant d'histoires à propos d'un fichu roitelet ? Ellen avait dit : *Quand il s'agit d'Alfred, tu es aveugle.*

Le pont de bois qui franchissait la douve pour donner accès au corps de garde semblait fragile et branlant, mais sans doute le comte l'aimait-il ainsi : l'ouvrage offrait un moyen d'accès pour les agresseurs et plus il était facile à démolir, plus le château était en sûreté. Les murs du périmètre formés de terre comprenaient à intervalles réguliers des tours de pierre. Devant eux, se dressait un corps de garde en pierre, comme deux tours réunies par un chemin de ronde. Il y a de la maçonnerie ici, songea Tom : ça n'est pas un de ces châteaux tout de boue et de bois. Demain, je pourrais bien me retrouver au travail. Il se rappelait le contact de bons outils dans ses mains, le crissement du ciseau sur un bloc de pierre, la sécheresse de la poussière dans ses narines. Demain soir j'aurai peut-être le ventre plein de nourriture que j'aurai gagnée, et non mendiée.

Son œil de maçon remarqua vite que les remparts du corps de garde étaient en mauvais état. Certaines des grosses pierres étaient tombées, il y en avait d'autres descellées dans l'arche de la porte.

Deux sentinelles montaient la garde, aux aguets. Peut-être s'attendait-on à une attaque. L'un des soldats demanda à Tom ce qui l'amenait.

«Je suis maçon, et j'espère être engagé pour travailler à la carrière du comte, répondit-il.

— Il faut voir l'intendant, répondit la sentinelle. Il s'appelle Matthew. Tu le trouveras sans doute dans la grande salle.

— Merci, fit Tom. Quel genre d'homme est-il?»

Le garde regarda son collègue en souriant et dit : «Il n'a pas beaucoup l'air d'un homme», et tous deux éclatèrent de rire.

Tom se dit qu'il découvrirait plus tard ce que cela signifiait. Il pénétra dans l'enceinte du château, suivi d'Ellen et des enfants. Les bâtiments derrière les murs étaient pour la plupart en bois, même si certains s'élevaient sur des fondations de pierre, et il y en avait un tout en pierre, qui devait être la chapelle. Comme ils traversaient l'enclos, Tom observa que les tours du périmètre étaient par endroits sérieusement endommagées. Le groupe franchit la seconde douve et s'arrêta au deuxième corps de garde. Tom annonça qu'il cherchait Matthew l'intendant. La petite troupe poursuivit dans l'enceinte intérieure et se dirigea vers le donjon de pierre carré. La porte de bois située au niveau du sol s'ouvrait sur le magasin. Ils gravirent les marches jusqu'à la salle commune. Sitôt entré, Tom aperçut le comte et l'intendant, qu'il reconnut à leurs vêtements. Le comte Bartholomew portait une longue robe aux manchettes évasées, et brodée à l'ourlet, Matthew l'intendant en arborait une courte, du même style que celle de Tom, mais d'un tissu plus doux, et une calotte ronde. Tous deux se tenaient près du feu, le comte assis et l'intendant debout. Tom s'arrêta à quelques pas des deux hommes, attendant qu'on remarque sa présence. Le comte Bartholomew était un homme de grande taille, d'une cinquantaine d'années, avec des cheveux blancs et un visage pâle, maigre et hautain. L'intendant, plus jeune, avait une façon de se tenir qui rappela à Tom la remarque du garde : il avait des allures de femme.

De toutes les autres personnes présentes dans la salle, aucune ne prêta attention à Tom. Celui-ci attendit, partagé entre l'espoir et la crainte. La conversation du comte avec son intendant se prolongeait. Enfin, l'intendant s'inclina et tourna les talons. Tom s'avança.

« Êtes-vous Matthew ?

— Oui.

— Mon nom est Tom. Maître maçon. Je suis un bon artisan et mes enfants sont affamés. Il paraît que vous avez une carrière. » Il retint son souffle.

« Nous avons bien une carrière, mais je ne crois pas que nous ayons besoin d'autres carriers », dit Matthew. Il jeta un coup d'œil au comte qui secoua la tête de façon à peine perceptible. « Non, dit Matthew. Nous ne pouvons pas vous engager. »

Matthew n'était pas un homme cruel, Tom le sentait, mais il avait d'autres choses en tête, et Tom et sa famille affamée n'étaient qu'un problème dont il fallait se débarrasser le plus vite possible.

« Vous pourriez, fit Tom au désespoir, m'employer à des réparations ici au château.

— Mais nous avons déjà un compagnon pour ce genre de travail, répondit Matthew.

— Je suis maçon, fit Tom. Mes murs sont solides. »

Agacé de l'entendre tenir tête, Matthew sembla sur le point de dire quelque chose de désagréable ; puis il regarda les enfants et son visage se radoucit. « J'aimerais vous donner du travail, mais nous n'avons pas besoin de vous. »

Tom hocha la tête. Il n'avait plus maintenant qu'à accepter humblement ce que l'intendant avait dit, prendre un air navré et quémander un repas et un endroit où dormir pour une nuit. Mais Ellen était avec lui et il craignait de la voir partir, alors il essaya encore une fois. Il dit d'une voix assez forte pour être entendu du comte : « J'espère que vous ne vous attendez pas à être attaqués bientôt. »

Ses paroles produisirent un effet beaucoup plus spectaculaire qu'il ne s'y attendait. Matthew sursauta et le comte se leva d'un bond. « Pourquoi dis-tu cela ? » demanda-t-il sèchement.

Tom sentit qu'il avait touché un point délicat. « Parce que vos défenses sont en triste état, dit-il.

— Comment cela? demanda le comte. Sois précis, maçon!»

Il prit une profonde inspiration. Le comte était irrité mais attentif. «Le mortier des murs du corps de garde s'effrite par endroits, ce qui laisse une ouverture pour glisser un levier. Un ennemi pourrait facilement faire sauter une pierre ou deux; dès l'instant où il y a un trou, il devient facile d'abattre le mur. Et puis», s'empressa-t-il d'ajouter sans laisser à personne le temps de commenter ni de discuter, «et puis tous vos créneaux sont endommagés. Il y a des endroits où ils ont même disparu. Cela laisse vos archers et vos chevaliers exposés...

— Je sais à quoi servent les créneaux, fit le comte avec agacement. Rien d'autre?

— Si. Le donjon a un magasin avec une porte en bois. Si j'attaquais le château, je passerais par là et je mettrais le feu aux provisions.

— Et si tu étais le comte, comment empêcherais-tu cela?

— Avec une pile de pierres déjà taillées, une réserve de sable et de chaux pour le mortier et un maçon prêt à bloquer cette porte en cas de danger.»

Le comte Bartholomew dévisagea Tom. Ses yeux bleu pâle étaient mi-clos et un pli soucieux barrait son front. En voulait-il à Tom d'avoir ainsi critiqué les défenses du château? On ne pouvait jamais dire comment un seigneur réagirait aux critiques. Mieux valait dans l'ensemble les laisser commettre leurs fautes. Mais Tom était dans une situation désespérée.

Le comte enfin sortit de ses pensées. Il se tourna vers Matthew et dit : «Engage cet homme.»

Un cri de joie s'éleva dans la gorge de Tom et il dut faire tous ses efforts pour le réprimer. Il n'en croyait pas ses oreilles. Ellen et lui échangèrent un sourire ravi. Martha, qui n'avait pas la réserve des adultes, cria : «Hourra!»

Le comte Bartholomew se détourna et se mit à parler avec un chevalier. Matthew sourit à Tom. «Avez-vous dîné aujourd'hui?» s'enquit-il.

Tom avala sa salive. Il était si heureux qu'il se sentait au bord des larmes. «Non, pas encore.

— Je vais vous conduire à la cuisine.»

Ils suivirent avec empressement l'intendant qui leur fit traverser le hall et franchir le pont jusqu'à l'enceinte inférieure. La cuisine était un grand bâtiment de bois avec des fondations en pierre. Une douce odeur flottait dans l'air : on faisait cuire des pâtisseries. Tom sentait gronder son estomac douloureux. L'intendant ressortit avec un grand pot de bière qu'il tendit à Tom. «On va vous apporter du pain et du jambon froid», dit-il avant de les quitter.

Tom avala une gorgée de bière et offrit le pot à Ellen. Elle fit boire Martha, puis but à son tour et tendit la cruche à Jack. Alfred voulut s'en emparer avant. Jack pivota, gardant le pot hors de portée d'Alfred. Tom ne voulait pas d'une autre querelle entre les enfants, pas maintenant où tout enfin s'arrangeait. Il allait intervenir – enfreignant ainsi sa règle de ne pas se mêler des querelles des enfants – quand Jack se retourna et tendit humblement le pot à Alfred.

Alfred le porta à ses lèvres. Tom, qui n'avait bu qu'une gorgée, pensait que le pot allait lui revenir; mais Alfred semblait décidé à le vider. Une chose étrange alors se produisit. Comme Alfred renversait la tête en arrière pour ne pas perdre une goutte de bière, quelque chose comme un petit animal tomba sur son visage.

Alfred poussa un hurlement et lâcha le pot. Il écarta d'un geste la petite chose inerte. «Qu'est-ce que c'est?» grinça-t-il. L'animal tomba par terre. Il le contempla, tremblant de dégoût. C'était le roitelet mort.

Tom surprit le regard d'Ellen. Tous deux se tournèrent vers Jack. Jack avait pris le pot des mains d'Ellen puis avait tourné le dos un moment, comme pour échapper à Alfred, puis il lui avait tendu la cruche avec une étonnante bonne volonté...

Maintenant il attendait sans rien dire, regardant Alfred horrifié avec un petit sourire satisfait sur son malin visage de vieux gamin.

Jack savait qu'il le paierait. Alfred trouverait moyen de se venger. Quand les autres ne regarderaient pas, Alfred, peut-être, lui donnerait un coup dans l'estomac. C'était sa méthode favorite, car c'était très douloureux, mais ne laissait pas de marque.

Alfred détestait Jack. C'était pour celui-ci une expérience nouvelle. Sa mère l'avait toujours aimé et il n'avait jamais connu personne d'autre. Il n'y avait aucune raison apparente à l'hostilité d'Alfred. Il semblait avoir les mêmes sentiments pour Martha. Il ne cessait de la pincer, de lui tirer les cheveux, de lui faire des croche-pieds et il saisissait chaque occasion de l'embêter. La mère de Jack voyait bien ce qui se passait et désapprouvait, mais le père d'Alfred semblait trouver cette attitude parfaitement normale, bien qu'il fût lui-même un homme bon et doux qui de toute évidence aimait Martha.

Jack n'avait jamais connu de toute sa vie une période aussi excitante. Malgré Alfred, malgré la faim qui le tenaillait la plupart du temps, malgré le dépit qu'il éprouvait à voir sa mère prodiguer ses attentions à Tom et non à lui, Jack était fasciné par toutes ces expériences nouvelles.

La découverte du château n'était pas la moindre. Il avait entendu parler des châteaux forts : dans les longues soirées d'hiver passées dans la forêt, sa mère lui avait appris à réciter des chansons de geste, des poèmes en français où il était question de chevaliers et de magiciens, la plupart longs de milliers de vers; et les châteaux figuraient dans ces récits comme des lieux de légende.

Jusqu'alors, il les imaginait comme des versions élargies de la grotte où il vivait. La réalité le laissait stupéfait : c'était si grand, avec tant de bâtiments et une telle foule de gens, tous si affairés : à ferrer les chevaux, à tirer de l'eau, à nourrir des poules, à cuire du pain et à porter des fardeaux, sans cesse des fardeaux, de la paille pour mettre par terre, du bois pour les feux, des sacs de farine, des balles de tissu, des épées, des selles et des cottes de mailles. Tom lui expliqua que la douve et le rempart ne faisaient pas partie naturellement du paysage, mais qu'ils avaient été creusés et édifiés grâce aux efforts conjugués de douzaines d'hommes. Jack ne mettait pas en doute la parole de Tom, mais il n'arrivait pas à imaginer la chose.

À la fin de l'après-midi, quand il commençait à faire trop sombre pour travailler, tous gravitaient vers la grande salle du donjon. On allumait les chandelles à mèche de jonc, on ranimait le feu et les chiens venaient s'abriter du froid. Des serviteurs prenaient des planches et des tréteaux entassés dans un coin de la pièce et dressaient des tables en forme de T, puis alignaient des chaises le long de la barre du T et des bancs de chaque côté du montant.

Un peu plus tard, chacun s'asseyait sur les bancs. Un des serviteurs du château distribuait de grandes écuelles et des cuillers de bois, puis il refit le tour de la table pour déposer une épaisse tranche de pain bis rassis au fond de chaque écuelle. Un autre serviteur apporta des coupes en bois et les remplit de bière puisée à une série de grandes cruches. Jack, Martha et Alfred, assis tout au bout de la table, reçurent une coupe de bière chacun, ce qui évita toute bagarre. Jack allait porter la coupe à ses lèvres, mais sa mère lui dit d'attendre un moment.

Une fois la bière servie à la ronde, le silence se fit dans la salle. Jack attendit. Au bout d'un moment, le comte Bartholomew apparut en haut de l'escalier qui menait à sa chambre. Il descendit dans la salle, suivi de l'intendant Matthew, de trois ou quatre hommes bien vêtus, d'un garçon et de la plus belle créature sur laquelle Jack eût jamais posé les yeux.

C'était une jeune fille, ou peut-être déjà une dame. Vêtue d'une tunique blanche munie de manches évasées qui traînaient sur le sol derrière elle tandis qu'elle semblait glisser le long de l'escalier. Sa chevelure formait une cascade de boucles brunes autour de son visage, et elle avait des yeux très, très noirs. Jack comprit ce que voulaient dire les chansons de geste quand elles parlaient d'une belle princesse dans un château.

Quand elle fut parvenue au pied de l'escalier, Jack vit qu'elle était très jeune, à peine quelques années de plus que lui ; mais elle tenait la tête haute et s'avançait vers la table comme une reine. Elle s'assit auprès du comte Bartholomew.

« Qui est-ce ? chuchota Jack.

— Ce doit être la fille du comte, répondit Martha.

— Comment s'appelle-t-elle ?

Martha haussa les épaules en signe d'ignorance, mais une fillette au visage sale, assise auprès de Jack, s'empressa de l'informer : « Elle s'appelle Aliena. Elle est merveilleuse. »

Le comte leva sa coupe vers Aliena, puis parcourut lentement du regard toute la table et but une gorgée. C'était le signal que l'on attendait. Les convives l'imitèrent, chacun levant sa coupe avant de boire.

On apporta le souper dans d'énormes chaudrons fumants. On servit d'abord le comte ; puis sa fille, le jeune garçon et les hommes qui se trouvaient avec eux au bout de la table ; les autres se servirent ensuite. C'était un poisson salé dans un ragoût épicé. Jack emplit son écuelle et mangea tout, puis dévora la tranche de pain qui se trouvait au fond. Entre deux bouchées, il observait Aliena, captivé par tous ses gestes, depuis la façon délicate dont elle piquait des morceaux de poisson à l'extrémité de son couteau pour les mettre élégamment entre ses dents blanches, jusqu'au ton autoritaire qu'elle avait pour appeler les serviteurs et leur donner des ordres. Ils semblaient tous l'aimer. Ils réagissaient au moindre de ses gestes, souriaient lorsqu'elle parlait et se précipitaient pour la servir. Les jeunes gens autour de la table la dévoraient des yeux, remarqua Jack, et certains d'entre eux essayaient de se faire remarquer, dès qu'ils croyaient qu'elle regardait de leur côté. Mais elle ne s'intéressait qu'aux hommes plus âgés qui entouraient son père, s'assurant qu'ils avaient assez de pain et de vin, leur posant des questions et écoutant attentivement leurs réponses.

Après le souper, il y eut de la musique. Deux hommes et une femme jouèrent des airs, accompagnés de cloches de moutons, d'un tambourin et de flûtes faites avec des os d'animaux et d'oiseaux. Le comte ferma les yeux, savourant la musique, mais Jack n'aimait pas les mélodies obsédantes et mélancoliques qu'il entendait. Il préférait les joyeuses chansons que lui chantait sa mère. Le reste de la salle, manifestement, partageait ses sentiments, car on s'agitait sur les bancs et un soulagement général salua la fin de la musique.

Jack espérait voir Aliena de plus près, mais à son vif désappointement elle quitta la pièce après la musique et remonta l'escalier.

Les enfants et certains des adultes jouaient aux échecs et aux marelles pour passer le temps. Les plus habiles confectionnaient des ceintures, des bonnets, des chaussettes, des gants, des écuelles, des sifflets, des dés, des pelles et des cravaches. Jack fit plusieurs parties d'échecs qu'il remporta toutes; mais un homme d'armes s'enrageant d'avoir été vaincu par un enfant, la mère de Jack lui ordonna de ne plus jouer. Jack déambula alors dans la salle, écoutant les différentes conversations.

Les chandelles finirent par s'éteindre, le comte se retira et les soixante ou soixante-dix personnes qui se trouvaient là se drapèrent dans leurs manteaux et s'allongèrent sur le sol couvert de paille pour dormir.

Comme d'habitude, sa mère se coucha avec Tom sous le grand manteau de celui-ci qu'elle serra comme elle le faisait avec Jack quand il était petit. Jack les regarda avec envie. Il les entendait parler à voix basse et sa mère eut un petit rire complice. Au bout d'un moment, leurs corps se mirent à s'agiter sous le manteau. La première fois qu'il les avait surpris, Jack avait été terriblement inquiet, pensant qu'ils avaient mal; mais ils s'embrassaient en même temps et, même si parfois sa mère gémissait, il devinait que c'était un gémissement de plaisir. Il n'osait pas l'interroger là-dessus. Mais ce soir-là, tandis que le feu s'éteignait, il vit un autre couple faire la même chose et force lui fut de conclure que ce devait être normal. Ce n'était qu'un mystère de plus, songea-t-il, et peu après il s'endormit.

Les enfants se réveillèrent tôt le lendemain matin, mais on ne servait pas le déjeuner avant la messe et on ne disait pas la messe avant le lever du comte. Aussi durent-ils attendre. Un serviteur les enrôla pour aller chercher le bois de la journée. Les adultes commencèrent à s'éveiller et quand les enfants eurent rapporté le bois, ils aperçurent Aliena.

Elle descendit l'escalier, mais cette fois elle portait une courte tunique et des bottes de feutre. La masse de ses cheveux était ramenée en arrière par un ruban, découvrant ses petites oreilles et son cou blanc. Ses grands yeux sombres, qui la veille avaient paru graves, pétillaient aujourd'hui de malice, et elle souriait. Elle était suivie du jeune garçon assis la veille avec elle et le comte au haut bout de la table. Il paraissait d'un an ou deux plus âgé que Jack, sans avoir cependant la taille d'Alfred. Il regarda curieusement Jack, Martha et Alfred, mais ce fut la jeune fille qui parla. « Qui êtes-vous ? dit-elle.

— Mon père, répondit Alfred, est le maçon qui doit réparer ce château. Je suis Alfred. Ma sœur s'appelle Martha. Et voici Jack. »

Alors qu'elle s'approchait, Jack respira un parfum de lavande et il en fut tout saisi. Comment une personne pouvait-elle sentir comme les fleurs ?

« Quel âge as-tu ? demanda-t-elle à Alfred.

— Quatorze ans. » Alfred lui aussi était impressionné, Jack le sentait. Alfred balbutia : « Et vous ?

— Quinze ans. Voulez-vous quelque chose à manger ?

— Oui.

— Alors, venez avec moi. »

Ils la suivirent tous dehors. « Mais, dit Alfred, on ne sert pas le déjeuner avant la messe.

— Les gens font ce que je leur dis », lança Aliena relevant fièrement la tête.

Elle leur fit traverser le pont jusqu'à l'enceinte inférieure et leur dit d'attendre devant la cuisine pendant qu'elle entrait. Martha souffla à Jack : « N'est-ce pas qu'elle est jolie ? » Il hocha la tête sans rien trouver à dire. Quelques instants plus tard, Aliena ressortit avec un pot de bière et une miche de pain. Elle rompit le pain et leur en distribua des morceaux, puis elle fit passer le pot de bière.

Martha demanda timidement : « Où est ta mère ?

— Ma mère est morte, répondit vivement Aliena.

— Tu n'es pas triste, dit Martha.

— Je l'ai été, mais il y a longtemps. » Du menton, elle désigna le jeune garçon auprès d'elle. « Richard ne s'en souvient même pas. »

Richard doit être son frère, se dit Jack.

« Ma mère est morte aussi, déclara Martha, les larmes aux yeux.

— Quand est-elle morte ? interrogea Aliena.

— La semaine dernière. »

Aliena ne semblait guère émue par la peine de Martha, observa Jack ; à moins qu'elle ne voulût cacher son propre chagrin.

« Alors, dit-elle brusquement, qui est cette femme avec toi ?

— C'est ma mère à moi », répliqua aussitôt Jack, ravi d'avoir quelque chose à dire.

Aliena se tourna vers lui comme si elle le voyait pour la première fois. « Alors, où est ton père ?

— Je n'en ai pas », dit-il. Qu'elle le regardât suffisait à le bouleverser.

« Il est mort aussi ?

— Non, fit Jack. Je n'ai jamais eu de père. »

Il y eut un moment de silence, puis Aliena, Richard et Alfred éclatèrent tous de rire. Jack étonné les regarda sans comprendre ; mais leurs rires ne faisaient que redoubler jusqu'au moment où Jack se sentit mortifié. Qu'y avait-il de si drôle à n'avoir jamais eu de père ? Même Martha souriait, oubliant ses larmes.

Alfred lança d'un ton railleur : « Alors, d'où sors-tu, si tu n'as pas de père ?

— De ma mère, dit Jack, déconcerté. Qu'est-ce que les pères ont à voir là-dedans ? »

Les rires redoublèrent. Richard sautillait de joie en braquant sur Jack un doigt moqueur. Alfred dit à Aliena : « Il ne sait rien du tout : nous l'avons trouvé dans la forêt. »

Jack sentit la honte lui brûler les joues. Il avait été si heureux de parler à Aliena, et voilà maintenant qu'elle le prenait pour un parfait imbécile, un ignorant de la forêt ; le pire de tout, c'était qu'il ne savait toujours pas ce qu'il avait dit de risible.

Il avait envie de pleurer, et cela n'arrangeait pas les choses. Il regarda Aliena, son ravissant visage pétillant d'amusement et, comme il ne pouvait pas le supporter, il jeta son pain par terre et s'en alla.

Sans se soucier où il allait, il arriva au pied du remblai du château; il gravit la pente raide et, arrivé au sommet, il s'assit sur la terre froide, contemplant le paysage, s'apitoyant sur son sort, haïssant Alfred, Richard, et même Martha et Aliena. Les princesses n'ont pas de cœur, se dit-il.

La cloche sonna la messe. Les services religieux étaient encore un mystère pour lui. Parlant une langue qui n'était ni l'anglais ni le français, les prêtres chantaient et s'adressaient à des statues, à des images et même à des êtres invisibles. Chaque fois qu'elle le pouvait, la mère de Jack évitait d'assister aux offices.

En voyant les habitants du château fort se diriger vers la chapelle, Jack grimpa jusqu'au faîte du mur et s'assit de l'autre côté, à l'abri des regards.

Le château était entouré de champs plats et nus, que bordait au loin la forêt. Deux visiteurs matinaux traversaient le plateau en direction du château. Le ciel était rempli de nuages gris et bas. Jack se demanda s'il n'allait pas neiger.

Deux autres visiteurs matinaux apparurent. Ces deux-là étaient à cheval. Ils approchaient rapidement et dépassèrent bientôt les deux premiers, franchissant le pont de bois. Tous les quatre devraient attendre la fin de la messe avant de pouvoir vaquer aux affaires qui les amenaient ici, car tout le monde y assistait, sauf les sentinelles de garde.

Brusquement une voix toute proche fit sursauter Jack. «Enfin, te voilà!» C'était sa mère. Elle vit aussitôt qu'il était bouleversé. «Qu'y a-t-il?»

Il aurait voulu trouver du réconfort auprès d'elle, mais il durcit son cœur et dit : «Est-ce que j'ai eu un père?

— Oui, fit-elle. Tout le monde a un père.» Elle s'agenouilla auprès de lui.

Il détourna le visage. C'était sa faute s'il avait été humilié, car elle ne lui avait jamais parlé de son père. «Qu'est-ce qui lui est arrivé?

— Il est mort.

— Quand j'étais petit?

— Avant ta naissance.

« — Comment pouvait-il être mon père, s'il est mort avant que je sois né?

— Les bébés poussent à partir d'une graine. La graine sort du sexe d'un homme pour se planter dans le ventre d'une femme. La graine se développe alors dans son ventre pour former un bébé et, quand il est prêt, il sort. »

Jack resta un moment silencieux, digérant cette information. Il se doutait confusément que cela avait un rapport avec ce que sa mère et Tom faisaient la nuit. «Est-ce que Tom va planter une graine en toi? demanda-t-il.

— Peut-être.

— Alors tu auras un nouveau bébé?»

Elle acquiesça. «Un frère pour toi. Tu aimerais?

— Ça m'est égal, dit-il. Tom t'a déjà prise à moi. Un frère ne changerait pas grand-chose. »

Elle le serra contre elle. «Personne ne m'éloignera jamais de toi», dit-elle.

«Il fait froid ici, fit-elle au bout d'un moment. Allons nous asseoir auprès du feu en attendant le déjeuner. »

Ils se levèrent et dévalèrent le remblai jusque dans l'enceinte. Pas trace des quatre visiteurs. Peut-être étaient-ils entrés dans la chapelle.

Comme Jack et sa mère traversaient le pont pour regagner l'enceinte supérieure, Jack demanda : «Comment s'appelait mon père?

— Jack, comme toi, dit-elle. On l'appelait Jack Shareburg. »

Cela lui plut. Il avait le même nom que son père. «Alors, s'il y a un autre Jack, je peux dire aux gens que je suis Jack Jackson.

— Tu peux. Les gens ne te donnent pas toujours le nom que tu veux, mais tu peux essayer. »

Jack hocha la tête. Il se sentait mieux. Il n'avait plus honte maintenant. Il savait à quoi servait un père et il connaissait le nom du sien. Jack Shareburg.

Ils arrivèrent à l'enceinte supérieure. Il n'y avait pas de sentinelle. La mère de Jack s'arrêta, fronçant les sourcils. «J'ai l'impression qu'il se passe quelque chose de bizarre», dit-elle. Sa voix était calme et unie, mais on y percevait une note de crainte qui fit frissonner Jack, et il eut la prémonition d'un désastre.

Sa mère entra dans le petit poste de garde à la base du bâtiment. Jack l'entendit pousser un cri étouffé. Il entra derrière elle. Elle était figée dans une attitude de stupeur, la main sur sa bouche, et son regard fixait le sol.

Allongée sur le dos, les bras inertes de chaque côté du corps, la sentinelle gisait la gorge ouverte au milieu d'une flaque de sang frais. À n'en pas douter, l'homme était mort.

11.

William Hamleigh et son père étaient partis au milieu de la nuit, avec près d'une centaine de chevaliers et d'hommes d'armes à cheval, Mère en arrière-garde. À la lueur des torches, ces guerriers au visage emmitouflé pour se protéger de l'air froid de la nuit avaient de quoi terrifier les habitants des villages qu'ils traversaient avec fracas pour se rendre à Earlscastle. Parvenus au carrefour de la grand-route alors qu'il faisait encore nuit noire, ils avaient mis pied à terre et avaient continué en tenant leurs chevaux par la bride, pour les reposer et faire moins de bruit. Comme l'aube commençait à se lever, ils se cachèrent dans les bois de l'autre côté des champs qui les séparaient du château fort du comte Bartholomew.

William n'avait pas compté le nombre d'hommes en état de se battre au château – une omission que Mère lui avait sévèrement reprochée. Il estimait toutefois avoir vu une quarantaine d'hommes ; aussi, s'il n'y avait pas eu de grands changements dans les quelques heures qui s'étaient écoulées, les Hamleigh auraient l'avantage d'être à deux contre un.

Ce n'était pas assez, bien sûr, pour assiéger le château. Ils avaient toutefois conçu un plan pour le prendre sans siège. Le problème était que l'armée qui attaquait serait repérée par les guetteurs et que les entrées du château seraient fermées bien avant son arrivée. La solution était de trouver un moyen de maintenir les accès ouverts le temps qu'il fallait à l'armée pour pénétrer dans la place.

Bien entendu, Mère avait résolu le problème.

« Il nous faut une diversion, avait-elle dit. Par exemple un incendie.

— Il faudrait agir en douce, dit William.

— Évidemment, fit Mère avec impatience. Tu n'auras qu'à profiter de l'heure où les gens seront tous à la messe.

— Moi ? » s'exclama William.

On l'avait mis à la tête du groupe d'éclaireurs.

Le ciel matinal s'éclaircissait avec une pénible lenteur. William était nerveux. Pendant la nuit, avec Mère et Père, il avait perfectionné leur plan, mais il restait encore beaucoup de choses qui pouvaient mal tourner : les éclaireurs, pour une raison quelconque, pourraient ne pas pénétrer dans le château, ou bien peut-être les considérerait-on avec méfiance, ce qui les empêcherait d'agir discrètement. Même si le plan réussissait, il y aurait une bataille, le premier vrai combat de William. Des hommes seraient blessés et tués, et peut-être William parmi ceux-là. Il en avait le ventre noué de peur. S'il était vaincu, Aliena le saurait. D'un autre côté, elle serait là aussi pour assister à son triomphe. Il s'imagina entrant en trombe dans sa chambre, une épée ensanglantée à la main. Elle regretterait alors d'avoir ri de lui.

Du château parvint le son de la cloche appelant à la messe du matin.

William fit un signe de tête et deux éclaireurs se détachèrent du groupe pour s'avancer à travers champs en direction du château. C'étaient Raymond et Ranulf, deux solides gaillards, de quelques années plus âgés que William. William les avait choisis lui-même, son père lui ayant donné pleine autorité. Père, pour sa part, dirigerait l'assaut du gros de la troupe.

William suivit des yeux Raymond et Ranulf qui traversaient d'un pas vif les champs gelés. Ils n'étaient pas encore arrivés au château que William se tourna vers Walter, puis il talonna son cheval et tous deux s'élancèrent au trot. Les sentinelles sur les remparts verraient deux hommes à pied et deux à cheval se dirigeant séparément vers le château : voilà qui semblerait parfaitement innocent.

William avait bien calculé son affaire. Walter et lui dépassèrent Raymond et Ranulf à une centaine de mètres du château. Arrivés au pont, ils mirent pied à terre. William avait le cœur battant. S'il ratait cette partie de l'opération, c'est toute l'attaque qui serait compromise.

Deux sentinelles montaient la garde à la porte. William songea avec horreur qu'on allait lui tendre une embuscade et qu'une douzaine d'hommes d'armes allaient surgir et le tailler en pièces. Les sentinelles semblaient en alerte, mais pas anxieuses. Les hommes ne portaient pas d'armure. William et Walter avaient une cotte de mailles sous leur manteau.

Malade d'appréhension, William n'arrivait pas à avaler sa salive tant il avait la gorge serrée. Une des sentinelles le reconnut : «Bonjour, seigneur William, dit-il d'un ton jovial. On est revenu faire sa cour?

— Oh! Mon Dieu», fit William d'une voix blanche, puis il plongea une dague dans le ventre de la sentinelle, remontant la lame sous la cage thoracique jusqu'au cœur.

L'homme tressaillit, s'effondra et ouvrit la bouche comme pour crier. Affolé, ne sachant que faire, William plongea sa dague dans la bouche ouverte de l'homme, lui enfonçant la lame dans la gorge pour le faire taire. Au lieu d'un cri, ce fut un flot de sang qui jaillit et les yeux de l'homme se fermèrent. William libéra sa dague tandis que l'homme s'effondrait.

William reprit son cheval par la bride, puis se tourna vers Walter qui s'était chargé de l'autre sentinelle en lui tranchant la gorge. Il faut que je m'en souvienne, songea William, la prochaine fois que je devrai faire taire un homme. Puis il se répéta : Je l'ai fait! J'ai tué un homme!

Il n'avait plus peur.

Il tendit ses rênes à Walter et grimpa quatre à quatre les marches de l'escalier en spirale qui menait à la tour du corps de garde. À l'étage supérieur se trouvait la chambre du treuil d'où l'on remontait le pont-levis. Avec son épée, William s'attaqua à l'épais cordage. Deux coups suffirent à le trancher. William lâcha le bout libre par la fenêtre. Il tomba sur la berge et glissa doucement dans la douve, sans éclaboussures. On ne pouvait désormais plus relever le pont-levis quand Père attaquerait avec ses hommes. C'était une des idées qui leur étaient venues la nuit dernière.

Raymond et Ranulf arrivèrent juste au moment où William atteignait le bas de l'escalier. Leur première tâche fut de briser les énormes portes de chêne renforcées par des plaques de fer qui condamnaient l'accès du pont. Ils prirent chacun un maillet et un ciseau et commencèrent à entailler le mortier entourant les puissants gonds. Le choc du maillet sur le ciseau faisait un bruit sourd que William trouvait très fort.

William traîna rapidement les corps des deux sentinelles dans le poste de garde. Comme tout le monde était à la messe, il y avait de fortes chances pour qu'on ne les découvre pas trop tôt.

Il reprit les rênes de son cheval à Walter et tous deux passèrent sous l'arche avant de traverser l'enceinte pour se diriger vers l'écurie. William s'imposait un pas normal et sans hâte, tout en jetant de subreptices coups d'œil aux sentinelles postées sur les tours de guet. L'une d'elles avait-elle vu la corde du pont-levis tomber dans la douve? Certains des soldats regardaient William et Walter mais ils ne semblaient pas émus, et le martèlement, qui s'atténuait déjà aux oreilles de William, devait être inaudible du haut des tours. Le jeune homme soupira : le plan fonctionnait.

Une fois à l'intérieur des écuries, ils enroulèrent les rênes de leurs chevaux autour d'une barre sans les nouer pour que les bêtes puissent s'échapper. Walter prit alors une pierre à feu et fit jaillir une étincelle, mettant le feu à la paille qui tapissait le sol. Bien qu'humide et souillée par endroits, elle commença à se consumer. Walter alluma trois autres foyers et William l'imita. Les chevaux flairèrent la fumée et commencèrent à s'agiter dans les stalles. L'incendie progressait. Le plan d'attaque aussi.

Walter et William sortirent de l'écurie. Devant le corps de garde, cachés sous l'arche, Raymond et Ranulf s'acharnaient toujours sur le mortier autour des gonds. William et Walter se dirigèrent vers la cuisine, pour donner l'impression qu'ils allaient chercher quelque chose à manger, ce qui serait naturel. Il n'y avait personne dans l'enceinte : tout le monde était à la messe. Jetant un bref coup d'œil aux créneaux, William observa que les sentinelles ne regardaient pas vers le château, mais vers les champs comme évidemment c'était leur consigne. William s'attendait néanmoins à voir à tout moment quelqu'un sortir d'un des bâtiments et les interpeller; il leur faudrait alors tuer l'importun sur place, à découvert, et si quelqu'un les surprenait, la partie était perdue.

Ils contournèrent la cuisine et se dirigèrent vers le pont. En passant devant la chapelle, ils entendirent les rumeurs assourdies du service. Le comte Bartholomew était là, ne se doutant de rien, se dit William avec un frisson; il ne sait pas le moins du monde qu'il y a une armée à moins d'une demi-lieue d'ici, que quatre ennemis sont déjà à l'intérieur de sa place forte et que ses écuries sont en feu. Aliena était dans la chapelle, elle aussi, agenouillée, en prière : bientôt, songea William, elle s'agenouillera devant moi. Il sentit le sang lui monter à la tête.

Ils parvinrent à la passerelle et s'y engagèrent. Ils s'étaient assurés que le premier pont demeurerait baissé en coupant les cordes permettant de le relever et en démolissant la porte pour permettre à leur armée de pénétrer. Mais le comte pouvait encore s'enfuir par la passerelle et se réfugier en haut. La tâche suivante de William était d'empêcher cela en relevant le pont-levis pour rendre ce second passage impossible à franchir. Le comte serait isolé et vulnérable.

Ils arrivèrent au second corps de garde et une sentinelle sortit du poste. « Vous êtes bien matinaux, dit l'homme.

— Nous sommes convoqués chez le comte », dit William. Il s'approcha de la sentinelle, mais l'homme recula d'un pas. William ne voulait pas qu'il recule trop loin, car s'il n'était plus sous l'arche, toutes les sentinelles postées sur les remparts pourraient le voir.

« Le comte est à la chapelle, annonça le soldat.

— Eh bien, nous attendrons. » Il fallait tuer ce garde vite et discrètement, mais William ne savait pas comment s'en approcher suffisamment. Il jeta un coup d'œil interrogateur à Walter, mais celui-ci attendait patiemment.

« Il y a du feu dans le donjon, dit le garde. Entrez vous réchauffer. » William hésita et le garde commença à prendre un air méfiant. « Qu'est-ce que vous attendez ? » dit-il avec un soupçon d'irritation.

William cherchait désespérément une explication. « Est-ce que nous pouvons avoir quelque chose à manger ? dit-il enfin.

— Pas avant la fin de la messe, répondit la sentinelle. Alors on servira le déjeuner dans le donjon. »

William s'aperçut que Walter s'était glissé imperceptiblement sur le côté. Que le garde se tourne seulement un peu et Walter pourrait passer derrière lui. William fit quelques pas nonchalants dans la direction opposée, dépassant la sentinelle, et lança : « Je ne suis guère impressionné par l'hospitalité de votre comte. » La sentinelle se tournait vers lui. William ajouta : « Nous venons de loin... »

Là-dessus, Walter attaqua.

Il avança derrière la sentinelle et passa les bras par-dessus les épaules de l'homme. De la main gauche, il renversa sa tête en arrière et, du couteau qu'il tenait dans sa main droite, il lui trancha la gorge. William poussa un soupir de soulagement. Le tout n'avait duré qu'un instant.

À eux deux, William et Walter avaient tué trois hommes en quelques instants. William éprouva un grisant sentiment de puissance. Personne ne rira plus de moi ! songea-t-il.

Walter traîna le corps dans le poste de garde. Il était conçu exactement comme le premier, avec un escalier en colimaçon menant à la salle du treuil. William s'y engagea, suivi de Walter.

William n'avait pas fait de reconnaissance dans la salle quand il était venu au château la veille. De toute manière, il aurait été difficile de concevoir un prétexte plausible. Il supposait qu'il existait un treuil, ou du moins une roue avec une poignée pour actionner le pont-levis ; mais, il le constatait maintenant, le système de levage se réduisait à une corde et un cabestan. La seule façon de remonter le pont-levis, c'était de tirer sur la corde. William et Walter s'en emparèrent et halèrent ensemble, mais le pont ne grinça même pas. Il aurait fallu dix hommes.

William demeura un instant perplexe. L'autre pont-levis, celui qui donnait accès à l'entrée du château fort, avait une grande roue. Celui-là, Walter et lui auraient pu le lever. Puis il comprit que le pont-levis extérieur devait être remonté chaque nuit alors que celui-ci n'était relevé qu'en cas de danger. De toute façon, il était inutile de s'attarder là-dessus. La question était de savoir ce qu'il fallait faire maintenant. S'il ne parvenait pas à remonter le pont-levis, il pouvait au moins fermer les portes, ce qui assurément retarderait le comte.

Il redescendit précipitamment l'escalier, Walter sur ses talons. En bas, il eut un choc. Tout le monde, apparemment, n'était pas à la messe. Une femme et un enfant sortaient du poste de garde.

William hésita. Il reconnut aussitôt la femme. C'était la compagne du bâtisseur, celle qu'il avait essayé d'acheter la veille pour une livre. Elle le vit aussi et ses yeux couleur de miel au regard pénétrant le fixèrent aussitôt. William n'envisagea même pas de prétendre n'être qu'un innocent visiteur attendant le comte : il savait qu'elle ne se laisserait pas tromper. Il fallait l'empêcher de donner l'alarme. Et la seule façon, c'était de la tuer, vite et en silence, comme pour les sentinelles.

Le regard de la femme à qui rien n'échappait lut sur le visage de William ses intentions. Elle saisit la main de son enfant et tourna les talons. William se jeta sur elle, mais elle était trop vive pour lui. Elle s'enfuit en direction du donjon, poursuivie par William et Walter.

Elle était très légère et eux portaient une cotte de mailles et un pesant équipement. Elle parvint à l'escalier qui menait à la grande salle. Elle se mit à monter les marches en hurlant. William leva les yeux vers les remparts alentour. Son cri avait alerté au moins deux sentinelles. Tout était perdu. William s'arrêta dans sa course au pied des marches, le souffle rauque. Walter l'imita. Deux sentinelles, puis trois, puis quatre descendaient des remparts sur l'esplanade. La femme disparut dans le donjon, tenant toujours par la main le jeune garçon. Mais cela n'avait plus d'importance : maintenant que les sentinelles étaient alertées, c'était inutile de la tuer.

Walter et William dégainèrent leur épée et se plantèrent côte à côte, prêts à se battre.

Le prêtre élevait l'hostie au-dessus de l'autel lorsque Tom se rendit compte qu'il se passait quelque chose du côté des chevaux.

Il entendait plus de hennissements et de piétinements qu'il n'était normal. Un instant après, une voix interrompit les litanies du prêtre : «Je sens de la fumée!»

Tom la sentit aussi, et tout le monde avec lui. Plus grand que les autres, Tom, en se haussant sur la pointe des pieds, alla regarder par les fenêtres de la chapelle : les écuries étaient en flammes. «Au feu!» cria-t-il et, avant qu'il ait pu en dire plus, sa voix fut noyée par les hurlements des autres. Il y eut une bousculade vers la porte. On oublia le service. Tom arrêta Martha, de crainte qu'elle ne fût blessée dans la panique, et dit à Alfred de rester avec eux. Il se demanda où étaient Ellen et Jack. Un instant plus tard, il n'y avait plus personne dans la chapelle qu'eux trois et un prêtre fort mécontent.

Tom fit sortir les enfants. Des gens détachaient les chevaux, tandis que d'autres tiraient de l'eau du puits pour la lancer sur les flammes. Tom ne voyait toujours pas Ellen. Les chevaux détachés fonçaient sur l'esplanade, terrifiés par le feu et les cris des gens. Le martèlement des sabots était impressionnant. Tom tendit l'oreille un moment et fronça les sourcils : on aurait dit plutôt cent chevaux que vingt ou trente. Il fut frappé soudain d'une effrayante appréhension. «Ne bouge pas d'ici, Martha, dit-il. Alfred, veille sur elle.» Il escalada le remblai jusqu'en haut des remparts. La pente raide le contraignit à ralentir avant de parvenir au sommet. Arrivé là, hors d'haleine, il regarda. Son appréhension était justifiée. Il sentit la peur lui glacer le cœur. Une armée de cavaliers, forte de quatre-vingts ou cent hommes, chargeait à travers champs en direction du château. Tom voyait l'éclat métallique de leurs cottes de mailles et de leurs épées dégainées. Les chevaux galopaient ventre à terre. On n'entendait pas de cris ni de clameurs, rien que le tonnerre assourdissant de centaines de sabots frappant le sol.

Le regard de Tom revint à l'enceinte du château. Pourquoi personne d'autre n'entendait-il le fracas de cette armée ? Parce que le bruit des sabots était étouffé par les remparts et qu'il venait se mêler à la bruyante panique des gens sur l'esplanade. Pourquoi les sentinelles n'avaient-elles rien vu ? Parce qu'elles avaient toutes abandonné leurs postes pour lutter contre le feu. Cette attaque avait été conçue par un esprit habile. C'était à Tom maintenant de donner l'alarme.

Où était Ellen ?

Comme les attaquants approchaient, son regard balaya le terre-plein, en partie obscurci par l'épaisse fumée blanche qui jaillissait des écuries en feu. Pas trace d'Ellen.

Il repéra le comte Bartholomew auprès du puits, qui s'efforçait d'organiser une chaîne pour arroser les flammes. Tom dévala le remblai et se précipita vers lui, le saisit sans ménagements par l'épaule et lui hurla à l'oreille : « C'est une attaque !

— Quoi ?

— Nous sommes attaqués ! »

Le comte ne pensait qu'au feu. « Attaqués ? Par qui ?

— Écoutez ! cria Tom. Une centaine de chevaux. »

Le comte pencha la tête de côté. « Par la Croix... tu as raison ! Tu les as vus ?

— Oui.

— Qui... Peu importe qui ! Une centaine de chevaux ?

— Oui...

— Peter ! Ralph ! » Le comte se détourna de Tom pour appeler ses lieutenants. « C'est un assaut... Cet incendie n'est qu'une diversion... On nous attaque ! » Comme le comte, ils commencèrent par ne pas comprendre, puis ils tendirent l'oreille et enfin semblèrent prendre peur. Le comte cria : « Dites aux hommes d'aller chercher leurs épées... Vite, vite ! » il se retourna vers Tom. « Viens avec moi, maçon... Tu es fort, nous pouvons fermer les portes. » Il se précipita, Tom sur ses talons. S'ils parvenaient à fermer les portes et à remonter le pont-levis à temps, ils pourraient tenir en échec une centaine d'hommes. Ils arrivèrent au poste de garde. Par la porte voûtée, on apercevait l'armée, maintenant à moins d'un tiers de lieue, qui se déployait, observa Tom. « Regarde les portes », hurla le comte.

Tom regarda. Les deux énormes vantaux bardés de fer gisaient sur le sol. Il s'aperçut qu'on avait fait sauter leurs gonds du mur. Des éclaireurs ennemis étaient venus ici plus tôt, pensa-t-il. La crainte lui noua l'estomac. Il inspecta l'esplanade, cherchant toujours Ellen, introuvable. Qu'était-elle devenue ? N'importe quoi maintenant pouvait arriver. Il avait besoin d'être avec elle et de la protéger.

« Le pont-levis ! » cria le comte.

Il grimpa en courant l'escalier en spirale qui menait à la chambre du treuil et Tom le suivit. S'ils parvenaient à remonter le pont-levis, une poignée d'hommes pourraient tenir le poste de garde. Mais quand il arriva dans la salle du treuil, on avait coupé la corde. Impossible de remonter le pont-levis.

Le comte Bartholomew jura. « Celui qui a organisé cela est habile comme Lucifer », dit-il.

L'idée vint soudain à Tom que celui, quel qu'il fût, qui avait démoli les portes, coupé la corde du pont-levis et allumé l'incendie devait se trouver encore quelque part à l'intérieur du château.

Le comte jeta un coup d'œil par une meurtrière. « Dieu tout-puissant, ils arrivent presque. » Il descendit l'escalier, suivi de Tom.

À la porte d'entrée, plusieurs chevaliers bouclaient hâtivement leurs ceinturons et coiffaient leurs casques. Le comte Bartholomew commença à donner des ordres. « Ralph et John, emmenez quelques chevaux détachés sur le pont pour qu'ils barrent le passage à l'ennemi. Richard... Peter... Robin... prenez-en d'autres et tenez bon ici. » Le portail était étroit et quelques hommes pourraient repousser les attaquants, du moins pour un petit moment. « Toi, le maçon, conduis les serviteurs et les enfants par la passerelle jusqu'à la cour d'honneur. »

Tom était ravi d'avoir une excuse pour chercher Ellen. Il courut d'abord à la chapelle. Alfred et Martha étaient là où il les avait laissés quelques moments plus tôt. « Allez au donjon, leur cria-t-il. Tous les autres enfants, toutes les femmes que vous rencontrerez, dites-leur de vous suivre... Ordre du comte. Filez! » Ils détalèrent aussitôt.

Tom regarda alentour. Il était bien décidé à ne pas se laisser prendre dans l'enceinte inférieure. Mais il avait quelques instants pour pouvoir exécuter l'ordre du comte. Il courut jusqu'à l'écurie où des gens lançaient toujours des seaux d'eau sur les flammes. « Ne vous occupez plus du feu, on attaque le château, cria-t-il. Emmenez vos enfants au donjon. »

La fumée lui piquait les yeux et les larmes brouillaient sa vue. Il se frotta les paupières et courut vers un petit groupe en contemplation devant l'incendie des écuries. Il répéta son message ainsi qu'à quelques garçons d'écurie qui avaient rassemblé les chevaux. Il ne vit nulle part trace d'Ellen.

La fumée le faisait tousser. Suffoquant, il revint en courant jusqu'au deuxième pont, s'arrêta là, hors d'haleine, et regarda derrière lui. Des gens traversaient en foule la passerelle. Il était presque certain qu'Ellen et Jack avaient déjà dû gagner le donjon, mais il craignait de les avoir manqués. Il aperçut un petit noyau de chevaliers engagés dans un farouche corps-à-corps avec l'ennemi à la porte du bas. À part cela, on ne voyait rien que la fumée. Soudain le comte Bartholomew apparut auprès de lui, du sang sur son épée, le visage ruisselant de larmes à cause de la fumée. « Sauve-toi! » cria le comte à Tom. À cet instant, les attaquants s'engouffrèrent par l'arche du poste d'en bas, culbutant les chevaliers qui le défendaient. Tom tourna les talons et s'enfuit sur le pont.

Quinze ou vingt hommes du comte se tenaient au second poste de garde, prêts à défendre l'enceinte supérieure. Ils s'écartèrent pour laisser passer Tom et le comte. Au moment où leurs rangs se refermaient, Tom entendit le martèlement des sabots sur le pont de bois derrière lui. Les défenseurs n'avaient aucune chance. Tom comprit que c'était une attaque habilement préparée et parfaitement exécutée. Mais il s'inquiétait surtout du sort d'Ellen et des enfants. Une centaine d'hommes armés assoiffés de sang allaient fondre sur eux. Il traversa en courant l'esplanade supérieure jusqu'au donjon.

À mi-chemin de l'escalier qui menait à la grande salle, il jeta un coup d'œil en arrière. Les défenseurs du second poste de garde furent débordés presque aussitôt par l'attaque des cavaliers. Le comte Bartholomew était sur les marches derrière Tom. Ils eurent tout juste le temps de s'engouffrer dans le donjon et de lever l'escalier inférieur. Tom bondit dans la salle – et il découvrit que les attaquants avaient été encore plus habiles qu'il ne pensait.

L'avant-garde ennemie, qui avait démonté les portes, coupé la corde du pont-levis et mis le feu aux écuries n'avait plus qu'une tâche à remplir : se porter vers le donjon et dresser une embuscade à tous ceux qui s'y étaient réfugiés.

Ils étaient là maintenant dans la grande salle, quatre hommes ricanant vêtus de cottes de mailles. Tout autour d'eux, gisaient les corps ensanglantés des chevaliers du comte, morts et blessés, massacrés au moment où ils entraient. Le chef de cette avant-garde, constata Tom avec un choc, était William Hamleigh.

Tom le dévisagea, abasourdi. Il crut qu'il allait le tuer, mais avant même qu'il n'ait eu le temps d'avoir peur, un des hommes de main de William saisit Tom par le bras, le tira à l'intérieur et l'écarta du chemin.

Ainsi donc, c'étaient les Hamleigh qui attaquaient le château du comte Bartholomew. Mais pourquoi ?

Les serviteurs et les enfants s'étaient regroupés, terrifiés, tout au fond de la salle. On ne tuait donc que les hommes armés. Tom scruta les visages massés là-bas et, à son immense soulagement, il aperçut Alfred, Martha, Ellen et Jack, tous en groupe, affolés mais bien vivants et apparemment indemnes.

Il n'eut même pas le temps d'aller jusqu'à eux qu'un combat s'engagea sur le seuil. Le comte Bartholomew et deux chevaliers tombèrent dans l'embuscade tendue par les hommes de Hamleigh. Un des soldats du comte fut aussitôt abattu, l'autre protégea son seigneur de son épée levée. Quelques chevaliers de Bartholomew arrivèrent derrière le comte et soudain ce fut une terrible bataille au corps-à-corps, à coups de poing et à coups de couteau, car on n'avait pas la place de dégainer une longue épée. Un moment, il sembla que les hommes du comte allaient l'emporter sur ceux de William, puis certains se retournèrent et commencèrent à se défendre sur leurs arrières. De toute évidence, les attaquants avaient pénétré dans l'enceinte supérieure, ils gravissaient les marches et attaquaient le donjon.

Une voix puissante lança : « Arrêtez ! »

Dans chaque camp les hommes se mirent sur la défensive et le combat s'arrêta.

La même voix cria : « Bartholomew de Shiring, veux-tu te rendre ? »

Le comte se retourna vers la porte. Ses chevaliers s'écartèrent.

« Hamleigh », murmura Bartholomew d'une voix incrédule. Puis, haussant le ton, il dit : « Laisseras-tu indemnes ma famille et mes serviteurs ?

— Oui.

— Veux-tu le jurer ?

— Je le jure par la Croix, si tu te rends.

— Je me rends », déclara le comte Bartholomew.

De grandes acclamations jaillirent dehors.

Tom se détourna. Martha traversa la salle en courant pour venir vers lui. Il la prit dans ses bras, puis il étreignit Ellen.

« Nous sommes sains et saufs, dit Ellen, les larmes aux yeux. Nous tous... Nous sommes tous saufs...

— Saufs, dit Tom avec amertume, mais une fois de plus sans ressources. »

William cessa ses vivats. Il ne convenait pas au fils de lord Percy de pousser des cris et des vivats comme les hommes d'armes. Il arbora donc une expression de seigneuriale satisfaction.

Ils étaient victorieux. Malgré ses difficultés, il avait mis à exécution le plan, et l'attaque avait réussi essentiellement à cause de son travail de reconnaissance. Il avait perdu le compte des hommes qu'il avait tués et mutilés, mais lui-même était indemne. Une pensée le frappa : il y avait beaucoup de sang sur son visage pour quelqu'un qui n'était pas blessé. Ce devait être son propre sang. Il porta la main à son visage, puis à son crâne. Il avait perdu une touffe de cheveux et, lorsqu'il se palpa le cuir chevelu, il eut une sensation de brûlure. Maintenant qu'il avait découvert sa blessure, elle commençait à lui faire mal. Mais peu importait. Une blessure était un insigne de courage.

Son père vint se planter sur le seuil devant le comte Bartholomew. Bartholomew lui tendit son épée, le pommeau en avant dans un geste de reddition. Percy s'en empara et ses hommes poussèrent de nouvelles acclamations.

Comme le bruit s'apaisait, William entendit Bartholomew dire : « Pourquoi avez-vous fait cela ?

— Vous avez conspiré contre le roi », répondit Père.

Bartholomew était stupéfait que Hamleigh fût au courant. William retint son souffle, se demandant si Bartholomew, dans le désespoir de la défaite, allait avouer devant tous ses gens qu'il avait comploté. Mais il retrouva son calme, se redressa et dit : « Je défendrai mon honneur devant le roi, pas ici. »

Le père de William acquiesça. «Comme vous voulez. Dites à vos hommes de déposer leurs armes et de quitter le château.»

Le comte murmura un ordre à ses chevaliers. Un par un, ils approchèrent de Père et jetèrent leurs épées sur le sol devant lui. William savourait ce spectacle. Regardez-les tous, humiliés devant mon père, songeait-il avec fierté. Père parlait à l'un de ses chevaliers. «Rassemblez les chevaux échappés et ramenez-les à l'écurie. Prenez quelques hommes pour désarmer les morts et les blessés.» Naturellement, les armes et les chevaux des vaincus appartenaient aux vainqueurs : les chevaliers de Bartholomew se disperseraient, désarmés et à pied. Les hommes des Hamleigh videraient également les magasins du château. Les chevaux confisqués seraient chargés de butin et ramenés à Hamleigh, le village d'où la famille tenait son nom. Père fit signe à un autre chevalier : «Retrouvez le personnel des cuisines et qu'on prépare le dîner. Renvoyez le reste des serviteurs.» Les hommes avaient faim après la bataille. On allait manger et boire ici les meilleures victuailles et les vins les plus fins du comte Bartholomew avant de regagner ses foyers.

Quelques instants plus tard, les chevaliers groupés autour de Père et de Bartholomew s'écartèrent pour ouvrir un passage et Mère fit une entrée spectaculaire.

Elle semblait très petite au milieu de ces solides guerriers, mais lorsqu'elle déroula l'écharpe qui lui masquait le visage, ceux qui ne l'avaient jamais vue reculèrent, choqués, comme l'étaient toujours les gens par la marque qui la défigurait. Elle regarda Père : «C'est un grand triomphe», dit-elle d'un ton satisfait.

William aurait voulu lui dire : *C'est grâce au bon travail de notre avant-garde, n'est-ce pas, Mère?*

Il se mordit la langue, et son père parla à sa place. «C'est William qui nous a fait entrer.»

Mère se tourna vers lui et il attendit avidement ses félicitations. «Vraiment? dit-elle.

— Oui, répondit Père. Ce garçon a fait du bon travail.»

Mère hocha la tête. «Peut-être», dit-elle.

William se sentit le cœur réchauffé par cet éloge et il eut un sourire un peu niais.

Elle regarda le comte Bartholomew. «Le comte devrait s'incliner devant moi, déclara-t-elle.

— Non, dit le comte.

— Qu'on aille chercher la fille », ordonna Mère.

William se retourna. Pendant un moment, il avait oublié Aliena. Il la repéra tout de suite, debout auprès de Matthew, l'intendant aux airs efféminés. William se dirigea vers elle, lui prit le bras et l'amena jusqu'à sa mère. Matthew les suivit.

« Qu'on lui coupe les oreilles », déclara Mère.

Aliena poussa un hurlement.

William sentit une étrange excitation dans ses reins.

Bartholomew était devenu blême. « Vous avez promis de ne pas lui faire de mal si je me rendais, dit-il. Vous l'avez juré.

— Et notre protection, dit Mère, sera à la mesure de votre reddition. »

Voilà un propos habile, songea William.

Bartholomew gardait un air de défi.

William se demanda qui on allait choisir pour couper les oreilles d'Aliena. Peut-être Mère le chargerait-il de cette tâche. L'idée l'excitait particulièrement.

« Agenouillez-vous », dit Mère à Bartholomew.

Lentement, Bartholomew mit un genou en terre et courba la tête.

William était un peu déçu.

Mère éleva la voix. « Regardez cela ! cria-t-elle à l'assemblée. N'oubliez jamais le sort d'un homme qui insulte les Hamleigh ! » Elle promena autour d'elle un regard de défi et William sentit son cœur se gonfler d'orgueil. L'honneur de la famille était retrouvé.

Mère se détourna et Père reprit la parole. « Conduisez-le à sa chambre, dit-il. Gardez-le bien. »

Bartholomew se releva.

« Emmène la fille aussi », dit Père à William.

William prit d'une main ferme le bras d'Aliena. Il aimait la toucher. Il allait la conduire jusqu'à sa chambre. Et qui savait ce qui pourrait arriver là-haut. S'il restait seul avec elle, il pourrait faire d'elle ce qu'il voulait. Il pourrait déchirer ses vêtements et regarder sa nudité. Il pourrait...

Le comte dit : « Que Matthew l'intendant vienne avec nous, pour s'occuper de ma fille. »

Père jeta un coup d'œil à Matthew. « Avec lui, dit-il en souriant, elle ne risquera rien. Entendu. »

William dévisagea Aliena. Il la trouva pâle, mais plus belle encore quand elle avait peur. C'était si excitant de la voir ainsi

vulnérable. Il aurait voulu écraser sous le sien ce corps généreux et voir la peur sur son visage tandis qu'il la forçait à écarter
les cuisses. Dans un brusque élan, il approcha son visage tout
près de celui de la jeune fille et dit à voix basse : «Je veux toujours vous épouser. »

Elle s'écarta. «M'épouser? dit-elle d'une voix forte et vibrante
de mépris. Je préférerais mourir plutôt que de vous épouser,
méprisable crapaud gonflé de vanité ! »

Les chevaliers échangèrent de grands sourires et quelques
serviteurs ricanèrent. William sentit son visage s'empourprer.

Mère fit brusquement un pas en avant et gifla Aliena.
Bartholomew s'avança pour la défendre, mais les chevaliers le
retinrent.

«Taisez-vous, dit Mère à Aliena. Vous n'êtes plus une noble
demoiselle. Vous êtes la fille d'un traître et bientôt vous serez
pauvre et affamée. Vous n'êtes plus assez bonne pour mon fils
maintenant. Éloignez-vous de ma vue et que je n'entende pas
un mot. »

Aliena tourna les talons. William lui lâcha le bras et elle suivit
son père. En la regardant partir, William comprit que le goût
suave de la vengeance avait pris dans sa bouche une saveur amère.

Une véritable héroïne, tout comme une princesse de poème,
songea Jack, pétrifié d'admiration en la voyant gravir l'escalier,
la tête haute. Toute la salle resta silencieuse jusqu'à ce qu'elle
eût disparu. Jack fixait l'endroit où elle n'était plus. Un des chevaliers s'approcha et dit : « Qui est le cuisinier? »

Le cuisinier était trop prudent pour se porter volontaire,
mais quelqu'un d'autre le désigna.

«Tu vas aller préparer le dîner, s'entendit-il ordonner.
Prends tes aides et va à la cuisine.» L'homme choisit dans la
foule une demi-douzaine de gens. Le chevalier haussa le ton.
«Vous autres, déguerpissez. Quittez le château. Faites vite et n'essayez pas d'emporter plus que vos propres biens, si vous tenez à
la vie. Nous avons déjà tous du sang sur nos épées. Allez! »

Les malheureux se bousculèrent pour sortir. La mère de Jack
lui prit la main et Tom saisit celle de Martha. Alfred les suivait.
Ils portaient tous leur manteau et ils n'avaient d'autre bien que
leurs vêtements et leurs couteaux. Ils descendirent les marches,
traversèrent le pont, l'enceinte inférieure, le poste de garde,
fuyant le château sans s'arrêter. Lorsqu'ils débouchèrent dans

le champ de l'autre côté de la douve, la tension cessa comme une corde d'arc qu'on coupe et ils se mirent à parler de leurs épreuves avec beaucoup d'agitation. Jack les écoutait vaguement. Chacun évoquait ses actes de bravoure. Lui n'avait pas été brave : il s'était tout simplement enfui.

Aliena était la seule à avoir fait montre de bravoure. Quand elle était arrivée au donjon et qu'elle avait découvert qu'au lieu d'un abri c'était un piège, elle s'était occupée des serviteurs et des enfants, en leur disant de s'asseoir, de se taire et de ne pas se mettre sur le chemin des combattants, interpellant les hommes des Hamleigh lorsqu'ils brutalisaient leurs prisonniers ou brandissaient leurs épées sous le nez des gens désarmés, comme si elle était absolument invulnérable.

La mère de Jack lui ébouriffa les cheveux. «À quoi penses-tu?
— Je me demandais ce qui allait arriver à la princesse.»
Elle savait ce qu'il voulait dire. «À dame Aliena?
— Elle est comme une princesse de poème, qui vit dans un château. Mais les chevaliers ne sont pas aussi vertueux que dans les poèmes.
— C'est vrai, dit sa mère d'un ton sombre.
— Que va-t-il advenir d'elle?»
Elle secoua la tête. «Je ne sais vraiment pas.
— Sa mère est morte.
— Alors, elle va connaître des temps difficiles.
— C'est ce que je pensais.» Jack resta silencieux. «Elle riait de moi parce que je ne savais pas ce que c'était qu'un père. Mais elle m'a bien plu tout de même.»

Sa mère lui passa un bras autour des épaules. «Je regrette de ne pas t'avoir expliqué plus tôt le rôle d'un père.»

Il lui toucha la main, ils continuèrent en silence. De temps en temps, des gens quittaient la route et s'enfonçaient à travers champs pour gagner la maison de parents ou d'amis où ils pourraient quémander un déjeuner et réfléchir à ce qu'ils allaient faire ensuite. La plupart restèrent groupés jusqu'au carrefour, et là ils se divisèrent, les uns allant vers le nord ou le sud, les autres continuant tout droit vers le bourg de Shiring. Sa mère se dégagea de Jack et posa une main sur le bras de Tom pour l'obliger à s'arrêter. «Où va-t-on aller?» demanda-t-elle.

Il parut un peu surpris qu'elle lui posât la question, comme s'il s'attendait à la voir le suivre partout où il la menait sans rien demander. Jack avait remarqué que sa mère suscitait souvent cet air surpris chez Tom. Peut-être la première femme de celui-ci était-elle une différente personne.

« Nous allons au prieuré de Kingsbridge, annonça Tom.

— Kingsbridge ? » Jack se demanda pourquoi sa mère semblait si bouleversée.

Tom ne remarqua rien. « J'ai entendu dire hier soir qu'il y a un nouveau prieur, reprit-il. En général un homme nouveau veut faire des réparations ou des modifications à l'église.

— Le vieux prieur est mort ?

— Oui. »

Elle parut apaisée par cette nouvelle. Elle connaissait peut-être l'ancien prieur, se dit Jack, et ne l'aimait pas.

Tom avait perçu le trouble dans sa voix. « Tu crains quelque chose à Kingsbridge ? lui demanda-t-il.

— J'y suis déjà allée. C'est à plus d'une journée de marche. »

Ce n'était pas la longueur du trajet qui tracassait Ellen, mais Tom l'ignorait. « Un peu plus, corrigea-t-il. Nous pourrons y être demain à la mi-journée.

— Très bien. »

Ils se mirent en marche.

Plus tard, Jack commença à ressentir une douleur dans le ventre. Il n'avait pas été blessé au château et Alfred ne l'avait pas frappé depuis deux jours.

Cette douleur, c'était la faim.

12.

La cathédrale de Kingsbridge n'était pas bien accueillante. C'était une construction massive et trapue, avec des murs épais et de minuscules fenêtres, construite bien avant l'époque de Tom, du temps où les bâtisseurs ne connaissaient pas l'importance des proportions. La génération de Tom savait qu'un mur solide et droit est plus robuste qu'un mur épais et qu'on peut percer de grandes fenêtres dans les murailles dès l'instant que l'arc de la fenêtre forme un parfait demi-cercle. De loin, l'église avait l'air de guingois et, quand Tom approcha, il comprit pourquoi : une des tours jumelles de la façade ouest s'était écroulée. Tant mieux. Le nouveau prieur voudrait sans doute la faire rebâtir. L'espoir lui fit hâter le pas. Son engagement raté à Earlscastle pour cause de bataille l'accablait. Il avait le sentiment qu'il ne pourrait pas supporter une autre déception comme celle-là.

Il jeta un coup d'œil à Ellen. Il redoutait que, perdant l'espoir de lui voir trouver du travail avant qu'ils ne meurent tous de faim, elle ne le quitte. Elle lui sourit, puis se rembrunit de nouveau à la vue de la cathédrale. Elle était toujours mal à l'aise avec les prêtres et les moines, avait-il observé. Se sentait-elle coupable de vivre avec un homme sans être mariée ?

L'enceinte du prieuré bourdonnait d'activité. Tom avait vu des monastères endormis et des monastères animés, mais Kingsbridge était exceptionnel. On aurait dit qu'on procédait déjà au grand nettoyage de printemps. Devant l'écurie, deux moines pansaient les chevaux et un troisième fourbissait les harnais tandis que les novices récuraient les stalles. D'autres moines balayaient l'hôtellerie, qui jouxtait l'écurie, et une charrette de paille attendait dehors qu'on répandît son contenu sur le sol bien propre.

Mais personne ne travaillait à la tour écroulée. Tom examina le tas de pierres – tout ce qui en restait. L'écroulement avait dû se produire quelques années plus tôt, car les arêtes des pierres avaient été émoussées par le gel et la pluie, le mortier emporté par les intempéries et la base de maçonnerie s'était enfoncée d'un pouce ou deux dans la terre meuble. C'était étonnant qu'on eût laissé la tour si longtemps sans réparation, car les cathédrales se devaient d'être prestigieuses. L'ancien prieur était sans doute nonchalant ou incompétent, ou bien les deux. Tom était arrivé, semblait-il, juste au moment où les moines envisageaient de rebâtir. Après tout, il était temps que la chance tournât pour lui.

« Personne ne me reconnaît, dit Ellen.

— Quand es-tu venue ici ? lui demanda Tom.

— Il y a treize ans.

— Pas étonnant qu'on t'ait oubliée. »

Comme ils passaient devant la façade ouest de l'église, Tom ouvrit une des grandes portes de bois pour regarder à l'intérieur. La nef était sombre et lugubre, avec ses piliers épais et un antique plafond de bois. Plusieurs moines, toutefois, blanchissaient les murs à la chaux avec des brosses à long manche et d'autres balayaient le sol de terre battue. De toute évidence, le nouveau prieur remettait tout en état – signe encourageant. Tom referma la porte.

Derrière l'église, dans la cour de la cuisine, un groupe de novices, rassemblés autour d'une auge d'eau sale, s'occupaient à gratter la suie et la graisse accumulées sur les marmites et les ustensiles de cuisine en se servant de pierres aiguisées. Ils avaient les mains toutes rouges à force de les plonger constamment dans l'eau glacée. En apercevant Ellen, ils se mirent à pouffer de rire puis détournèrent les yeux.

Tom demanda à un novice intimidé où l'on pouvait trouver le cellérier. C'était en fait le sacristain qui avait la responsabilité de l'entretien, mais les cellériers étaient beaucoup plus faciles à aborder. De toute façon, en dernier ressort, le prieur prendrait la décision. Le novice le dirigea vers le magasin, situé dans un des bâtiments groupés autour de la tour. Tom poussa une porte, Ellen et les enfants lui emboîtèrent le pas. Ils s'arrêtèrent sur le seuil, scrutant la pénombre.

Le bâtiment était plus récent et plus solidement construit que l'église, Tom s'en aperçut sur-le-champ. L'air sec ne sentait pas la pourriture. À vrai dire, les arômes mêlés des victuailles entassées là lui donnaient de pénibles crampes d'estomac, car il n'avait rien mangé depuis longtemps. Comme ses yeux s'habituaient à l'obscurité, il constata que le magasin avait un bon sol dallé de pierres, des piliers courts et épais et un plafond en voûte. Puis il remarqua un grand homme avec une frange de cheveux blancs, qui puisait du sel à la louche dans un baril pour le verser dans un pot. «C'est vous le cellérier?» s'enquit Tom. L'homme leva la main pour réclamer le silence et Tom s'aperçut qu'il était en train de compter. Ils attendirent sans mot dire qu'il eût terminé. «Deux vingtaines et dix-neuf, trois vingtaines.» Il posa la louche. Tom se présenta : «Je suis Tom, maître bâtisseur, et j'aimerais rebâtir votre tour nord-ouest.

— Je suis Cuthbert le Chenu, le cellérier. J'aimerais bien, en effet, qu'on fasse les réparations, répondit l'homme. Mais il va falloir demander au prieur Philip. Vous savez que nous avons un nouveau prieur, n'est-ce pas?

— Oui.» Cuthbert, constata Tom, était un moine du genre affable; aimable et d'humeur facile. Il ne demanderait qu'à bavarder. «Le nouveau venu semble tenir à améliorer l'aspect du monastère.»

Cuthbert acquiesça. «Seulement, il ne tient pas à payer trop. Avez-vous remarqué que tout le travail est fait par les moines? Il ne veut engager aucun ouvrier : il dit que le prieuré a déjà trop de serviteurs.»

Encore une mauvaise nouvelle. «Qu'en pensent les moines?» demanda habilement Tom.

Cuthbert se mit à rire. «Vous êtes un homme de tact, Tom le bâtisseur. Alors, à votre avis, les moines ne sont pas habitués à travailler aussi dur? Remarquez, le nouveau prieur ne force personne, mais il interprète la règle de saint Benoît, en somme : par exemple, les moines chargés d'un travail physique peuvent manger de la viande rouge et boire du vin, alors que ceux qui se consacrent à l'étude et à la prière doivent se contenter de poissons salés et de petite bière. Le résultat, c'est qu'il a beaucoup de volontaires pour les gros travaux, surtout parmi les jeunes.» Cuthbert, souriant, approuvait visiblement cette méthode.

«Mais les moines, reprit Tom, ne savent pas construire des murs de pierre, si bien nourris qu'ils soient.» À cet instant, un bébé se mit à crier, lui rappelant un souvenir douloureux. Pris d'un chagrin subit, il lui fallut quelques secondes pour s'étonner de la présence d'un bébé dans un monastère.

«Nous allons demander au prieur», déclara Cuthbert, mais Tom ne l'entendit pas, plongé dans ses pensées; ce bébé pleurait comme un nouveau-né – d'ailleurs, on aurait dit qu'il se rapprochait. Tom surprit le regard d'Ellen, étonnée elle aussi. Une ombre se profila dans l'encadrement de la porte. Tom sentit sa gorge se nouer. Un moine s'avançait, le bébé dans les bras. Tom se pencha vers le petit paquet : c'était bien son enfant. Il avait le visage tout rouge, les poings crispés et la bouche ouverte, montrant ses gencives édentées. Il ne souffrait que de faim, et de tous ses poumons réclamait à manger. C'était le hurlement sain et robuste d'un bébé normal. Tom se détendit, inondé de soulagement. Son fils était en pleine forme.

Le moine qui le portait, un jeune homme enjoué d'une vingtaine d'années aux cheveux en désordre, arborait un sourire bêta. Sans relever la présence d'une femme dans le monastère, il sourit à la ronde, puis s'adressa à Cuthbert : «Jonathan a encore besoin de lait.»

Tom brûlait d'envie de prendre l'enfant dans ses bras, mais il s'efforça de garder un air impassible pour ne rien trahir de ses émotions. Quant aux enfants, s'ils savaient que le bébé abandonné avait été trouvé par un prêtre en voyage, ils ignoraient que celui-ci l'avait emmené jusqu'au petit monastère de la forêt. Du reste, ils ne manifestaient qu'une vague curiosité, prouvant qu'ils ne faisaient pas le rapprochement entre ce bébé et celui qu'on avait abandonné.

Tandis que Cuthbert remplissait une petite cruche de lait puisé dans un seau, Ellen s'adressa au jeune moine : « Est-ce que je peux tenir le bébé ? » Elle tendait déjà les bras et le moine lui confia l'enfant. Tom aurait voulu à sa place serrer cette petite masse chaude contre son cœur. Ellen berça le bébé, ce qui le calma un moment.

Cuthbert hocha la tête : « Ah ! Johnny Huit Pence est une bonne nourrice, mais il lui manque l'allure ! »

Ellen sourit au jeune homme. « Pourquoi vous appelle-t-on Johnny Huit Pence ? » Ce fut Cuthbert qui répondit. « Parce qu'il ne vaut que huit pence au shilling, dit-il en se tapotant le crâne d'un geste éloquent. Mais il comprend mieux que nous autres gens sages les besoins des pauvres créatures muettes. Tout cela, soyez-en sûrs, fait partie du vaste plan de Dieu », conclut-il placidement.

Ellen, qui avait lu dans les pensées de Tom, lui tendit le bébé. Avec un regard de profonde gratitude, il prit le petit être dans ses grosses mains. Le cœur du bébé battait sous la couverture qui l'enveloppait. Où diable les moines trouvaient-ils de la laine aussi douce ? Il installa le bébé contre sa poitrine et se mit à le bercer. Sa technique ne valait sûrement pas celle d'Ellen et l'enfant se remit à pleurer, mais Tom ne s'énervait pas : ces hurlements insistants étaient de la musique pour ses oreilles, car ils prouvaient que l'enfant abandonné était robuste et en bonne santé. Quitte à en avoir le cœur déchiré, Tom décida que la meilleure solution était de laisser le bébé au monastère.

« Où dort-il ? demanda Ellen à Johnny.

— Il a un berceau à côté de nous dans le dortoir.

— Il doit vous réveiller la nuit ?

— De toute façon, dit Johnny Huit Pence, nous nous levons à minuit pour mâtines.

— Bien sûr ! j'oubliais que les nuits des moines sont aussi interrompues que celles des mères. »

Cuthbert rendit la cruche de lait pleine à Johnny, qui reprit le bébé des mains de Tom d'un geste assuré d'un seul bras.

À contrecœur, mais en dissimulant son émotion, le maçon dut lâcher son petit bébé. En voyant Johnny et le bébé s'éloigner, il sentit l'envie irrésistible de courir après eux en criant : *Attendez, arrêtez, c'est mon fils, rendez-le-moi!* Ellen, qui s'était rapprochée, lui pressa le bras dans un geste discret.

Tom ferma les yeux. Après tout, il avait de nouvelles raisons d'espérer. S'il réussissait à travailler ici, il verrait tout le temps bébé Jonathan et ce serait presque comme s'il ne l'avait jamais abandonné. Cela semblait trop beau pour être vrai, et il n'osait pas y croire.

Martha et Jack, les yeux écarquillés, ne quittaient pas du regard le seau de lait crémeux. Cuthbert sourit. « Est-ce que les enfants aimeraient un peu de lait ? demanda-t-il.

— Certainement, mon père, s'il vous plaît », dit Tom. Il en aurait bu lui-même des litres.

Cuthbert versa du lait dans deux écuelles de bois et les offrit à Martha et à Jack, qui les vidèrent d'un trait.

« Encore ? proposa Cuthbert.

— Oui, s'il vous plaît », répondirent-ils d'une seule voix. Malgré leur propre faim, Tom et Ellen éprouvaient la même reconnaissance et le même soulagement à voir les petits enfin nourris.

Tout en remplissant les bols, Cuthbert demanda nonchalamment : « Et d'où venez-vous donc ?

— D'Earlscastle, près de Shiring, dit Tom. Nous en sommes partis hier matin.

— Avez-vous mangé depuis ?

— Non », dit Tom simplement, honteux, malgré la bonté du moine, d'avouer qu'il n'était pas capable de nourrir lui-même ses enfants.

« Alors, dit Cuthbert en désignant le baril près de la porte, prenez donc quelques pommes pour tenir jusqu'au souper. »

Alfred, Ellen et Tom s'approchèrent du baril tandis que Martha et Jack buvaient leur seconde écuelle de lait. Tom dut empêcher Alfred de vider la moitié du tonneau et lui souffla :

« Deux ou trois seulement... » Le garçon en prit trois.

Les pommes apaisèrent un peu les crampes d'estomac mais Tom ne pensait qu'au souper. Les moines, d'ordinaire, prenaient leur repas avant la nuit pour économiser les chandelles, songea-t-il avec espoir.

Cependant, Cuthbert dévisageait Ellen. « J'ai l'impression de vous connaître, c'est bizarre », dit-il enfin.

Elle se troubla. « Je ne crois pas.

— Si, pourtant, répéta-t-il d'un ton hésitant.

— Je vivais dans le voisinage, quand j'étais enfant, expliqua-t-elle.

— Ah ! Voilà ! Il me semble en effet que vous paraissez plus vieille que vous ne l'êtes.

— Vous devez avoir une très bonne mémoire. »

Il la regarda en fronçant les sourcils. « Pas tout à fait assez, dit-il. Je suis sûr qu'il y a autre chose... Peu importe. Pourquoi avez-vous quitté Earlscastle ?

— Le château a été attaqué hier à l'aube et pris d'assaut, répondit Tom. Le comte Bartholomew est accusé de trahison. »

Cuthbert sursauta. « Les saints nous protègent ! s'exclama-t-il. De trahison ? »

On entendit un bruit de pas dehors, puis un autre moine entra. « Voici notre nouveau prieur », annonça Cuthbert.

Tom le reconnut aussitôt : c'était Philip, le moine qu'ils avaient rencontré en se rendant au palais de l'évêque, celui qui leur avait offert ce délicieux fromage. Tout maintenant se mettait en place : le nouveau prieur de Kingsbridge n'était autre que l'ancien prieur de la petite communauté de la forêt. C'était lui qui avait trouvé Jonathan sur son chemin. Tom se sentait plein d'optimisme. Philip était un homme bon. Assurément, il allait donner du travail au maçon.

Philip aussi l'avait reconnu. « Bonjour, maître bâtisseur, dit-il. Alors, vous n'avez pas trouvé beaucoup de travail au palais de l'évêque ?

— Non, mon père. L'archidiacre n'a pas voulu m'engager, et l'évêque n'était pas là.

— Il n'était pas là, en effet : il était au ciel, mais nous ne le savions pas à l'époque.

— L'évêque est donc mort ?

— Oui.

— Ça, ce n'est pas une nouvelle, intervint Cuthbert avec impatience. Tom et sa famille arrivent d'Earlscastle. Le comte Bartholomew a été capturé et son château pris d'assaut ! »

Philip se figea. « Déjà ! murmura-t-il.

— Déjà ? répéta Cuthbert. Pourquoi "déjà" ? Vous vous y attendiez donc ? »

Philip hésita un peu. «Non, pas exactement, répondit-il enfin. J'avais entendu dire que le comte Bartholomew s'opposait au roi Stephen.» Il retrouva son calme. «Nous pouvons tous en remercier le ciel, déclara-t-il. Stephen a promis de protéger l'Église, alors que Maud nous aurait opprimés autant que l'a fait son défunt père. Oui, en effet, c'est une bonne nouvelle.» Il semblait content, comme s'il en était lui-même responsable.

Tom ne partageait pas cet enthousiasme. «Pas pour moi en tout cas, dit-il. Le comte m'avait engagé la veille pour renforcer les défenses du château. Je n'ai pas gagné un sou.

— Quel malheur, dit Philip. Qui a attaqué le château?

— Lord Percy Hamleigh.

— Ah!» Philip hocha la tête et, une fois de plus, Tom eut le sentiment que cette nouvelle confirmait les pensées du prieur.

«Alors, vous prévoyez quelques améliorations ici? dit Tom, revenant au sujet qui l'intéressait.

— J'essaie, dit Philip.

— Vous allez rebâtir la tour, j'en suis sûr.

— Rebâtir la tour, réparer le toit, paver le sol... Oui, je compte faire tout cela. Et vous, bien sûr, vous voulez du travail, ajouta-t-il. Je voudrais bien pouvoir vous engager. Mais comment vous payer? Ce monastère est sans le sou.»

Tom eut l'impression de recevoir un coup de poing dans la poitrine. Il était sûr de trouver de l'ouvrage ici : tout semblait l'indiquer. Il regarda Philip. C'était incroyable que le prieuré manque d'argent. En cas de nécessité un monastère pouvait toujours emprunter de l'argent aux Juifs.

Tom était au bout de la route. L'énergie qui l'avait maintenu tout l'hiver lui manquait d'un seul coup. Il se sentait faible et sans force. Je ne peux pas continuer, songea-t-il. Je suis fini.

Philip vit son désarroi. «Je peux vous offrir le souper, un endroit pour dormir et un déjeuner demain matin», dit-il.

Tom soupira de rage. «Je vais accepter, dit-il, mais je préférerais le gagner.»

Philip leva les sourcils et reprit doucement : «Implorer Dieu, ce n'est pas mendier, c'est prier.» Puis il sortit.

Les autres semblaient un peu effrayés et Tom comprit que sa colère avait dû se voir. Il était agacé de sentir leur regard fixé sur lui. Il sortit du magasin quelques pas derrière Philip et s'arrêta dans la cour, regardant la grande cathédrale, en essayant de se maîtriser.

Ellen le prit par la taille dans un geste de réconfort, qui provoqua chez les novices chuchotements et coups de coude. Tom se dégagea. «Je vais prier, dit-il d'un ton amer. Je vais prier que la foudre frappe l'église et l'anéantisse.»

Au cours des deux derniers jours, Jack avait appris à redouter l'avenir.

Durant sa courte existence, il n'avait jamais eu à penser plus loin que le lendemain. Dans la forêt, un jour ressemblait beaucoup au suivant et les saisons changeaient lentement. Mais voilà qu'aujourd'hui il ne savait plus ce qu'il ferait le lendemain ni même s'il mangerait.

Le pire, c'était cette faim constante. Souvent, Jack mangeait en secret de l'herbe et des feuilles pour essayer d'apaiser ses crampes d'estomac, mais cela lui donnait d'autres malaises bizarres. Martha pleurait souvent de faim. Jack et Martha marchaient toujours ensemble. Elle le respectait et Jack n'avait encore jamais connu cela. Son impuissance à soulager les souffrances de la fillette le torturait plus que sa propre faim.

S'ils vivaient encore dans la grotte, il aurait su où aller tuer des canards, trouver des noix ou voler des œufs; mais dans les villes et les villages étrangers, sur les routes inconnues, il était perdu. Une seule idée l'obsédait : il fallait que Tom trouve du travail.

Ils passèrent l'après-midi à l'hôtellerie. C'était un simple bâtiment d'une seule pièce, avec un sol en terre battue et une cheminée au milieu, exactement comme une maison de paysans. Jack, qui ne connaissait que sa grotte, trouvait cela merveilleux. Tom lui expliquait comment une telle maison avait été construite : on avait abattu deux jeunes arbres, qu'on avait taillés et appuyés l'un à l'autre pour former un angle; on en avait placé deux autres de la même façon une douzaine de pieds plus loin, et les deux triangles ainsi formés avaient été reliés par une poutre. On avait fixé des lattes légères parallèlement à la poutre formant ainsi un toit en pente jusqu'au sol. Sur les lattes on avait posé des cadres rectangulaires de roseau tressé – des claies – imperméabilisés avec de la boue. Il y avait une porte à l'un des pignons mais pas de fenêtre.

La mère de Jack répandit sur le sol de la paille fraîche et Jack alluma un feu avec le silex qu'il avait toujours sur lui. Lorsque les autres se furent éloignés, il demanda à sa mère pourquoi le prieur ne voulait pas engager Tom, alors qu'il y avait manifestement du travail. « Il préfère économiser son argent tant que l'église est encore utilisable, expliqua-t-elle. Si l'église entière était écroulée, il serait forcé de la rebâtir, mais la tour peut attendre. »

Lorsque le crépuscule commença à tomber, un aide-cuisinier apporta à l'hôtellerie une marmite de potage et un pain grand comme un homme, rien que pour eux. Le potage contenait des légumes, des herbes et des os de viande ; des ronds de graisse luisaient à la surface. Le pain était un mélange de toutes sortes de grains – du blé, de l'avoine et de l'orge, plus des pois séchés et des haricots. Le pain le plus rustique et le moins cher, fit remarquer Alfred, mais Jack, qui n'avait découvert cet aliment que quelques jours auparavant, le trouvait délicieux. Il mangea jusqu'à en avoir mal au ventre. Comme ils étaient assis auprès du feu, digérant leur festin, Jack demanda à Alfred : « Pourquoi la tour est-elle tombée ?

— Elle a sans doute été frappée par la foudre, dit Alfred. Ou peut-être détruite par un incendie.

— Mais il n'y a rien à brûler, dit Jack. Tout est en pierre.

— Le toit n'est pas en pierre, imbécile, lança Alfred avec mépris. Il est en bois. »

Jack réfléchit un moment. « Quand le toit brûle, est-ce que le bâtiment s'effondre toujours ? »

Alfred haussa les épaules. « Quelquefois. »

Ils restèrent quelque temps silencieux. Tom et la mère de Jack discutaient à voix basse de l'autre côté de la cheminée. Jack reprit : « C'est drôle, ce bébé.

— Qu'est-ce que ça a de drôle ? demanda Alfred.

— Eh bien, votre bébé a été perdu dans la forêt à des lieues d'ici et voilà justement qu'il y a un bébé au prieuré. »

Ni Alfred ni Martha ne partageaient la curiosité de Jack devant cette coïncidence extraordinaire et Jack n'insista pas.

Les moines allèrent tous se coucher tout de suite après le souper sans fournir de chandelles aux plus humbles de leurs hôtes, si bien que Tom et sa famille profitèrent de la lueur du feu aussi longtemps que possible, puis tout le monde s'allongea sur la paille.

Jack ne dormait pas. L'idée l'obsédait que, si la cathédrale brûlait cette nuit, leurs problèmes seraient résolus. Le prieur engagerait Tom pour rebâtir l'église, ils habiteraient tous ici dans cette belle maison et ils auraient tous les jours du potage avec des os de viande et du pain.

Si j'étais Tom, songea-t-il, je mettrais le feu à l'église moi-même. Je me lèverais pendant que tout le monde dort, je me glisserais dans la cathédrale et j'y mettrais le feu avec mon silex, puis, pendant que l'incendie s'étendrait, je ferais semblant de dormir et de me réveiller en sursaut quand on donnerait l'alarme. Et, lorsqu'on se mettrait à jeter des seaux d'eau sur les flammes, comme pour les écuries au château du comte Bartholomew, je me joindrais aux volontaires avec autant d'énergie qu'eux. Alfred et Martha dormaient : Jack le devinait à leur respiration. Tom et Ellen bougeaient comme d'habitude sous le manteau de Tom (Alfred appelait ça « baiser ») puis ils s'endormirent aussi. C'était clair, Tom ne se lèverait pas pour mettre le feu à la cathédrale.

Qu'allait-on devenir ? La famille allait-elle continuer à arpenter les routes jusqu'à mourir de faim ?

Bientôt les quatre respirations lentes et régulières indiquèrent que tous avaient sombré dans un profond sommeil. Jack seul veillait et réfléchissait à l'idée qui lui trottait maintenant dans la tête : il pourrait lui-même mettre le feu à la cathédrale.

Cette pensée le terrifia.

Il lui faudrait se lever très discrètement. Pour des raisons de sécurité, la porte était bloquée par une barre, mais il pourrait sans doute la faire coulisser et se glisser dehors sans réveiller personne. Les portes de l'église seraient peut-être fermées à clé, mais il trouverait sûrement un moyen d'entrer quand même, surtout qu'il était très mince.

Une fois à l'intérieur, il savait comment atteindre le toit. Il avait beaucoup appris en deux semaines passées avec Tom. Tom discutait tout le temps de construction, le plus souvent avec Alfred qui ne semblait pas prodigieusement intéressé. Jack, lui, écoutait attentivement. Il savait, entre autres choses, que toutes les grandes églises comportaient des escaliers intérieurs permettant d'accéder aux parties supérieures en cas de réparations. Il trouverait un tel escalier et grimperait jusqu'au toit. Il s'assit dans le noir, écoutant le sommeil des autres. Il distinguait le souffle de Tom, un peu sifflant, à cause (disait la mère de Jack) de la poussière de pierre qu'il avait respirée pendant des années. Alfred ronfla un moment, bruyamment, puis se retourna et le silence retomba.

Aussitôt qu'il aurait mis le feu, il regagnerait d'un bond l'hôtellerie. Comment réagiraient les moines s'ils le surprenaient ? À Shiring, Jack avait vu un garçon de son âge ligoté et fouetté pour avoir volé un cône de sucre dans un magasin d'épices. Le garçon hurlait tandis que la badine le faisait saigner. Jack avait été plus bouleversé par la vision du garçon couvert de sang que par celle des hommes s'entre-tuant au combat, comme à Earlscastle. L'idée de subir la même chose le terrifiait.

Il se recoucha, s'enroula dans son manteau et ferma les yeux. La porte de l'église était-elle verrouillée ? Si oui, il pourrait passer par les fenêtres. Personne ne le verrait tant qu'il resterait sur le côté nord de l'enceinte. Le dortoir des moines, au sud de l'église, était masqué par le cloître, et il n'y avait rien d'autre de ce côté, que le cimetière.

Il décida d'aller jeter un coup d'œil, sans plus.

Il hésita un peu, puis se leva.

La paille fraîche craqua sous ses pieds. Il s'immobilisa, guetta un signe chez ses compagnons endormis. Tout était très silencieux, même les souris ne bougeaient plus dans la paille. Il fit un pas prudent. Pas de réaction. Rapidement, il gagna la porte, s'arrêta encore. Les souris, rassurées, s'étaient remises à grignoter, mais les humains dormaient obstinément.

Jack tâta la porte du bout des doigts, ses mains trouvèrent la barre, une poutre de chêne reposant sur deux taquets. Il passa les mains dessous, la saisit et la souleva. C'était plus lourd qu'il ne s'y attendait et, sans avoir pu la déplacer, il dut la lâcher. Le bruit qu'elle fit en heurtant les taquets lui parut assourdissant. Il se figea, l'oreille tendue. Qu'est-ce que je dirai si on me prend ? songea Jack, au désespoir. Je dirai que je sortais... que j'allais me soulager. Il fut content d'avoir trouvé une excuse. Tom se retourna, Jack crut qu'il allait dire quelque chose mais rien ne vint et Tom continua à respirer régulièrement.

Les bords de la porte étaient frangés d'une ligne argentée. La lueur de la lune, songea Jack. Il empoigna de nouveau la barre, prit une profonde inspiration et s'efforça de la soulever. Cette fois, le poids ne le surprit pas. Il réussit à la tirer vers lui, mais pas assez haut et elle ne se dégagea pas des taquets. Il la souleva encore d'un pouce et elle se libéra. Il la bloqua contre sa poitrine, ce qui soulagea un peu l'effort de ses bras ; lentement, il se mit sur un genou, puis sur deux et posa la barre sur le sol. Il demeura ainsi quelques instants, reprenant haleine, pendant que la douleur de ses bras s'apaisait. On n'entendait aucun bruit du côté des dormeurs.

Jack entrebâilla la porte. Les gonds de fer grincèrent et un courant d'air glacé s'engouffra par l'ouverture. Il frissonna. Il serra son manteau autour de lui et se glissa dehors après avoir refermé la porte derrière lui.

Dans le ciel tourmenté, la lune jouait à cache-cache derrière les nuages. Un vent froid soufflait. Jack fut un moment tenté de regagner la chaleur de l'hôtellerie. Peinte d'argent et de noir par les jeux de la lune, l'énorme église avec sa tour écroulée dominait le reste du prieuré. Ses murs puissants et ses minuscules fenêtres la faisaient plutôt ressembler à un château.

Le silence régnait. De l'autre côté des murs du prieuré, dans le village, il y avait peut-être un certain nombre de gens qui veillaient tard, à boire de la bière à la lueur du feu ou à coudre au pied des torches, mais ici rien ne bougeait. Jack hésita. L'église semblait le contempler d'un air accusateur, comme si elle savait ce qu'il projetait. D'un haussement d'épaules, il chassa cette impression déplaisante et traversa la pelouse jusqu'à la façade ouest.

La porte était fermée à clé.

Il fit le tour jusqu'au côté nord et examina les fenêtres de la cathédrale : assez grandes pour qu'il pût s'y glisser, mais hélas hors de son atteinte. Il explora des doigts la maçonnerie, à la recherche des fissures, mais sans en trouver aucune susceptible de lui fournir une prise. Il avait besoin de quelque chose qui lui servirait d'échelle.

Il songea à aller chercher des pierres au pied de la tour écroulée pour construire un escalier improvisé, mais les moellons intacts étaient trop lourds, et les brisés trop inégaux. Il avait l'impression d'avoir vu quelque chose dans la journée qui servirait son dessein. Alors qu'il se creusait la tête pour s'en souvenir, il aperçut l'écurie par-delà le cimetière baigné de lune et la mémoire lui revint : un escabeau en bois, avec deux ou trois marches pour aider les cavaliers de petite taille à monter sur de grands chevaux. Un des moines, juché dessus, peignait la crinière d'un cheval.

Jack se rendit à l'écurie pour chercher l'escabeau, un objet qu'on n'enfermait peut-être pas la nuit, car il ne valait pas la peine d'être volé. Bien que Jack avançât sans bruit, les chevaux l'entendirent et l'un d'eux s'ébroua et toussa. Jack s'arrêta, affolé. Et si des palefreniers dormaient dans l'écurie? Il s'immobilisa un moment, l'oreille tendue, mais tout était calme et les chevaux s'apaisèrent.

Il ne voyait pas l'escabeau. Peut-être était-il rangé contre le mur. Avec précaution, Jack longea l'écurie. Les chevaux s'énervèrent. L'un d'eux hennit. Jack se figea sur place. Une voix d'homme cria : «Doucement, doucement.» Jack vit soudain l'escabeau juste sous son nez, à un pas. Il attendit quelques instants. Pas un bruit. Il se pencha, saisit l'escabeau et le posa sur son épaule. Il fit demi-tour et retraversa la pelouse jusqu'à l'église.

Hélas, même en grimpant sur la dernière marche de l'escabeau, il n'arrivait pas à la hauteur des fenêtres : il ne pouvait même pas regarder à l'intérieur. Bien que n'ayant encore pas pris de décision, il ne voulait pas être empêché d'agir par des considérations pratiques. Il regretta de ne pas avoir la taille d'Alfred.

Il fit une dernière tentative. Il recula, prit un bref élan, sauta sur l'escabeau et se détendit. Il atteignit sans mal l'appui de la fenêtre et s'y cramponna. D'une traction il se hissa sur l'appui. Mais en essayant de se glisser par l'ouverture, il s'aperçut que la fenêtre était bloquée par un treillage métallique qu'il n'avait pas aperçu de l'extérieur, probablement parce qu'il était noir. Jack, agenouillé sur le rebord de la fenêtre, le tâta des deux mains. Pas moyen de passer : il était sans doute là précisément pour empêcher les gens d'entrer quand l'église était fermée.

Déçu, il sauta à terre. Il ramassa l'escabeau et alla le remettre à sa place. Les chevaux cette fois ne bronchèrent pas.

Il examina la tour écroulée, à gauche de la grande porte. Il escalada prudemment les pierres au bord de l'éboulis, scrutant l'intérieur de l'église, cherchant un passage parmi les ruines. Il était inquiet à l'idée que son poids, si modeste fût-il, pût rompre l'équilibre des pierres et provoquer une avalanche qui réveillerait tout le monde, même si elle ne le tuait pas. Une fois la lune revenue, il décida de tenter sa chance. Il commença à monter, fort inquiet. La plupart des pierres tenaient bon mais une ou deux oscillèrent dangereusement. C'était le genre d'escalade qui l'aurait amusé en plein jour avec du secours à portée de la main et la conscience tranquille. Mais, à présent, trop anxieux, il n'avait plus le pied très sûr. Soudain il glissa sur une surface lisse et faillit tomber. Il s'arrêta. Il était assez haut pour avoir vue sur le toit du bas-côté du nord de la nef. Il espérait trouver une ouverture, ou peut-être une brèche entre le toit et le tas de décombres, mais non, rien. Le toit s'étendait intact jusqu'à la tour en ruine, sans aucun passage par où se faufiler. Jack fut partagé entre la déception et le soulagement.

Il redescendit à reculons, regardant par-dessus son épaule pour trouver des appuis pour ses pieds. Arrivé en bas, il sauta et atterrit sur l'herbe, content de retrouver la terre ferme.

Il regagna la façade nord de l'église et poursuivit sa marche. Au cours des deux dernières semaines, il avait vu plusieurs églises, toutes à peu près de la même forme. La partie la plus importante était la nef, toujours orientée vers l'ouest. Puis il y avait deux bras, que Tom appelait les transepts, orientés au nord et au sud. La partie est, le chœur, était plus court que la nef. Kingsbridge n'avait de particulier que ses deux tours, bâties de chaque côté de l'entrée, comme pour faire pendant aux transepts.

Jack trouva verrouillée la porte du transept nord. Il continua jusqu'au côté est : là, pas de porte du tout. Il s'arrêta pour inspecter la cour avec sa pelouse. À l'angle sud-est de l'enclos du prieuré, se dressaient deux bâtiments : l'infirmerie et la maison du prieur, toutes deux sombres et silencieuses. Il poursuivit, pour arriver par le flanc sud du chœur jusqu'à la saillie du transept sud. À l'extrémité, comme une main au bout d'un bras, se dressait le bâtiment rond qu'on appelait la salle capitulaire. Entre le transept et la salle capitulaire, une étroite allée menait au cloître. Jack s'y engagea.

Il se trouva dans un carré, avec une pelouse au milieu et une allée couverte tout autour. Sous le clair de la lune la pierre pâle des arches paraissait d'un blanc fantomatique tandis que les arcades étaient plongées dans les ténèbres impénétrables. Jack attendit un moment pour laisser ses yeux s'habituer à l'obscurité.

À sa gauche, il distingua l'entrée de la salle capitulaire. Plus loin, tout au bout du promenoir, une autre porte qui menait sans doute au dortoir des moines, tandis qu'à sa droite une troisième porte ouvrait sur le transept sud de l'église. Elle était verrouillée. Tout comme celle qui, dans l'allée nord, donnait sur la nef de l'église.

À l'ouest, aucune issue jusqu'à l'angle sud, où Jack trouva la porte du réfectoire. Quelle quantité de provisions il devait falloir pour rassasier chaque jour tous ces moines ! Non loin une fontaine avec un bassin servait aux moines à se laver les mains avant les repas.

Il continua par l'allée sud où avait été aménagée une arche. Jack la franchit et découvrit un petit passage avec le réfectoire à sa droite et le dortoir à sa gauche. Il s'imagina tous les moines dormant à même le sol, de l'autre côté du mur de pierre. Au bout du passage, un sentier boueux descendait vers la rivière. Jack resta là une minute, à contempler l'eau à une soixantaine de toises de lui. Sans raison particulière, il se rappela l'histoire d'un chevalier à qui on avait coupé la tête mais qui vivait toujours : et il imaginait le chevalier décapité sortant de la rivière et remontant le chemin jusqu'à lui. Il prit peur. Il tourna les talons et regagna en hâte le cloître. Il s'y sentait plus en sécurité.

Il hésita sous l'arche, examinant le carré éclairé par la lune. Il devait bien y avoir un moyen de se glisser dans un aussi grand bâtiment, estima-t-il, mais il ne savait plus où chercher. Dans une certaine mesure, il en était content. Il envisageait de commettre un acte horriblement dangereux : tant mieux si cela se révélait impossible. Oui, mais il redoutait aussi l'idée de quitter ce prieuré et de reprendre la route le lendemain matin : les marches interminables, la faim, la déception et la colère de Tom, les larmes de Martha. Alors qu'il pouvait éviter tout cela, rien qu'avec une étincelle du silex qu'il portait dans la bourse accrochée à sa ceinture !

Du coin de l'œil, il vit quelque chose bouger. Il sursauta, le cœur battant. À son horreur, une silhouette fantomatique, portant un cierge, glissait sans bruit en direction de l'église. Il réprima non sans mal un cri. Une autre silhouette suivait la première. Jack recula sous la voûte, hors de vue, et se mordit la main pour s'empêcher de hurler. Il entendit un étrange gémissement et il écarquilla les yeux. Puis il comprit : ce qu'il voyait, c'était une procession de moines allant du dortoir à l'église pour le service de minuit, et qui chantaient une prière en marchant. Même alors, son affolement se prolongea un moment, avant de céder à un immense soulagement qui le laissa tout tremblant.

Le moine en tête de la procession ouvrit la porte de l'église avec une grande clé de fer. Les moines entrèrent l'un après l'autre. Pas un ne se retourna pour regarder dans la direction de Jack. La plupart d'entre eux semblaient à moitié endormis. Ils ne refermèrent pas la porte derrière eux.

Lorsqu'il eut retrouvé ses esprits, Jack se rendit compte que maintenant il allait pouvoir entrer dans l'église.

Il sentit ses jambes se dérober sous lui.

Je pourrais simplement entrer, se dit-il. Et ne rien faire d'autre. Je regarderais s'il est possible de monter jusqu'au toit. Ça ne veut pas dire que j'y mettrai le feu. Je vais juste jeter un coup d'œil.

Il prit une profonde inspiration, puis sortit de son abri et traversa le cloître à pas de loup. Il hésita devant la porte ouverte et scruta l'intérieur. Des cierges brûlaient sur l'autel et dans le chœur où les moines se tenaient debout dans leurs stalles, mais leurs lueurs formaient à peine de petites flaques au milieu du grand espace vide, laissant les murs et les bas-côtés dans une obscurité profonde. Un des moines faisait quelque chose d'incompréhensible devant l'autel et les autres psalmodiaient de temps en temps quelques phrases. Jack trouvait incroyable de voir des gens quitter des lits bien chauds au milieu de la nuit pour se livrer à ce genre d'activités.

Il se faufila par la porte et se colla au mur.

Il était à l'intérieur. L'obscurité le cachait. Toutefois les moines le verraient en sortant. Il se glissa un peu plus loin. Le moine qui officiait à l'autel aurait pu voir Jack s'il avait levé les yeux, mais il semblait complètement absorbé par ce qu'il faisait. Jack avança prestement de l'abri d'un puissant pilier au suivant, s'arrêtant parfois pour que ses mouvements fussent irréguliers comme celui des ombres qui s'agitaient. Alors qu'il approchait de la croisée du transept, la lumière devint plus vive. Il redoutait que le moine à l'autel ne lève soudain les yeux, bondisse vers lui et l'attrape par la peau du cou...

Il atteignit le coin et plongea avec célérité dans la nuit épaisse de la nef.

Il s'arrêta un moment, soulagé. Puis il recula le long du bas-côté et, une fois arrivé dans le recoin le plus sombre, il s'assit au pied d'un pilier pour attendre la fin de l'office.

Il jeta un coup d'œil de derrière son pilier. Au-dessus de l'autel, là où les cierges éclairaient le mieux, il distinguait à peine le haut plafond de bois. Les églises plus récentes, il le savait, possédaient des voûtes en pierre, mais Kingsbridge était une vieille construction. Ce plafond de bois flamberait bien.

Je ne vais pas faire ça, songea-t-il.

Tom serait tellement content si la cathédrale brûlait. Pourtant, Jack n'aimait pas vraiment Tom, trop violent, autoritaire, bourru. Jack avait l'habitude des façons plus douces de sa mère. Mais

Tom l'impressionnait. En fait d'hommes, Jack n'avait jamais rencontré que des hors-la-loi : des êtres dangereux, brutaux, qui ne respectaient que la violence et la ruse. Des gens dont l'ambition suprême se résumait à poignarder quelqu'un dans le dos. Tom représentait un nouveau type d'homme, fier et sans peur, même quand il n'avait pas d'arme. Jack n'oublierait jamais la façon dont il avait affronté William Hamleigh, la fois où lord William avait proposé d'acheter sa mère pour une livre. Ce qui avait si vivement frappé Jack, c'était que *lord William avait eu peur*. Quand Jack avait dit à sa mère qu'il n'aurait pas cru qu'un homme pouvait être aussi brave que Tom, elle avait répondu : « C'est pour cela que nous avons quitté la forêt. Tu as besoin d'un homme à respecter. »

Jack avait été intrigué par cette remarque : pourtant c'était vrai qu'il souhaitait impressionner Tom. Mais de là à mettre le feu à la cathédrale... En tout cas mieux vaudrait n'en rien dire à quiconque, du moins pas avant des années. Mais peut-être un jour viendrait où Jack dirait à Tom : « Tu te souviens de la nuit où la cathédrale de Kingsbridge a brûlé et où le prieur t'a engagé pour la rebâtir, si bien que nous avons enfin tous eu de quoi manger et nous abriter ? Eh bien, j'ai quelque chose à te raconter sur la façon dont ce feu a pris... » Quel grand moment ce serait !

Mais je n'ose pas le faire, pensa-t-il.

Les chants cessèrent et les moines quittèrent leurs places dans un léger brouhaha. L'office était terminé. Jack se déplaça pour demeurer hors de vue.

Avant de sortir, les moines mouchèrent les cierges dans les stalles du chœur, mais ils en laissèrent un brûler sur l'autel. La porte se referma avec fracas. Jack attendit encore un peu, au cas où il resterait quelqu'un à l'intérieur. Rassuré par le silence, enfin il se risqua hors de l'abri de son pilier.

Il remonta la nef avec un sentiment bizarre à l'idée d'être seul dans ce grand bâtiment froid et vide. Il atteignit l'autel, s'empara du cierge et se sentit mieux.

Sa chandelle à la main, il inspecta l'intérieur de l'église. Au croisement de la nef et du transept sud, là où il avait craint le plus d'être aperçu par le moine qui officiait, il vit une porte munie d'un simple loquet. Il le manœuvra : la porte s'ouvrit.

La lumière du cierge éclaira un escalier en spirale, si étroit qu'un homme un peu corpulent n'aurait pas pu l'emprunter, et si bas de plafond que Tom aurait dû se plier en deux. Jack gravit les marches. Il déboucha dans une étroite galerie, formée d'un côté par une rangée de petites arches donnant sur la nef, et de l'autre par le toit en pente. Le plancher n'était pas plat mais bombé. Il fallut un moment à Jack pour comprendre où il se trouvait : au-dessus de la nef latérale dont la voûte correspondait au plancher bombé sur lequel Jack se trouvait. De l'extérieur de l'église, on voyait bien que le bas-côté avait un toit en pente qui formait le plafond de la galerie. Le bas-côté était plus bas que la nef, si bien qu'il était loin du toit principal de la cathédrale.

Jack entreprit d'explorer la galerie, une expédition passionnante ; maintenant que les moines étaient partis, il ne craignait plus d'être repéré. Il avait l'impression d'avoir grimpé dans un arbre pour découvrir que tout en haut, sans qu'on pût le voir à cause des basses branches, tous les arbres étaient reliés entre eux et qu'on pouvait évoluer dans un monde secret à quelques pieds au-dessus du sol.

Au bout de la galerie, il franchit une autre petite porte, et se trouva à l'intérieur de la tour du sud-ouest, celle qui ne s'était pas écroulée. Cet endroit n'était de toute évidence pas fait pour être vu : il paraissait inachevé et ne possédait en guise de plancher que des chevrons séparés par des vides béants. Toutefois, autour du mur courait une volée de marches en bois, un escalier sans rampe. Jack s'y engagea.

À mi-hauteur, l'escalier disparaissait dans une petite ouverture cintrée ménagée dans le mur. Jack passa la tête à l'intérieur en élevant son cierge. Il était dans les combles, au-dessus du plafond de madriers et au-dessous des plaques de plomb du toit.

Tout d'abord il ne distingua aucun ordre dans l'enchevêtrement de poutres de bois mais, au bout d'un moment, il en comprit la structure. D'énormes madriers de chênes, chacun large d'un pied et haut de deux, enjambaient la largeur de la nef du nord au sud. Au-dessus de chaque madrier deux puissants chevrons formaient un triangle. L'alignement régulier des triangles s'étendait bien au-delà de la lumière du cierge.

Dans le coin, à la base du triangle, se trouvait une passerelle sur laquelle il se glissa. Il pouvait tout juste tenir debout : un homme aurait dû se courber. Il s'avança un peu. Il y avait assez de bois ici pour tout embraser. Il renifla, essayant d'identifier l'odeur bizarre qui flottait dans l'air. Une odeur de poix, décida-t-il. Les poutres du toit étaient calfatées. Elles brûle-raient comme de la paille.

Un brusque mouvement sur le plancher le fit sursauter et lui donna des battements de cœur. Il pensa au chevalier sans tête de la rivière et au moine fantomatique du cloître. Puis il se ras-sura en se disant qu'il s'agissait de souris, avant de se rendre compte que des oiseaux nichaient sous les avancées du toit.

Le plan des combles correspondait exactement à celui de l'église. Jack alla jusqu'au croisement et s'arrêta au coin. Il cal-cula qu'il devait être juste au-dessus du petit escalier en spirale qui l'avait mené à la galerie. S'il voulait allumer un feu, c'était ici qu'il faudrait le faire. De là, l'incendie pourrait s'étendre dans quatre directions : vers l'ouest le long de la nef, vers le sud par le transept sud et par-delà le croisement jusqu'au chœur et au transept nord.

Les poutres maîtresses du toit étaient en cœur de chêne et, bien qu'elles fussent enduites de poix, la flamme d'un cierge ne suffirait peut-être pas à leur faire prendre feu. Mais sous les avancées il y avait des copeaux, des éclisses de bois, des bouts de corde et de toile à sac et des nids d'oiseaux abandonnés qui feraient de parfaits margotins. Il suffirait de les rassembler et d'en faire un tas.

Son cierge était presque fondu.

Cela paraissait si facile : rassembler des débris de bois, en approcher la flamme du cierge et s'en aller. Traverser l'enclos comme un fantôme, se glisser dans l'hôtellerie, barrer la porte, se pelotonner dans la paille et attendre l'alarme.

Mais si on le prenait...

S'il se faisait surprendre maintenant, il pourrait dire qu'il explorait innocemment la cathédrale et cela lui vaudrait tout juste une fessée. Mais si on le chopait à mettre le feu à l'église, il ne s'en tirerait pas à si bon compte. Il se souvint du voleur de sucre à Shiring et de son dos en sang. Il se rappela certains des châtiments subis par les hors-la-loi : Farad Bouche Ouverte et ses lèvres coupées, Jack le Béret, amputé d'une main, Alan Face de Chat, mis au pilori, lapidé et incapable depuis de parler convenablement. Pires encore étaient des histoires concernant ceux qui n'avaient pas survécu à leur châtiment : un meurtrier attaché à un baril hérissé de pointes qu'on avait fait rouler du haut d'une colline, si bien que toutes les pointes s'étaient plan-tées dans son corps ; un voleur de chevaux avait été brûlé vif ;

une putain voleuse empalée sur un pieu effilé. Que réservait-on à un garçon qui incendie une église ?

Perdu dans ses pensées, il se mit à ramasser les débris inflammables et à les entasser sur la passerelle juste en dessous d'une des grosses poutres. Quand le tas atteignit un pied de haut, il s'assit et le contempla.

Son cierge coulait. Dans quelques instants, il aurait laissé passer sa chance.

D'un geste vif, il approcha la flamme d'un bout de toile à sac qui prit feu. La flamme gagna aussitôt les copeaux de bois, puis un nid desséché ; et le tout se mit à flamber joyeusement.

Je pourrais encore l'éteindre, songea Jack.

Le petit bois brûlait un peu trop vite : à cette allure-là, il serait consumé avant que la poutre ne s'embrase. Jack s'empressa de rassembler d'autres copeaux qu'il jeta sur les flammes qui redoublèrent de hauteur. Je pourrais encore les éteindre, se répéta-t-il. La poix qui recouvrait la poutre commença à noircir et à fumer. Les copeaux finissaient de se consumer. Je pourrais laisser le feu mourir maintenant, se dit-il. Puis il constata que la passerelle était en train de brûler. Ou alors l'étouffer avec mon manteau. Au lieu de quoi, il jeta d'autres débris sur le brasier et le vit prendre de l'ampleur.

Bien que l'air glacé de la nuit ne fût qu'à un pouce de là, de l'autre côté du toit, dans le recoin où Jack se trouvait, l'atmosphère enfumée devenait irrespirable. Quelques petites poutres auxquelles étaient clouées les feuilles de plomb du toit commencèrent à brûler. Puis, enfin, une flammerole jaillit de la masse de la grande poutre.

La cathédrale flambait.

C'était fait maintenant. Pas moyen de revenir en arrière.

Jack s'affola. Il avait soudain envie de s'enfuir et de regagner l'hôtellerie. Il voulait s'enrouler dans son manteau, se blottir dans la paille, en fermant bien les yeux, bercé par le souffle régulier de ses compagnons.

Il battit en retraite par la passerelle.

Arrivé au bout, il regarda derrière lui. L'incendie se propageait avec une surprenante rapidité, peut-être à cause de la poix dont le bois était recouvert. Toutes les petites poutres étaient en feu, les grosses commençaient à brûler et les flammes envahissaient la passerelle.

Jack plongea dans la tour, dégringola les marches, puis traversa en courant la galerie au-dessus du bas-côté et dévala l'escalier en spirale jusqu'au sol de la nef. Il courut vers la porte par laquelle il était entré.

Elle était fermée à clé.

Il se rendit compte de sa stupidité. Les moines avaient naturellement refermé la porte à clé en partant, puisqu'ils l'avaient ouverte pour entrer.

La peur lui noua la gorge. Il avait mis le feu à l'église et voilà maintenant qu'il se retrouvait prisonnier dedans.

Luttant contre l'affolement, il s'efforça de réfléchir. Il avait essayé toutes les portes de l'extérieur et les avait toutes trouvées fermées ; mais peut-être certaines d'entre elles étaient-elles bloquées par des barres plutôt que par des serrures, si bien qu'on pourrait les ouvrir de l'intérieur.

Il franchit la croisée jusqu'au transept nord et examina la porte du porche nord. Une serrure.

Il traversa en courant la nef obscure jusqu'à l'extrémité ouest et s'escrima sur chacune des grandes entrées. Les trois portes étaient fermées à clé. Il s'attaqua à la petite porte qui donnait dans le bas-côté sud en venant du cloître. Celle-là aussi était verrouillée.

Jack avait envie de pleurer. Il leva les yeux vers le plafond de bois. Était-ce son imagination ou apercevait-il vraiment à la faible lueur du clair de lune un peu de fumée s'échappant du toit au coin du transept sud ?

Que vais-je faire ? se demanda-t-il.

Les moines allaient-ils s'éveiller et se précipiter pour éteindre l'incendie, en proie à un tel affolement que c'est à peine s'ils remarqueraient un petit garçon se faufilant par la porte ? Ou bien le verraient-ils aussitôt et se saisiraient-ils de lui en criant à l'incendiaire ? Ou alors resteraient-ils endormis jusqu'à ce que tout le bâtiment se soit effondré, avec Jack écrasé sous un énorme tas de pierres ?

Les larmes lui montèrent aux yeux et il regretta d'avoir approché la flamme du cierge de ces copeaux de bois.

Il promena autour de lui un regard de panique. S'il s'approchait d'une fenêtre et criait, quelqu'un l'entendrait-il ?

Il entendit un fracas au-dessus de lui. Il leva la tête et vit qu'une poutre venait de traverser le plafond de bois. Le trou formait une tache rouge sur un fond noir. Quelques instants plus tard, un autre énorme madrier enfonça le plafond et fit la culbute avant de s'écraser sur le sol avec un bruit sourd qui ébranla les puissants piliers de la nef. Jack tendit l'oreille, attendant des cris, des appels à l'aide ou le tintement d'une cloche. Rien. On n'avait pas entendu la poutre tomber. Si cela ne les avait pas réveillés, ils n'entendraient certainement pas Jack crier.

Je vais mourir ici, songea-t-il, terrifié ; je vais brûler vif ou être écrasé sous les pierres. Il faut que je trouve un moyen de sortir !

Il pensa soudain à la tour écroulée. Il l'avait examinée de l'extérieur sans voir de passage par où entrer, mais de crainte de tomber et de déclencher une avalanche il n'avait pas poussé très loin ses recherches. Peut-être, de l'intérieur cette fois, découvrirait-il quelque chose qui lui avait échappé ; et peut-être le désespoir l'aiderait-il à se glisser là où tout à l'heure il n'avait pas vu de brèche.

Il courut jusqu'à l'extrémité ouest. La lueur du feu passant par les trous du plafond, combinée avec les flammes qui léchaient la poutre tombée sur le sol de la nef, donnait maintenant une lumière plus forte que le clair de lune. L'arcade de la nef était soulignée d'or au lieu d'argent. Jack examina le tas de pierres qui avait jadis été la tour du nord-ouest. Elles semblaient former un mur solide, sans le moindre passage. Stupidement, il ouvrit la bouche et il hurla : « Mère ! » à pleins poumons, tout en sachant qu'elle ne pourrait pas l'entendre.

Une fois encore, il s'efforça de dominer son affolement. Une idée confuse trottait dans sa tête à propos de la tour effondrée. Il avait réussi à pénétrer dans celle restée intacte, en suivant la galerie au-dessus du bas-côté sud. S'il prenait maintenant au-dessus du bas-côté nord, peut-être apercevrait-il une ouverture dans ce tas de décombres, une ouverture invisible au niveau du sol.

Il revint en courant jusqu'à la croisée, restant sous l'abri du bas-côté nord au cas où d'autres poutres en feu traverseraient le toit. Il devait y avoir là une petite porte et un escalier en spirale, tout comme il y en avait un au nord. Il arriva au coin de la nef et du transept nord. Pas de porte. Il n'en croyait pas sa malchance. C'était fou : il devait bien y avoir un moyen d'accéder à la galerie !

Il réfléchit, luttant pour rester calme. Il existait nécessairement un passage vers la tour écroulée, il n'avait qu'à le déceler. Je pourrais remonter sous les combles par la tour sud-ouest, songea-t-il, et je traverserai en face où devrait être aménagé un accès à la tour nord-ouest effondrée. C'est peut-être là que je trouverai une issue.

Il leva vers le plafond un regard inquiet. Le feu maintenant devait avoir pris des allures de brasier. Mais il n'avait pas le choix.

D'abord, il lui fallait traverser la nef. Il jeta un coup d'œil au plafond. Apparemment, rien ne menaçait dans l'immédiat de tomber. Il prit une profonde inspiration et fonça.

Arrivé de l'autre côté, il ouvrit la petite porte et s'engouffra dans l'escalier en spirale. En haut, lorsqu'il s'avança dans la galerie, il sentit la chaleur de l'incendie au-dessus de lui. Il traversa la galerie en courant, franchit la porte qui donnait sur la tour intacte et grimpa quatre à quatre l'escalier.

Il baissa la tête et passa sous la petite arche pour gagner les combles remplis de fumée où il faisait une température insupportable. Toutes les poutres supérieures étaient en feu, et, au fond, les plus grosses d'entre elles brûlaient avec entrain. L'odeur de poix fit tousser Jack. Il n'hésita qu'un moment puis s'avança sur une des larges poutres qui traversaient la nef. Quelques secondes suffirent pour le faire ruisseler de sueur. Ses yeux larmoyaient si fort qu'il n'y voyait pratiquement plus. Il toussa, glissa sur le madrier et trébucha. Il tomba, un pied sur la poutre, l'autre dans le vide avant d'atterrir sur le plafond et, à son horreur, de s'enfoncer dans le bois pourri. Il se représenta aussitôt la hauteur de la nef et ce que serait sa chute s'il passait à travers le plafond ; il poussa un cri et s'effondra les bras en avant, s'attendant à tournoyer en l'air comme l'avait fait la poutre en face.

Mais le bois résista.

Appuyé sur les mains et sur un genou, son autre jambe à travers le plafond, Jack resta pétrifié. Puis la forte chaleur le tira de sa paralysie. Il dégagea doucement son pied du trou, se remit à quatre pattes et poursuivit sa progression.

Comme il approchait de l'autre côté, plusieurs grosses poutres tombèrent dans la nef. Le bâtiment tout entier parut trembler et Jack sentit le madrier vibrer sous lui comme la corde d'un arc. Il s'arrêta et se cramponna. Le tremblement cessa. Jack continua d'avancer et, peu après, il atteignit le côté nord de la passerelle.

S'il s'était trompé et qu'il ne trouve pas un accès aux ruines de la tour nord-ouest, il lui faudrait revenir sur ses pas.

En se redressant, il aspira une bouffée de l'air froid de la nuit. Il devait y avoir une sorte de brèche. Mais serait-elle assez grande pour laisser le passage à un petit garçon?

Il fit trois pas à gauche et s'arrêta juste au moment où il allait continuer dans le vide. Et se retrouva contemplant, à travers un grand trou, les ruines de la tour éclairées par la lune. Un immense soulagement l'envahit. Il était sorti de l'enfer.

Mais le sommet de la pile de décombres se situait beaucoup plus bas, trop loin pour que Jack pût risquer un saut. Il pouvait maintenant échapper aux flammes, mais atteindrait-il le sol sans se rompre le cou? Derrière lui, l'incendie approchait rapidement, précédé de la fumée qui s'échappait par l'ouverture béante au niveau du toit au bord de laquelle il était planté.

Cette tour avait jadis possédé comme sa jumelle un escalier qui en épousait le mur intérieur, mais désormais pratiquement détruit. Pourtant, là où l'on avait fixé les marches de bois dans le mur avec du mortier, des morceaux faisaient encore saillie, parfois juste d'un pouce ou deux, parfois davantage. Jack se demanda s'il ne pourrait pas descendre en s'y accrochant. Ce serait une opération dangereuse. Il sentit une odeur de brûlé; son manteau risquait de prendre feu d'un instant à l'autre. Il n'avait pas le choix.

Il s'assit, chercha à tâtons le tronçon le plus proche, s'y cramponna à deux mains, puis d'un pied s'efforça de trouver une prise. Il avança alors l'autre pied. En tâtonnant ainsi, il descendit l'équivalent d'une marche. Les bouts de bois tenaient bon. Il recommença l'opération; s'assurant de la robustesse de l'ergot suivant avant de poser son poids dessus. Chaque pas de cette périlleuse descente l'approchait du sommet du tas de décombres. À mesure qu'il progressait, les tronçons semblaient rapetisser comme si la partie inférieure de l'escalier avait davantage souffert. Il posa un pied chaussé de sa botte de feutre sur un bout de bois pas plus large que son orteil et, au moment de s'appuyer dessus, il glissa. Le tronçon plus large sur lequel reposait son autre pied céda sous le poids. Jack essaya de se retenir par les mains, mais les prises étaient si petites qu'il ne put s'y cramponner et, terrifié, il glissa de son perchoir précaire et tomba dans le vide.

Il atterrit brutalement sur les mains et sur les genoux au milieu du tas de décombres. Un instant, il se crut mort; puis il se rendit compte qu'il avait eu la chance de bien tomber. Ses mains lui faisaient mal et il devait avoir les genoux complètement écorchés, mais il était sain et sauf. Peu après il déboulait le tas de pierres et sautait à terre.

Sauvé!

Le soulagement lui rendait les jambes molles. Il en aurait pleuré. Quelle aventure il venait de vivre! Quelle fierté d'en avoir réchappé!

Mais ce n'était pas encore fini. D'ici, on ne sentait qu'une vague odeur de fumée et le grondement de l'incendie, si assourdissant sous le toit, faisait maintenant l'effet d'un vent soufflant au loin. Seule la lueur rougeâtre derrière les fenêtres attestait que l'église était en feu. Néanmoins, ces dernières secousses avaient dû troubler le sommeil de quelqu'un et à tout moment un moine à moitié endormi pouvait surgir du dortoir pour vérifier s'il avait rêvé ou s'il s'agissait bien d'un tremblement de terre.

Jack avait mis le feu à l'église, un crime abominable aux yeux d'un moine, il ne lui restait plus qu'à s'enfuir et vite. Il traversa en courant l'espace découvert jusqu'à l'hôtellerie. Tout était calme et silencieux. Il s'arrêta devant la porte, hors d'haleine. S'il entrait, haletant de la sorte, il allait tous les réveiller. Il essaya de reprendre son souffle, mais sans succès. Il allait devoir rester ici jusqu'à ce que sa respiration fût redevenue normale.

Une cloche retentit, déchirant le silence, avec persistance : l'alarme sans doute. Jack se figea sur place. S'il entrait maintenant, ils sauraient. Mais s'il demeurait là...

La porte de l'hôtellerie s'ouvrit sur Martha. Jack la dévisagea, terrifié.

«Où étais-tu? chuchota-t-elle. Tu sens la fumée.»

Un mensonge plausible vint à l'esprit de Jack. «Je viens de sortir, dit-il. J'ai entendu la cloche.

— Menteur, dit Martha. Tu es parti depuis une éternité. Je le sais, j'étais réveillée.»

Il comprit qu'il ne la duperait pas. «Y avait-il quelqu'un d'autre de réveillé? demanda-t-il inquiet.

— Non, rien que moi.

— Ne leur raconte pas que j'étais sorti. S'il te plaît!»

Elle perçut la peur dans sa voix et d'un ton apaisant : «Bon, je garderai le secret. Ne t'inquiète pas.

— Merci !»

Puis Tom émergea en se grattant la tête.

Jack eut peur. Qu'allait-il penser ?

«Qu'est-ce qui se passe ?» s'enquit Tom d'une voix endormie. Il huma l'air. «Ça sent la fumée.»

D'un bras tremblant Jack désigna la cathédrale. «Je crois...», dit-il, puis il avala sa salive. Il se rendit compte avec un immense soulagement que tout irait bien. Tom se dirait que Jack venait de se lever, comme Martha. D'un ton plus assuré cette fois, Jack reprit : «Regarde l'église. Je crois qu'elle est en feu.»

13.

Philip n'était pas encore habitué à dormir seul. Bien des choses lui manquaient : l'atmosphère confinée du dortoir, les ronflements et les remuements des autres dormeurs, le fait d'être dérangé quand un des moines plus âgés se levait pour aller aux latrines (suivi en général par d'autres anciens, procession régulière qui amusait toujours les jeunes). La solitude ne gênait pas Philip le soir quand il rentrait dans sa chambre, épuisé de fatigue ; mais, au milieu de la nuit, après l'office, il avait du mal à retrouver le sommeil. Au lieu de regagner le grand lit douillet (il était un peu embarrassé de voir combien il s'était vite habitué à ce confort-là), il ranimait le feu et se mettait à lire à la lueur d'une chandelle ou bien s'agenouillait pour prier, ou simplement restait assis à méditer.

Les sujets de réflexion ne lui manquaient pas. Les finances du prieuré se trouvaient en plus mauvais état encore qu'il ne l'avait prévu. La principale raison en était sans doute que toute l'organisation produisait très peu de revenus. Le monastère possédait de vastes domaines, mais louait nombre de fermes à des prix fort bas avec des baux interminables et certains métayers s'acquittaient de leurs loyers en nature : tant de sacs de farine, tant de barils de pommes, tant de charrettes de navets. Les fermes non louées étaient gérées par les moines, qui se montraient incapables de produire un surplus pour la revente. Le

prieuré tirait aussi des ressources des églises qui lui appartenaient et sur lesquelles il percevait des dîmes. Malheureusement,
la plupart de celles-ci se trouvaient sous le contrôle du sacristain
dont Philip n'arrivait pas à obtenir exactement le chiffre exact
de ses recettes et de ses dépenses. Il n'existait pas de livres de
comptes. Mais, de toute évidence, il apparaissait clairement que
le revenu du sacristain était trop faible ou alors sa gestion trop
mauvaise pour maintenir en bon état la cathédrale. Pourtant,
au long des années, le sacristain avait amassé une impressionnante collection de vases précieux et d'ornements.

Philip ne pourrait réunir tous les éléments du problème
qu'en prenant le temps de faire le tour des vastes propriétés du
monastère, mais les grandes lignes en étaient déjà très nettes ;
et depuis plusieurs années l'ancien prieur empruntait aux prêteurs de Winchester et de Londres de quoi faire face aux
dépenses quotidiennes. Devant cette situation, Philip s'était
senti fort déprimé. Toutefois, tandis qu'il pensait et priait, la
solution lui apparut. Il élabora un plan en trois points. D'abord
prendre personnellement le contrôle des finances du prieuré.
Actuellement, chacun des dignitaires du monastère contrôlait
diverses parties de la propriété et s'acquittait de ses responsabilités avec les revenus qu'il en tirait : le cellérier, le sacristain,
l'hôtelier, le maître des novices et l'infirmier avaient tous
« leurs » fermes et « leurs » églises. Aucun d'eux, naturellement, ne reconnaîtrait disposer de trop d'argent : ils prenaient d'ailleurs soin de dépenser tout surplus de crainte d'en
perdre le contrôle. Philip avait décidé de nommer un nouveau
responsable, appelé le trésorier, qui aurait pour mission de
percevoir toutes les sommes dues au prieuré, sans exception,
puis de remettre à chaque responsable exactement ce dont il
avait besoin.

Le trésorier serait évidemment quelqu'un en qui Philip
aurait confiance. Il avait tout d'abord songé à confier la tâche
au cellérier, Cuthbert le Chenu, mais il s'était rappelé l'aversion
qu'éprouvait Cuthbert à noter les choses par écrit. Impossible.
Désormais, toutes les rentrées et toutes les sorties d'argent
devraient être consignées dans un grand livre. Philip avait donc
résolu de désigner comme trésorier le jeune cuisinier, frère
Milius. Quelle que soit la personne nommée, l'idée même de
cette innovation déplairait certainement aux autres dignitaires
du couvent, mais Philip était le maître et d'ailleurs la majorité

des moines, qui savait ou qui se doutait que le prieuré avait des difficultés, soutiendrait des réformes.

Une fois l'argent sous son contrôle, Philip mettrait en application le point deux de son plan.

Toutes les fermes éloignées seraient louées moyennant des loyers en espèces. Cela mettrait un terme au transport coûteux de marchandises sur de longues distances. Par exemple, un domaine du prieuré dans le Yorkshire redevable d'un «loyer» de douze agneaux les envoyait consciencieusement chaque année jusqu'à Kingsbridge, même si le coût du transport était supérieur à la valeur des bêtes, dont, au demeurant, la moitié mouraient toujours en route. Désormais, seules les fermes les plus proches produiraient de la nourriture pour le prieuré.

Philip comptait aussi modifier le système actuel d'après lequel chaque ferme produisait un peu de tout – du grain, de la viande, du lait, et ainsi de suite. Il pensait depuis des années que c'était du gaspillage. Chaque ferme ne réussissait à produire qu'assez de chaque chose pour ses propres besoins – peut-être serait-il plus vrai de dire que chaque ferme réussissait toujours à consommer à peu près tout ce qu'elle produisait. Philip voulait voir chaque ferme se concentrer sur une seule denrée. Tout le grain serait cultivé dans un groupe de villages du Somerset, où le prieuré possédait également plusieurs moulins. Les fertiles collines du Wiltshire engraisseraient du bétail qui donnerait du beurre et de la viande. La petite communauté de Saint-John-de-la-Forêt élèverait des chèvres et ferait du fromage. Mais le projet le plus important de Philip était de transformer toutes les fermes de moyenne importance – celles établies sur un sol ingrat ou pas très fertile, en particulier dans les collines –, en élevages de moutons.

Il avait passé sa jeunesse dans un monastère où l'on élevait des moutons (comme un peu partout dans cette région du pays de Galles), et il avait vu le prix de la laine monter lentement mais régulièrement, année après année, depuis aussi longtemps qu'il pouvait se souvenir. Les moutons, à la longue, résoudraient de façon permanente les problèmes d'argent du prieuré.

Voilà pour le deuxième point du plan. Le troisième était de démolir la cathédrale et d'en bâtir une nouvelle.

Vieille, laide et peu pratique, la présente église démontrait avec sa tour nord-ouest écroulée le manque de solidité de l'ensemble de l'édifice. Plus hautes, plus grandes et – surtout – moins sombres, les églises modernes étaient conçues pour mettre en valeur les tombes importantes et les saintes reliques que les pèlerins venaient voir. Aujourd'hui, de plus en plus, les cathédrales comportaient des autels secondaires et des chapelles spéciales consacrées à des saints particuliers. Une église bien conçue répondant aux multiples exigences des assemblées d'aujourd'hui attirerait beaucoup plus de fidèles et de pèlerins que Kingsbridge ne pouvait en accueillir pour l'instant; et, par là même, deviendrait très rentable. Quand Philip aurait remis en ordre les finances du prieuré, il bâtirait une nouvelle église qui symboliserait la renaissance de Kingsbridge.

Ce serait le couronnement de sa carrière. Cette reconstruction, il ne pourrait la financer que dans une dizaine d'années. Une perspective pas très encourageante : il aurait alors près de quarante ans! Mais, d'ici un an, il espérait pouvoir entreprendre un programme de réparations qui rendrait le bâtiment actuel respectable, sinon impressionnant, pour la Pentecôte suivante.

Maintenant qu'il avait un plan, il se sentait de nouveau joyeux et optimiste. Songeant aux détails, ce fut à peine s'il entendit un bruit au loin, comme le claquement d'une grande porte. Il se demanda vaguement si quelqu'un se promenait déjà dans le dortoir ou le cloître. De toute manière, s'il y avait un problème, on l'en informerait assez tôt, et ses pensées revinrent aux loyers et aux dîmes. Une autre importante source de richesse pour les monastères, c'étaient les dons des parents des jeunes novices, mais, pour attirer les novices, le monastère avait besoin d'une école florissante.

Ses réflexions furent une fois de plus interrompues, cette fois par un bruit plus fort qui fit légèrement trembler sa maison. Il ne s'agissait assurément pas d'une porte qui claquait. Que se passait-il donc? Il s'approcha de la fenêtre et poussa le volet. Laissant entrer le froid de la nuit, frissonnant, Philip contempla l'église, la salle capitulaire, le cloître, le dortoir et les bâtiments de la cuisine : tout semblait paisible sous le clair de lune. L'air était si glacé que ses dents lui faisaient mal lorsqu'il respirait. Mais il y avait quelque chose dans cet air. Il renifla. Cela sentait la fumée.

Il fronça les sourcils, inquiet, mais il ne voyait pas de feu.

Il rentra la tête dans sa chambre et huma de nouveau l'air, pensant que la fumée provenait peut-être de sa cheminée, mais ce n'était pas le cas.

Intrigué et soucieux, il enfila rapidement ses bottes, prit son manteau et sortit en courant.

Comme il se hâtait sur la pelouse vers le cloître, l'odeur de fumée se fit plus forte. Sans aucun doute, une partie du prieuré brûlait. Philip pensa tout d'abord à la cuisine : presque tous les incendies partaient des cuisines. Il traversa en courant le passage reliant le transept sud à la salle capitulaire, puis traversa le cloître. De jour, il aurait pris par le réfectoire pour gagner la cour de la cuisine mais, la nuit, la porte était fermée, aussi emprunta-t-il le passage voûté de l'allée sud avant de tourner à droite vers l'arrière-cuisine. Pas trace de feu là-bas, ni dans la brasserie, ni dans la boulangerie. L'odeur de fumée semblait maintenant un peu moins forte. Philip continua à courir pour aller jeter un œil sur l'hôtellerie et l'écurie, de l'autre côté de la pelouse. Tout semblait calme.

Le feu pouvait-il avoir pris dans le dortoir? C'était le seul autre bâtiment comportant une cheminée. Cette idée l'horrifia. Tout en se précipitant vers le cloître, il eut l'horrible vision des moines suffoqués par la fumée, gisant inconscients tandis que le dortoir flambait. Au moment où il y arrivait, la porte s'ouvrit et Cuthbert le Chenu sortit, une torche à la main.

Cuthbert dit aussitôt : «Vous sentez?

— Oui... Les moines vont bien?

— Il n'y a pas de feu ici. »

Philip fut soulagé. Du moins son troupeau était-il indemne.

«Alors, où est-ce?

— La cuisine? suggéra Cuthbert.

— Non... J'ai vérifié.» Maintenant qu'il savait que personne n'était en danger, il s'inquiétait de son domaine. Il venait de réfléchir aux finances et il savait qu'il ne pouvait pas faire pour l'instant de réparations aux bâtiments. Il regarda l'église. N'y avait-il pas une faible lueur rouge derrière les fenêtres?

«Cuthbert, dit Philip, demandez la clé de l'église au sacristain.» Cuthbert l'avait devancé. «Je l'ai ici.

— Bonne idée!» Ils s'engagèrent en courant dans l'allée jusqu'à la porte du transept que Cuthbert ouvrit précipitamment. À peine avait-il poussé le battant que la fumée sortit en tourbillons.

Philip sentit son cœur s'arrêter. Comment son église pouvait-elle être en feu?

Il entra. La scène qui s'offrit à lui était terrifiante. Sur le sol de l'église, autour de l'autel et ici, dans le transept sud, d'énormes morceaux de bois brûlaient. D'où venaient-ils? Comment avaient-ils produit tant de fumée? Et quel était ce grondement impressionnant?

« Regardez là-haut! » cria Cuthbert.

Philip leva les yeux et eut la réponse aux questions qu'il se posait. Le plafond flambait : on aurait dit les entrailles de l'enfer. Il avait déjà presque disparu, révélant les chevrons du toit embrasés. Philip s'immobilisa, pétrifié, la tête en l'air, le cou raidi. Puis il rassembla ses esprits.

Il fonça jusqu'au milieu de la croisée du transept, s'arrêta devant l'autel et examina l'ensemble de l'église. Le toit tout entier était en feu, de la porte ouest à l'extrémité est et sur toute la largeur des deux transepts. *Comment allons-nous apporter de l'eau jusque-là?* songea-t-il, affolé. Il imagina une chaîne de moines courant dans la galerie avec des seaux et comprit aussitôt que c'était impossible : même cent personnes ne pourraient pas porter jusqu'au toit une quantité d'eau suffisante pour arrêter cet enfer rugissant. Tout allait être détruit, comprit-il, le cœur serré; la pluie et la neige tomberaient dans l'église jusqu'à ce qu'il trouve de l'argent pour un nouveau toit.

Un fracas lui fit lever les yeux. Juste au-dessus de sa tête, un énorme madrier glissait lentement de côté et s'apprêtait à tomber sur lui. Philip plongea vers le transept sud, où Cuthbert attendait, affolé.

Tout un pan du toit, trois triangles de poutres et de chevrons recouverts de feuilles de plomb étaient en train de s'effondrer. Philip et Cuthbert regardaient, figés sur place, sans penser à leur propre sécurité. Le toit s'écroula sur une des grandes arches rondes de la croisée. L'énorme poids du bois et du plomb brisa la maçonnerie dans un bruit de tonnerre. Tout se passa au ralenti : les poutres tombèrent lentement, l'arche se fracassa tranquillement et la maçonnerie en miettes se répandit sans hâte sur le sol. De nouvelles poutres se trouvèrent libérées et dans un bruit comparable à un long coup de tonnerre, toute une partie du mur nord du chœur trembla et s'affaissa dans le transept nord.

Philip était atterré : le spectacle de destruction d'une aussi impressionnante construction avait quelque chose d'étrangement choquant. Il lui semblait voir une montagne s'effondrer ou une rivière s'assécher : jamais il n'aurait pensé que cela pourrait arriver. Il n'en croyait pas ses yeux. Il ne savait pas quoi faire. Cuthbert le tira par la manche. «Sortez!» cria-t-il.

Philip ne pouvait pas s'arracher à cette vision. Il avait prévu dix ans d'austérité et de dur labeur pour remettre le monastère dans une situation financière saine. Et voilà que, tout à coup, il lui fallait construire un nouveau toit et un nouveau mur nord, et peut-être plus si la destruction se poursuivait... C'est l'œuvre du diable, se dit-il. Comment expliquer autrement que le toit ait pris feu par une glaciale nuit de janvier?

«Nous allons nous faire tuer!» hurla Cuthbert. La peur que traduisait sa voix émut Philip. Il se détourna du brasier et, avec le cellérier, il quitta en courant l'église pour se réfugier dans le cloître.

Les moines alertés sortaient en bousculade. Planté sur le seuil, Milius le cuisinier les pressait d'avancer pour éviter la cohue, et tentait de les éloigner de l'église pour les refouler vers l'allée sud du cloître, au milieu de laquelle Tom le bâtisseur leur conseillait de tourner sous l'arche et de s'échapper par là. Philip entendit Tom crier : «Allez à l'hôtellerie... évitez l'église!»

Philip estima cette réaction exagérée : ils n'auraient sûrement rien risqué ici, dans le cloître. Mais peut-être était-ce une précaution raisonnable. En fait, se dit-il, j'aurais probablement dû y penser moi-même.

Et les avertissements de Tom amenèrent Philip à se demander jusqu'où la destruction pourrait s'étendre. Si le cloître ne se trouvait pas absolument à l'abri, que dire de la salle capitulaire? C'était là, dans une petite pièce aux épais murs de pierre et sans fenêtre, qu'ils gardaient le coffre de chêne cerclé de fer contenant le peu d'argent qu'ils possédaient, avec tous les vases inestimables du sacristain et les précieuses chartes et titres de propriété du prieuré. Philip aperçut Alan, un jeune moine qui travaillait avec le sacristain et s'occupait des ornements. Il l'appela. «Il faut s'occuper du trésor... Où est le sacristain?

— Il est parti, mon père.

— Allez le trouver, demandez-lui les clés, puis prenez le trésor dans la salle capitulaire et portez-le à l'hôtellerie. Vite!»

Alan fila en courant. Philip se tourna vers Cuthbert. «Assurez-vous qu'il le fait.» Cuthbert acquiesça et suivit Alan.

Philip se retourna vers l'église. Durant les quelques instants où son attention s'était portée ailleurs, le feu avait pris de l'ampleur et la lueur des flammes brillait maintenant à toutes les fenêtres. Le sacristain aurait dû penser au trésor, au lieu de s'empresser de se sauver. Avait-on oublié autre chose ? Philip n'arrivait pas à penser méthodiquement. Voyons... Les moines se mettaient à l'abri, on s'occupait du trésor...

Il avait oublié le saint.

Au fond du chœur, derrière le trône de l'évêque, se trouvait le tombeau de saint Adolphus, un ancien martyr anglais. Le monument contenait un cercueil de bois renfermant le squelette du saint. On soulevait périodiquement la dalle de pierre pour exhiber le cercueil. Adolphus n'était pas aussi populaire aujourd'hui que jadis mais, autrefois, des malades avaient été miraculeusement guéris en touchant la tombe. Les restes d'un saint attiraient des fidèles et des pèlerins dans une église et pouvaient rapporter tant d'argent que, si scandaleux que cela fût, on voyait souvent des moines voler carrément de saintes reliques dans d'autres sanctuaires. Philip avait prévu de raviver l'intérêt des foules pour Adolphus. Il lui fallait sauver ce squelette.

Il aurait besoin d'aide pour soulever la dalle et déménager le cercueil. Le sacristain aurait dû y penser déjà mais il demeurait invisible. Le premier moine à sortir du dortoir se trouva être Remigius, l'orgueilleux sous-prieur. Philip devrait s'en contenter. Il l'appela : « Aidez-moi à sauver les reliques du saint. »

Les yeux vert pâle de Remigius se tournèrent avec crainte vers l'église en flammes mais, après un moment d'hésitation, il suivit Philip et franchit avec lui la porte.

À l'intérieur de l'église, Philip s'arrêta. Il venait à peine de quitter les lieux mais le feu avait progressé très vite. Une odeur lui piquait les narines, avec des relents de poix brûlée, ce qui prouvait que les poutres du toit avaient été traitées contre les pourrissements du bois. Malgré les flammes, on sentait un vent glacial : la fumée s'échappait par les trous béants du toit et le feu aspirait dans l'église l'air froid par les fenêtres. Ce courant ascendant attisait le feu. Des braises tombaient en pluie sur le sol et quelques-unes des grosses poutres, qui se consumaient dans le toit, semblaient prêtes à tomber à tout moment. Jusqu'alors Philip s'était préoccupé des moines et ensuite des biens du prieuré, mais maintenant, pour la première fois, il avait peur pour lui-même et il hésita à s'engager dans cet enfer.

Plus il attendait, plus le risque augmentait ; s'il réfléchissait trop, il ne ferait plus rien. Retroussant les pans de sa robe, il cria : « Suivez-moi ! » et se jeta dans le transept. Il évita les petits foyers qui jonchaient le sol, s'attendant à tout moment à être écrasé par une poutre. Puis, il se retrouva soudain à l'abri, sur le bas-côté.

Il s'arrêta un moment. Les nefs latérales avaient une voûte en pierre et rien n'y brûlait. Remigius à ses côtés, Philip haletait et toussait en respirant la fumée. Les quelques instants de la traversée du transept lui avaient paru plus longs qu'une messe de minuit.

« Nous allons nous faire tuer ! dit Remigius.

— Dieu nous protégera », répliqua Philip, qui songea : *Alors pourquoi ai-je peur ?*

L'heure n'était pas à la théologie.

Il longea le transept et tourna au coin pour pénétrer dans le chœur, sans quitter le bas-côté. Il sentit la chaleur des stalles de bois qui brûlaient gaiement au milieu de l'abside et sa gorge se serra : on n'avait pas ménagé l'argent pour décorer les stalles couvertes de magnifiques sculptures. Il s'efforça de ne pas y penser et de se concentrer sur sa tâche immédiate.

Le tombeau du saint, une grande boîte de pierre rehaussée d'une plinthe, se dressait au centre de l'église. Philip et Remigius devraient soulever la dalle, l'écarter, retirer le cercueil et le transporter jusqu'au bas-côté tandis que le toit se désintégrait au-dessus de leurs têtes. Philip regarda Remigius. Les yeux verts du sous-prieur étaient agrandis de terreur. Philip s'efforça de dissimuler la peur que lui-même éprouvait. « Prenez-le par ce bout, je prendrai celui-ci », dit-il et, sans attendre la réponse, il courut vers le tombeau.

Remigius lui emboîta le pas.

Chacun d'un côté, ils empoignèrent la dalle pour la pousser.

La dalle ne bougea pas d'un pouce.

Philip comprit qu'il aurait dû amener d'autres moines. Il n'avait pas pris le temps de réfléchir. Mais il était trop tard maintenant : s'il sortait pour aller chercher du secours, il risquait de ne pas pouvoir revenir dans un transept infranchissable. Mais comment laisser ici les reliques du saint ? Une poutre risquait en chutant de fracasser la sépulture ; alors le cercueil de bois prendrait feu et les cendres s'éparpilleraient au vent, épouvantable sacrilège, et aussi perte terrible pour la cathédrale.

Une idée lui vint. Il se mit sur le côté de la tombe et fit signe à Remigius de venir auprès de lui. Il s'agenouilla, posa les deux mains sur le bord de la dalle et poussa de toutes ses forces.

Remigius l'imita et la dalle se souleva peu à peu. Philip dut se relever sur un genou et Remigius fit de même ; puis tous deux se redressèrent. Une fois la dalle à la verticale, il suffit d'une autre poussée pour la faire basculer sur le sol où elle se fendit en deux.

Philip examina l'intérieur du tombeau. Le sarcophage était en bon état, le bois encore apparemment sain et les poignées de fer à peine ternies. Philip se planta à une extrémité, se pencha et saisit deux poignées. Remigius fit de même à l'autre bout. Ils soulevèrent le cercueil de quelques pouces, mais il était beaucoup plus lourd que Philip ne s'y attendait et, au bout d'un moment, Remigius lâcha prise en disant : «Je ne peux pas... Je suis plus vieux que vous. »

Philip réprima sa colère. Sans doute le cercueil était-il doublé de plomb, mais maintenant qu'ils avaient ôté la dalle du tombeau, il devenait encore plus vulnérable qu'auparavant. «Venez ici, cria Philip à Remigius. Nous allons essayer de le mettre debout. »

Remigius rejoignit Philip. Ils prirent chacun une poignée de fer et soulevèrent assez facilement le cercueil qu'ils firent passer par-dessus le bord du tombeau avant de le dresser sur une extrémité. Ils s'arrêtèrent un moment. Philip s'aperçut qu'ils avaient soulevé le pied de la caisse, si bien que le saint était maintenant la tête en bas. Il lui adressa de silencieuses excuses. Des tisons enflammés ne cessaient de pleuvoir autour d'eux. Chaque fois que des étincelles atteignaient la robe de Remigius, celui-ci les tapotait avec frénésie tout en ne cessant de jeter des coups d'œil affolés sur le toit en flammes. Philip comprit que le courage du sous-prieur s'épuisait rapidement.

Sur un dernier effort des deux hommes le cercueil commença à glisser sur le bord du tombeau ; puis l'autre extrémité toucha enfin le sol. Après quoi les moines le remirent à l'endroit pour que le corps soit enfin dans le bon sens. Les saints ossements devaient s'agiter à l'intérieur comme des dés dans un cornet, songea Philip. Jamais je n'aurai approché autant du sacrilège, mais tant pis.

Tenant chacun une poignée, Philip et Remigius tirèrent de nouveau le cercueil pour l'apporter à l'abri relatif du bas-côté, laissant derrière de petits sillons creusés par les coins de fer dans la terre battue. Les moines étaient presque parvenus au but quand une portion du toit, des madriers en flammes et du plomb brûlant, vint s'effondrer en plein sur le tombeau maintenant vide du saint. Le fracas fut assourdissant, le sol trembla sous le choc et le caveau vola en éclats. Une grosse poutre rebondit sur le cercueil, manquant de peu Philip et Remigius et leur arrachant leur fardeau des mains. Remigius n'y tint plus : «C'est l'œuvre du diable!» hurla-t-il, et il détala en courant.

Philip faillit bien le suivre. Si le diable était réellement à l'œuvre ici ce soir, qui savait ce qui risquait d'arriver? Philip n'avait jamais vu de démon, mais il avait entendu de nombreux récits de victimes de ce genre de rencontre. Cependant les moines sont faits pour s'opposer à Satan, et non pour le fuir, se dit sévèrement Philip. Il jeta un long regard sur l'endroit à atteindre, puis banda ses muscles, saisit les poignées du cercueil et poussa.

Il parvint à dégager la caisse de la poutre. Chose étonnante, le bois du cercueil, quoique entamé, tenait encore bon. Il le tira un peu plus loin tandis qu'une pluie de petites braises brûlantes se déversait sur lui. Il leva la tête. Était-ce une silhouette qui dansait là-haut dans les flammes en se moquant, ou seulement un tourbillon de fumée? Il baissa les yeux et s'aperçut que le bas de sa robe avait pris feu. Il s'agenouilla, étouffa les flammes de ses mains, puis entendit un bruit : soit le grincement du bois torturé, soit le rire dément d'un diable. «Saint Adolphe, protégez-moi», murmura-t-il, et il reprit les poignées du cercueil.

Il avançait pouce par pouce, refusant de lever à nouveau les yeux : mieux valait ne pas regarder le diable. Il atteignit enfin le bas-côté et se sentit un peu plus en sûreté. Son dos moulu l'obligea à s'arrêter et à se redresser un moment.

Le trajet était encore long jusqu'à la porte la plus proche, dans le transept sud, et Philip ne savait pas s'il pourrait traîner le cercueil jusque-là avant que le toit tout entier ne s'effondre. Voilà peut-être sur quoi comptait le diable. Philip ne put s'empêcher de lever la tête vers le brasier. Juste au moment où il l'apercevait dans la fumée, la silhouette à deux jambes bondit derrière une poutre noircie. Il sait que je ne peux pas y arriver, se dit Philip, tenté d'abandonner le saint et de s'enfuir à toutes jambes. C'est alors qu'il vit frère Milius, Cuthbert le Chenu et Tom le bâtisseur, trois formes très solides, accourir à sa rencontre. Son cœur bondit de joie et il fut soudain moins convaincu d'une présence satanique dans les combles.

«Dieu soit loué! s'écria-t-il. Aidez-moi.»

Tom le bâtisseur jeta un rapide coup d'œil au toit en flammes. Il ne parut voir aucun démon là-haut, mais déclara : «Faisons vite.»

Ils prirent chacun un coin et hissèrent le cercueil sur leurs épaules. Même à quatre, c'était un effort. «En avant!» cria Philip. Courbés sous le poids, ils se dirigèrent aussi vite qu'ils le pouvaient vers la porte.

«Attendez!» lança Tom alors qu'ils atteignaient le transept sud. Le sol était une course d'obstacles entre de petits feux sur lesquels ne cessaient de tomber de nouveaux fragments de bois enflammé. Philip scruta la brèche, essayant d'imaginer dans sa tête un chemin à travers les flammes. Un grondement se fit entendre du côté ouest de l'église. Philip leva la tête, plein d'appréhension. Le grondement se transforma en coups de tonnerre. «Elle est faible, dit mystérieusement Tom le bâtisseur, comme l'autre.

— Quoi donc? cria Philip.

— La tour sud-ouest.

— Oh non!»

Horrifié, Philip eut l'impression que tout le côté ouest de l'église s'avançait comme si la main de Dieu l'avait frappé. Le toit s'effondra dans la nef qui parut secouée par un tremblement de terre. Puis, comme une avalanche, l'ensemble de la tour sud-ouest s'écroula et tomba dans l'église.

Philip demeura pétrifié. Son église se désintégrait sous ses yeux. Il faudrait des années pour réparer les dégâts, en supposant qu'il parvienne à trouver l'argent. Que faire? Comment le monastère continuerait-il? Était-ce la fin du prieuré de Kingsbridge?

Il fut tiré de sa stupeur par le mouvement du cercueil sur son épaule tandis que les trois autres hommes se remettaient en marche. Tom leur fraya un chemin dans le labyrinthe des feux. Un tison tomba sur le cercueil mais par bonheur glissa sans toucher personne. Quelques instants plus tard ils franchissaient la porte et sortaient dans l'air froid de la nuit.

Trop atterré par la destruction de l'église, Philip n'éprouvait aucun soulagement. Ses compagnons et lui-même contournèrent en hâte le cloître et passèrent sous l'arche sud. Une fois loin des bâtiments, Tom dit : «Ça ira.» Ils déposèrent sans se faire prier le cercueil sur le sol gelé.

Il fallut quelques instants à Philip pour reprendre son souffle. Il comprit aussi qu'il ne devait pas se laisser aller. En tant que prieur, il lui appartenait de commander. Que devait-il faire maintenant? D'abord s'assurer que tous les moines étaient sortis sains et saufs du dortoir. Il prit une profonde inspiration, puis redressa les épaules. «Cuthbert, restez ici pour veiller au cercueil du saint, ordonna-t-il. Les autres, suivez-moi.»

Il les entraîna derrière les cuisines, passa entre la brasserie et le moulin et traversa la pelouse jusqu'à l'hôtellerie. Les moines, la famille de Tom et la plupart des villageois étaient là réunis par petits groupes, chuchotant et contemplant les yeux écarquillés l'église en feu. Quel spectacle pitoyable : toute l'extrémité ouest n'était qu'un tas de ruines et d'énormes flammes jaillissaient de ce qui restait du toit.

Philip se tourna vers la foule : «Tout le monde est là? s'enquit-il. Si vous pensez que quelqu'un manque à l'appel, dites son nom.

— Cuthbert le Chenu, dit quelqu'un.

— Il garde les reliques du saint. Personne d'autre?»

Il n'y avait personne d'autre.

«Comptez les moines pour vous en assurer, ordonna Philip à Milius. Nous sommes quarante-cinq, y compris vous et moi.» Sachant qu'il pouvait faire confiance à Milius, il passa à autre chose et s'adressa à Tom le bâtisseur. «Toute ta famille est là aussi?»

Tom acquiesça et montra du doigt les siens blottis contre le mur de l'hôtellerie : la femme, le fils aîné et les deux petits. Le jeune garçon lança à Philip un regard affolé. Ce doit être une expérience terrifiante pour eux, se dit le prieur. Le sacristain était assis sur le coffre cerclé de fer contenant le trésor et Philip qui l'avait oublié fut soulagé de voir qu'on avait pu le récupérer. «Frère Andrew, dit-il au sacristain, le cercueil de saint Adolphe est derrière le réfectoire. Emmenez quelques frères pour vous aider à le porter...» Il réfléchit un moment. L'endroit le plus sûr était sans doute la résidence du prieur. «Portez-le dans ma maison.

— Dans votre maison? protesta Andrew. Les reliques devraient être sous ma garde, et non sous la vôtre.

— Alors vous auriez dû aller les sauver vous-même! tonna Philip. Obéissez et taisez-vous!»

Le sacristain se leva à regret, l'air furieux.

« Faites vite, dit Philip, ou bien je vous décharge sur-le-champ de votre office ! »

Il tourna le dos à Andrew et s'adressa à Milius. « Combien ?

— Quarante-quatre, plus Cuthbert. Onze novices. Cinq hôtes. Tout le monde est là.

— Dieu soit loué », dit Philip tandis que l'incendie continuait à faire rage. Qu'ils fussent tous vivants et indemnes lui paraissait tenir du miracle. Conscient d'être épuisé de fatigue, Philip se rendit compte qu'il était trop inquiet pour s'asseoir et se reposer. « Y a-t-il autre chose de valeur que nous devions sauver ? dit-il. Nous avons le trésor et les reliques... »

Alan, le jeune économe, intervint. « Et les livres ? »

Philip poussa un gémissement. Bien sûr... les livres. On les gardait dans une armoire fermée à clé dans le cloître, près de la porte de la salle capitulaire. Les moines pouvaient les y trouver durant les périodes d'étude. Les déménager un à un prendrait trop de temps. Peut-être quelques robustes jeunes gens réussiraient-ils à soulever l'armoire entière et à l'emporter à l'abri. Philip regarda autour de lui. Le sacristain avait déjà emmené une demi-douzaine de moines pour s'occuper du cercueil. Philip choisit à son tour trois jeunes moines et trois novices et leur demanda de l'accompagner.

Il rebroussa chemin, traversant l'espace découvert devant l'église en flammes. Il était trop épuisé pour courir. Cuthbert le Chenu et le sacristain organisaient le transport du cercueil. Philip entraîna son groupe dans le passage qui menait du réfectoire au dortoir et, franchissant l'arche, arriva au cloître.

Les portes de l'armoire s'ornaient de sculptures représentant Moïse et les Tables de la Loi. Philip ordonna aux jeunes gens de basculer la bibliothèque sur l'avant et de la hisser sur leurs épaules. Ils la transportèrent jusqu'à l'arche sous laquelle Philip s'arrêta pour regarder derrière lui, le cœur plein de tristesse à la vue de son église en ruine. La fumée diminuait à présent au profit des flammes. Des pans entiers des combles avaient disparu. Soudain la partie du toit au-dessus de la croisée sembla fléchir, Philip comprit qu'elle allait s'effondrer à son tour. Il y eut un coup de tonnerre, plus fort que jamais, et le toit du transept sud s'écroula. Philip éprouva une douleur presque physique, comme si son corps lui-même brûlait. Un moment plus tard, le mur du transept parut faire saillie au-dessus du cloître. Dieu nous vienne en aide, il va s'abattre, se dit Philip. Comme la maçonnerie commençait à s'émietter et à s'éparpiller alentour, il comprit que le mur tombait sur lui et il tourna les talons pour s'enfuir. Mais il n'avait pas fait trois pas que quelque chose lui heurta la nuque et il perdit conscience.

Pour Tom, le terrible incendie qui ravageait la cathédrale de Kingsbridge représentait un signe d'espoir. Il contemplait les flammes gigantesques qui jaillissaient des ruines de l'église avec une seule pensée : enfin du travail !

Cette pensée hantait son esprit depuis que, sortant de l'hôtellerie les yeux gonflés de sommeil, il avait aperçu les lueurs rougeoyantes derrière les fenêtres de l'église. Alors qu'il exhortait les moines à fuir le danger et se précipitait dans l'église en flammes pour trouver le prieur Philip et mettre à l'abri le cercueil du saint, son cœur éclatait d'un bonheur éhonté.

Puis, dans un moment de réflexion, l'idée lui vint qu'il ne convenait pas de se réjouir de l'incendie d'une église ; mais au fond, songea-t-il, personne n'a été blessé, on a sauvé le trésor du prieuré, et de toute façon l'église était vieille et croulante ; alors pourquoi ne pas se féliciter ? Tout ce que j'ai à faire maintenant, se dit Tom, c'est de m'assurer qu'on me confie la tâche de reconstruire cette église. Et c'est maintenant qu'il faut que j'en parle au prieur Philip.

Il vit les jeunes moines revenir par la pelouse avec la lourde armoire à livres mais le prieur ne se trouvait pas parmi eux.

Arrivés à l'hôtellerie les moines déposèrent leur fardeau sur le sol. « Où est votre prieur ? » leur demanda Tom. « Je ne sais pas, s'étonna le plus vieux, je le croyais derrière nous. » Peut-être était-il resté en arrière pour observer l'incendie, pensa Tom ; à moins qu'il n'ait eu des ennuis.

Sans plus tarder, Tom fonça à travers la pelouse puis derrière la cuisine. Il espérait Philip sain et sauf, non seulement parce que le prieur paraissait si bon, mais parce qu'il était le protecteur de Jonathan. Sans lui, on ne pouvait pas savoir ce que deviendrait le bébé.

À son grand soulagement, Tom découvrit Philip dans le passage entre le réfectoire et le dortoir. Assis, l'air abasourdi, mais indemne. Tom aida le prieur à se relever.

« Quelque chose m'a heurté la tête », dit-il en vacillant sur ses jambes.

Tom regarda derrière lui. Le transept sud s'était effondré sur le cloître. «Vous avez de la chance d'être en vie, dit Tom. Dieu doit avoir de grands desseins pour vous. »

Philip secoua la tête pour s'éclaircir les idées. «J'ai perdu connaissance un moment, mais à présent je vais bien. Où sont les livres?

— On les a emportés à l'hôtellerie.

— Retournons là-bas. »

Tom prit le bras de Philip. Quoique ne souffrant pas de graves blessures, le prieur était bouleversé.

Le temps qu'ils reviennent à l'hôtellerie, l'incendie de l'église avait atteint son apogée et les flammes diminuaient; Tom, néanmoins, distinguait clairement les visages des gens et il s'aperçut, stupéfait, que c'était l'aube.

Philip commença à réorganiser la vie au monastère. Il demanda à Milius le cuisinier de faire du porridge pour tout le monde et autorisa Cuthbert le Chenu à ouvrir un tonneau de vin fort pour qu'on se réchauffe en attendant. Il ordonna d'allumer du feu dans l'hôtellerie pour mettre les plus âgés des moines à l'abri du froid. Poussés par le vent, des rideaux de pluie glacée commencèrent à éteindre les flammes.

Quand tout le monde fut de nouveau au travail, le prieur Philip s'éloigna seul de l'hôtellerie et se dirigea vers l'église. Tom l'aperçut et lui emboîta le pas. C'était maintenant sa chance. S'il menait bien son affaire, il pourrait travailler ici pendant des années.

Philip contemplait, immobile, ce qui avait été le côté ouest de l'église. Il secouait tristement la tête comme devant les ruines de sa propre vie. Debout auprès de lui, Tom gardait le silence. Puis Philip repartit, le long de la façade nord de la nef en traversant le cimetière. Tom l'accompagna pour inspecter les dégâts.

Le mur nord de la nef était encore debout, mais le transept et une partie de la paroi du chœur s'étaient écroulés. L'église possédait encore une façade à l'est. Ils la contournèrent pour examiner le côté sud. Presque tout le mur s'était écroulé avec le transept effondré sur le cloître. La salle du chapitre demeurait encore debout.

Ils continuèrent jusqu'à l'arche qui menait à l'allée est du cloître. Là, ils furent arrêtés par l'entassement des décombres. Les dégâts semblaient terribles, mais l'œil exercé de Tom voyait que les allées du cloître n'étaient pas gravement endommagées, simplement encombrées de ruines. Il grimpa par-dessus les pierres brisées jusqu'au moment où il put regarder à l'intérieur de l'église. Derrière l'autel, un escalier à demi dissimulé descendait dans la crypte. La crypte elle-même se trouvait sous le chœur. Tom inspecta les dalles du sol au-dessus de la crypte à la recherche des fêlures : il n'en vit aucune. Il y avait de bonnes chances pour que la crypte fût intacte. Il ne le dirait pas tout de suite à Philip : il garderait cette nouvelle pour un moment crucial.

Philip avait poursuivi sa marche en passant derrière le dortoir. Tom hâta le pas pour le rattraper. Ils trouvèrent le dortoir intact. En continuant, ils constatèrent que les autres bâtiments du monastère étaient plus ou moins indemnes : le réfectoire, la cuisine, la boulangerie et la brasserie. Philip aurait pu trouver là quelque consolation, mais son visage restait sombre.

Ils terminèrent là où ils avaient commencé, devant la façade ouest en ruine, ayant fait tout le tour de l'enceinte du prieuré sans échanger un mot. Philip poussa un gros soupir et rompit le silence. «C'est l'œuvre du diable », dit-il.

Voilà mon heure, pensa Tom qui prit une profonde inspiration : «Ce pourrait être l'œuvre de Dieu. »

Philip le regarda d'un air surpris. «Comment ça?

— Personne n'a été blessé, dit prudemment Tom. Les livres, le trésor et les ossements du saint ont été sauvés. Seule l'église a été détruite. Peut-être Dieu voulait-il une nouvelle église. »

Philip eut un sourire sceptique : «Et j'imagine que Dieu voulait que Tom en fût le bâtisseur. » Il n'était pas assez assommé pour ne pas comprendre le côté intéressé des pensées de Tom.

Tom ne se laissa pas démonter. «Peut-être, dit-il calmement. Mais ce n'est pas le diable qui a envoyé ici un maître bâtisseur la nuit où l'église a brûlé. »

Philip détourna les yeux. «Eh bien, il y aura certes une église neuve, mais je ne sais pas quand. En attendant, que dois-je faire? Comment la vie du monastère peut-elle continuer? Nous ne sommes ici que pour adorer Dieu et étudier. »

Philip semblait au fond du désespoir : le moment idéal pour Tom d'essayer de lui redonner courage : «Mon garçon et moi pourrions déblayer le cloître et le remettre en état en une semaine», dit-il avec plus d'assurance dans la voix qu'il n'en éprouvait.

Philip haussa les sourcils. «Vraiment?» Puis son expression de surprise se changea encore en accablement. «Mais qu'utiliserons-nous comme église?

— Et la crypte? Vous pouvez célébrer les services là, n'est-ce pas?

— Oui... cela ferait fort bien l'affaire.

— Je suis certain que la crypte n'est pas gravement endommagée», dit Tom. Il en était presque sûr.

Philip le regardait comme un ange de miséricorde.

«Il ne va pas falloir longtemps pour déblayer un chemin au milieu des débris pour aller du cloître à l'escalier de la crypte, poursuivit le maçon. Presque toute l'église sur ce côté-là a été détruite, une chance, en un sens, puisqu'on ne risque plus ainsi de voir de la maçonnerie s'écrouler. Il faudra que je sonde les murs encore debout et peut-être que j'étaie certains d'entre eux. Ensuite, il faudra les vérifier chaque jour pour voir s'il n'y a pas de fissure et, de toute façon, ne pas entrer dans l'église pendant une tempête.» Malgré l'importance de ces remarques, Tom voyait bien que Philip ne s'y intéressait pas : ce que le prieur voulait entendre, c'étaient des nouvelles positives, quelque chose qui le réconforte. La seule façon de se faire engager, c'était de lui donner ce qu'il voulait. Tom changea de ton. «Avec quelques-uns de vos plus jeunes moines travaillant pour moi, je vous garantis d'arranger les choses de façon que vous puissiez reprendre une vie monastique à peu près normale d'ici deux semaines.»

Philip dévisagea le maçon. «Deux semaines?

— Donnez-moi le gîte et le couvert pour ma famille, et vous me paierez mon salaire seulement quand vous aurez l'argent.

— Vous me rendriez mon prieuré en deux semaines?» répéta Philip, incrédule.

Tom n'était pas sûr de tenir les délais mais s'il lui fallait une semaine de plus personne n'en mourrait. «Deux semaines, répéta-t-il avec fermeté. Après, nous abattrons les murs qui restent – c'est un travail délicat si on veut l'accomplir sans risque –, puis nous dégagerons les décombres et entasserons les pierres pour les réutiliser. Pendant ce temps, nous pourrons dessiner le plan de la nouvelle cathédrale.» Tom retint son souffle. Il avait fait de son mieux.

Philip acquiesça, souriant pour la première fois. «Je crois en effet que c'est Dieu qui vous a envoyé, dit-il. Allons déjeuner, puis nous pourrons nous mettre au travail.»

Tom poussa un soupir de soulagement. « Merci », dit-il, et, avec un sanglot à peine réprimé, il ajouta : « Je ne peux pas vous dire ce que cela signifie pour moi. »

Après le déjeuner, Philip tint un chapitre improvisé dans le magasin de Cuthbert, sous la cuisine, avec les moines tout excités. La plupart de ces hommes qui avaient choisi une vie sûre, prévisible et monotone paraissaient maintenant terriblement désorientés. Leur désarroi touchait le cœur de Philip. Il avait plus que jamais le sentiment d'être un berger, dont la tâche est de veiller sur des créatures innocentes et désemparées, sauf qu'il ne s'agissait pas en l'occurrence d'animaux mais de frères qu'il aimait. La meilleure façon de les réconforter, avait-il décidé, était de les informer de ses projets, d'utiliser dans le travail leur énergie nerveuse afin de retrouver au plus vite un semblant de routine.

Malgré le cadre inhabituel, Philip n'abrégea pas le rituel du chapitre. Il ordonna qu'on lise le martyrologe de la journée, suivi des prières commémoratives. Voilà pourquoi les monastères existent : la prière justifie leur existence.

Pour conclure, Philip se leva : « La catastrophe qui nous a frappés la nuit dernière n'est que matérielle, commença-t-il, en mettant dans sa voix autant de chaleur et d'assurance qu'il en était capable. Notre vie est spirituelle ; notre travail c'est la prière, le culte et la contemplation. » Il les fixa tour à tour du regard, s'efforçant de bien retenir leur attention : « Nous allons reprendre cet idéal dans quelques jours, je vous le promets. »

Il marqua un temps d'arrêt. La tension diminuait dans la salle. « Dieu, dans sa sagesse, reprit-il, nous a envoyé hier un maître bâtisseur pour nous aider dans cette épreuve. Celui-ci m'a assuré que, si nous travaillons sous sa direction, nous remettrons le cloître en état d'ici une semaine. »

Il y eut un murmure de surprise.

« Je crains que notre église ne serve plus jamais aux services : il faudra la rebâtir, et cela, bien sûr, prendra des années. Toutefois, Tom le bâtisseur pense que la crypte n'est pas endommagée. La crypte est consacrée, nous pouvons donc y célébrer les services. Tom promet de nous en garantir l'utilisation une semaine après avoir terminé le cloître. Vous voyez donc que nous pourrons reprendre notre culte habituel dès le dimanche de Septuagésime. »

Philip constata qu'il avait réussi à calmer les moines et à les rassurer. Il ajouta : «Les frères qui se sentent trop frêles pour un tel effort physique seront excusés. Les frères qui travailleront toute la journée avec Tom le bâtisseur auront droit à la viande rouge et au vin.»

Philip se rassit. Remigius fut le premier à parler. «Combien nous faudra-t-il payer ce bâtisseur?» demanda-t-il avec méfiance.

On pouvait compter sur Remigius pour essayer de prendre Philip en défaut. «Rien encore, répondit Philip. Tom connaît notre pauvreté. Il travaillera en échange du gîte et du couvert pour lui et sa famille jusqu'au moment où nous pourrons nous permettre de lui payer un salaire.» Une réponse ambiguë, Philip le savait : cela pouvait signifier que Tom n'aurait pas droit à un salaire tant que le prieuré ne serait pas en mesure de lui en offrir un alors qu'en réalité le prieuré lui devrait des gages pour chaque jour de travail à compter d'aujourd'hui. Mais avant que Philip ait pu clarifier ce point, Remigius reprit :

«Et où logeront-ils?

— Je leur ai donné l'hôtellerie.

— Ils pourraient habiter avec une des familles du village.

— Tom nous a fait une offre généreuse, dit Philip avec impatience. Nous avons de la chance de l'avoir. Je ne veux pas le faire dormir en compagnie des chèvres et des cochons quand nous disposons d'une maison convenable et vide.

— Il y a deux femmes dans cette famille...

— Une femme et une fillette, corrigea Philip.

— Une femme, alors. Nous ne voulons pas d'une femme vivant dans le prieuré!»

Les moines commencèrent à marmonner : ils n'aimaient pas les arguties de Remigius. Philip dit : «Il est parfaitement normal pour des femmes de séjourner dans l'hôtellerie.

— Pas pour cette femme-là!» s'écria Remigius qui parut regretter tout aussitôt ce qu'il venait de dire.

Philip fronça les sourcils. «Connaissez-vous cette femme, mon frère?

— Elle a autrefois habité par ici», expliqua Remigius à contrecœur.

Philip nota, intrigué, que c'était la seconde fois que pareil incident se produisait à propos de la femme du bâtisseur : Waleran Bigod lui aussi avait été troublé en la voyant. «Que lui reprochez-vous?» demanda Philip.

Sans laisser à Remigius le temps de répondre, frère Paul, le vieux moine qui gardait le pont, prit la parole. «Je me souviens, dit-il d'un ton rêveur. Une petite sauvageonne vivait dans la forêt par ici – oh! il y a bien au moins quinze ans. C'est sans doute la même fille qui a grandi.

— Les gens la prétendaient sorcière, précisa Remigius. Nous ne pouvons pas garder une sorcière au prieuré!

— Je n'en sais rien, dit frère Paul du même ton songeur. Tôt ou tard, toute femme indépendante se fait traiter de sorcière. Je me contenterai de laisser le prieur Philip juger dans sa sagesse si elle constitue un danger.

— La sagesse ne vient pas nécessairement dès le commencement d'une fonction monastique, lança Remigius.

— C'est bien vrai», dit lentement frère Paul. Il regarda Remigius droit dans les yeux : «Parfois, elle ne vient pas du tout.»

Les moines rirent de cette riposte, d'autant plus drôle qu'elle venait d'une source inattendue. Philip dut faire semblant d'être mécontent. Il claqua dans ses mains pour réclamer le silence. «En voilà assez! dit-il. Ces questions sont graves. Je vais interroger la femme. Laissez-nous vaquer à nos devoirs. Ceux qui souhaitent être dispensés de travail peuvent se retirer à l'infirmerie pour prier et méditer. Les autres, suivez-moi.»

Il quitta le magasin et passa derrière les bâtiments de la cuisine en empruntant l'arche qui menait au cloître. Quelques moines abandonnèrent le groupe et se dirigèrent vers l'infirmerie, parmi lesquels Remigius et Andrew le sacristain. Aucun des deux n'avait l'air particulièrement frêle, se dit Philip, qui cependant, les sachant sources d'ennuis, fut trop content de les voir partir. La plupart des moines suivirent Philip.

Tom avait déjà rassemblé les serviteurs du prieuré et les avait mis au travail. Juché sur la pile de décombres au milieu du cloître, un grand morceau de craie à la main, il marquait les pierres de la lettre T, son initiale.

Philip se demanda soudain comment on pouvait déplacer d'aussi grosses pierres bien trop lourdes pour un seul homme. Il eut aussitôt la réponse : on posait sur le sol deux perches côte à côte et on faisait rouler la pierre jusqu'à ce qu'elle repose sur les perches que deux hommes soulevaient alors par les bouts. Tom le bâtisseur avait dû leur montrer comment s'y prendre.

Le travail avançait rapidement, avec les soixante serviteurs du prieuré pratiquement tous à l'ouvrage, et ce spectacle réconforta

Philip qui adressa à Dieu une prière silencieuse de remerciement pour lui avoir envoyé Tom le bâtisseur.

Celui-ci aperçut le prieur et descendit de son tas de pierres. Avant de parler à Philip, il s'adressa à l'un des serviteurs, le tailleur qui cousait les vêtements des moines. «Demande aux moines de continuer à porter les pierres», lui ordonna-t-il. «Assure-toi qu'ils ne prennent que celles que j'ai marquées, sinon la pile risque de glisser et de tuer quelqu'un.» Il se tourna vers Philip. «J'en ai marqué assez pour les occuper un moment.

— Où les emportent-ils? interrogea Philip.

— Venez, je vais vous montrer. Je veux vérifier qu'ils les rangent comme il faut.»

Philip accompagna Tom. On transportait les pierres à l'est de l'enceinte du prieuré. «Certains des serviteurs devront continuer à assumer leurs tâches habituelles, dit Philip en marchant. Les garçons d'écurie ont à s'occuper des chevaux, les cuisiniers à préparer les repas. Il faut que quelqu'un aille chercher du bois pour le feu, qu'un autre nourrisse les poulets et que d'autres enfin aillent au marché. Mais aucun n'est surchargé de travail et je peux disposer de la moitié d'entre eux. Outre cela, vous aurez une trentaine de moines.»

Tom hocha la tête. «Ça ira.»

Les hommes entassaient les pierres encore tièdes contre le mur de l'enceinte du prieuré, à quelques pieds de l'infirmerie et de la maison du prieur. «Il faut conserver les vieilles pierres, expliqua Tom, pour la nouvelle église. On ne les utilisera pas pour les murs, car des pierres de seconde main ne vieillissent pas bien; mais elles feront l'affaire pour les fondations. Il faudra garder aussi tous les morceaux brisés. On les mélangera au mortier qu'on versera dans la cavité entre la face intérieure et la face extérieure des nouveaux murs, pour former le cœur de moellons.

— Je vois.» Philip écouta Tom expliquer à ceux qui travaillaient comment entasser les pierres en quinconce pour que la pile ne s'effondre pas. À l'évidence les connaissances de Tom se révélaient déjà précieuses.

Une fois assuré que tout allait bien, Philip prit le bras du maçon et l'entraîna, en contournant l'église, jusqu'au cimetière. Les moines étaient enterrés dans la partie est du cimetière, les villageois du côté ouest. La saillie du transept nord de l'église, maintenant en ruine, indiquait la démarcation. Philip et Tom s'arrêtèrent devant. Un pâle soleil perçait à travers les nuages. De jour, les madriers noircis n'avaient rien de sinistre et Philip eut un peu honte d'y avoir décelé la présence d'un démon la nuit passée.

«Certains des moines, dit-il, répugnent à voir une femme vivre dans l'enceinte du prieuré.» Le visage de Tom exprima plus que de l'inquiétude : il se décomposa littéralement. Il l'aime vraiment, songea Philip qui s'empressa d'ajouter : «Mais je ne veux pas que vous soyez obligés de vivre au village et de partager un taudis avec une autre famille. Pour éviter tout ennui, votre femme devra se surveiller. Dites-lui de se tenir autant que possible éloignée des moines, surtout des jeunes. Qu'elle garde le visage couvert si elle doit circuler dans le prieuré. Surtout, qu'elle ne tente rien qui puisse la faire soupçonner de sorcellerie.

— J'y veillerai», dit Tom, d'un ton à la fois résolu et un peu gêné. Philip savait que la femme avait la langue bien pendue et du caractère. Elle prendrait peut-être mal ces avertissements. Mais sa famille hier encore se trouvait sans ressources, aussi comprendrait-elle certainement que ces contraintes n'étaient pas cher payer l'abri et la sécurité.

Ils poursuivirent leur marche. La nuit, Philip avait vu dans cet incendie une tragédie surnaturelle, une terrible défaite pour les forces de la civilisation et de la vraie religion, un coup fatal à l'œuvre de sa vie. Aujourd'hui, le sinistre ne lui apparaissait plus que comme un problème à résoudre : un problème énorme certes, décourageant, même, mais pas surhumain. Ce changement d'attitude, Philip le devait surtout à Tom et il lui en était très reconnaissant.

Ils atteignirent la façade ouest. Philip vit qu'on sellait un coursier à l'écurie et se demanda qui, justement aujourd'hui, partait en voyage. Il laissa Tom retourner au cloître tandis qu'il poursuivait jusqu'à l'écurie pour se renseigner.

C'était un des assistants du sacristain, le jeune Alan, le sauveur du trésor, qui avait réclamé une monture. «Où vous rendez-vous, mon fils? dit Philip.

— Au palais de l'évêque, répondit Alan. Frère Andrew m'a envoyé chercher des cierges, de l'eau bénite et des hosties, puisque nous avons perdu tout cela dans l'incendie et que nous devons célébrer de nouveau des offices dès que possible.»

En effet, les réserves, gardées en coffre dans le chœur, avaient forcément brûlé. Philip fut heureux de constater que pour une fois le sacristain s'organisait. «C'est bien, dit-il, mais attendez un moment. Puisque vous allez au palais, vous emporterez une lettre de moi pour l'évêque Waleran.» Grâce à des manœuvres discutables, l'habile Waleran Bigod était maintenant l'évêque élu. Mais Philip ne pouvait lui retirer son appui. Il se devait de traiter Waleran comme son supérieur. «Il faut que je lui fasse un rapport sur l'incendie.

— Oui, mon père, répondit Alan. J'ai déjà une lettre de Remigius à l'évêque.

— Oh!» s'exclama Philip, surpris. Voilà qui était bien audacieux de la part de Remigius, songea-t-il. «Très bien, dit-il à Alan. Inutile que j'en écrive une autre. Voyagez prudemment, et que Dieu soit avec vous.

— Merci, mon père.»

Philip revint vers l'église. Remigius n'avait pas perdu de temps. Pourquoi le sacristain et lui s'étaient-ils à ce point précipités? Philip se tracassait : la lettre ne parlait-elle que de l'incendie de l'église? Ou bien contenait-elle autre chose?

Il s'arrêta au milieu de la pelouse. Il aurait parfaitement le droit de reprendre la lettre à Alan et de la lire. Hélas, c'était trop tard : Alan franchissait déjà la porte au petit trot. Philip le regarda s'éloigner, agacé. À cet instant, la femme de Tom sortit de l'hôtellerie, portant un seau, et se dirigea vers le tas de fumier près de l'écurie. Philip l'observa. Sa façon de marcher était agréable, comme l'allure d'un bon cheval.

Ses pensées revinrent à la lettre de Remigius à Waleran. Il n'arrivait pas à chasser le soupçon confus, mais obsédant, que l'essentiel du message ne concernait pas l'incendie.

Sans raison valable, il éprouvait la certitude que la lettre parlait de la femme du bâtisseur.

14.

Jack s'éveilla au premier chant du coq. Il ouvrit les yeux, vit Tom se lever et l'entendit pisser sur le sol derrière la porte. Il avait bien envie d'aller occuper la place chaude que Tom venait d'abandonner et de se blottir contre sa mère, mais il savait qu'Alfred se moquerait horriblement de lui, aussi ne bougea-t-il pas. Tom revint et secoua Alfred pour le réveiller.

Tom et Alfred burent la bière qui restait du souper de la veille au soir et mangèrent un peu de pain rassis. Alfred, comme d'habitude, emporta avec lui le reste du pain que Jack espérait qu'on lui laisserait.

Pendant que Tom et son fils travaillaient toute la journée sur le chantier, Jack et Ellen allaient parfois dans la forêt. Ellen tendait des pièges tandis que Jack chassait le canard à la fronde. Ce qu'ils prenaient, ils le vendaient aux villageois ou au cellérier, Cuthbert. C'était leur seule source de revenu, puisque Tom n'était pas payé. Avec l'argent, ils achetaient du tissu, du cuir ou du suif et, les jours où ils n'allaient pas dans la forêt, Ellen confectionnait des chaussures, des camisoles, des chandelles ou un bonnet tandis que Jack et Martha jouaient avec les enfants du village. Le dimanche, après la messe, Tom et Ellen aimaient à s'asseoir auprès du feu et bavarder. Quelquefois, ils commençaient à s'embrasser, et Tom glissait sa main sous la robe de la mère de Jack. Ils envoyaient alors les enfants dehors et barraient la porte. C'était un mauvais moment, car Alfred, toujours de mauvaise humeur, persécutait les cadets.

À son tour, Jack se leva et sortit. Il faisait froid mais sec. Martha le rejoignit quelques instants plus tard. Les ruines de la cathédrale grouillaient déjà de travailleurs portant des pierres, déblayant les décombres, bâtissant des étais en bois pour les murs instables et démolissant ceux qui étaient trop abîmés pour qu'on pût les sauver.

Les villageois et les moines avaient conclu que l'incendie avait été l'œuvre du diable et, souvent, Jack oubliait vraiment en être l'auteur. Quand il s'en souvenait, une onde de joie le submergeait soudain. Il avait pris un terrible risque, mais il s'en était tiré et il avait sauvé la famille de la famine.

Les moines déjeunaient les premiers et les travailleurs laïques n'absorbaient rien avant que les moines ne fussent allés au chapitre. Attente terriblement longue pour Martha et Jack qui se réveillaient toujours affamés et l'appétit aiguisé par l'air froid du matin.

«Allons dans la cour de la cuisine», dit Jack. Les aides-cuisiniers leur donneraient peut-être des restes. Martha accepta aussitôt : elle trouvait Jack merveilleux et obéissait à toutes ses suggestions.

En arrivant du côté des cuisines, ils constatèrent que frère Bernard, le responsable de la boulangerie, cuisait du pain ce jour-là. Comme ses aides travaillaient tous sur le chantier, il transportait lui-même son bois. Jeune, mais un peu gros, il haletait et transpirait sous son chargement de bûches. «Nous allons chercher votre bois, mon frère», proposa Jack.

Bernard laissa tomber son fardeau auprès de son four et tendit à Jack le grand panier plat. «Voilà de bons enfants, fit-il, tout essoufflé. Dieu vous bénisse.»

Lorsque les enfants revinrent avec leurs fagots, le four était déjà chaud, Bernard vida directement le contenu du panier dans le feu, puis les renvoya chercher d'autre bois. Jack avait les bras endoloris, mais son estomac lui faisait encore plus mal. Il s'empressa d'aller recharger le panier.

À leur retour, Bernard déposait sur un plateau des petits tas de pâte. «Va me chercher encore un panier et tu auras des petits pains chauds», dit-il. Jack en avait l'eau à la bouche.

La troisième fois, Jack et Martha bourrèrent tellement le panier qu'ils revinrent en trébuchant, chacun tenant une poignée. Comme ils approchaient de la cour, ils tombèrent sur Alfred portant un seau, sans doute pour aller puiser de l'eau dans la rigole qui traversait la pelouse avant de disparaître sous terre auprès de la brasserie. Alfred détestait Jack à mort depuis que celui-ci avait mis le cadavre de l'oiseau dans sa bière. D'ordinaire, quand il voyait Alfred, Jack tournait les talons et s'éloignait précipitamment. Cette fois il faillit lâcher son panier et détaler, mais il se reprocha aussitôt sa lâcheté. De plus, il sentait l'odeur du pain frais venant de la boulangerie, et il mourait de faim. Il continua donc, la peur au ventre.

Alfred se mit à rire en voyant Jack et Martha se débattre avec un panier qu'il aurait porté seul sans mal. Il poussa Jack qui perdit l'équilibre, tomba lourdement sur le dos et lâcha son côté du panier. Tout le bois se répandit sur le sol. Les larmes lui montèrent aux yeux, des larmes de rage plutôt que de douleur. Il se releva et remit patiemment le bois dans le panier. Puis ils continuèrent jusqu'à la boulangerie.

Là, ils eurent leur récompense. Le plateau de petits pains refroidissait sur une tablette de pierre. Bernard en choisit un, le fourra dans sa bouche et dit : «Ils sont parfaits. Servez-vous. Mais, attention... ils sont très chauds.»

Jack et Martha prirent chacun un petit pain. Craignant de se brûler, Jack mordit prudemment dans le sien, mais c'était si délicieux qu'il le dévora en un instant. Il aperçut les pains qui restaient, neuf petits pains. Jack leva les yeux vers frère Bernard qui le regardait en souriant. «Je sais ce que vous voulez, dit le moine. Allez-y, prenez le tout.»

Jack enveloppa le reste des petits pains dans un pan de son manteau. «Nous allons les porter à maman, dit-il à Martha.

— Tu es un bon garçon, intervint Bernard. Allez.

— Merci, frère», dit Jack.

Ils quittèrent la boulangerie et se dirigèrent vers l'hôtellerie. Jack était aux anges. Sa mère serait si contente qu'il lui rapporte un tel festin! Il fut tenté de manger encore un pain avant de les lui remettre, mais il résista : ce serait si gentil de lui en donner tant.

Comme ils traversaient la pelouse, Alfred, de nouveau, se dressa devant eux. Jack s'efforça de prendre un air désinvolte. Mais la façon dont il portait les pains dans son manteau ne passait pas inaperçue. Alfred se dirigea droit sur lui.

Jack aurait volontiers donné quelques-uns de ses petits pains, mais il savait qu'Alfred les voudrait tous. Il détala. Alfred se lança à sa poursuite et l'eut bientôt rattrapé. D'un croche-pied il arrêta le gamin qui s'étala de tout son long. Les petits pains chauds se répandirent sur le sol.

Alfred en ramassa un, essuya un peu de boue qui le maculait et l'enfourna dans sa bouche. Ses yeux s'agrandirent de surprise. «Du pain frais!» dit-il. Hâtivement il rassembla les autres.

Jack se redressa et essaya de récupérer son bien, mais Alfred le frappa d'un revers de la main qui l'envoya de nouveau au sol. Puis il s'éloigna avec son butin. Jack éclata en sanglots. Martha avait l'air consterné, mais ce n'était pas de la compassion que Jack voulait, c'était une revanche : plus que tout, il était humilié. Il s'éloigna et, comme Martha le suivait, il se tourna vers elle en disant : «Va-t'en!»

Il se dirigea vers les ruines, en essuyant ses larmes avec sa manche. Il avait au cœur une envie de meurtre. J'ai bien détruit la cathédrale, songea-t-il; je pourrais tuer Alfred. Autour des ruines, ce matin-là, on s'affairait à balayer et à nettoyer. On attendait un dignitaire ecclésiastique qui inspecterait les dégâts.

C'était la supériorité physique d'Alfred qui l'exaspérait : il gagnait à tous les coups, simplement parce qu'il était plus grand. Jack bouillait de colère. Si seulement Alfred s'était trouvé dans l'église quand toutes les pierres s'étaient écroulées...

Dans le transept nord, il aperçut enfin son ennemi. Le garçon ramassait à la pelle des éclats de pierre qu'il jetait dans une charrette. Près de la charrette, un madrier avait survécu presque intact, simplement noirci de suie. Jack frotta machinalement du doigt la surface de la poutre, y laissant une trace blanchâtre. Aussitôt très inspiré, Jack écrivit dans la suie : «Alfred est un porc.» Quelques travailleurs le remarquèrent, surpris de voir que Jack savait écrire. «Qu'est-ce que ça veut dire?» s'enquit un jeune homme.

— Demande à Alfred», répondit Jack.

Alfred regarda la poutre et son visage se rembrunit. Il était capable de lire son propre nom, mais pas le reste. Ce qui l'agaçait, c'était de savoir qu'on l'insultait mais sans comprendre le sens des mots qui avaient été écrits, ce qui était humiliant en soi. Il avait l'air plutôt ridicule, ce qui calma quelque peu la colère de Jack.

Personne ne savait donc ce que signifiaient les mots tracés dans la suie. Puis un novice passa, lut l'inscription et sourit. «Qui est Alfred? demanda-t-il.

— C'est lui», dit Jack en le montrant du pouce. Toujours furibard, Alfred, ne sachant quelle attitude prendre, s'appuya sur sa pelle, l'air buté.

Le novice se mit à rire. «Un porc, hein? Qu'est-ce qu'il cherche... des glands? dit-il.

— Sans doute!» dit Jack ravi d'avoir un allié.

Alfred lâcha sa pelle et plongea vers Jack.

Mais Jack s'y attendait et fila comme une flèche. Le novice voulut faire un croche-pied à Jack, dans un souci de neutralité à l'égard des deux parties, mais Jack l'évita avec agilité. Il traversa en courant les ruines du chœur, contournant les piles de décombres et sautant par-dessus les poutres effondrées. Il entendait derrière lui les pas lourds et le souffle haletant d'Alfred. La peur lui donnait des ailes.

Quelques instants plus tard, il comprit qu'il était parti dans la mauvaise direction. Il n'y avait pas d'issue de ce côté-là de la cathédrale. Il se rendit compte, le cœur serré, que son erreur allait lui coûter une raclée.

La partie supérieure du mur est s'était effondrée et les pierres s'entassaient au pied. N'ayant nulle part d'autre où aller, Jack se mit à escalader les décombres, Alfred sur ses talons. Il arriva en haut et vit devant lui un vide d'une quinzaine de pieds. Il hésita craintivement au bord : c'était trop haut pour qu'il saute sans se blesser. Alfred voulut lui empoigner la cheville. Jack perdit l'équilibre. Un instant, il resta un pied sur le mur et l'autre dans le vide, battant l'air de ses bras pour essayer de s'agripper à quelque chose. Alfred lui bloquait la cheville. Jack se sentit tomber inexorablement du mauvais côté. Alfred maintint encore un moment sa prise, puis lâcha. Incapable de se redresser, Jack tomba et s'entendit hurler. Il atterrit sur le côté gauche. Le choc fut épouvantable. Par malchance, son visage heurta une pierre. Tout devint noir.

Lorsqu'il ouvrit les yeux, Alfred était planté devant lui, à côté d'un moine âgé. Jack reconnut Remigius, le sous-prieur, qui le voyant reprendre conscience lui dit : «Lève-toi, mon garçon.» Incapable de bouger son bras gauche, le visage meurtri, Jack parvint à s'asseoir. Il avait cru qu'il allait mourir et il fut surpris de pouvoir remuer. Se servant de son bras droit pour se redresser, il se remit péniblement sur ses pieds, en faisant peser son poids sur sa jambe droite. Remigius le prit par le bras gauche et Jack poussa un cri de douleur, ce qui n'émut nullement le sous-prieur, lequel saisit également Alfred par l'oreille. Sans doute allait-il leur infliger une sévère punition à tous les deux, songea Jack. Mais il avait trop mal pour s'en inquiéter.

«Dis-moi, mon garçon, pourquoi essaies-tu de tuer ton frère ?

— Ce n'est pas mon frère», répondit Alfred.

L'expression de Remigius changea. «Pas ton frère ? fit-il. Vous n'avez donc pas la même mère et le même père ?

— Elle n'est pas ma mère, dit Alfred. Ma mère à moi est morte.

— Quand ta mère est-elle morte ? dit Remigius d'un ton doucereux.

— À Noël.

— À Noël dernier ?

— Oui.»

Jack sentit malgré sa souffrance que, pour une raison inconnue, l'information intéressait prodigieusement Remigius. Frémissant d'excitation réprimée, le moine demanda : «Ton père n'a donc rencontré que récemment la mère de ce garçon ?

— Oui.

— Et depuis qu'ils sont... ensemble, ont-ils consulté un prêtre pour faire sanctifier leur union?

— Euh... Je ne sais pas. » Alfred ne comprenait pas très bien ce que voulait dire le moine. Jack non plus, d'ailleurs.

« Enfin, se sont-ils mariés? reprit Remigius avec impatience.

— Non.

— Je vois. » Remigius eut l'air ravi de cette nouvelle, alors que Jack s'attendait à une réaction contraire. Il demeura un moment silencieux et songeur, puis il parut se rappeler l'existence des deux garçons. « Eh bien, si vous voulez rester au prieuré et manger le pain des moines, ne vous battez pas, même si vous n'êtes pas frères. Nous autres, hommes de Dieu, nous ne devons pas voir le sang versé : c'est une des raisons pour lesquelles nous vivons à l'écart du monde. » Là-dessus, Remigius les lâcha tous les deux, tourna les talons, et Jack enfin put aller clopin-clopant rejoindre sa mère.

Il lui avait fallu trois semaines, et non pas deux, mais Tom était parvenu à transformer la crypte en une église improvisée. Aujourd'hui l'évêque élu venait y célébrer la première messe. Une fois le cloître déblayé, Tom en avait réparé les parties endommagées : un travail assez facile car les cloîtres étaient des constructions peu compliquées, guère plus que de simples allées couvertes. Le reste de l'église se résumait à des tas de ruines et certains des murs encore debout risquaient toujours de s'effondrer, mais Tom avait dégagé un passage qui conduisait du cloître à l'escalier de la crypte par l'ancien transept sud.

Tom regarda autour de lui. D'une cinquantaine de pieds carrés et donc bien assez grande pour les besoins du prieuré, la crypte était une pièce assez sombre, avec de gros piliers et un plafond voûté et bas, mais de construction robuste, ce qui expliquait qu'elle eût survécu à l'incendie. On avait installé un tréteau en guise d'autel et les bancs du réfectoire serviraient de stalles pour les moines. Dès que le sacristain aurait apporté les vêtements sacerdotaux brodés et les chandeliers ciselés, ce serait parfait.

Avec la reprise des offices, les effectifs mis à la disposition de Tom allaient diminuer. La plupart des moines allaient retourner à leur vie de culte et à leurs tâches agricoles ou administratives. Tom disposerait encore de la moitié des serviteurs du prieuré envers qui le prieur Philip avait adopté une attitude sévère. Il les estimait trop nombreux et avait décidé de congédier ceux qui refuseraient de travailler sur le chantier. La plupart étaient restés.

Le prieuré devait déjà à Tom trois semaines de salaire. Au tarif d'un maître bâtisseur à quatre pence la journée, on arrivait au total de soixante-douze pence. Avec chaque jour qui passait, la dette grossissait et il deviendrait de plus en plus difficile pour le prieur de s'en acquitter. D'ici six mois, Tom demanderait au prieur de commencer à lui payer les deux livres et demie d'argent dont il lui serait alors redevable. Et Philip ne pourrait congédier Tom avant d'avoir réuni cette somme. Cet état de choses donnait à Tom un sentiment de sécurité.

Il y avait même une chance – il osait à peine y penser – que ce travail lui dure jusqu'à la fin de ses jours. Il s'agissait après tout d'une cathédrale ; si les autorités décidaient de commander un nouveau bâtiment prestigieux, et si elles arrivaient à trouver l'argent pour le payer, on verrait là le plus grand chantier de construction du royaume, employant des douzaines de maçons pour plusieurs décennies.

Mais c'était vraiment trop espérer. Car, d'après ce que racontaient les moines et les villageois à Tom, Kingsbridge n'avait jamais été une cathédrale importante. Perdue dans un calme village du Wiltshire, administrée par une succession d'évêques sans ambition, pourvue d'un prieuré sans gloire ni ressources, elle était manifestement sur son déclin. Certains monastères attiraient l'attention des rois et des archevêques par leur somptueuse hospitalité, leurs excellentes écoles, leur grande bibliothèque, les recherches de leurs moines philosophes ou l'érudition de leurs prieurs et de leurs abbés ; mais Kingsbridge n'offrait rien de la sorte. Selon toute probabilité, le prieur Philip ferait bâtir une petite église, simple d'architecture et modeste de décoration, dont la construction ne prendrait guère plus de dix ans. Ce qui d'ailleurs convenait parfaitement à Tom.

Les ruines noircies n'étaient pas encore froides qu'il avait compris qu'il tenait là sa chance de bâtir sa propre cathédrale.

Le prieur Philip voyait déjà la main de Dieu dans la venue de Tom à Kingsbridge. Tom savait qu'il s'était acquis la confiance de Philip par l'efficacité avec laquelle il avait effectué le déblaiement et la remise en marche du prieuré. Le moment venu, il s'entretiendrait avec lui des plans du nouveau sanctuaire. S'il s'y prenait bien, il y avait tout à parier que le prieur lui demanderait de dessiner lui-même les plans. Le fait que la nouvelle église serait sans doute assez modeste rendait plus que probable qu'on en confierait le projet à Tom plutôt qu'à un maître bâtisseur plus expérimenté en matière de cathédrales. Tom avait de grands espoirs.

La cloche sonna le chapitre. C'était aussi le signal pour les travailleurs laïques d'aller déjeuner. Tom quitta la crypte et se dirigea vers le réfectoire. En chemin, il rencontra Ellen.

Elle se planta devant lui d'un air agressif, comme pour lui barrer la route, avec dans les yeux un regard étrange. Martha et Jack l'accompagnaient. Jack avait une mine épouvantable : un œil fermé, le côté gauche du visage meurtri et enflé, il s'appuyait sur sa jambe droite comme si la gauche ne pouvait supporter aucun poids. Tom se sentit plein de compassion. «Que t'est-il arrivé? demanda-t-il.

— C'est Alfred le coupable», répondit Ellen.

Tom étouffa un juron. D'abord, il en voulut à Alfred de s'attaquer à un gamin tellement plus petit que lui. Mais Jack n'était pas un ange non plus. Peut-être avait-il provoqué Alfred. Tom chercha du regard son fils et l'aperçut couvert de poussière qui s'en allait vers le réfectoire. «Alfred! tonna-t-il. Viens ici.»

Alfred se retourna et s'approcha à pas lents, tête baissée.

«C'est toi qui as fait ça? lui dit Tom.

— Il est tombé d'un mur, dit Alfred d'un air maussade.

— C'est toi qui l'as poussé?

— Je le poursuivais.

— Qui a commencé?

— Jack m'a injurié.

— Je l'ai traité de porc parce qu'il a pris notre pain, dit Jack à travers ses lèvres enflées.

— Du pain? fit Tom. Où as-tu trouvé du pain avant le déjeuner?

— Bernard le boulanger nous l'a donné. Nous étions allés chercher du bois pour lui.

— Tu aurais dû le partager avec Alfred, dit Tom.

— Je l'aurais fait.»

Alfred intervint :

«Alors pourquoi t'es-tu enfui?

— Je le rapportais à la maison pour maman, protesta Jack. Et puis Alfred a tout mangé!»

Quatorze ans d'autorité paternelle avaient enseigné à Tom qu'il était impossible de démêler les droits et les torts dans une querelle enfantine. «Allez déjeuner tous les trois et, s'il y a d'autres bagarres, toi, Alfred, tu te retrouveras avec la même tête que Jack, et ce sera grâce à moi. Maintenant filez.»

Les enfants filèrent. Tom et Ellen suivirent d'un pas plus lent. «C'est tout ce que tu trouves à dire?»

Tom lui lança un coup d'œil. Elle était encore en colère, mais que faire? «Comme d'habitude, les deux parties ont tort.

— Tom! Comment peux-tu juger ainsi? Alfred a pris leur pain. Jack l'a traité de porc. Il n'y a pas de quoi se massacrer pour ça!»

Tom secoua la tête. «Les garçons se battent toujours. On pourrait passer sa vie à juger leurs querelles. Mieux vaut les laisser se débrouiller.

— Pas du tout, Tom, trancha-t-elle d'un ton furieux. Regarde le visage de Jack, regarde celui d'Alfred. Ce n'est pas le résultat d'une bagarre entre enfants. C'est l'agression méchante d'un homme sur un petit garçon.»

L'attitude d'Ellen déplaisait à Tom, Alfred n'était pas parfait, il le savait, mais Jack pas davantage. Tom refusait de voir Jack devenir le préféré dans cette famille. «Alfred n'est pas un homme fait, il a quatorze ans. Mais il travaille, lui. Il apporte sa contribution au soutien de la famille et ce n'est pas le cas de Jack. Jack joue toute la journée, comme un enfant, et à mon avis Jack devrait montrer du respect à Alfred. Ce n'est pas le cas, comme tu l'auras remarqué.

— Peu m'importe! s'écria Ellen. Tu diras ce que tu voudras mais mon fils aurait pu être gravement blessé, et ça, *je ne le permettrai pas!*» Elle éclata en sanglots. D'une voix plus calme, mais encore vibrante de colère, elle ajouta : «C'est mon enfant et je ne peux pas supporter de le voir traiter de la sorte!»

Tom fut tenté de la réconforter, mais il eut peur de céder. Pour lui cette conversation pouvait marquer un tournant. Vivant avec sa mère et personne d'autre, Jack avait toujours été dorloté. Tom refusait de protéger Jack contre les coups normaux de la vie quotidienne, créant un précédent qui causerait des ennuis sans fin dans les années à venir. Tom savait qu'Alfred, cette fois, avait vraiment exagéré et il était secrètement résolu à ce que son fils laissât Jack tranquille. Mais ce serait une mauvaise chose que de le dire tout haut. «Les rossées font partie de la vie, dit-il à Ellen. Jack doit apprendre à les supporter ou à les éviter. Je ne peux passer ma vie à le protéger.

— Tu pourrais le protéger de ta brute de fils ! »

Tom tiqua. Il n'aimait pas entendre Ellen traiter Alfred de brute. « Je le pourrais en effet, mais je ne le ferai pas, dit-il avec colère. Jack doit apprendre à se protéger tout seul.

— Oh ! Va te faire voir ! » dit Ellen et, tournant les talons, elle s'éloigna.

Tom entra dans le réfectoire. La cabane de bois où les ouvriers laïques prenaient en général leurs repas avait été endommagée par la chute de la façade sud-ouest, aussi déjeunaient-ils dans le réfectoire quand les moines avaient terminé leur repas. Tom, d'humeur peu sociable, s'assit à l'écart. Un aide-cuisinier lui apporta un pot de bière et des tranches de pain dans une corbeille. Il trempa un quignon dans la bière pour le ramollir et se mit à manger.

Alfred est un grand gaillard débordant d'énergie, soupira Tom, attendri. Ce garçon a un côté un peu brutal, mais il se calmera avec le temps. En attendant, Tom se refusait à obliger ses enfants à traiter Jack de façon particulière. Ils en avaient déjà trop à supporter. Ils avaient perdu leur mère, ils avaient été contraints de traîner sur les routes, ils avaient failli mourir de faim... Il ne leur imposerait pas de nouveaux fardeaux. S'il pouvait l'éviter. Ils avaient droit à un peu d'indulgence. Jack n'aurait qu'à se tenir loin d'Alfred. Il n'en mourrait pas.

Une dispute avec Ellen laissait toujours Tom le cœur lourd. Ils s'étaient querellés plusieurs fois, en général à propos des enfants, mais sans jamais atteindre à cette violence. Dès qu'elle prenait cet air dur, hostile, Ellen devenait pour Tom une étrangère en furie venue troubler sa vie paisible. Il en oubliait toute leur passion amoureuse.

Il n'avait jamais eu d'aussi âpres disputes avec sa première femme. Il lui semblait qu'Agnès et lui étaient d'accord sur tout ce qui comptait et que, dans le cas contraire, ils ne se mettaient pas en colère. Voilà comment les choses devaient être entre un homme et sa femme : Ellen devrait se rendre compte qu'elle ne pouvait pas exiger d'une famille que tout se passe comme elle l'entendait, elle.

Même quand Ellen l'exaspérait le plus, il ne souhaitait pas la voir partir, mais il pensait tout de même souvent à Agnès avec regret. Maintenant qu'elle était morte, elle lui manquait et il se sentait honteux de ne pas lui avoir manifesté plus d'affection.

Aux heures calmes de la journée, quand tous ses ouvriers avaient leurs instructions et s'affairaient sur le chantier – ce qui permettait à Tom de s'atteler à une tâche plus spécialisée, comme rebâtir un pan de mur dans le cloître ou réparer un pilier de la crypte –, il avait parfois des conversations imaginaires avec Agnès. Il lui parlait surtout de Jonathan, leur bébé. Tom voyait l'enfant presque chaque jour, quand on le nourrissait à la cuisine, qu'on le promenait dans le cloître ou qu'on le couchait dans le dortoir des moines. Il semblait parfaitement heureux et sain et personne, sauf Ellen, ne savait ou même ne se doutait que Tom s'intéressait particulièrement à ce bébé. Tom parlait aussi à Agnès d'Alfred, du prieur Philip et même d'Ellen, expliquant ses sentiments à leur propos, tout comme il l'aurait fait (sauf dans le cas d'Ellen) si Agnès avait été vivante. Il lui confiait aussi ses plans d'avenir : son espoir d'être employé pour les années à venir, et son rêve de dessiner et de bâtir lui-même la nouvelle cathédrale. Dans sa tête, il entendait les réponses et les questions d'Agnès. Elle était, selon l'heure, contente, encourageante, fascinée, méfiante ou désapprobatrice. Tantôt il avait l'impression qu'elle avait raison et tantôt qu'elle avait tort. S'il avait parlé à quiconque de ces conversations on lui aurait dit qu'il conversait avec un fantôme et il y aurait eu un grand émoi parmi les prêtres, avec eau bénite et exorcisme ; mais il savait qu'il n'y avait rien de surnaturel dans ce qui se passait. C'était simplement qu'il la connaissait si bien qu'il imaginait facilement ce qu'elle ressentait et ce qu'elle dirait dans pratiquement n'importe quelle situation.

Elle s'imposait parfois à son esprit à des moments bizarres. Lorsqu'il pelait une poire avec son couteau pour la petite Martha, il se rappelait comment Agnès se moquait toujours de lui parce qu'il se donnait le mal d'enlever la pelure d'un seul ruban. Chaque fois qu'il devait écrire quelque chose, il pensait à elle, car elle lui avait enseigné tout ce qu'elle avait appris de son père, le prêtre ; et il se rappelait comment elle lui avait montré à tailler une plume ou comment épeler *caementarius*, le mot latin pour « maçon ». En se lavant le visage le dimanche, il se rappelait comment, quand ils étaient jeunes, elle lui avait appris que se laver la barbe l'empêcherait d'avoir des poux et des boutons. Il ne vivait pas un jour sans une occasion d'évoquer son souvenir.

Il avait de la chance d'avoir Ellen, bien sûr. Elle était unique : il y avait chez elle quelque chose qui sortait des normes, et c'était cela qui lui donnait ce côté fascinant. Il lui était reconnaissant de l'avoir consolé dans son chagrin, le matin après la mort d'Agnès; mais il regrettait parfois de ne pas l'avoir rencontrée quelques jours – plutôt que quelques heures – après avoir enterré sa femme. Ainsi aurait-il eu le temps de bercer tout seul son désespoir. Il ne s'agissait pas d'observer une période de deuil – réservée aux seigneurs et aux moines – mais il aurait eu le temps de s'habituer à l'absence d'Agnès avant de commencer à vivre avec Ellen. Ce genre de pensées ne lui venait pas les premiers jours quand la menace de la famine s'alliait à l'excitation sexuelle que lui inspirait la jeune femme pour donner une sorte de griserie de fin du monde. Mais depuis qu'il avait trouvé du travail et la sécurité, les regrets l'assaillaient. Il lui semblait parfois, lorsqu'il pensait à Agnès, que non seulement elle lui manquait, mais qu'il pleurait le passage de sa propre jeunesse. Plus jamais il ne serait aussi naïf, aussi agressif, aussi affamé ni aussi fort qu'à l'époque où il était tombé amoureux d'Agnès.

Il termina son pain et quitta le réfectoire avant les autres pour se rendre au cloître. Il était content de son travail là-bas : on ne pouvait plus aujourd'hui imaginer que ce carré, trois semaines plus tôt, disparaissait sous un amas de décombres. Le seul signe qui demeurait de la catastrophe, c'étaient des fêlures dans certaines dalles qu'il n'avait pas pu remplacer.

Mais il y avait encore beaucoup de poussière. Il faudrait une fois de plus arroser le cloître puis le balayer. Il traversa l'église en ruine. Dans le transept nord, il remarqua une porte noircie, portant des mots écrits dans la suie. Tom déchiffra lentement et lut : «Alfred est un porc.» Voilà donc ce qui avait mis son fils en fureur.

Une grande quantité de bois provenant du toit ne s'était pas complètement consumée et des poutres noircies jonchaient le sol. Tom décida d'envoyer un groupe d'ouvriers ramasser tous ces madriers pour les ranger dans la réserve à bois. «Il faut tout nettoyer, disait Agnès quand quelqu'un venait en visite. Il faut que les gens soient contents que ce soit la responsabilité de Tom.» Oui, ma chérie, songea Tom, et, souriant tout seul, il se mit au travail.

L'escorte de Waleran Bigod fut repérée à près d'une demi-lieue à travers champs. Ils étaient trois qui poussaient leur monture. Waleran était en tête, sur un cheval noir, son manteau noir flottant au vent. Philip et les dignitaires du monastère attendaient auprès de l'écurie pour les accueillir.

Philip ne savait pas trop bien comment traiter Waleran. Celui-ci, à n'en pas douter, l'avait trompé en ne l'informant pas de la mort de l'ancien évêque, mais, quand la vérité était apparue, Waleran n'avait pas semblé le moins du monde honteux et Philip n'avait pas su quoi lui dire. Il ne le savait toujours pas, mais il se doutait qu'il n'y avait rien à gagner en se plaignant. D'ailleurs, tout cet épisode avait été éclipsé par la catastrophe de l'incendie. Philip simplement se méfierait de Waleran à l'avenir.

Le cheval de Waleran était un étalon, capricieux et encore nerveux bien qu'il eût parcouru plusieurs lieues. Tout en l'amenant jusqu'à l'écurie, Waleran lui faisait baisser la tête pour le décontracter. Philip désapprouvait. Il était inutile pour un ecclésiastique de faire de l'épate à cheval, et la plupart des hommes de Dieu choisissaient des montures plus paisibles.

Waleran sauta à terre d'un geste souple et tendit les rênes à un garçon d'écurie. Philip l'accueillit dans les règles. Waleran se tourna et inspecta les ruines. Un regard consterné se lut dans ses yeux et il dit : « Voilà un incendie ruineux, Philip. » Un peu à la surprise de ce dernier, il semblait sincèrement consterné.

Avant que Philip ait pu répondre, Remigius intervint : « L'œuvre du diable, monseigneur évêque, dit-il.

— Vraiment ? fit Waleran. D'après mon expérience, le diable se trouve d'ordinaire assisté dans ce genre de travail par des moines qui allument du feu dans l'église pour se réchauffer à matines ou qui laissent négligemment brûler des cierges dans la tour du clocher. »

Philip s'amusa de voir Remigius ainsi remis à sa place, mais il ne pouvait pas laisser passer les insinuations de Waleran. « J'ai mené une enquête sur les causes possibles du sinistre, dit-il. Personne n'a allumé de feu dans l'église cette nuit-là. Je peux en être sûr car j'étais moi-même présent à matines. Et personne n'était monté dans le toit depuis des mois.

— Alors, quelle est votre explication ? La foudre ? » demanda l'évêque d'un ton sceptique.

Philip secoua la tête. « Il n'y avait pas d'orage. Le feu semble avoir pris du côté de la croisée. Nous avions en effet laissé un cierge brûler sur l'autel après le service, comme d'habitude. Il est possible que le tissu de l'autel ait pris feu et qu'un courant d'air ait entraîné une étincelle jusqu'au plafond de bois qui est très vieux et très sec. » Philip haussa les épaules. « Ce n'est pas une explication très satisfaisante, mais je n'en ai pas d'autre. »

Waleran hocha la tête. « Allons voir les dégâts de plus près. »
Ils s'éloignèrent vers l'église. Les deux compagnons de Waleran
étaient de jeunes hommes d'armes, qui restèrent pour s'occuper
du cheval, et un prêtre, que Waleran présenta comme le doyen
Baldwin et qui les suivit. Comme ils traversaient la pelouse,
Remigius posa une main sur le bras de Waleran et dit : « Comme
vous pouvez le constater, l'hôtellerie est intacte. »

Tous s'arrêtèrent et se retournèrent. Philip se demanda avec
agacement quelle idée Remigius avait en tête. Quel intérêt présentait l'hôtellerie intacte ? La femme du bâtisseur revenait justement des cuisines et ils la virent entrer dans le bâtiment.
Philip jeta un coup d'œil à Waleran, se rappelant comment, au
palais de l'évêque, il avait paru presque effrayé en apercevant
Ellen. Que cachait donc cette femme ?

L'évêque lança un bref regard à Remigius et lui adressa
un signe de tête imperceptible ; puis il se tourna vers Philip :
« Qui vit là ? »

Philip était absolument sûr que Waleran connaissait la femme,
mais il répondit simplement : « Un maître bâtisseur et sa famille. »

L'évêque hocha la tête et ils continuèrent leur chemin. Philip
savait maintenant pourquoi Remigius avait attiré l'attention sur
l'hôtellerie : il avait voulu s'assurer que Waleran verrait Ellen.
Philip se promit de la questionner à la première occasion.

Ils pénétrèrent dans l'église en ruine. Un groupe de sept ou
huit hommes, composé de moines et de serviteurs du prieuré,
soulevait sous la direction de Tom une poutre à demi carboni-
sée. Il semblait régner une grande activité sur le chantier mais
tout était en ordre.

Tom vint à leur rencontre. Il les dépassait tous par la taille.
Philip le présenta : « Voici Tom, notre maître bâtisseur. Il a déjà
réussi à rendre le cloître et la crypte utilisables. Nous lui sommes
très reconnaissants.

— Je me souviens de vous, dit Waleran à Tom. Vous êtes venu
me trouver juste après Noël. Je n'avais pas de travail pour vous.

— En effet, répondit Tom de sa voix basse et un peu rauque.
Peut-être Dieu me tenait-il en réserve pour aider le prieur
Philip à traverser ses épreuves.

— Un bâtisseur théologique », nota Waleran d'un ton railleur.

Tom rougit un peu et Philip pensa que Waleran ne manquait
pas d'aplomb pour se moquer d'un pareil gaillard, même s'il
était évêque et Tom simple maçon.

« Qu'allez-vous faire maintenant ? demanda Waleran.

— Abattre les murs qui menacent encore avant qu'ils ne s'effondrent sur quelqu'un, répondit Tom avec une certaine humilité. Puis déblayer le site pour le préparer à la construction de la nouvelle église. Dès que possible, il nous faudra chercher de grands arbres pour les nouvelles poutres : plus longtemps elles sécheront, meilleur sera le toit.

— Avant de commencer à abattre des arbres, coupa Philip, nous devons trouver l'argent pour les payer.

— Nous en parlerons plus tard », dit Waleran d'un ton énigmatique.

La remarque intrigua Philip. Il comptait sur l'évêque pour réunir l'argent nécessaire à la construction de la nouvelle église. Si le prieuré devait se contenter de ses seules ressources, les travaux ne commenceraient pas avant de nombreuses années. Philip ruminait ce problème depuis trois semaines, et il n'entrevoyait pas la moindre solution.

Il entraîna le groupe, par le chemin déblayé au milieu des décombres, jusqu'au cloître. Un coup d'œil suffit à l'évêque pour constater que ce secteur était remis en état. Ils poursuivirent donc jusqu'à la maison du prieur.

Une fois à l'intérieur, Waleran ôta son manteau et s'assit, tendant ses mains pâles vers le feu. Frère Milius, le cuisinier, servit du vin chaud et épicé dans de petits bols de bois. Waleran but une gorgée avant de s'adresser à Philip : « L'idée ne vous est-elle pas venue que Tom le bâtisseur aurait pu allumer l'incendie lui-même pour se procurer du travail ?

— Si, en effet, dit Philip. Mais je ne pense pas qu'il l'ait fait. Il aurait dû pénétrer à l'intérieur de l'église, qui était fermée à clé.

— Il lui suffisait d'y entrer dans la journée et de se cacher.

— Dans ce cas, il n'aurait pas pu en sortir après avoir allumé l'incendie. » Il secoua la tête. Ce n'était pas la vraie raison pour laquelle il était sûr de l'innocence de Tom. « D'ailleurs, je ne le crois pas capable d'une chose pareille. C'est un homme intelligent – bien plus que vous ne pourriez le croire au premier abord –, mais il n'est pas madré. S'il était coupable, je crois que je l'aurais décelé sur son visage quand je lui ai demandé, les yeux dans les yeux, comment à son avis le feu avait pris. »

Surprenant quelque peu Philip, Waleran acquiesça immédiatement. « Je suis persuadé que vous avez raison, dit-il. Je ne le vois pas mettant le feu à une église : ce n'est pas son genre.

— Nous ne saurons sans doute jamais comment l'incendie a pu se produire, dit Philip. Mais nous devons résoudre le problème de l'argent. Je ne sais pas...

— Oui », fit Waleran en levant une main pour interrompre Philip. Il se tourna vers les autres occupants de la pièce. « Il faut que je parle au prieur Philip seul à seul, dit-il. Laissez-nous, je vous prie. »

Intrigué, Philip cherchait à deviner pourquoi Waleran voulait lui parler en tête-à-tête.

« Avant que nous nous retirions, seigneur évêque, dit Remigius, il y a une chose dont les frères m'ont demandé de vous parler. »

Quoi encore ? pensa Philip.

Waleran haussa les sourcils, l'air sceptique : « Pourquoi vous chargeraient-ils, vous, plutôt que votre prieur de me transmettre un problème ?

— Parce que le prieur Philip est sourd à leurs plaintes. »

Philip bondit intérieurement. Il n'y avait jamais eu de plainte. Remigius essayait d'embarrasser Philip en présence de l'évêque élu. Le prieur surprit chez celui-ci un regard interrogateur. Il haussa les épaules et essaya de prendre un air détaché. « J'ai hâte de connaître la nature de cette plainte, dit-il. Je vous en prie, frère Remigius, parlez... si vous êtes absolument sûr que le problème est assez important pour réclamer l'attention de l'évêque.

— Une femme vit au prieuré, dit Remigius.

— Nous n'allons pas recommencer, s'écria Philip, exaspéré. C'est la femme du bâtisseur, elle habite l'hôtellerie.

— C'est une sorcière », dit Remigius.

Philip se demanda pourquoi Remigius agissait ainsi. Il avait déjà enfourché une fois ce cheval-là, sans beaucoup de succès. L'argument était discutable, mais le prieur représentait l'autorité et Waleran était obligé de soutenir Philip, à moins de s'attendre à être sollicité chaque fois que Remigius serait en désaccord avec son supérieur. D'un ton las, Philip répondit : « Ce n'est pas une sorcière.

— L'avez-vous interrogée ? » demanda Remigius.

Philip se souvint de l'avoir promis, mais il ne l'avait jamais fait. Il n'avait parlé qu'au mari en lui recommandant de conseiller la prudence à sa femme, sans s'adresser directement à Ellen. C'était fâcheux, car Remigius marquait maintenant un point, même si ce point ne valait pas grand-chose. Philip était certain que cela n'amènerait pas Waleran à se ranger du côté de Remigius. «Je ne l'ai pas interrogée, reconnut Philip tout haut. Mais il n'y a aucune preuve de sorcellerie, la famille est parfaitement honnête et chrétienne.

— C'est une sorcière et une fornicatrice, dit Remigius, rougissant d'une vertueuse indignation.

— Quoi? explosa Philip. Avec qui fornique-t-elle?

— Avec le bâtisseur.

— C'est son mari, imbécile!

— Pas du tout, riposta Remigius, triomphant. Ils ne sont pas mariés et ils ne se connaissent que depuis un mois. »

Philip, abasourdi, ne s'était jamais douté de cela. Remigius l'avait pris complètement au dépourvu.

S'il disait la vérité, théoriquement la femme était en effet une fornicatrice. C'était un cas sur lequel en général on fermait les yeux, car bien des couples ne faisaient bénir leur union par un prêtre qu'après avoir vécu quelque temps ensemble. Souvent même ils attendaient que le premier enfant fût conçu. Dans les régions très pauvres et perdues du pays, des couples vivaient souvent comme mari et femme pendant des décennies, élevaient des enfants, puis étonnaient un prêtre de passage en lui demandant de célébrer leur mariage alors que naissaient leurs petits-enfants. Toutefois l'indulgence d'un prêtre de paroisse envers de pauvres paysans était une chose; c'en était une autre que le plus important employé du prieuré commette le même péché dans l'enceinte du monastère.

«Qu'est-ce qui vous fait croire qu'ils ne sont pas mariés? demanda Philip pour gagner du temps, sûr que Remigius avait déjà vérifié les faits.

— J'ai trouvé les fils en train de se battre et ils m'ont avoué qu'ils n'étaient pas frères. Toute l'histoire est venue ensuite. »

Philip était déçu par Tom. La fornication, péché assez commun, choquait particulièrement les moines qui rejetaient toute relation charnelle. Comment Tom pouvait-il s'y adonner? Philip se sentait plus en colère contre lui que contre Remigius, malgré la sournoiserie de celui-ci.

Philip s'adressa à lui : «Pourquoi ne m'avez-vous pas parlé de cela, à moi votre prieur?

— Je l'ai appris seulement ce matin. »

Philip se renversa sur son siège, vaincu, pris au piège de Remigius. C'était la revanche de Remigius pour sa défaite à l'élection. Le prieur regarda Waleran : à lui maintenant de prononcer un jugement.

L'évêque n'hésita pas. «L'affaire est assez claire, dit-il. La femme doit confesser son péché et faire pénitence publique. Elle quittera le prieuré et vivra un an dans la chasteté, loin du bâtisseur. Ensuite, ils pourront se marier.»

Un an de séparation représentait une sentence sévère, mais Philip estimait qu'elle la méritait pour avoir souillé le monastère. Restait à savoir comment elle allait l'accueillir. «Elle peut refuser de se soumettre à votre jugement», dit-il.

Waleran haussa les épaules. «Alors, elle brûlera en enfer.

— Si elle quitte Kingsbridge, je crains que Tom ne parte avec elle.

— Il existe d'autres bâtisseurs.

— Bien sûr.» Philip se désespérait à l'idée de perdre Tom. Mais l'expression de Waleran suffisait à prouver qu'il ne verrait pas d'inconvénient à voir Tom et sa compagne disparaître à jamais. Une fois de plus, il se demanda ce que dissimulait cette hostilité contre Ellen.

«Maintenant, dit Waleran, sortez tous et laissez-moi parler à votre prieur.

— Une minute», intervint sèchement Philip. Il s'agissait de son monastère, de ses moines, après tout; c'était lui qui les convoquait et qui les congédiait, pas Waleran. «Je parlerai moi-même au bâtisseur. Qu'aucun de vous ne fasse mention de notre conversation devant personne, vous entendez? La désobéissance sera punie très sévèrement. C'est clair, Remigius?

— Oui.»

Philip lui lança un regard perçant. Il y eut un lourd silence.

«Oui, père, répéta Remigius.

— Très bien, sortez.»

Remigius, Andrew, Milius, Cuthbert et le doyen Baldwin sortirent. Waleran se resservit un peu de vin chaud et allongea ses pieds vers le feu. «Les femmes causent toujours des ennuis, dit-il. Lorsqu'une jument est en chaleur à l'écurie, les étalons se mettent à mordre les palefreniers, à ruer dans leurs stalles et à créer toutes sortes de problèmes. Même les hongres s'énervent. Les moines sont comme des hongres : la passion physique leur est refusée, mais ils sentent encore le sexe de la femme.»

Philip s'agita, gêné. Était-ce utile de parler de façon aussi directe ? Il regarda ses mains. « Et la reconstruction de l'église ? dit-il.

— En effet. Vous avez dû apprendre que cette histoire dont vous êtes venu me parler – le comte Bartholomew et la conspiration contre le roi Stephen – a assez bien tourné pour nous.

— En effet. » Pour Philip, le jour semblait loin où il s'était rendu au palais de l'évêque, craintif et tremblant, pour révéler le complot contre le roi que l'Église avait choisi. « J'ai appris que Percy Hamleigh avait attaqué le château et fait prisonnier le comte.

— C'est exact. Bartholomew se trouve maintenant dans un cachot à Winchester en attendant d'apprendre son sort, confirma Waleran avec satisfaction.

— Et le comte Robert de Gloucester ? C'était lui le plus puissant des conspirateurs.

— C'est donc lui qui a eu le châtiment le plus léger. À vrai dire, pas de châtiment du tout. Il a juré allégeance au roi Stephen et son rôle dans le complot a été... oublié.

— Mais quel rapport avec notre cathédrale ? »

Waleran se leva et s'approcha de la fenêtre. Il regarda dehors les ruines de l'église. Ses yeux exprimaient une véritable tristesse et Philip se rendit compte que tous ses airs mondains cachaient un fonds de piété sincère. « Notre rôle dans la défaite de Bartholomew fait du roi Stephen notre débiteur. Avant longtemps, vous et moi irons le voir.

— Voir le roi ! dit Philip, un peu intimidé à cette perspective.

— Il nous demandera ce que nous voulons comme récompense. »

Philip comprit où Waleran voulait en venir et il en frémit d'aise. « Nous lui dirons... »

Waleran se détourna de la fenêtre et regarda Philip. Ses yeux, comme des pierres précieuses noires, luisaient d'ambition. « Nous lui dirons que nous voulons une nouvelle cathédrale pour Kingsbridge », déclara-t-il.

Tom savait qu'Ellen allait faire une scène. Elle était déjà furieuse après l'épisode des enfants, mais l'annonce de sa « pénitence » allait mettre le feu aux poudres. Il aurait préféré attendre un jour ou deux pour lui en parler, pour lui laisser le temps de se calmer ; mais ce n'était pas possible, car le prieur

Philip avait décrété qu'elle devrait quitter les lieux à la tombée de la nuit. Convoqué à midi pour apprendre la nouvelle, Tom devrait en informer Ellen dès le souper.

Ils gagnèrent le réfectoire avec les autres employés du prieuré quand les moines eurent terminé leur souper. Les tables étaient pleines, mais Tom y vit un réconfort : la présence d'autres gens imposerait peut-être à Ellen un peu de retenue.

Il se trompait, comme il n'allait pas tarder à l'apprendre.

Il commença timidement : «Ils savent que nous ne sommes pas mariés.

— Qui le leur a dit? demanda-t-elle. Une langue de vipère?

— Alfred. Je ne le lui reproche pas : ce rusé de Remigius lui a arraché la vérité. D'ailleurs, nous n'avons jamais dit aux enfants de garder le secret.

— Je ne le lui reproche pas non plus, dit-elle plus calmement. Alors, comment réagissent-ils?»

Il se pencha vers elle pour parler bas : «Ils disent que tu es une fornicatrice, chuchota-t-il, espérant que personne d'autre n'entendrait le mot odieux.

— Fornicatrice? répéta-t-elle de toute sa voix. Et toi? Les moines ne savent donc pas qu'il faut être deux pour forniquer?»

Leurs voisins de table commencèrent à rire.

«Tais-toi, pria Tom. Ils veulent qu'on se marie.»

Elle le regarda droit dans les yeux.

«Si ce n'était que ça, tu n'aurais pas la tête si basse, Tom le bâtisseur. Dis-moi le reste.

— Ils veulent que tu confesses ton péché.

— Les hypocrites, fit-elle avec écœurement. Ils passent toute la nuit à se grimper sur les fesses et ils ont le toupet d'appeler péché ce que nous faisons.»

Ses paroles déclenchèrent une vague de rires. Les conversations s'interrompirent pour écouter Ellen.

«Parle plus bas, supplia Tom.

— J'imagine qu'ils veulent aussi que je fasse pénitence. L'humiliation, c'est leur manie. Qu'est-ce qu'ils attendent de moi? Allons, dit la vérité, tu ne peux pas mentir à une sorcière.

— Ne dis pas ça! s'écria Tom. N'aggrave pas les choses!

— Alors parle.

— Nous devons vivre séparés pendant un an et il faut que tu restes chaste.

— Mon cul!» lança Ellen. Tout le monde la regardait. «Va te faire voir, Tom le bâtisseur! cria-t-elle. Et vous aussi», ajouta-t-elle en voyant son succès. La plupart des gens souriaient. Ellen était si ravissante avec son visage empourpré et ses yeux dorés grands ouverts qu'on ne pouvait trop lui en vouloir. Elle se leva. «Que le prieuré de Kingsbridge aille se faire voir!» Elle sauta sur la table et tout le monde applaudit. Les dîneurs retirèrent en hâte leurs écuelles de soupe et leurs chopes. Ellen se mit à arpenter la planche. «Que le prieur aille se faire voir! répéta-t-elle. Que le sous-prieur aille se faire voir, et le sacristain, et le chantre et le trésorier, et tous leurs actes, et toutes leurs chartes, et tous leurs coffres pleins de pièces d'argent!» Elle arriva au bout de la table. Il en restait une autre, plus petite, où un moine s'asseyait et lisait tout haut durant le dîner de ses frères. Un livre ouvert se trouvait dessus. Ellen sauta d'une table à l'autre.

Tom devina soudain ce qu'elle allait faire. «Ellen! cria-t-il. Non, je t'en prie...

— Et que la règle de saint Benoît aille se faire voir!» hurla-t-elle à pleins poumons. Là-dessus, elle retroussa sa jupe, plia les genoux et urina sur le livre ouvert.

Les spectateurs hoquetaient de rire, frappaient du poing sur la table, poussaient des acclamations, des sifflets et des vivats. Tom ne savait plus que penser : partageaient-ils le mépris d'Ellen pour la règle ou étaient-ils simplement ravis de voir une belle femme s'exhiber ainsi? Il y avait quelque chose d'érotique dans sa vulgarité; de plus, il était excitant aussi de voir quelqu'un insulter ouvertement le livre que les moines considéraient avec tant de respect.

Ellen sauta par terre et, dans un tonnerre d'applaudissements, s'enfuit en courant.

Tout le monde se mit à commenter l'événement. On n'avait jamais rien vu de pareil. Tom était horrifié et embarrassé, les conséquences seraient graves, il le savait. Mais il ne pouvait s'empêcher d'admirer l'audace d'Ellen.

Jack se leva et, sans l'ombre d'un sourire sur son visage meurtri, suivit les pas de sa mère. Tom regarda Alfred et Martha. Le garçon était comme hébété, mais Martha riait. «Venez, vous deux», dit Tom. Ils quittèrent le réfectoire.

Dehors, aucune trace d'Ellen. Ils traversèrent la pelouse jusqu'à l'hôtellerie, où ils la trouvèrent. Assise sur sa chaise, elle les attendait. Elle avait mis son manteau et tenait à la main la grande sacoche de cuir. Elle semblait calme et résolue. Le cœur de Tom se glaça en voyant le sac, mais il se maîtrisa. «Ça va faire un foin d'enfer, dit-il.

— Je ne crois pas à l'enfer, répliqua-t-elle.

— J'espère qu'ils vont accepter ta confession et t'accorder une pénitence.

— Je ne vais pas me confesser.»

D'un seul coup, il perdit son sang-froid. «Ellen, ne pars pas!»

La tristesse assombrit son visage. «Écoute, Tom, avant de te rencontrer, j'avais de quoi manger et un endroit où vivre. J'étais à l'abri et je suffisais à mes besoins : je n'avais besoin de personne. Depuis que je suis avec toi, j'ai été plus près de mourir de faim qu'à aucun moment de ma vie. Tu as du travail maintenant, mais sans sécurité : le prieuré n'a pas d'argent pour bâtir une nouvelle église, et tu pourrais bien te retrouver sur la route l'hiver prochain.

— Philip trouvera l'argent, dit Tom. J'en suis sûr.

— Tu ne peux pas en être sûr.

— Tu n'as pas la foi», dit Tom d'un ton amer. Puis, avant d'avoir pu s'en empêcher, il ajouta : «Tu es bien comme Agnès, tu ne crois pas à ma cathédrale.

— Oh! Tom, s'il n'y avait que moi, dit-elle avec amertume, je resterais. Mais regarde mon fils.»

Tom se tourna vers Jack. Il avait le visage violacé de meurtrissures, l'oreille enflée, les narines encroûtées de sang séché et une dent de devant cassée.

«J'avais peur, dit Ellen, qu'il grandisse comme un animal si nous restions dans la forêt. Mais si c'est là le prix à payer pour lui apprendre à vivre avec d'autres gens, c'est trop cher. Je retourne dans la forêt.

— Ne dis pas ça, s'écria Tom au désespoir. Discutons-en. Ne prends pas de décision précipitée.

— Ce n'est pas précipité, pas du tout, Tom. J'ai tant de peine que je ne peux même plus être en colère. J'aurais vraiment voulu être ta femme. Mais pas à n'importe quel prix.»

Si Alfred n'avait pas poursuivi Jack, rien de tout cela ne serait arrivé, songea Tom. Mais ce n'était quand même qu'une bagarre entre garçons. Ou bien Ellen avait-elle raison de dire que Tom ne voyait pas les défauts d'Alfred? Le maçon commençait à penser qu'il avait eu tort. Peut-être aurait-il dû se montrer plus ferme avec son fils. Des gamins qui se battent entre eux, c'est normal, mais Jack et Martha étaient plus petits qu'Alfred.

Il était trop tard pour revenir en arrière. « Reste au village, fit Tom, désespéré. Attends un moment de voir ce qui se passe.

— Les moines ne me supporteront plus, maintenant. »

Bien sûr, elle avait raison. Le village appartenait au prieuré et tous les habitants payaient un loyer aux moines, en général sous forme de journées de travail, et les moines pouvaient refuser de loger quiconque ne leur plaisait pas. On ne pourrait guère leur en vouloir s'ils repoussaient Ellen. Elle avait pris sa décision et littéralement souillé ses chances de revenir dessus.

« Alors, dit-il, je partirai avec toi. Le monastère me doit déjà soixante-douze pence. Nous reprendrons la route. Nous avons déjà survécu...

— Et tes enfants ? » fit-elle doucement.

Tom se rappela toutes les fois où Martha avait pleuré de faim. Il ne pouvait décemment pas lui faire revivre cette épreuve. De plus, il y avait son bébé, Jonathan, qui vivait ici avec les moines. Je ne veux pas l'abandonner de nouveau, songea Tom ; je l'ai fait une fois et je m'en suis trop voulu.

Cependant il ne supportait pas l'idée de perdre Ellen.

« Ne te déchire pas comme ça, dit-elle. Je n'irai plus sur les routes avec toi. Ce n'est pas une solution. À tous égards ce serait pire que maintenant. Je retourne dans la forêt, et tu ne viens pas avec moi. »

Tom la dévisagea. Il aurait voulu croire qu'elle ne pensait pas ce qu'elle disait, mais son expression lui prouvait le contraire. Il ne savait quoi dire pour l'arrêter. La bouche ouverte, aucun mot ne sortit. Elle avait le souffle court, sa poitrine se soulevait d'émotion. Il aurait voulu la toucher, mais sentait qu'elle ne le voulait pas. Plus jamais peut-être je ne la serrerai dans mes bras, pensa-t-il. Il n'arrivait pas à y croire. Pendant des semaines, il s'était allongé auprès d'elle et l'avait caressée avec la même familiarité qu'il avait pour son propre corps et voilà tout à coup qu'un interdit tombait et qu'elle devenait une étrangère.

« Ne sois pas triste, dit-elle, les yeux pleins de larmes.

— Je n'y peux rien, dit-il. Je suis triste.

— Je regrette de t'avoir rendu si malheureux.

— Surtout pas cela. Regrette plutôt de m'avoir rendu si heureux. C'est ça qui me fait mal, femme. »

Un sanglot échappa à Ellen. Elle se détourna et partit sans un mot.

Jack et Martha sortirent après elle. Alfred hésita, puis les suivit.

Tom fixait la chaise qu'elle venait de quitter. Non, songea-t-il, ça ne peut pas être vrai, elle ne me quitte pas.

Il s'assit sur la chaise, encore tiède de la chaleur de son corps, de ce corps qu'il aimait tant.

Il savait qu'elle ne changerait pas d'avis. Elle ignorait le doute : quand elle prenait une décision, elle allait jusqu'au bout, même si elle devait le regretter par la suite.

Il s'accrocha à ce maigre espoir. Elle l'aimait, il en était sûr. La nuit passée, elle avait fait l'amour avec frénésie, comme pour étancher une soif intense. Je vais lui manquer autant qu'elle me manquera, pensa-t-il. Quand sa colère se sera apaisée et qu'elle aura retrouvé une vie nouvelle, elle aura envie de quelqu'un à qui parler, d'un corps robuste à toucher. Alors elle pensera à moi.

Mais elle était fière. Trop fière peut-être pour revenir, même si elle en avait envie.

Il bondit de sa chaise. Il devait lui dire ce qu'il pensait. Il quitta la maison. Ellen était à la porte du prieuré et faisait ses adieux à Martha. Tom la rattrapa.

Elle lui adressa un triste sourire. «Adieu, Tom.»

Il lui prit les mains. «Reviendras-tu un jour? Juste pour me voir? Si je sais que tu ne pars pas pour toujours, que je te reverrai, ne serait-ce qu'un petit moment, je supporterai la séparation.»

Elle hésitait.

«Je t'en prie.

— Entendu, fit-elle.

— Jure-le.

— Je ne crois pas aux serments.

— Moi, si.

— Bon. Je le jure.

— Merci.»

Il l'attira doucement à lui et la serra dans ses bras. Les larmes ruisselaient sur son visage. Elle s'écarta enfin et, à regret, il la laissa partir.

À cet instant, une rumeur s'éleva de l'écurie, le bruit d'un cheval énervé qui ruait et s'ébrouait. Machinalement, ils se retournèrent. Le cheval était l'étalon de Waleran Bigod : l'évêque s'apprêtait à monter en selle. Ses yeux croisèrent ceux d'Ellen et il se figea.

Alors elle se mit à chanter.

Tom l'avait souvent entendue chanter cet air qu'il ne connaissait pas, un air d'une terrible tristesse. Bien que les paroles fussent en français, il en comprenait le sens général.

> *Une alouette, prise au filet d'un chasseur,*
> *Chantait alors plus doucement que jamais,*
> *Comme si les doux accents jaillis de son cœur*
> *Pouvaient libérer l'aile du filet.*

Le regard de Tom se fixa sur l'évêque. Waleran semblait terrifié, il était bouche bée, les yeux grands ouverts, le visage pâle comme la mort. Tom n'en revenait pas : comment une simple chanson avait-elle le pouvoir d'effrayer un tel homme ?

> *À la tombée du jour le chasseur prit sa proie,*
> *Jamais l'alouette ne retrouva sa liberté.*
> *Les oiseaux et les hommes sont assurés de mourir*
> *Mais les chansons peuvent vivre à jamais.*

Ellen lança : «Adieu, Waleran Bigod. Je quitte Kingsbridge, mais je ne te quitte pas. Je serai avec toi dans tes rêves. »

Et dans les miens, songea Tom.

Pendant un long instant, ils parurent tous figés sur place.

Ellen se détourna, serrant la main de Jack. Tous la regardèrent en silence franchir les portes du prieuré et disparaître dans le soir qui tombait.

Deuxième partie

1.

Depuis le départ d'Ellen, les dimanches étaient bien calmes à l'hôtellerie. Alfred jouait à la balle au pied avec les garçons du village, dans la prairie de l'autre côté de la rivière. Martha, à qui Jack manquait, faisait semblant de s'amuser à cuisiner ou à habiller une poupée. Tom travaillait aux plans de sa cathédrale.

Une ou deux fois, il avait interrogé Philip sur le projet d'église qu'il voulait construire, mais le prieur ne paraissait pas disposé à aborder ce sujet. Mille soucis l'occupaient. Quant à Tom, il ne pensait à rien d'autre qu'à sa cathédrale, surtout le dimanche.

Il aimait s'asseoir sur le seuil de l'hôtellerie pour regarder la pelouse et les ruines de l'ancien édifice. Parfois, il esquissait des croquis sur un bout d'ardoise, mais la plupart du travail se faisait dans sa tête. Il savait qu'on éprouvait en général les pires difficultés pour se représenter des objets solides et des espaces complexes. Ce n'était pas son cas.

Même s'il avait gagné la confiance et la gratitude de Philip pour son travail de réparation, le prieur le considérait toujours comme un maçon, un tâcheron. Tom devait lui prouver qu'il était capable de concevoir et de bâtir une cathédrale.

Un dimanche, environ deux mois après le départ d'Ellen, il décida de commencer à dessiner ses plans.

Il confectionna un paillasson de roseaux tressés et de souples brindilles d'environ trois pieds sur deux. Il le dota de bordures en bois bien ajustées pour que le paillasson ressemble à un plateau. Puis il mélangea de la chaux avec un peu de plâtre et il recouvrit le plateau de cette mixture. Lorsque le mortier commença à prendre, il y traça des traits avec une aiguille. Il utilisa sa règle de fer pour les traits droits, son équerre pour les angles droits et son compas pour les courbes.

Il ferait trois dessins : un dessin en coupe, pour expliquer comment l'église était construite, une élévation pour en illustrer les magnifiques proportions, et un plan de sol pour montrer la disposition. Il commença par la coupe.

Il traça une haute voûte au sommet plat. C'était la nef. Elle aurait un plafond plat en bois, comme l'ancienne église. Tom aurait bien préféré bâtir une voûte de pierre incurvée, mais Philip n'en avait pas les moyens.

Au-dessus de la nef, il dessina un toit triangulaire. La largeur du bâtiment était déterminée par la largeur du toit. Et celle-ci à son tour dépendait du bois dont on disposait. On ne trouvait pas facilement des poutres de plus de trente-cinq pieds de long – et encore étaient-elles terriblement coûteuses. La nef de la cathédrale de Tom aurait sans doute trente-deux pieds de large.

La nef qu'il avait dessinée était haute, extraordinairement haute. Mais une cathédrale devait être une construction spectaculaire, impressionnante dans ses dimensions.

Malheureusement, ce qu'il avait dessiné était voué à s'écrouler. Le poids du plomb et des madriers du toit serait trop lourd pour les murs, qui s'arqueraient vers l'extérieur et s'effondreraient. Il fallait les soutenir.

Dans ce but, Tom dessina deux voûtes arrondies, moins hautes, flanquant la nef de chaque côté. C'étaient les bas-côtés, dont chacun aurait un toit en appentis.

Les bas-côtés, collés à la nef par leur voûte de pierre, offraient une bonne résistance, mais ils n'arrivaient pas suffisamment haut. Tom construirait des appuis supplémentaires, à intervalles réguliers, dans l'espace réservé au toit, au-dessus du plafond voûté au-dessous du toit en appentis. Là où le soutien prenait appui sur le mur du bas-côté, Tom le renforça par un arc-boutant massif sortant du côté de l'église. Il en coiffa le faîte d'une tourelle, pour ajouter du poids et l'agrémenter.

Il traça aussi les fondations, qui s'enfonçaient loin dans le sol, sous les murs. Les profanes étaient toujours surpris de la profondeur des fondations.

C'était un simple dessin, trop simple pour être d'une grande utilité au bâtisseur ; mais il suffirait pour le prieur Philip. Tom voulait lui faire comprendre ce qu'on lui proposait. Mais comment imaginer une église grande et massive à partir de quelques traits tracés sur du plâtre ?

Les murs qu'il avait dessinés paraissaient massifs, mais l'impression était trompeuse. Tom se mit alors à dessiner le mur de la nef vu de profil, comme il apparaîtrait à l'intérieur de l'église. Il était percé à trois niveaux. La moitié inférieure était tout juste une rangée de colonnes, dont le faîte était réuni par des arcs semi-circulaires. Il s'agissait de l'arcade. Par les voûtes de l'arcade on pouvait voir les fenêtres arrondies des bas-côtés ; les fenêtres seraient précisément alignées sur les voûtes de façon que la lumière de l'extérieur tombe sans obstacle dans la nef. Les piliers intermédiaires, eux, s'aligneraient sur les arcs-boutants des murs extérieurs.

Chaque cintre de l'arcade était surmonté d'une rangée de trois arcs plus petits, formant la galerie de la tribune. Aucune lumière ne pénétrerait par là, car le toit en appentis du bas-côté se trouvait derrière elle.

Au-dessus de cette galerie il avait mis les fenêtres hautes, ainsi appelées parce qu'elles éclaireraient la partie supérieure de la nef.

Tom conçut les trois niveaux du mur de la nef – l'arcade, la tribune et le triforium – en respectant les proportions de trois, un, deux. L'arcade avait la moitié de la hauteur du mur et la galerie un tiers du reste. Les proportions avaient une importance capitale dans une église : elles donnaient une impression d'équilibre à l'ensemble du bâtiment. En examinant le dessin terminé, Tom le trouva parfaitement élégant. Mais qu'en penserait Philip ?

Il attaqua son troisième dessin. C'était un plan de l'église. Dans son imagination, il plaçait douze arcs. L'église était donc divisée en douze sections appelées travées. La nef aurait six travées de long, le chœur quatre. Entre les deux, occupant l'espace des septième et huitième travées, serait la croisée, d'où partiraient les transepts avec la tour qui s'élèverait au-dessus.

Toutes les cathédrales et presque toutes les églises avaient la forme d'une croix. La croix était le symbole le plus important de la chrétienté, bien sûr, mais il y avait aussi une raison pratique : les transepts fournissaient un espace précieux pour les chapelles annexes et la sacristie. Quand il eut tracé le plan au sol, qui était simple, Tom revint au dessin central qui montrait l'intérieur de l'église vu du côté ouest. Il entreprit alors de dessiner la tour s'élevant au-dessus et derrière la nef.

La tour devait avoir une fois et demie ou deux fois la hauteur de la nef. La première solution donnait au bâtiment un profil d'une agréable égalité avec les bas-côtés, la nef et la tour s'élevant suivant une progression continue : un, deux, trois. La grande tour serait plus spectaculaire, car la nef alors aurait deux fois la taille des bas-côtés et la tour deux fois celle de la nef, les proportions étant un, deux, quatre. Tom avait choisi la version spectaculaire : c'était la seule cathédrale qu'il bâtirait, et il voulait qu'elle atteignît le ciel. Il espérait que Philip serait du même avis.

Si le prieur acceptait le projet, Tom devrait bien sûr le redessiner avec plus de soin et exactement à l'échelle. Et il y aurait encore bien des croquis, des centaines : les plinthes, les colonnes, les chapiteaux, les encorbellements, les chambranles, les clochetons, les escaliers, les gargouilles et d'innombrables autres détails : Tom travaillerait pendant des années. Mais il avait déjà devant lui l'essence du bâtiment. Et elle était bonne : simple, peu coûteuse, élégante et parfaitement proportionnée.

Il brûlait d'impatience de montrer ses croquis à quelqu'un.

Philip allait-il le trouver présomptueux ? Le prieur ne lui avait pas demandé de préparer un projet. Peut-être pensait-il à un autre maître bâtisseur, quelqu'un ayant déjà travaillé pour un autre monastère et jouissant d'une certaine renommée. Peut-être allait-il considérer avec dédain les ambitions de Tom.

D'un autre côté, si Tom ne lui montrait rien, Philip risquait de le croire incapable de concevoir un projet et pouvait engager quelqu'un d'autre sans même envisager sa candidature. Tom voulait couper court à cette éventualité, il préférait passer pour présomptueux.

Il faisait encore clair. Au cloître, ce devait être l'heure de l'étude. Philip serait sans doute à la maison du prieur, à lire sa Bible. Tom décida d'aller frapper à sa porte.

Portant son plateau avec précaution, il quitta l'hôtellerie. Alors qu'il passait devant les ruines, la perspective de bâtir une nouvelle cathédrale lui parut soudain intimidante : toute cette pierre, tout ce bois, tous ces artisans, toutes ces années. Il allait falloir tout contrôler, s'assurer que les matériaux arrivaient régulièrement, surveiller la qualité du bois et de la pierre, engager et congédier des hommes, vérifier inlassablement leur travail avec son fil à plomb et son niveau à eau, préparer des gabarits pour

les moulures, concevoir et bâtir des appareils de levage...
En était-il vraiment capable ?

Puis il songea à l'excitation que ce serait de créer quelque
chose à partir de rien ; de voir, un jour, une nouvelle église là
où il n'y avait maintenant que décombres et se dire : c'est moi
qui ai fait cela.

Une autre pensée l'obsédait. Agnès était morte sans les
secours d'un prêtre, elle reposait dans une terre qui n'était pas
consacrée. Il aurait aimé retourner jusqu'à sa tombe et demander à un prêtre de prier sur son corps, peut-être poser une
petite stèle. Mais il craignait, en attirant l'attention sur le lieu
où elle était inhumée, de raviver les souvenir sur l'abandon du
bébé. Abandonner un bébé à une mort presque certaine était
encore tenu pour un meurtre. À mesure que les semaines passaient, l'âme d'Agnès le préoccupait de plus en plus : était-elle
bien là où elle le méritait ? Mais une idée l'avait apaisée : s'il
bâtissait une cathédrale, Dieu lui pardonnerait sûrement ; et
il pourrait peut-être demander qu'Agnès reçût à sa place le
bénéfice de cette faveur. En lui dédiant son œuvre de bâtisseur,
pensait-il, il aurait le sentiment de sauver l'âme d'Agnès et
pourrait lui-même reposer en paix.

Il arriva à la maison du prieur, un petit bâtiment de pierre à
un seul étage. La porte était ouverte malgré le froid. Il hésita un
moment. Montre-toi calme, compétent, expert, se dit-il.

Il entra. Il n'y avait qu'une pièce. À une extrémité se trouvait
un grand lit entouré de luxueuses tentures ; à l'autre un petit
autel avec un crucifix et un bougeoir. Le prieur Philip se tenait
près d'une fenêtre, en train de lire un parchemin d'un air soucieux. Il leva les yeux et lui sourit. « Qu'avez-vous là ?

— Des dessins, mon père, dit Tom avec une certaine assurance. Pour une nouvelle cathédrale. Puis-je vous les montrer ? »

Philip parut surpris et intrigué. « Bien sûr. »

Il y avait un grand lutrin dans un coin. Tom l'apporta à la
lumière près de la fenêtre et y déposa son cadre de plâtre.
Philip regarda le dessin. Tom guettait son visage. Il devinait que
le prieur n'avait jamais vu un dessin en élévation, un plan de sol
ni la coupe d'un bâtiment.

Tom commença ses explications. Il désigna la coupe : « Ceci
vous montre une travée de la nef, dit-il. Imaginez que vous êtes
au centre et que vous regardez le mur. Voici les piliers de l'arcade, réunis par des arcs. Par les voûtes, on aperçoit les fenêtres

des bas-côtés. Au-dessus de l'arcade, la tribune et, encore au-dessus, les fenêtres hautes. »

Le visage de Philip s'éclairait peu à peu.

« Quand on fait le tour du chantier, expliqua Tom, et qu'on marque où seront bâtis les murs et où les piliers prennent appui sur le sol, avec l'emplacement des portes et des arcs-boutants, nous avons alors un plan comme celui-ci. »

Quelle chance, se dit-il, que le prieur eût un peu de mal à comprendre les dessins : il pouvait ainsi mieux montrer son savoir. Il poursuivit : « Voici la nef, au milieu, avec un plafond en poutres. Derrière la nef, la tour. Là, ce sont les bas-côtés, de chaque côté de la nef. Au bord extérieur des bas-côtés, les arcs-boutants.

— C'est magnifique », dit Philip. Tom comprit que le plan en coupe l'impressionnait particulièrement; l'intérieur de l'église s'ouvrait aux regards sur la façade ouest comme on ouvre la porte d'une armoire pour en révéler le contenu.

Philip revint au plan. « Il n'y a que six travées dans la nef?

— Oui, et quatre dans le chœur.

— Ce n'est pas un peu petit?

— Pouvez-vous vous permettre de bâtir plus grand?

— Je ne peux pas me permettre de bâtir du tout, dit Philip. Je ne crois pas que vous ayez la moindre idée du coût.

— Je sais exactement combien cela coûterait », répondit Tom.

Il lut la surprise sur le visage du prieur. Tom avait en effet passé des heures à calculer jusqu'au dernier penny le montant de son projet. Mais il donna à Philip un chiffre rond. « Pas plus de trois mille livres. »

Philip eut un petit rire. « J'ai passé les dernières semaines à calculer le revenu annuel du prieuré. » Il brandit la feuille de parchemin qu'il était en train de lire avec tant d'attention quand Tom était entré. « Voici la réponse. Trois cents livres par an. Et nous dépensons jusqu'au dernier sou. »

Tom ne fut pas surpris. On savait que la gestion du prieuré avait été négligée. Il était persuadé que Philip allait y remédier. « Vous trouverez, mon père, dit-il. Avec l'aide de Dieu », ajouta-t-il pieusement.

Philip revint au dessin, manifestement peu convaincu. « Combien de temps la construction demanderait-elle?

— Tout dépend du nombre de gens que vous employez, dit Tom. Si vous engagez trente maçons avec assez d'ouvriers, d'apprentis, de charpentiers et de forgerons pour les aider, il faudrait compter quinze ans : un an pour les fondations, quatre pour le chœur, quatre pour les transepts et six pour la nef. »

Une fois de plus, Philip parut étonné. «J'aimerais que mes moines sachent aussi bien prévoir et calculer que vous», dit-il. Il examina les dessins d'un air pensif. «J'ai donc besoin de trouver deux cents livres par an. » Vu de cette manière, c'était déjà moins impressionnant. Tom ne tenait plus en place : Philip ne voyait plus seulement un dessin abstrait, mais un projet réalisable. «Si je trouvais davantage... serait-il possible de construire plus rapidement?

— Dans une certaine mesure», répondit Tom prudemment. Il ne voulait pas trop nourrir l'optimisme de Philip, qui risquait d'être déçu par la suite. «Vous pourriez employer soixante maçons et construire toute l'église d'un coup au lieu de travailler d'est en ouest. Disons alors huit ou dix ans. Plus de soixante ouvriers, sur un bâtiment de cette taille, ils se gêneraient les uns les autres, ce qui ralentirait le travail. »

Philip acquiesça. «Mais, même avec seulement trente maçons, le côté est serait terminé en cinq ans.

— Oui. On pourrait y célébrer les services et édifier un nouvel autel pour les reliques de saint Adolphe.

— En effet, dit Philip, maintenant en proie à une véritable excitation. Je croyais qu'il faudrait des décennies avant que nous retrouvions une nouvelle église. » Il regarda Tom d'un air dubitatif. «Avez-vous déjà bâti une cathédrale?

— Non, mais j'ai conçu et bâti des églises plus petites. J'ai travaillé plusieurs années à la cathédrale d'Exeter, où j'ai terminé comme assistant-maître bâtisseur.

— Vous voulez bâtir cette cathédrale vous-même, n'est-ce pas? »

Tom hésita. Autant être franc avec Philip : l'homme n'aimait pas les tergiversations. «Oui, mon père. Je veux que vous me nommiez maître bâtisseur, dit-il aussi calmement qu'il le pouvait.

— Pourquoi? »

Tom ne s'attendait pas à cette question-là. Il y avait tant de raisons. Quelle réponse Philip souhaitait-il? Le prieur aimerait sans doute l'entendre dire quelque chose de pieux. Témérairement, il décida de dire la vérité. «Parce que ce sera beau», dit-il.

Philip le regarda d'un air étrange. Tom ne sut deviner s'il était en colère. «Parce que ce sera beau», répéta Philip. Tom crut avoir dit une ânerie et voulut se rattraper, mais l'inspiration ne vint pas. Puis il vit que le scepticisme de Philip cachait en réalité une émotion profonde. Les mots de Tom avaient touché son cœur. Enfin, il hocha la tête, offrant en quelque sorte son accord après réflexion. « Oui. Faire quelque chose de beau pour Dieu, que pourrait-il y avoir de mieux ? »

Tom resta silencieux. Philip n'avait pas dit : oui, vous serez maître bâtisseur. Tom attendait.

« Dans trois jours, annonça le prieur, je vais avec l'évêque Waleran voir le roi à Winchester. Je ne sais pas exactement quelles sont les intentions de l'évêque, mais je suis sûr qu'il demandera au roi Stephen de nous aider à payer une nouvelle cathédrale pour Kingsbridge.

— Espérons que le roi exaucera votre vœu, dit Tom.

— Il nous doit une faveur, reprit Philip avec un sourire énigmatique. Il doit nous aider.

— Et s'il le fait ? demanda Tom.

— Je crois que Dieu vous a envoyé à moi avec un dessein précis, Tom le bâtisseur, dit Philip. Si le roi Stephen nous donne l'argent, vous pourrez bâtir la cathédrale. »

Tom à son tour était ému. Il ne savait quoi dire. On venait d'exaucer le vœu de sa vie – mais sous condition. Tout dépendait de l'aide que Philip obtiendrait du roi. Il hocha la tête, acceptant à la fois la promesse et le risque. « Merci, mon père », dit-il.

La cloche sonna pour les vêpres. Tom reprit son plateau.

« Vous avez besoin de ça ? » demanda Philip.

Tom comprit qu'il valait mieux le laisser ici. Ce serait pour Philip un constant rappel. « Non, dit-il, j'ai tout cela dans la tête.

— Bon. J'aimerais le garder. »

Tom acquiesça et se dirigea vers la porte.

L'idée lui vint que, s'il ne posait pas maintenant la question à propos d'Agnès, il ne le ferait sans doute jamais. Il revint sur ses pas. « Mon père ?

— Oui ?

— Ma première femme... elle s'appelait Agnès... est morte sans un prêtre et elle repose dans un lieu qui n'est pas consacré. Elle n'avait pas péché, c'était simplement les circonstances. Je me demandais... Un homme parfois bâtit une chapelle ou fonde un monastère avec l'espoir que dans l'autre vie Dieu se rappellera sa piété. Croyez-vous que mon projet pourrait servir à protéger l'âme d'Agnès ? »

Philip fronça les sourcils. «Abraham a dû sacrifier son fils unique. Dieu ne demande plus de sacrifice de sang, car l'ultime sacrifice a été consommé. Mais la leçon de l'histoire d'Abraham, c'est que Dieu réclame le mieux que nous avons à lui offrir, ce qui nous est le plus précieux. Ce projet est-il le mieux que tu puisses offrir à Dieu?

— À part mes enfants, oui.

— Alors sois tranquille, Tom le bâtisseur. Dieu l'acceptera.»

2.

Philip ignorait pourquoi Waleran Bigod voulait le rencontrer dans les ruines du château du comte Bartholomew.

Il avait été contraint de se rendre à la ville de Shiring et d'y passer la nuit, puis de repartir le matin pour Earlscastle. Tandis que son cheval trottait vers le château dont la silhouette se dressait à l'horizon dans la brume matinale, il conclut que la seule explication était que le lieu l'arrangeait. Waleran était en déplacement, il ne passait pas plus près d'ici que de Kingsbridge et le château était facile à trouver.

Philip s'interrogeait sur les intentions du prélat. Il n'avait pas vu l'évêque élu depuis le jour où celui-ci était venu inspecter les ruines de la cathédrale. Waleran ne savait pas combien d'argent il fallait au prieur pour reconstruire l'église et Philip ignorait ce que l'évêque comptait demander au roi. Ce dernier ne disait rien de ses projets et Philip se sentait extrêmement nerveux.

Il avait appris avec plaisir que Tom le bâtisseur savait exactement comment bâtir la nouvelle cathédrale. Une fois de plus, il remercia le ciel de lui avoir envoyé le maçon. Cet homme était surprenant par bien des aspects. Il savait à peine lire ou écrire, mais il pouvait concevoir une cathédrale, tracer des plans, calculer le nombre d'hommes et le temps qu'il faudrait pour la bâtir, plus estimer aussi ce que coûterait l'entreprise. Il ne parlait guère, mais il avait une stature redoutable. Il était très grand, avec un visage boucané et barbu, l'œil vif et le front haut. Mais il était très sérieux et ne se doutait pas le moins du monde des réactions de Philip à son égard. La touchante conversation à propos de sa femme avait révélé une piété qui jusqu'alors n'était pas apparente. Tom était de ces gens qui gardent leur religion au fond du cœur. Ce sont parfois les meilleurs.

En approchant d'Earlscastle, Philip se sentait de plus en plus mal à l'aise. Ce château autrefois prospère, qui défendait la campagne environnante, employait et nourrissait un grand nombre de gens, n'était plus aujourd'hui que ruines et les taudis qui s'entassaient alentour semblaient aussi abandonnés que les nids vides des branches dépouillées d'un arbre en hiver. Philip se sentait responsable. Il avait dénoncé le complot qui se préparait ici et il avait amené la colère de Dieu, sous la forme de Percy Hamleigh, sur le château et ses habitants.

Les murs et le poste de garde n'avaient pas été gravement endommagés dans les combats, observa-t-il. Les attaquants étaient sans doute à l'intérieur avant qu'on eût pu fermer les portes. Il passa le pont de bois à cheval et entra dans la première des deux enceintes. Là, les traces de bataille étaient plus marquées : à part la chapelle de pierre, il ne restait des bâtiments du château que quelques souches de bois calcinées et un petit tourbillon de cendres que le vent soufflait au pied de la muraille. Pas trace de l'évêque. Philip traversa la cour, passa le pont à l'autre extrémité et pénétra dans l'enceinte supérieure. Là se dressait un donjon de pierre massif, flanqué d'un escalier de bois branlant qui menait à son entrée au premier étage. Philip contempla le formidable ouvrage avec ses terribles meurtrières : si puissant qu'il fût, il n'avait pas protégé le comte Bartholomew.

De ces fenêtres, il verrait au-delà des murs du château et guetterait l'arrivée de l'évêque. Il attacha son cheval à la rampe de l'escalier et gravit les marches. La porte glissa sur ses gonds. La grande salle était sombre et poussiéreuse et le sol couvert de joncs secs comme de vieux ossements. On apercevait une énorme cheminée froide et un escalier en spirale menant à l'étage. Philip s'approcha d'une fenêtre. La poussière le fit éternuer. De là, il ne voyait pas grand-chose, aussi décida-t-il de monter à l'étage suivant.

Arrivé en haut de l'escalier en spirale, il se trouva face à deux portes. La plus petite devait conduire aux latrines, la plus grande à la chambre du comte. Ce fut celle qu'il ouvrit. La pièce n'était pas vide. Philip s'arrêta net, pétrifié. Au milieu de la chambre, tournée vers lui, se tenait une jeune femme d'une extraordinaire beauté. Un moment il crut à une vision et son cœur se mit à battre plus vite. Son visage énigmatique était encadré de boucles

brunes. Elle le dévisageait de ses grands yeux sombres et il s'aperçut qu'elle était aussi surprise que lui. Il se détendit et s'apprêtait
à faire un pas de plus dans la pièce lorsqu'on le saisit par-derrière.
Il sentit la froide lame d'un poignard sur sa gorge, tandis qu'une
voix d'homme demandait : « Qui diable êtes-vous ? »

La jeune fille s'approcha de lui. « Dites votre nom, ou
Matthew va vous tuer », ajouta-t-elle d'un ton impérieux.

Ses manières montraient qu'elle était de noble naissance,
mais les nobles n'avaient pas à menacer les moines.

« Dites à Matthew de ne pas toucher au prieur de Kingsbridge
ou il pourrait lui en cuire », dit calmement Philip.

On le relâcha. Par-dessus son épaule, il aperçut un homme
frêle, à peu près de son âge.

Son regard revint à la jeune fille. Elle paraissait avoir environ
dix-sept ans. Malgré ses manières hautaines, elle était pauvrement vêtue. Soudain, un coffre placé contre le mur derrière
elle s'ouvrit et un garçon d'une quinzaine d'années en sortit,
l'air penaud. Il avait une épée à la main.

« Et vous, qui êtes-vous ? demanda Philip.

— Je suis la fille du comte de Shiring. Mon nom est Aliena. »

La fille ! se dit Philip. J'ignorais qu'elle habitait ici. Il regarda
le garçon. Il ressemblait à la jeune fille, sauf pour le nez
retroussé et les cheveux courts. Philip leva vers lui un regard
interrogateur.

« Je suis Richard, l'héritier du comté, déclara le garçon d'une
voix un peu fêlée d'adolescent.

— Et moi, je suis Matthew, l'intendant du château », ajouta
celui qui se trouvait derrière Philip.

Tous trois se cachaient ici depuis que le comte Bartholomew
avait été fait prisonnier. L'intendant s'occupait des enfants : il
avait sans doute de la nourriture ou de l'argent dissimulés
quelque part. Philip s'adressa à la jeune fille. « Je sais où est
votre père, mais qu'est-il advenu de votre mère ?

— Elle est morte voilà bien des années. »

Philip éprouva quelques remords. Les enfants étaient pratiquement orphelins, en partie par sa faute. « Mais vous n'avez
pas de famille pour s'occuper de vous ?

— Je veille sur le château jusqu'au retour de mon père »,
dit-elle.

Philip se rendit compte qu'ils vivaient dans un monde de
rêves, comme si elle appartenait encore à une riche et puissante

famille. Avec son père emprisonné et en disgrâce, elle n'était plus qu'une jeune fille ordinaire. Le garçon était héritier de rien. Le comte Bartholomew ne reviendrait jamais au château, sinon peut-être pour y être pendu. Il plaignait la fille, mais d'une certaine façon il admirait aussi la force de volonté qui soutenait son rêve et le faisait partager à deux autres personnes. Elle pourrait être reine, songea-t-il.

De dehors parvint un bruit de sabots : plusieurs chevaux franchissaient le pont.

Aliena demanda à Philip : « Pourquoi êtes-vous venu ici ?

— Pour un rendez-vous. » Il se retourna et fit un pas vers la porte. Matthew était sur son chemin. Un moment, ils restèrent immobiles à se dévisager. Les quatre personnages de la pièce étaient figés comme sur un tableau. Philip se demanda s'ils allaient essayer de l'empêcher de partir. Puis l'intendant s'écarta.

Philip sortit. Relevant le pan de sa robe, il descendit en hâte l'escalier en spirale. Arrivé en bas, il entendit des pas derrière lui. Matthew l'avait rattrapé.

« Ne dites à personne que nous sommes ici », lança-t-il.

Ainsi Matthew comprenait le caractère irréel de leur situation. « Combien de temps allez-vous rester ainsi ? demanda Philip.

— Aussi longtemps que nous pourrons, répondit l'intendant.

— Et quand vous devrez partir ? Que ferez-vous alors ?

— Je ne sais pas. »

Philip hocha la tête. « Je garderai votre secret, dit-il.

— Merci, mon père. »

Philip traversa la salle poussiéreuse et sortit. Waleran et deux autres cavaliers attachaient leurs chevaux près du sien. L'évêque portait un lourd manteau bordé de fourrure noire et un bonnet assorti. Il leva la tête et Philip croisa le regard de ses yeux pâles. « Monseigneur », dit Philip avec respect. Il descendit les marches de bois. L'image de la jeune vierge là-haut était encore vivace à son esprit et il aurait aimé s'en débarrasser d'un simple geste de la tête.

Waleran mit pied à terre. Philip constata qu'il avait les deux mêmes compagnons : le doyen Baldwin et un homme d'armes. Il les salua de la tête, puis s'agenouilla pour baiser la main de Waleran, qui accepta son hommage mais sans ostentation : au bout d'un moment, il retira sa main. C'était le pouvoir et non ses artifices que Waleran aimait.

« Tout seul, Philip ? demanda-t-il.

— Oui. Le prieuré est pauvre, une escorte représente une dépense inutile. Quand j'étais prieur de Saint-John-de-la-Forêt, je n'avais jamais d'escorte, et je suis toujours en vie.»

Waleran haussa les épaules. «Venez avec moi, dit-il. Je voudrais vous montrer quelque chose.» Il traversa la cour jusqu'à la tour la plus proche. Philip le suivit. Waleran passa la porte basse au pied de la tour et gravit l'escalier intérieur. Des chauves-souris battaient des ailes sous les lattes du plafond et Philip baissa la tête pour éviter de les frôler.

Ils débouchèrent en haut de la tour et s'arrêtèrent au bord des créneaux pour regarder la terre alentour. «C'est un des plus petits comtés du royaume, dit Waleran.

— En effet.» Philip frissonnait. Un vent froid et humide soufflait et son manteau n'était pas aussi épais que celui de Waleran. Où l'évêque voulait-il en venir?

«Une partie de cette terre est bonne, mais il y a beaucoup de forêts et de collines pierreuses.

— C'est vrai.» Par beau temps, ils auraient pu voir au loin les forêts et les pâturages, mais en ce jour brumeux, c'est à peine s'ils distinguaient la lisière proche de la forêt et les champs plats à proximité du château.

«Ce comté possède une grande carrière qui fournit du calcaire de première qualité, poursuivit Waleran. Sa forêt contient des arpents de bon bois. Et ses fermes produisent des revenus considérables. Si nous avions ce comté, Philip, nous pourrions bâtir notre cathédrale.

— Si les porcs avaient des ailes, répliqua Philip, ils pourraient voler.

— Homme de peu de foi!»

Philip observa Waleran. «Vous êtes sérieux?

— Très.»

Malgré son scepticisme, Philip sentit un petit frisson d'espoir. Il reprit : «Le roi a besoin de soutien militaire. Il donnera le comté à qui pourra conduire des chevaliers au combat...

— Le roi doit sa couronne à l'Église, et sa victoire sur Bartholomew à vous et à moi. Les chevaliers ne sont pas tout.»

Oui, Waleran était sérieux, constata Philip. Serait-ce possible? Le roi allait-il accorder à l'Église le comté de Shiring, pour financer la reconstruction de la cathédrale de Kingsbridge? Malgré les arguments de Waleran, c'était à peine croyable. Mais Philip ne pouvait que s'émerveiller à cette pensée : on lui apporterait sur un plateau la pierre, le bois *et* l'argent pour payer le maître artisan. Il se souvint que Tom le bâtisseur avait dit qu'avec soixante maçons on terminerait l'église en huit ou dix ans. Cette idée le grisait.

«Mais l'ancien comte? demanda-t-il.

— Bartholomew a finalement avoué sa trahison. Il n'a jamais nié le complot : mais pendant un temps, il a soutenu que ses actes ne relevaient pas de la trahison, en arguant que Stephen était un usurpateur. Le bourreau du roi a fini par le briser.»

Philip frissonna et essaya de ne pas penser aux moyens employés contre Bartholomew pour faire plier cet homme si rigide. «Le comté de Shiring», murmura-t-il. C'était une demande incroyablement ambitieuse mais fascinante en elle-même. Il se sentit plein d'un optimisme tout à fait déraisonnable.

Waleran leva les yeux vers le ciel. «Partons, dit-il. Le roi nous attend après-demain.»

De sa cachette derrière les créneaux de l'autre tour, William Hamleigh étudiait les deux hommes de Dieu. Il les connaissait tous les deux. Le grand, une espèce de corbeau avec son nez pointu et son manteau noir, était le nouvel évêque de Kingsbridge. Le petit, à l'air énergique, avec le crâne rasé et ses yeux bleus au regard vif, était le prieur Philip. William se demanda ce qu'ils faisaient ici.

Il avait vu le moine arriver, regarder autour de lui comme s'il cherchait quelqu'un, puis entrer dans le donjon. William ignorait si Philip avait rencontré les trois personnes qui habitaient là; peut-être s'étaient-elles cachées. Dès l'arrivée de l'évêque, le prieur Philip était ressorti du donjon et tous deux étaient montés dans la tour. Voilà maintenant que l'évêque faisait de grands gestes de possédé en montrant la terre qui entourait le château. À coup sûr, ils complotaient quelque chose.

Ce n'était pas eux que William était venu espionner, mais Aliena.

Il s'y livrait de plus en plus souvent. Elle ne cessait de l'obséder et il s'abandonnait parfois à des rêveries où il tombait sur elle nue et ligotée dans un champ de blé, ou blottie comme un chiot effrayé dans un coin de sa chambre, ou encore perdue dans la forêt à la tombée de la nuit. Désormais il ne pouvait vivre sans la surprendre. Il partait de bon matin pour Earlscastle. Il laissait Walter, son valet, s'occuper des chevaux dans la forêt et traversait les champs jusqu'au château. Il se glissait à l'intérieur et trouvait une cachette d'où il pouvait observer le donjon et l'enceinte supérieure. Parfois l'attente était longue. Sa patience était mise à rude épreuve, mais l'idée de repartir sans même l'avoir aperçue était insupportable. Quand enfin elle apparaissait, la gorge de William se desséchait, son cœur se mettait à battre plus vite et les paumes de ses mains devenaient moites. Souvent, son frère l'accompagnait, ou cet intendant efféminé, mais quelquefois elle était seule. Un après-midi d'été, alors qu'il l'attendait depuis le matin, elle était allée jusqu'au puits, avait tiré de l'eau et ôté ses vêtements pour faire sa toilette. Le seul souvenir de ce spectacle suffisait à l'enflammer. Elle avait des seins pleins et fiers qui s'agitaient de façon insolente lorsqu'elle levait les bras pour se savonner les cheveux. Ses bouts de seins s'étaient hérissés de manière délicieuse sous l'action de l'eau froide. Elle avait en haut des jambes une toison brune et bouclée étonnamment touffue et, quand elle s'était lavée là, en se frictionnant vigoureusement avec du savon, William avait perdu tout contrôle et souillé ses vêtements.

Rien d'aussi agréable ne lui était arrivé depuis lors et l'hiver empêchait certainement la jeune fille de se laver dehors, mais il avait connu des plaisirs de moindre importance. Parfois elle chantait ou même parlait toute seule. William l'avait vue se tresser les cheveux, danser et poursuivre des pigeons sur les remparts comme une enfant. Cette observation secrète donnait à William un sentiment de puissance absolument délicieux.

Pour l'instant, elle ne sortirait pas tant que l'évêque et le moine seraient là. Par bonheur, ils ne restèrent pas longtemps. Ils quittèrent enfin les créneaux très rapidement et, quelques instants plus tard, leurs accompagnateurs et eux s'éloignaient du château. Étaient-ils venus rien que pour admirer la vue du haut des créneaux ? Ils avaient dû être déçus par le temps.

L'intendant était sorti un peu plus tôt chercher du bois pour le feu, juste avant l'arrivée des visiteurs. Il allait bientôt reparaître pour aller prendre de l'eau au puits. Plus tard dans la journée, l'intendant sortait, emmenant parfois le jeune garçon avec lui. Quand ils étaient partis, Aliena ne tardait guère. Lorsque l'attente se faisait trop longue, William se la représentait à sa toilette. Le souvenir était presque aussi bon que la réalité. Mais, aujourd'hui, il était énervé. La visite de l'évêque et du prieur avait gâché son plaisir. Jusqu'à ce jour, le château et ses trois occupants baignaient dans une atmosphère enchantée, mais l'intrusion de ces quatre créatures si peu magiques sur leurs chevaux crottés avait rompu le charme.

Il réfléchit aux raisons possibles de leur présence, sans grand résultat. Quelqu'un saurait peut-être les deviner : sa mère. Il décida d'abandonner Aliena pour ce jour-là et de rentrer chez lui raconter ce qu'il avait vu.

Ils arrivèrent à Winchester le second jour, à la tombée de la nuit. Ils entrèrent par la porte du roi, dans le mur sud de la ville, et se dirigèrent aussitôt vers l'enceinte de la cathédrale. Là, ils se séparèrent. Waleran se rendit à la résidence de l'évêque de Winchester, un palais qui jouxtait la cathédrale. Philip s'en fut présenter ses respects au prieur et quémander un matelas dans le dortoir des moines.

Après trois jours passés sur la route, Philip trouva le calme et la paix du monastère aussi rafraîchissants qu'une fontaine par un jour brûlant. Le prieur de Winchester – un brave homme un peu dodu, à la peau rose et aux cheveux blancs – invita Philip à souper avec lui dans sa maison. Pendant le repas, ils parlèrent de leurs évêques respectifs. Le prieur de Winchester, de toute évidence très respectueux de l'évêque Henry, lui était complètement soumis. Philip en conclut qu'on ne gagnait rien à se quereller avec son évêque lorsqu'il était aussi riche et puissant que Henry. Philip tout de même n'avait pas l'intention de l'imiter à ce point.

Il dormit comme une souche et se leva à minuit pour matines.

Ce fut lors de sa première visite à la cathédrale de Winchester qu'il commença à se sentir intimidé.

Le prieur lui avait dit qu'il s'agissait de la plus grande église du monde. En effet. Elle avait plus de cent toises de long : Philip connaissait des villages qui auraient pu tenir à l'intérieur. Elle possédait deux grandes tours, l'une au-dessus de la croisée et l'autre à l'extrémité ouest. La tour centrale s'était effondrée, trente ans plus tôt, sur la tombe de Guillaume le Roux, un roi impie qui n'aurait sans doute pas dû être enterré dans une église. Depuis lors on l'avait rebâtie. Situé juste au-dessous de la tour neuve, à chanter matines, Philip trouvait au bâtiment une force et une immense dignité. La cathédrale que Tom avait conçue serait modeste par comparaison – si jamais elle était construite. Il comprit soudain qu'il évoluait dans de très hautes sphères et il en éprouva quelque nervosité. Il n'était qu'un enfant d'un village des collines du pays de Galles qui avait eu la bonne fortune de devenir moine. Aujourd'hui, il allait s'adresser au roi. Où en avait-il pris le droit?

Il retourna se coucher, rongé par l'inquiétude. Il avait peur de dire ou de faire quelque chose de nature à offenser le roi Stephen ou l'évêque Henry et à les indisposer contre Kingsbridge. Les gens d'origine française se moquaient souvent de la façon dont les Anglais parlaient leur langue : qu'allaient-ils penser d'un accent gallois? Dans le monde monastique, on avait toujours jugé Philip sur sa piété, son obéissance et son dévouement à l'œuvre de Dieu. Ces choses-là ne comptaient pas ici, dans la capitale d'un des plus grands royaumes de la terre. Philip était dépassé, il avait l'impression d'être un imposteur, certain qu'on allait le démasquer et le renvoyer chez lui en disgrâce.

Il se leva à l'aube, se rendit à prime, puis au réfectoire. Les moines avaient de la bonne bière et du pain blanc : c'était un monastère riche. Après le déjeuner, quand les moines allèrent au chapitre, Philip se dirigea vers le palais de l'évêque, une belle construction de pierre avec de grandes fenêtres, entourée de plusieurs arpents de jardins clos de murs.

Waleran était sûr d'obtenir le soutien de l'évêque Henry pour son projet démesuré. Henry était si puissant que son concours suffirait peut-être à rendre l'entreprise réalisable. C'était Henry de Blois, le frère cadet du roi. Homme d'Église le mieux apparenté d'Angleterre, il était le plus fortuné en sa qualité d'abbé du riche monastère de Glastonbury. On s'attendait à le voir nommé archevêque de Canterbury. Kingsbridge ne pouvait avoir allié plus puissant. Et si cela finissait par arriver? se dit Philip : si le roi nous permettait de construire une nouvelle cathédrale? Lorsqu'il y pensait, un immense espoir emplissait sa poitrine.

Un intendant vint annoncer à Philip que l'évêque Henry ne serait pas visible avant le milieu de la matinée. Philip était trop énervé pour retourner au monastère. Impatient, il partit visiter la plus grande ville qu'il eût jamais vue.

Le palais de l'évêque était dans la partie sud-est de la ville. Philip suivit le mur, en traversant le domaine d'un autre monastère, l'abbaye de Sainte-Mary, et il déboucha dans un quartier visiblement consacré au cuir et à la laine. Cette partie de la ville était parcourue par un réseau de petits ruisseaux. S'approchant,

Philip vit qu'il s'agissait de rigoles creusées à la main, qui détournaient une partie de la rivière Itchen vers les rues afin de fournir les grandes quantités d'eau nécessaires au tannage des peaux et au lavage des toisons. Ce genre d'industrie s'établissait habituellement au bord d'une rivière et Philip s'émerveilla de l'audace des hommes.

Malgré cette activité, la ville était plus calme et plus dégagée que celles que Philip avait déjà vues. Une cité comme Salisbury ou Hereford semblait aussi à l'étroit dans ses murs qu'un homme trop gros dans une tunique trop juste : les maisons s'entassaient les unes contre les autres, les cours étaient trop petites, la place du marché trop encombrée, les rues trop étroites; comme bêtes et gens se disputaient l'espace, à tout moment des bagarres menaçaient d'éclater. Mais Winchester semblait au contraire offrir de la place pour tous. En se promenant, Philip comprit peu à peu que cette impression d'espace était due en partie au fait que les rues étaient dessinées suivant un quadrillage. Elles étaient pour la plupart en ligne droite, et se coupaient à angle droit. Il n'avait encore jamais vu cela. La ville avait été construite sur plan, pensa-t-il.

Les églises se comptaient par douzaines. Elles étaient de toutes formes et de toutes tailles, les unes en bois, les autres en pierre, chacune desservant sa propre petite paroisse. La cité devait être riche pour entretenir autant de prêtres.

Dans la rue des Bouchers, il fut pris d'un léger malaise. Il n'avait jamais vu une telle quantité de viande crue. Le sang ruisselait des étals des bouchers dans la rue et de gros rats se faufilaient entre les pieds des clients.

L'extrémité de la rue des Bouchers s'ouvrait, au milieu de la grand-rue, en face du vieux palais royal. L'édifice n'était plus utilisé par les rois depuis que le nouveau donjon avait été construit au château, avait-on expliqué à Philip, mais les argentiers royaux battaient encore monnaie et frappaient des pennies d'argent dans le magasin du bâtiment, à l'abri des murs épais et des grilles de fer. Philip s'arrêta un moment, regardant les étincelles jaillir tandis que les marteaux frappaient les coins, impressionné par toute cette richesse étalée sous ses yeux.

Un groupe de badauds observait comme lui ce spectacle. C'était manifestement une curiosité que venaient voir tous les gens de passage. Une jeune femme, non loin de lui, sourit à Philip qui lui rendit son sourire. Elle dit : «Tu peux faire tout ce que tu veux pour un penny.» Il se demanda ce qu'elle voulait et lui fit de nouveau un vague sourire. Elle entrouvrit alors son manteau et il constata avec horreur que, dessous, elle était complètement nue. «Tout ce que tu veux pour un penny d'argent», répéta-t-elle.

Il sentit un vague élan de désir, comme le fantôme d'un souvenir depuis longtemps enfoui : c'était une prostituée. Il se sentit rougir. Il s'empressa de faire demi-tour et s'éloigna à grands pas. «N'aie pas peur, cria-t-elle. J'aime bien les belles têtes rondes.» Son rire moqueur le suivit longtemps.

Pour lui échapper, il prit une ruelle qui donnait sur la grand-rue et se trouva sur la place du marché. On apercevait les tours de la cathédrale qui s'élevaient au-dessus des échoppes. Il se fraya un chemin parmi la foule sans écouter les boniments des vendeurs et regagna l'enclos du couvent.

Le calme ordonné du monastère lui fit l'effet d'une brise fraîche. Il s'arrêta au cimetière pour remettre de l'ordre dans ses pensées. Il se sentait honteux et scandalisé. Comment cette femme osait-elle tenter un homme en robe de moine ? Elle avait de toute évidence reconnu en lui un visiteur... Était-ce possible que des moines éloignés de leur monastère fussent ses clients ? Bien sûr, se dit-il. Les moines commettaient les mêmes péchés que les gens ordinaires. C'était le manque de vergogne de cette femme qui l'avait choqué. Le spectacle de sa nudité restait dans son esprit comme la flamme d'une chandelle qu'on a contemplée quelques instants continue à brûler derrière les paupières closes.

Il soupira. La matinée lui avait réservé un défilé d'images étonnantes ! Les rigoles creusées par la main de l'homme, les rats aux étals des boucheries, les piles de pièces de monnaie nouvellement frappées et la nudité de cette femme. Pendant quelque temps, il le savait, ces images reviendraient hanter ses méditations.

Il entra dans la cathédrale. Il se sentait trop impur pour s'agenouiller et prier, il se contenta donc de descendre la nef et de sortir par la porte sud. Il passa par le prieuré et se rendit au palais de l'évêque.

Le rez-de-chaussée était une chapelle. Philip gravit l'escalier qui menait au vestibule et entra. Il y avait près de la porte un petit groupe de domestiques et de jeunes ecclésiastiques, debout ou assis sur le banc contre le mur. Tout au bout de la pièce,

Waleran et l'évêque Henry étaient à une table. Un intendant arrêta Philip : «Les évêques déjeunent.

— Je vais les rejoindre à table, annonça Philip.

— Vous feriez mieux d'attendre», dit l'intendant.

Philip jugea que l'intendant l'avait pris pour un simple moine.

«Je suis le prieur de Kingsbridge», déclara-t-il.

L'intendant haussa les épaules et s'écarta.

Philip s'approcha de la table. L'évêque Henry présidait, Waleran se trouvait à sa droite. Henry était un homme trapu, aux épaules larges, avec un visage agressif. Il avait à peu près le même âge que Waleran, un an ou deux de plus que Philip ; mais pas plus de trente ans. Par contraste avec la peau très blanche de Waleran ou la charpente osseuse de Philip, Henry avait le teint fleuri et les rondeurs d'un bon mangeur, l'œil vif et intelligent. Son visage affichait la détermination. Philip fut surpris de voir que Henry avait le crâne rasé, signe de vœux monastiques autrefois prononcés, et de sa volonté de passer encore pour un moine. Pourtant, il ne portait pas la robe mais une somptueuse tunique de soie pourpre. Waleran arborait une chemise de toile blanche immaculée sous sa tunique noire habituelle, et Philip comprit que les deux hommes avaient choisi ces vêtements pour leur audience avec le roi. Ils mangeaient de la viande froide et buvaient du vin rouge. Philip, affamé après sa marche, avait l'eau à la bouche.

Waleran leva les yeux et l'aperçut ; une légère irritation transparut sur son visage.

«Bonjour», dit Philip.

Waleran s'adressa à Henry : «C'est mon prieur.»

Philip n'aimait pas être présenté comme le prieur de Waleran. Il corrigea : «Philip de Gwynedd, prieur de Kingsbridge, monseigneur évêque.»

Il s'attendait à baiser la bague de l'évêque, mais Henry se contenta de dire : «Parfait» avant d'engloutir une autre bouchée de bœuf. Philip resta planté là, un peu embarrassé. N'allaient-ils pas lui demander de s'asseoir ?

«Nous vous rejoignons dans quelques instants, Philip», dit Waleran.

Ainsi, on le congédiait. Il tourna les talons, humilié. L'intendant qui avait essayé de l'éconduire ricana. Philip resta à l'écart, honteux soudain de la robe brune tachée qu'il portait jour et nuit depuis six mois. Les bénédictins teignaient souvent leurs habits en noir, mais Kingsbridge y avait renoncé des années auparavant par souci d'économie. Philip avait toujours estimé que le goût des beaux vêtements relevait d'une vanité qui ne convenait absolument pas à un homme de Dieu, si haut que fût son rang ; aujourd'hui, il en comprenait l'utilité. On ne l'aurait peut-être pas traité aussi cavalièrement s'il était arrivé vêtu de soie et de fourrure.

Bah, songea-t-il, un moine fait vœu d'humilité après tout.

Peu après, les deux évêques se levèrent et se dirigèrent vers la porte. Un domestique apporta à Henry une robe écarlate ourlée de fines broderies et de franges de soie. Tout en l'enfilant, Henry s'adressa à Philip : «Vous n'aurez pas grand-chose à dire aujourd'hui.

— Laissez-nous parler, ajouta Waleran.

— Laissez-moi parler, rectifia Henry en insistant légèrement sur le *moi*. Si le roi vous pose une question, répondez simplement sans essayer d'habiller les faits. Il comprendra que vous ayez besoin d'une nouvelle église sans que vous vous mettiez à genoux pour le supplier.»

Philip n'avait pas besoin de ces avertissements. Henry se montrait désagréablement condescendant. Mais il acquiesça de la tête en dissimulant son dépit.

«Allons-y, reprit Henry. Mon frère est un lève-tôt capable de régler les affaires de la journée en une heure avant d'aller chasser dans la New Forest.»

Ils sortirent. Un homme d'armes, une épée à la ceinture et un étendard à la main, précédait Henry tandis que le groupe remontait la grand-rue et la colline vers la porte ouest. Les gens s'écartaient devant les deux évêques, mais pas devant Philip, qui se retrouva plusieurs pas derrière eux. De temps en temps, quelqu'un réclamait une bénédiction, et Henry dessinait d'une main le signe de la croix sans ralentir sa marche. Juste avant le poste de garde, ils tournèrent sur un pont de bois qui enjambait la douve du château. Bien qu'on lui eût assuré qu'il n'aurait pas grand-chose à dire, Philip était inquiet : il allait voir le roi.

Le château occupait l'angle sud-ouest de la ville. Ses murs ouest et sud entraient dans les remparts de la ville. Mais les murailles qui séparaient les clos du château de la ville n'étaient pas moins hautes ni moins fortes que ses défenses extérieures, comme si le roi cherchait autant à se protéger de ses sujets que des étrangers.

Ils pénétrèrent par une porte basse et se trouvèrent aussitôt devant le donjon massif qui dominait cette partie de l'enceinte. C'était une formidable tour carrée. Comptant les meurtrières, Philip calcula qu'il devait avoir quatre étages. Le rez-de-chaussée était occupé par des magasins et un escalier extérieur menait à l'entrée en étage. Deux sentinelles de faction au pied des marches saluèrent Henry.

Les trois hommes entrèrent dans le vestibule. Il y avait des roseaux sur le sol, quelques sièges dans des encoignures, quelques bancs de bois et une cheminée. Dans un coin, deux hommes d'armes gardaient un escalier creusé dans le mur. D'un regard, Henry fit signe à l'un des hommes qui aussitôt grimpa l'escalier, sans doute pour annoncer au roi que son frère l'attendait.

Philip se sentait profondément mal à l'aise tant il était anxieux. Les quelques minutes suivantes allaient décider de son avenir. Il aurait voulu se sentir plus sûr de ses alliés et regrettait de n'avoir pas passé les premières heures de la matinée à prier pour la réussite de ses projets au lieu de déambuler dans Winchester. Il regrettait aussi de ne pas avoir une robe pourpre.

Vingt ou trente autres personnes se trouvaient dans la salle, presque tous des hommes. Il y avait là des chevaliers, des prêtres et des bourgeois prospères. Philip soudain sursauta : près du feu, parlant à une femme et à un jeune homme, il découvrit Percy Hamleigh. Que faisait-il ici ? Les deux autres étaient son horrible femme et sa brute de fils. Tous trois avaient concouru avec Waleran à la chute de Bartholomew ; leur présence aujourd'hui ne pouvait être une coïncidence. Philip se demanda ce que l'évêque attendait d'eux.

« Est-ce que vous voyez..., commença Philip en s'adressant à Waleran.

— Je les vois », coupa Waleran visiblement mécontent.

Philip trouvait leur présence menaçante sans trop en savoir la raison. Le père et le fils se ressemblaient : de grands et robustes gaillards aux cheveux jaunes et au visage maussade. La femme se rapprochait des démons qui torturent les pécheurs dans les peintures représentant l'enfer. Elle touchait sans cesse les plaies de son visage, ses mains squelettiques s'agitant nerveusement. Vêtue d'une robe jaune qui l'enlaidissait davantage, elle se dandinait d'un pied sur l'autre, jetant sans cesse des coups d'œil autour d'elle. Elle croisa le regard de Philip et détourna aussitôt la tête.

L'évêque Henry circulait, saluant les gens qu'il connaissait et bénissant ceux qu'il ne connaissait pas, mais il surveillait aussi l'escalier car, dès que la sentinelle fut redescendue, Henry la regarda, la vit acquiescer et il abandonna sa conversation au milieu d'une phrase.

Waleran suivit Henry dans l'escalier tandis que Philip fermait la marche, le cœur serré.

La pièce, à l'étage au-dessus, avait la même taille et la même forme que le hall d'entrée, mais l'ambiance y était complètement différente. Des tapisseries pendaient aux murs, des peaux de mouton couvraient le plancher bien lavé, le feu ronflait dans la cheminée et la pièce était brillamment éclairée par des douzaines de chandelles. Près de la porte se trouvait une table de chêne. Un clerc, muni de plumes, d'encre et de feuilles de parchemin, attendait de copier ce que lui dicterait le roi. Celui-ci se tenait près du feu, dans un grand fauteuil recouvert de fourrures.

La première chose que remarqua Philip fut qu'il ne portait pas de couronne. Sa tunique pourpre ne dissimulait pas ses jambières de cuir, comme s'il s'apprêtait à monter à cheval. Deux grands chiens de chasse étaient allongés à ses pieds comme des courtisans favoris. Il ressemblait à son frère Henry, mais avec des traits plus fins, plus beaux, et une vraie crinière de cheveux fauves. Toutefois le même air d'intelligence animait son regard. Renversé dans son grand fauteuil, les jambes allongées devant lui et les coudes appuyés sur les bras du siège, il paraissait détendu en dépit de la nervosité qui régnait dans la pièce. Le roi était le seul qui semblait à l'aise.

Au moment où les évêques et Philip entraient, un gros homme luxueusement vêtu prenait congé. Il salua familièrement l'évêque Henry et ignora Waleran. Quelque puissant baron, songea Philip.

L'évêque Henry s'approcha du roi, s'inclina : « Bonjour, Stephen, dit-il.

— Je n'ai pas encore vu ce bâtard de Ranulf, répondit le roi. S'il ne se présente pas bientôt, je lui fais couper les doigts.

— Il sera ici d'un jour à l'autre, assura Henry. Je te le promets, mais peut-être devrais-tu lui couper les doigts de toute façon. »

Philip ne savait absolument pas qui était Ranulf ni pourquoi le roi voulait le voir, mais il eut l'impression que, bien que

Stephen fût mécontent, il n'envisageait pas sérieusement la mutilation de ce pauvre homme.

Sans laisser le temps à Philip de poursuivre ces réflexions, Waleran s'avança et s'inclina. «Tu te souviens de Waleran Bigod, le nouvel évêque de Kingsbridge, dit Henry.

— Oui, répondit Stephen. Et lui, qui est-ce?

— C'est mon prieur», répondit Waleran.

Une fois de plus, Philip dut se présenter lui-même.

«Philip de Gwynedd, prieur de Kingsbridge.» Il s'était exprimé d'une voix plus forte que prévu.

«Avancez, père prieur, dit le roi. Vous semblez mal à l'aise. Quelque chose vous préoccupe?»

Que répondre? Tant de choses le préoccupaient en effet. Se jetant à l'eau, il murmura : «Je suis préoccupé parce que je n'ai pas de robe propre.»

Stephen éclata de rire gaiement. «Alors, cessez de vous inquiéter», dit-il. Avec un coup d'œil à son élégant frère, il ajouta : «J'aime qu'un moine ait l'air d'un moine et non d'un roi.»

Philip respira.

«On m'a parlé de l'incendie, reprit Stephen. Comment vivez-vous?

— Le jour de l'incendie, répondit Philip, Dieu nous a envoyé un bâtisseur. Il a très vite réparé le cloître et nous utilisons la crypte pour l'office. Avec son aide, nous déblayons les ruines pour pouvoir rebâtir; il a déjà dessiné les plans d'une nouvelle église.»

Waleran haussa les sourcils : il n'était pas au courant des plans. Pourtant, Philip lui en aurait parlé s'il l'avait demandé. «Voilà une louable promptitude. Quand commencez-vous à bâtir?

— Dès que je trouverai l'argent.»

L'évêque Henry intervint : «C'est pourquoi je t'ai amené le prieur Philip et l'évêque Waleran. Ni le prieuré ni le diocèse n'ont les ressources pour financer un projet de cette importance.

— Ni la couronne, mon cher frère», ajouta Stephen.

Philip accusa le coup : l'affaire s'engageait mal.

«Je sais, dit Henry. C'est pourquoi j'ai cherché un moyen pour reconstruire Kingsbridge sans qu'il t'en coûte rien.»

Stephen sourit, sceptique : «Tu as donc conçu un plan ingénieux, pour ne pas dire magique?

— Oui. Je te suggère d'offrir au diocèse les terres du comte de Shiring, qui financeront le programme de reconstruction. »

Philip retint son souffle.

Le roi réfléchissait. Waleran ouvrit la bouche pour parler, mais d'un geste Henry lui imposa le silence.

« C'est une idée habile, dit enfin le roi. J'aimerais bien la réaliser. »

Le cœur de Philip bondit dans sa poitrine.

« Malheureusement, continua Stephen, j'ai presque promis le comté à Percy Hamleigh. »

Philip ne put retenir un gémissement. La déception le blessait comme un coup de couteau.

Henry et Waleran, abasourdis, restaient muets. Henry fut le premier à reprendre la parole. « Presque ? » répéta-t-il.

Le roi haussa les épaules. « Je pourrais me dégager, non sans un considérable embarras, évidemment. Après tout, c'est Percy qui a livré le traître Bartholomew à la justice.

— Pas sans aide, monseigneur ! s'écria Waleran.

— Je sais que vous avez joué un rôle dans cette affaire...

— C'est moi qui ai informé Percy Hamleigh du complot monté contre vous.

— Oui. À propos, comment l'avez-vous appris vous-même ? »

Philip se dandinait d'un pied sur l'autre. Le terrain devenait dangereux. Personne ne devait savoir que le renseignement provenait de son frère Francis, car Francis travaillait toujours pour Robert de Gloucester, à qui on avait tout juste pardonné son rôle dans la conjuration.

« Par la confession d'un mourant », expliqua Waleran.

Philip poussa un soupir de soulagement. Waleran répétait le mensonge que Philip lui avait soufflé, comme si la « confession » lui avait été faite à lui et non à Philip. Le prieur était trop content de voir l'attention se détourner du rôle qu'il avait joué pour relever l'inexactitude.

« Quand même, reprit le roi, c'est Percy, pas vous, qui a attaqué le château de Bartholomew au péril de sa vie, et qui a arrêté le traître.

— Tu pourrais récompenser Percy autrement, suggéra Henry.

— Ce que Percy veut, dit le roi, c'est Shiring. Il connaît la région. Il la gouvernera bien. Je pourrais lui donner le Cambridgeshire, mais les gens des Fens le suivraient-ils ?

— Tu dois remercier Dieu d'abord, dit Henry, les hommes ensuite. C'est Dieu qui t'a fait roi.

— Mais c'est Percy qui a arrêté Bartholomew. »

Henry s'impatienta. « Dieu contrôle toute chose, mon frère...

— Ne me presse pas, je te prie », dit Stephen en levant la main.

Henry eut un geste de soumission.

« Bien sûr. »

C'était une saisissante démonstration du pouvoir royal. Un moment ils avaient discuté presque comme des égaux, mais Stephen avait pu reprendre le dessus d'un mot.

Philip était amèrement déçu. Après avoir cru que leur requête n'avait aucune chance, il en était venu peu à peu à espérer et même à rêver sur sa future fortune. Voilà maintenant qu'il retombait brutalement dans la réalité.

« Monseigneur roi, dit Waleran, je vous remercie d'être disposé à reconsidérer l'avenir du comté de Shiring, et j'attendrai votre décision dans l'angoisse et les prières. »

Voilà de l'habileté, nota Philip. On aurait dit que Waleran cédait avec grâce, en fait il soulignait que la décision restait en suspens. Certes, la réponse du roi avait été plutôt négative. Mais il n'y avait pas d'offense à suggérer que le roi pouvait encore trancher différemment. Il faudra que je m'en souvienne, songea Philip : quand on risque d'être éconduit, se donner des délais.

Stephen mit fin à l'entretien : « Merci à vous d'être venus me voir. »

Philip et Waleran s'apprêtaient à prendre congé, mais Henry, incapable de lâcher prise, insista : « Quand connaîtrons-nous ta décision ? »

Stephen fronça les sourcils. « Après-demain », dit-il lentement.

Henry s'inclina et les trois hommes sortirent.

L'incertitude ne valait guère mieux qu'un refus. Philip trouvait l'attente insupportable. Il eut beau occuper l'après-midi avec la merveilleuse collection de livres du prieuré de Winchester, il ne cessait de s'interroger : Que se passe-t-il dans l'esprit du roi ? Pouvait-il revenir sur la promesse faite à Percy Hamleigh ? Quelle était l'importance réelle de Percy ? Par ailleurs jusqu'à quel point Stephen s'engagerait-il pour Kingsbridge ? Il était de notoriété publique que les rois devenaient pieux en vieillissant et Stephen était encore jeune.

Philip tournait et retournait dans sa tête les questions insolubles tout en regardant, sans le lire, *La Consolation de la philosophie*, de Boèce, quand un novice arriva à pas feutrés par l'allée du cloître et s'approcha de lui timidement. «Quelqu'un vous demande dans la cour extérieure, mon père», murmura le jeune homme.

Si l'on faisait attendre le visiteur dehors, c'est qu'il n'était pas moine.

«Qui est-ce? demanda Philip, intrigué.

— Une femme.»

La première pensée de Philip, horrifié, fut qu'il s'agissait de la prostituée du matin. Mais l'expression sereine du novice le rassura.

«À quoi ressemble-t-elle?»

Le garçon eut une moue dégoûtée, plus parlante qu'une explication.

«Regan Hamleigh.»

Quel nouveau coup préparait-elle? se demanda Philip. «J'arrive tout de suite.»

À pas lents il fit le tour du cloître et sortit dans la cour. Il avait besoin de toutes ses ressources pour discuter avec cette femme.

Elle était plantée devant le parloir du cellérier, enveloppée dans un lourd manteau, dissimulant son visage sous un capuchon. Elle lança à Philip un regard d'une malveillance si appuyée que l'envie le prit un moment de tourner les talons. Mais la honte le retint.

«Que me voulez-vous? demanda-t-il froidement.

— Imbécile de moine, cracha-t-elle. Comment pouvez-vous être aussi stupide?»

Il sentit son visage s'empourprer. «Je suis le prieur de Kingsbridge, et je vous prie de m'appeler "mon père"», dit-il. Mais il fut consterné de s'apercevoir qu'il était plus irrité qu'autoritaire.

Elle ricana.

«Très bien, *mon père*. Enfin, comment pouvez-vous vous laisser utiliser ainsi par ces deux évêques avides?»

Philip prit une profonde inspiration. «Parlez clair, dit-il en maîtrisant sa colère.

— Les mots ne sont jamais assez simples pour un écervelé comme vous, mais essayez de comprendre. Waleran se sert de l'église incendiée comme prétexte afin d'obtenir pour lui-même les terres du comté de Shiring. Est-ce clair? Avez-vous compris cela?»

Vexé du ton méprisant de la femme, Philip haussa le ton :
«Il n'y a pas de tromperie, dit-il. Le revenu des terres doit servir
à rebâtir la cathédrale.

— Qu'est-ce qui vous le prouve?

— C'est toute l'idée!» protesta Philip. Mais, au fond de lui-
même, un doute commençait à se former.

L'expression de Regan, de méprisante, devint rusée. «Les
nouvelles terres seront-elles propriétés du prieuré, dit-elle, ou
du diocèse?»

Philip l'observa un moment, puis détourna les yeux de ce
visage abominable de laideur. Il avait toujours cru que les terres
appartiendraient au prieuré et qu'elles seraient donc sous son
contrôle, plutôt qu'au diocèse, auquel cas elles dépendraient de
Waleran. Mais il se rappelait maintenant que l'évêque Henry
avait précisément demandé au roi que l'on attribuât les terres au
diocèse. Sur l'instant, Philip n'avait pas relevé l'anomalie. Mais
l'évêque ne s'était pas repris, ni sur le moment ni plus tard.

Il considérait Regan avec méfiance. Elle n'avait pu savoir ce
que Henry dirait au roi. Elle l'emportait sans doute sur ce point.
D'un autre côté, peut-être essayait-elle simplement de semer la
zizanie. Elle avait tout à gagner d'une querelle entre Philip et
Waleran. «Waleran, reprit-il, est l'évêque : il doit posséder une
cathédrale.

— Il doit posséder beaucoup de choses», renchérit-elle.
Elle se calmait peu à peu, mais son regard restait plein de fièvre.

«Pour certains évêques, une belle cathédrale serait une priorité. Waleran a d'autres nécessités. D'ailleurs, dès l'instant qu'il
tiendra les cordons de la bourse, il jugera seul de ce qu'il vous
accordera à vous et à vos bâtisseurs.»

Sur ce point-là, elle avait raison. Si Waleran collectait lui-
même les loyers, il en garderait naturellement une part pour
ses dépenses. Lui seul connaîtrait les comptes réels. Rien ne
pourrait l'empêcher de détourner les fonds à son gré. Et Philip
ne saurait jamais sur quoi tabler pour payer les bâtisseurs.

Il vaudrait sans doute mieux que le prieuré possédât la terre.
Mais Philip maintenant était certain que Waleran s'y opposerait
et que l'évêque Henry soutiendrait Waleran. Le seul espoir
du prieur restait le roi. Hélas! Stephen, voyant les hommes de
l'Église divisés, choisirait probablement de les mettre d'accord
en donnant le comté à Percy Hamleigh.

Voilà ce que voulait Regan.

Philip secoua la tête. « Si Waleran cherche à me tromper, pourquoi m'avoir amené ici? Il pouvait présenter tout seul la même requête. »

Elle acquiesça. « Il aurait pu. Mais le roi aurait alors douté de la sincérité de Waleran. Vous avez apaisé tous les soupçons qu'il aurait pu nourrir en apparaissant ici en compagnie de Waleran. Et vous avez l'air si pitoyable, dans votre robe sale, ajouta-t-elle, que le roi a eu pitié de vous. Ah! Waleran a été habile de vous amener avec lui. »

Philip avait l'horrible sentiment qu'elle disait vrai, mais il se refusait encore à l'admettre. « Vous voulez le comté pour votre mari, dit-il.

— Si je pouvais vous montrer une preuve, feriez-vous une demi-journée de cheval pour la constater vous-même? »

La dernière chose que souhaitait Philip, c'était de se laisser entraîner dans les machinations de Regan Hamleigh. Mais il voulait savoir la vérité. À regret, il répondit : « Oui, je ferais une demi-journée de cheval.

— Demain?

— Oui.

— Soyez prêt à l'aube. »

C'était William Hamleigh, le fils de Percy et de Regan, qui attendait Philip le lendemain matin, à l'heure de prime. Philip et William quittèrent Winchester par la porte ouest, puis prirent aussitôt au nord par Athelynge Street. Le palais de l'évêque Waleran était justement dans cette direction, pensa Philip, à environ une demi-journée de cheval. C'était donc là leur but. Mais pourquoi? Il se méfiait énormément et restait sur ses gardes.

C'était un matin gris, sinistre et bruineux. Durant les premières lieues, William mena un train rapide, puis ralentit l'allure pour laisser reposer les chevaux, et rompit le silence : « Alors, moine, vous voulez me prendre le comté? »

Philip fut pris au dépourvu par son ton hostile : il n'avait rien fait pour le mériter. Il répliqua sèchement : « Ce n'est pas vous qui l'aurez, mon garçon. Je pourrais l'obtenir ou bien votre père, ou l'évêque Waleran, mais personne n'a demandé au roi de vous le donner à vous. L'idée même est une plaisanterie.

— J'en hériterai.

— Nous verrons bien. » Philip estimait inutile de se quereller avec William. « Je ne vous veux aucun mal, dit-il d'un ton conciliant. Je veux simplement bâtir une nouvelle cathédrale.

— Alors prenez le comté de quelqu'un d'autre, répliqua William. Pourquoi les gens s'attaquent-ils toujours à nous ? »

Il y avait beaucoup d'amertume dans le ton du jeune homme, observa Philip.

« Ils auraient dû comprendre la leçon après ce qui est arrivé à Bartholomew, continua-t-il. Il a insulté notre famille, et regardez où il est maintenant.

— Je croyais que c'était sa fille la responsable de l'insulte.

— La garce est aussi fière et arrogante que son père. Mais elle souffrira aussi. Au bout du compte, vous verrez, ils s'agenouilleront tous. »

Ce n'étaient pas là les émotions habituelles d'un garçon de vingt ans, se dit Philip. William faisait plutôt penser à une femme entre deux âges pleine d'envie et de venin. Philip n'appréciait guère cette conversation. La plupart des gens mettaient à leur haine des vêtements raisonnables, mais William était trop naïf. « Allons, dit le prieur, réservons la vengeance jusqu'au jour du Jugement.

— Pourquoi donc n'attendez-vous pas le jour du Jugement pour bâtir votre église ?

— Ce serait trop tard pour sauver les âmes des pécheurs des tourments de l'enfer.

— Ne commencez pas avec vos jérémiades, s'écria William. Gardez-les pour vos sermons. »

Philip, d'abord tenté de lui répliquer vertement, se maîtrisa. Il y avait quelque chose d'inquiétant chez ce garçon, une rage incontrôlable, une violence extrême. Philip n'avait pas peur de lui. Il n'avait pas peur des hommes violents, peut-être parce que enfant il avait connu le pire et quand même survécu. Mais il n'y avait rien à gagner à attiser William par des réprimandes, aussi dit-il avec douceur : « Le ciel et l'enfer, voilà ce dont je m'occupe. La vertu et le péché, le pardon et le châtiment, le bien et le mal. J'ai bien peur de ne pas pouvoir m'empêcher d'en parler.

— Alors, parlez tout seul », dit William qui éperonna son cheval et fila en avant.

Lorsqu'il se fut éloigné d'une vingtaine de toises, il ralentit l'allure. Philip supposa que le jeune homme allait se calmer et revenir chevaucher à ses côtés, mais il n'en fit rien et, pour le reste de la matinée, ils cheminèrent séparément.

Le prieur s'inquiétait, quelque peu déprimé. Il avait perdu le contrôle de son destin. Il avait laissé Waleran Bigod prendre les choses en main à Winchester, et voilà maintenant qu'il laissait William Hamleigh l'emmener dans un voyage mystérieux. Ils essaient tous de me manipuler, songea-t-il. Et je les laisse faire. Pourquoi ? Il est temps de reprendre l'initiative. Mais il ne pouvait rien tenter pour l'instant, sinon tourner bride et rentrer à Winchester, mais cela lui parut futile, aussi continua-t-il à suivre William, en fixant d'un air morne l'arrière-train de son cheval, tandis qu'ils trottaient sur la route.

Peu avant midi, ils atteignirent la vallée où s'élevait le palais de l'évêque. Philip se rappelait sa visite, au début de l'année, tout tremblant avec son redoutable secret. Bien des choses avaient changé depuis.

À sa surprise, William passa sans s'arrêter devant le palais et gravit la colline. La route se rétrécissait pour devenir un sentier entre les champs. Alors qu'ils approchaient du sommet de la colline, Philip constata que des travaux de construction étaient entamés. Peu avant le sommet, ils furent arrêtés par un remblai de terre amenée récemment. Philip fut pris d'un terrible soupçon.

Ils obliquèrent et suivirent le remblai jusqu'à une brèche par laquelle ils s'engouffrèrent. Derrière le remblai se trouvait une douve asséchée, comblée en cet endroit pour permettre aux gens de traverser.

« C'est ce que vous vouliez me montrer ? » demanda Philip.

William se contenta de hocher la tête.

Philip était anéanti : Waleran construisait un château !

Il poussa son cheval et franchit le fossé, suivi par William. Le fossé et le remblai encerclaient le faîte de la colline. Sur le bord intérieur du fossé, on avait édifié un épais mur de pierre jusqu'à une hauteur de deux ou trois pieds. À en juger par son épaisseur, il était prévu pour monter très haut.

Pourquoi n'y avait-il aucun ouvrier sur le site, aucun outil en vue et pas de réserve de pierres ? On avait fait beaucoup en peu de temps, puis le travail avait brusquement cessé. De toute évidence, conclut Philip, Waleran s'était trouvé à court d'argent.

Philip dit à William : « C'est bien l'évêque qui fait construire ce château ?

— Waleran Bigod permettrait-il qu'on bâtisse un château près de son palais ? »

Philip, blessé et humilié, cédait devant les faits : l'évêque Waleran avait besoin du comté de Shiring, avec sa carrière et sa forêt, pour construire son château et pas la cathédrale. Philip n'était qu'un instrument, l'incendie de la cathédrale de Kingsbridge un prétexte commode. Leur rôle était de stimuler la piété du roi pour qu'il accorde le comté à Waleran.

Soudain Philip se vit comme il devait apparaître à Waleran et à Henry : naïf, accommodant, souriant et acquiesçant à tout alors qu'on le menait à l'abattoir. Quels bons juges ! Il leur avait fait confiance et s'en était remis à eux ; il avait même supporté leurs insultes avec courage en souriant, parce qu'il croyait en leur aide, alors qu'ils ne cessaient de le duper.

L'absence de scrupules chez l'évêque le choquait profondément. Il se rappelait la tristesse de ses yeux devant la cathédrale en ruine. Philip crut deviner en lui une piété profonde. L'évêque pensait-il ainsi qu'au service de l'Église, de pieuses fins justifiaient les moyens malhonnêtes ? Philip n'admettait pas cette attitude. Je ne ferai jamais à Waleran ce que Waleran essaie de me faire, pensa-t-il.

Jusqu'alors, jamais il n'avait pensé jouer les dupes. Ou il s'était trompé ? L'idée lui vint qu'il s'était laissé impressionner : par l'évêque Henry et ses robes de soie, par la magnificence de Winchester et de sa cathédrale, par les tas d'argent à la monnaie et les tas de viande aux étals des bouchers, par l'idée de rencontrer le roi. Il avait oublié que Dieu voyait à travers les robes de soie jusqu'au cœur du pécheur, que la seule richesse digne d'être possédée, c'était un trésor au ciel, que même le roi devait s'agenouiller à l'église. Estimant tous les autres bien plus puissants et plus sophistiqués que lui, il avait perdu de vue ses vraies valeurs, mis en sommeil ses facultés critiques et placé toute sa confiance dans ses supérieurs. En guise de récompense, on l'avait trahi.

Il jeta encore un coup d'œil au chantier balayé par la pluie, puis tourna bride et s'éloigna, bouleversé. William le suivit. « Qu'en dites-vous, moine ? » ricana-t-il. Philip ne répondit pas.

Il se rappelait avoir aidé Waleran à devenir évêque. Waleran avait proposé : « Vous voulez que je vous fasse prieur de Kingsbridge, je veux que vous me fassiez évêque. » Bien sûr, Waleran n'avait pas révélé que l'ancien évêque était déjà mort, aussi la promesse était-elle facile à tenir. Et Philip s'était senti obligé de donner sa parole afin d'assurer son élection comme prieur. Mais ce n'étaient là que des prétextes. En vérité, il aurait dû laisser aux mains de Dieu le choix du prieur *et* de l'évêque.

Il n'avait pas pris cette pieuse décision : pour châtiment, il devait lutter contre l'évêque Waleran.

Quand il pensait à la façon dont on l'avait traité, manipulé et trompé, la colère le prenait. L'obéissance était une vertu monastique, mais en dehors des cloîtres, elle avait ses inconvénients, songea-t-il avec amertume. Le monde du pouvoir et des biens terrestres exigeait qu'un homme fût méfiant, exigeant et insistant.

« Ces menteurs d'évêques se sont moqués de vous, n'est-ce pas ? » dit William.

Philip retint son cheval. Tremblant de rage, il braqua un doigt sur William. « Taisez-vous, garçon. Vous parlez des saints prêtres de Dieu. Un mot de plus et je vous ferai brûler, je vous le promets. »

William blêmit instantanément.

Philip talonna son cheval. Le ricanement de William lui rappelait que les Hamleigh avaient un autre mobile pour l'emmener voir le château de Waleran. Ils voulaient provoquer une querelle entre Philip et Waleran pour s'assurer que le comté convoité n'irait ni au prieur ni à l'évêque, mais à Percy. Eh bien, Philip ne marcherait dans le jeu de personne. Désormais, ce serait lui le manipulateur.

Très bien, mais que pouvait-il faire ? Si Philip se querellait avec Waleran, Percy aurait les terres ; et si Philip ne faisait rien, ce serait Waleran le bénéficiaire.

Quelle était la volonté du roi ? Aider à reconstruire la cathédrale : geste de roi dont son âme recevrait la récompense dans l'autre vie. Mais il lui fallait aussi remercier Percy. Mais bizarrement, aucune pression particulière ne s'exerçait sur le roi pour satisfaire les deux hommes plus puissants, les deux évêques. L'idée vint à Philip d'une solution qui réglerait le problème du roi en satisfaisant tout à la fois lui-même et Percy Hamleigh.

Idée intéressante.

Et qui lui plaisait.

Une alliance entre lui et les Hamleigh surprendrait tout le monde – et pour cette raison même, elle avait certaines chances de succès. Les évêques seraient complètement pris au dépourvu.

Merveilleux renversement de situation.

Mais pouvait-il négocier un accord avec les avides Hamleigh ? Percy voulait les terres riches du Wiltshire, le titre de comte, le pouvoir et le prestige d'une force de chevaliers sous ses ordres.

Philip aussi voulait les terres, mais ni titre ni chevaliers : il s'in-téressait avant tout à la carrière et à la forêt.

La forme d'un compromis commença à s'esquisser dans l'esprit de Philip. Tout n'était peut-être pas encore perdu.

Qu'il serait plaisant de gagner maintenant, après tout ce qui s'était passé.

Avec une excitation croissante, il considéra la façon d'appro-cher les Hamleigh. Il n'était pas question de venir les supplier. Il fallait séduire et convaincre.

Lorsqu'ils atteignirent Winchester, le manteau de Philip était trempé de pluie, son cheval de mauvaise humeur, mais il esti-mait avoir trouvé la réponse.

En passant sous l'arche de la porte ouest, il se tourna vers William : « Allons voir votre mère. »

William s'étonna : « Je croyais que vous voudriez voir l'évêque Waleran tout de suite. »

C'était sans nul doute ce que Regan avait prédit à William. « Ne prenez pas la peine de me dire ce que vous pensiez, mon garçon, répliqua Philip. Conduisez-moi simplement à votre mère. » Il se sentait tout à fait prêt à une confrontation avec lady Regan. Il avait été trop longtemps passif.

William se dirigea vers le sud et conduisit Philip vers une mai-son de Gold Street, entre le château et la cathédrale. C'était une large demeure avec des murs de pierre jusqu'à hauteur de la taille et du bois ensuite. À l'intérieur, un hall d'entrée desser-vait plusieurs appartements. C'était sans doute là que logeaient les Hamleigh. De nombreux citoyens de Winchester louaient des chambres aux gens qui fréquentaient la cour du roi. S'il devenait comte, Percy aurait son hôtel particulier.

William introduisit Philip dans une pièce donnant sur la rue, où il y avait un grand lit et une cheminée. Regan était assise auprès du feu et Percy debout auprès d'elle. Regan leva vers Philip un regard surpris, mais elle eut tôt fait de retrouver son calme et dit : « Eh bien, moine... avais-je raison ?

— Vous vous trompiez du tout au tout, femme stupide », répliqua sèchement Philip.

Son autorité la fit taire.

Ravi de voir l'effet que produisaient sur elle des méthodes qu'elle réservait aux autres, il poursuivit sur le même ton : « Vous espériez une querelle entre Waleran et moi. Vous vous imaginiez que je ne verrais pas vos manigances ? Vous êtes une rusée renarde, mais pas la seule personne au monde capable de réfléchir. »

Visiblement, elle comprenait que son plan avait échoué et réfléchissait furieusement à ce qu'elle allait faire maintenant. Philip poussa son avantage, profitant de la surprise.

«Vous avez perdu, Regan. Il vous reste deux solutions maintenant. L'une est de ne pas bouger en espérant que tout va s'arranger et d'attendre la décision du roi. En somme, de parier sur l'humeur qu'il aura demain matin. » Il marqua un temps.

À contrecœur, elle demanda : «Et l'autre solution ?

— L'autre solution est que nous passions un accord, vous et moi. Nous partageons le comté en deux, sans rien laisser à Waleran. Nous allons trouver le roi en privé pour l'informer que nous sommes parvenus à un compromis et obtenir sa bénédiction avant que les évêques puissent s'y opposer. » Philip s'assit sur un banc et affecta l'indifférence. «C'est votre meilleure chance. Vous n'avez pas vraiment le choix. » Il regarda le feu, ne voulant pas laisser voir à quel point il était tendu. L'idée devrait la séduire, pensa-t-il. C'était la certitude de perdre peu contre la possibilité de ne rien avoir. Mais ils étaient cupides : peut-être préféraient-ils jouer le tout pour le tout.

Ce fut Percy qui prit la parole le premier. «Diviser le comté ? Comment ? »

Ah ! Le poisson avait mordu, se dit Philip avec soulagement. «Je vais vous proposer un partage si généreux que vous seriez fous de refuser», répondit-il. Il se tourna vers Regan. «Je vous offre la meilleure moitié. »

Ils attendirent qu'il précise. «Qu'entendez-vous par là ? fit Regan.

— Quel est le plus précieux : la terre cultivable ou la forêt ?

— La terre cultivable, assurément.

— Alors vous aurez la terre cultivable et j'aurai la forêt. »

Regan plissa les yeux. «Du bois pour votre cathédrale, n'est-ce pas ?

— Et les prés ? intervint Percy.

— Lesquels préférez-vous : les herbages pour le bétail ou les pâturages à moutons ?

— Les herbages.

— Alors j'aurai les fermes des collines avec leurs moutons. Voulez-vous le revenu des marchés ou de la carrière ?

— Celui des mar... », commença Percy.

Regan l'interrompit : «Et si nous choisissions la carrière?»

Elle avait donc percé ses intentions. Mais elle n'avait aucun intérêt à réclamer la carrière. Les marchés rapportaient plus d'argent pour moins d'effort. Il répondit avec assurance : «Vous ne la choisissez pas.»

Elle secoua la tête. «Non. Nous prendrons les marchés.»

Percy s'efforçait de jouer celui qu'on dépouillait de ses biens. «J'ai besoin de la forêt pour chasser, dit-il. Un comte doit avoir une chasse.

— Vous pourrez chasser, s'empressa de dire Philip. Je veux juste le bois.

— Alors d'accord», dit Regan. Son accord était un peu rapide pour satisfaire pleinement Philip, qui soudain devint inquiet. Avait-il commis une erreur, une imprudence? Ou bien Regan était-elle simplement impatiente de régler le marché? L'interrompant dans ses réflexions, elle reprit : «Et si en examinant les actes et les chartes dans la vieille trésorerie du comte Bartholomew, nous découvrions des terres dont nous pensons qu'elles doivent être nôtres et dont vous estimez qu'elles devraient être vôtres?»

Le fait qu'elle en vînt à de pareils détails encouragea Philip dans sa démarche. Il dissimula son excitation et reprit calmement : «Convenons d'un arbitre. Pourquoi pas l'évêque Henry?

— Un prêtre? s'exclama Regan, renouant avec son ton sarcastique. Il ne serait pas objectif. Le prévôt de Wiltshire, plutôt?»

Il ne serait pas plus objectif que l'évêque, se dit Philip; mais il ne voyait personne qui pût satisfaire les deux parties, aussi céda-t-il : «Accordé, à condition que, si nous contestons sa décision à lui, nous ayons le droit d'en appeler au roi.» Ce serait une garantie suffisante.

«Accordé», dit Regan qui jeta un coup d'œil à Percy et ajouta : «S'il plaît à mon mari.»

Philip se sentait proche du succès. Il prit une profonde inspiration. «Si nous sommes d'accord sur l'ensemble de la proposition...», commença-t-il.

Regan l'interrompit : «Attendez. Nous n'avons pas conclu d'accord.

— Comment? Je vous ai accordé tout ce que vous vouliez.

— Nous pourrions avoir tout le comté, sans partage.

— Ou rien du tout.»

Regan hésita. «Comment proposez-vous de régler le contrat, si nous nous mettons d'accord?»

Philip y avait déjà pensé. Il s'adressa à Percy : «Pouvez-vous trouver le moyen de voir le roi ce soir?»

Percy répondit à contrecœur : «Si j'avais une bonne raison... oui.

— Allez le trouver et dites-lui que nous sommes arrivés à un accord. Demandez-lui d'annoncer cela demain matin comme étant sa décision. Assurez-lui que vous et moi nous nous en déclarerons satisfaits.

— Et s'il demande l'avis des évêques?

— Dites que nous n'avons pas eu le temps de leur en parler. Rappelez-lui que c'est au prieur et non à l'évêque de construire la cathédrale. Laissez entendre que, si je suis satisfait, les évêques le seront aussi.

— Mais si les évêques protestent quand on annoncera l'accord?

— Comment le pourraient-ils? dit Philip. Ils prétendent réclamer le comté uniquement pour financer la cathédrale. Waleran ne peut guère révéler qu'il espérait emporter l'affaire pour lui-même.»

Regan eut un bref ricanement. L'habileté de Philip la séduisait. «Bien raisonné, dit-elle.

— Reste une condition importante, continua Philip en la fixant dans les yeux. Le roi doit annoncer que ma part est attribuée au prieuré. Si ce point n'est pas clair, je lui demanderai de le préciser. S'il évoque autre chose – le diocèse, le sacristain, ou l'archevêque – je refuserai l'accord. Je tiens à ce que vous n'ayez aucun doute là-dessus.

— Je comprends», fit Regan de mauvaise grâce.

Son irritation visible signifiait, soupçonna Philip, qu'elle avait envisagé de présenter au roi une proposition légèrement différente de l'accord. Il se félicita d'avoir clairement établi ce point.

Avant de se lever pour partir, il voulait sceller leur agrément. «Alors, nous sommes bien d'accord? répéta-t-il. Nous respecterons solennellement notre pacte.» Il les regarda l'un après l'autre.

Regan hocha la tête et Percy dit : «Nous respecterons le pacte.»

Le cœur de Philip battit plus vite. «Bon, je vous verrai demain matin au château.» Il sortit, impassible, mais dès qu'il atteignit la rue plongée dans l'ombre, un sourire triomphant s'épanouit sur ses lèvres.

Philip sombra après le souper dans un sommeil agité et il se leva à minuit pour matines, puis il resta sans dormir sur sa paillasse, en se demandant ce qui allait se passer le lendemain.

Il voulut se persuader que le roi Stephen accepterait cette proposition qui lui réglerait son dilemme : il aurait ainsi un comté *et* une cathédrale. Mais Waleran ? Ne trouverait-il pas un prétexte pour s'opposer à l'accord ? S'il réagissait vite, il expliquerait que ce marché ne fournirait pas assez d'argent pour construire la cathédrale impressionnante, prestigieuse et somptueusement décorée qu'il voulait. Le roi risquait alors de différer sa décision.

L'aube pointait. Philip réfléchissait toujours. Si Regan le trompait ? À supposer qu'elle offre à Waleran le même compromis, Waleran aurait la pierre et le bois dont il avait besoin pour son château. Cette idée obsédait Philip qui se retournait nerveusement sur son lit. Il aurait voulu parler lui-même au roi, mais celui-ci ne l'aurait probablement pas reçu – et d'ailleurs Waleran aurait fait obstacle. Non, il ne pouvait rien faire pour se protéger contre le risque d'une duperie. Tout ce qu'il lui restait, c'était la prière.

Il pria jusqu'au jour.

Il déjeuna avec les moines. Leur pain blanc ne tenait pas à l'estomac aussi longtemps que le pain noir ; mais aujourd'hui il n'avait pas d'appétit. Il se rendit de bonne heure au château, bien que le roi, il le savait, ne reçût pas si tôt. Il entra dans la salle et s'assit sur une des banquettes le long du mur pour attendre.

Lentement la pièce s'emplit de quémandeurs et de courtisans, certains vêtus avec éclat de tuniques jaunes, bleues et roses, de manteaux garnis de somptueux parements de fourrure. Sans raison Philip se rappela soudain qu'on gardait quelque part dans ce château le fameux Domesday Book[1], sans doute dans la salle du dessus où le roi avait reçu Philip et les deux évêques. Le prieur ne l'avait pas remarqué, mais il était trop tendu pour penser à ce genre de chose. Le trésor royal était ici également, peut-être au dernier étage, dans un coffre à côté de la chambre du roi. Une fois de plus, Philip était impressionné par le décor qui l'entourait, mais il avait résolu de ne plus se laisser intimider. Ces gens

---

1. Inventaire des biens fonciers d'Angleterre établi par Guillaume le Conquérant en 1086.

dans leurs belles robes, chevaliers, seigneurs, marchands et évêques, après tout, n'étaient que des hommes. La plupart d'entre eux ne savaient guère écrire plus que leur nom. En outre, ils venaient plaider pour eux-mêmes, alors que lui, Philip, représentait Dieu. Sa mission et même sa robe sale le mettaient au-dessus des autres solliciteurs, pas au-dessous.

Cette pensée lui redonna courage.

Un frémissement parcourut l'assemblée : un prêtre apparaissait dans l'escalier conduisant à la salle du dessus, signe probablement que le roi recevait. Le prêtre échangea quelques mots à voix basse avec un des gardes armés, qui choisit dans la foule un chevalier. Celui-ci confia son épée aux mains du garde et à son tour gravit l'escalier.

Quelle drôle de vie menaient les clercs de la cour, songea Philip. Le roi, bien sûr, devait s'entourer d'ecclésiastiques, pas seulement pour dire la messe, mais pour s'acquitter de la vaste quantité de lecture et d'écriture qu'impliquait le gouvernement du royaume. Il n'y avait personne d'autre pour le faire que le clergé : les quelques laïques qui n'étaient pas illettrés s'avéraient incapables de lire et d'écrire assez vite. Mais on ne trouvait rien de très sain dans la vie du clergé du roi. Le propre frère de Philip, Francis, avait choisi cette existence puisqu'il travaillait pour Robert de Gloucester. Il faudra qu'il m'en parle, songea Philip, si jamais je le revois.

Peu après, entrèrent les Hamleigh. Philip résista à l'envie d'aller vers eux. Il ne voulait pas révéler qu'ils étaient de mèche, pas encore. Il les dévisagea, scrutant leur expression, essayant de lire leurs pensées. William semblait rempli d'espoir, Percy paraissait anxieux et Regan tendue comme un arc. Après quelques minutes, Philip se leva et traversa la pièce, aussi nonchalamment qu'il en était capable. Il salua poliment, puis dit à Percy : « Vous l'avez vu ?

— Oui.

— Et alors ?

— Il a dit qu'il y réfléchirait cette nuit.

— Mais pourquoi ? dit Philip, déçu et agacé. À quoi faut-il donc réfléchir ? »

Percy haussa les épaules : « Demandez-le-lui. »

Philip était exaspéré. « Enfin, comment semblait-il... Content, ou quoi ?

— À mon avis, répondit Regan, l'idée de résoudre le problème lui plaît, mais il se méfie car tout paraît trop facile. »

C'était vraisemblable, mais Philip était quand même contrarié que le roi Stephen n'eût pas saisi l'occasion à deux mains. «Cessons de bavarder, dit-il brusquement. Ne laissons pas les évêques deviner que nous sommes alliés contre eux – pas avant que le roi fasse son annonce.» Il les salua courtoisement et s'éloigna.

De retour sur sa banquette, il occupa ses pensées à l'avenir de son plan, en cas de succès. Dans combien de temps pourrait-on commencer le travail? Tout dépendait de la rapidité avec laquelle rentrerait l'argent de sa nouvelle propriété. Il y aurait beaucoup de moutons, donc beaucoup de toisons à vendre en été. Certaines fermes des collines seraient louées et la plupart des loyers se payaient après la moisson. À l'automne, on aurait peut-être réuni assez d'argent pour engager un forestier et un maître carrier. En même temps, les ouvriers commenceraient à creuser les fondations, sous la surveillance de Tom le bâtisseur. Les travaux de maçonnerie débuteraient donc dans le courant de l'année suivante.

Les courtisans montaient et descendaient l'escalier avec une inquiétante rapidité : aujourd'hui le roi Stephen travaillait vite. Philip commença à s'inquiéter à l'idée que le roi pourrait finir son travail de la journée et partir pour la chasse avant l'arrivée des évêques.

Ils apparurent enfin. Philip se leva lentement. Waleran avait l'air crispé; quant à Henry, il paraissait s'ennuyer. Pour lui, le problème était mineur : il devait soutenir son collègue évêque, mais le résultat ne le concernait guère. Au contraire, Waleran jouait une partie cruciale dont dépendait la construction de son château – château qui ne représentait qu'une première étape de la progression vers les grandes allées du pouvoir.

Philip hésitait sur l'attitude à adopter. Ils avaient essayé de le duper et il aurait voulu se moquer d'eux, leur dire qu'il avait découvert leur traîtrise; mais il risquait d'éveiller des soupçons : le compromis devait être approuvé par le roi sans qu'ils aient le temps de rassembler leurs esprits. Il dissimula donc ses sentiments et sourit poliment. Peine inutile : les évêques l'ignorèrent complètement.

Il ne fallut pas longtemps au garde pour les appeler. Henry et Waleran s'engagèrent dans l'escalier les premiers, suivis de

Philip. Les Hamleigh fermaient la marche. Philip avait l'estomac serré.

Le roi Stephen était debout devant le feu, plus vif et plus décidé que la veille. C'était bon signe : il ne semblait pas disposé à écouter des querelles d'évêques. Henry alla se placer auprès du roi devant la cheminée et les autres s'alignèrent au milieu de la pièce.

Le roi adressa quelques mots à son frère d'une voix si basse que personne d'autre n'entendit. Henry fronça les sourcils et répondit de même. Ils discutèrent quelques instants, puis Stephen leva une main et son regard se posa sur Philip.

La dernière fois, le roi lui avait parlé avec bonté, se rappela Philip, en plaisantant sur sa nervosité et en disant son plaisir à voir un moine habillé comme un moine. Mais aujourd'hui il n'y eut pas de plaisanterie. Le roi s'éclaircit la voix et commença : «Mon loyal sujet, Percy Hamleigh, devient aujourd'hui comte de Shiring.»

Du coin de l'œil, Philip vit Waleran esquisser un pas en avant, comme pour protester, mais l'évêque Henry l'arrêta d'un geste rapide et impératif.

Le roi poursuivit : «Des possessions de l'ancien comte, Percy aura le château, les terres louées à des chevaliers, ainsi que toutes les autres terres cultivables et les pâturages de la plaine.»

Philip avait du mal à maîtriser son excitation. Le roi avait donc accepté leur accord? Il regarda Waleran, dont le visage exprimait la déception.

Percy s'agenouilla devant le roi dans une attitude de prière. Le roi plaça ses mains sur celles de Percy. «Percy, je vous fais comte de Shiring, pour être propriétaire et avoir la jouissance des terres et des revenus ci-dessus mentionnés.

— Je jure, dit Percy, par tout ce qui est sacré, d'être votre homme lige et de combattre pour vous contre quiconque.»

Stephen libéra les mains de Percy et celui-ci se releva.

Le roi redressa la tête. «Toutes les autres terres appartenant à l'ancien comte, je les donne...» Il marqua une pause, observa les assistants les uns après les autres... Waleran... Philip... «Je les donne au *prieuré* de Kingsbridge, pour la construction de la nouvelle cathédrale.»

Philip réprima un cri de joie : il avait gagné! Son visage rayonnait de bonheur. Quant à Waleran, la bouche ouverte, incapable de dissimuler sa stupeur, il ouvrait de grands yeux et fixait le roi avec une totale incrédulité. Puis il se tourna vers Philip. L'évêque avait commis une faute dont Philip bénéficiait triomphalement. Mais il n'arrivait pas à imaginer ce qui s'était passé.

Le roi Stephen reprit : «Le prieuré de Kingsbridge aura le droit de prendre des pierres dans la carrière du comte et du bois dans sa forêt, et cela sans limite, pour la construction de la nouvelle cathédrale.»

Le sang de Philip ne fit qu'un tour. Ce n'était pas l'accord prévu! La carrière et la forêt devaient *appartenir* au prieuré, Percy gardant un droit de chasse. Regan avait donc bel et bien modifié les termes de leur contrat. Philip ne disposait que de quelques secondes pour se décider : refuser l'ensemble de l'arrangement ou accepter l'offre telle quelle. Le roi ajoutait : «En cas de désaccord, le prévôt de Shiring sera juge, mais les parties ont le droit d'en appeler à moi en dernier ressort.» Philip bouillait de rage : Regan s'était conduite de façon scandaleuse. Cependant l'accord lui donnait quand même l'essentiel de ce qu'il voulait. Le roi conclut : «Je crois que cet arrangement a été approuvé par les deux parties ici présentes.» Il n'était plus temps de discuter.

Percy dit : «Oui, monseigneur.»

Waleran ouvrait la bouche pour protester, mais Philip parla le premier : «Oui, monseigneur», dit-il.

L'évêque Henry et l'évêque Waleran tournèrent en même temps la tête vers Philip. Leurs visages exprimaient la stupéfaction : le jeune prieur qui se présentait en robe tachée à la cour avait négocié un accord avec le roi derrière leur dos. Peu à peu, le visage de Henry se détendit et prit une expression amusée, comme un joueur de cartes battu par un enfant à l'esprit agile; mais le regard de Waleran restait malveillant. Philip devinait ses pensées. Waleran comprenait qu'il avait commis l'erreur majeure de sous-estimer son adversaire, il était humilié. Pour Philip, cet instant rachetait tout le reste : la trahison, les vexations, le mépris. Il releva la tête, au risque de commettre le péché d'orgueil, et lança à Waleran un regard qui voulait dire : «Il en faut plus que cela pour rouler Philip de Gwynedd.»

Le roi mit un terme à l'entretien : «Que l'on informe l'ancien comte, Bartholomew, de ma décision.»

Bartholomew, supposa Philip, devait être quelque part dans un cachot, dans l'enceinte du château. Il se souvint de ses enfants, vivant avec leur serviteur dans le château en ruine, et il éprouva un peu de remords en s'interrogeant sur leur avenir.

Le roi congédia tout le monde, sauf l'évêque Henry. Philip marchait sur des nuages. Il arriva en haut de l'escalier en même temps que Waleran et s'arrêta pour laisser l'évêque passer en premier. Waleran lui lança un regard venimeux. Puis il parla, sur un ton acide comme de la bile qui, malgré la joie qu'il éprouvait, glaça Philip jusqu'aux os. Waleran siffla : «Je jure par tout ce qui est saint que jamais vous ne construirez votre église.» Il rassembla alors les plis de sa robe noire et descendit l'escalier.

Philip s'était fait un ennemi à vie.

3.

Quand il aperçut Earlscastle, William Hamleigh ne maîtrisa plus son excitation.

C'était l'après-midi, le lendemain du jour où le roi avait pris sa décision. William et Walter chevauchaient depuis presque deux journées, mais William ne se sentait pas fatigué. Il avait l'impression qu'un poids l'oppressait et lui bloquait la gorge : il allait revoir Aliena.

Il avait un jour espéré l'épouser parce qu'elle était la fille d'un comte, et par trois fois elle l'avait repoussé. Il se crispait en se rappelant le mépris de la jeune fille. Elle lui avait donné l'impression de n'être personne, un paysan, se comportant comme si les Hamleigh ne représentaient rien. Mais la roue avait tourné. Désormais, sa propre famille ne comptait plus. Et lui était le fils d'un comte. Elle n'avait pas de titre, pas de position, pas de terre, pas de fortune. Il allait prendre possession du château, la jeter dehors et elle n'aurait plus de domicile non plus. C'était presque trop beau pour être vrai.

Comme ils approchaient du château, il ralentit son cheval. Il ne voulait pas qu'Aliena fût prévenue de son arrivée : il désirait lui faire subir le choc dans toute son horreur.

Le comte Percy et la comtesse Regan étaient retournés à leur vieux manoir de Hamleigh afin de prendre leurs dispositions. Il fallait emporter le trésor, choisir les meilleurs chevaux et les serviteurs de la maison. William avait pour tâche d'engager des gens du pays pour nettoyer le château, allumer des feux et rendre les lieux habitables.

De lourds nuages gris fer se gonflaient dans le ciel et semblaient très bas, presque à toucher les créneaux. Il pleuvrait ce soir. Tant mieux. William jetterait Aliena à la porte en pleine tempête.

Walter et lui mirent pied à terre et amenèrent leurs chevaux par le pont-levis. La dernière fois que j'étais ici, j'ai pris la place, songea William avec fierté. L'herbe poussait déjà dans l'enceinte inférieure. Ils attachèrent leurs chevaux et les laissèrent paître. William donna à son destrier une poignée de grains. Ils rangèrent leurs selles dans la chapelle puisqu'il n'y avait plus d'écurie. Les chevaux s'ébrouèrent et se mirent à frapper la terre du pied, mais le vent qui se levait emporta tous ces bruits. William et Walter franchirent le second pont qui donnait accès à l'enceinte supérieure.

Il n'y avait aucun signe de vie. William pensa soudain qu'Aliena était peut-être partie. Ce serait une désillusion terrible! Walter et lui devraient passer une triste nuit, affamés, dans un château sale et froid. Ils montèrent les marches de l'escalier extérieur menant à la porte de la salle. «Pas de bruit, dit William à Walter. S'ils sont ici, je veux les surprendre.»

Il poussa la porte. La grande salle, vide et sombre, paraissait n'avoir pas servi depuis des mois : ce qu'il avait prévu se vérifia, ils habitaient le dernier étage. William à pas de loup traversa la pièce jusqu'à l'escalier. Des roseaux secs bruissaient sous ses pas. Walter le suivait.

Ils gravirent l'escalier, toujours sans le moindre bruit : les épais murs de pierre étouffaient tous les sons. À mi-chemin, William s'arrêta, se tourna vers Walter, porta un doigt à ses lèvres et lui désigna quelque chose : une lumière brillait sous la porte en haut de l'escalier. Il y avait quelqu'un là.

Ils continuèrent et s'arrêtèrent au seuil. De l'intérieur venaient les échos d'un rire de jeune fille. William eut un sourire ravi. Il trouva la poignée, la tourna doucement puis d'un coup de pied ouvrit la porte. Le rire se transforma en cri de frayeur.

La scène formait un charmant tableau. Aliena et son jeune frère Richard, assis à une petite table près du feu, jouaient aux dames; Matthew l'intendant, debout derrière eux, regardait par-dessus leurs épaules. À la lueur du feu, le visage d'Aliena était tout rose et ses boucles brunes avaient des reflets châtains. Elle portait une tunique de toile pâle. Elle leva les yeux vers William, ses lèvres rouges formant un O de surprise. William l'observait, savourant sa frayeur. Au bout d'un moment, elle recouvra son calme, se leva et dit : « Que voulez-vous ? »

William avait répété cette scène bien des fois dans son imagination. Il s'avança lentement et se planta devant le feu pour se réchauffer les mains. Puis il dit : « J'habite ici. Que voulez-vous, vous ? »

Aliena ne comprenait pas ce qui se passait, mais son ton néanmoins restait autoritaire. « Ce château appartient au comte de Shiring. Dites ce qui vous amène et déguerpissez. »

William eut un sourire triomphant. « Le comte de Shiring est mon père. » L'intendant poussa un grognement. Aliena semblait perdue. William poursuivit : « Hier, le roi a fait mon père comte, à Winchester. Le château maintenant nous appartient. Je suis le maître ici jusqu'à l'arrivée de mon père. » Il se tourna vers l'intendant en claquant des doigts : « J'ai faim, apporte-moi du pain, de la viande et du vin. »

L'intendant hésitait : il jeta un coup d'œil inquiet à Aliena. Il ne voulait pas la laisser seule. Mais il n'avait pas le choix. Il se dirigea vers la porte. Aliena fit un pas dans la même direction, comme pour le suivre.

« Restez ici », lui ordonna William.

Walter s'interposa, lui barrant le chemin.

« Vous n'avez pas d'ordre à me donner ! » fit Aliena, retrouvant son ton impérieux.

Matthew intervint d'une voix effrayée : « Restez, madame. Ne les mettez pas en colère. Je ne vais pas être long. »

Aliena le regarda, visiblement contrariée, mais resta où elle était. Matthew sortit.

William s'assit dans le fauteuil d'Aliena, qui vint se mettre auprès de son frère. William les observa. Il y avait entre eux une certaine ressemblance, mais le visage de la jeune fille avait hérité de toute la force. Richard était un grand adolescent dégingandé, encore imberbe. William goûtait le plaisir de les avoir en son pouvoir. « Quel âge avez-vous, Richard ? dit-il.

— Quatorze ans, répondit le garçon d'un ton maussade.

— Vous n'avez jamais tué un homme ?

— Non », répondit-il. Puis, avec un peu de bravade, il ajouta : « Pas encore. »

Tu vas souffrir toi aussi, petit imbécile prétentieux, se dit William. Son regard revint à Aliena. « Quel âge avez-vous ? »

Elle parut d'abord décidée à ne pas répondre, puis elle changea d'avis, se souvenant peut-être que Matthew avait dit *Ne les mettez pas en colère*. « Dix-sept ans, dit-elle.

— Oh ! Oh ! On sait compter dans la famille, dit William. Êtes-vous vierge, Aliena ?

— Bien sûr ! » s'écria-t-elle, furieuse.

William tendit soudain le bras pour lui toucher le sein : il emplissait sa grande main. Il serra : il était ferme mais souple. Elle eut un sursaut et se dégagea de William.

Richard s'avança, trop tard, et frappa William au bras. Celui-ci n'attendait que cela. Il bondit de son siège et décocha à Richard un coup de poing en pleine figure. William avait raison, le jeune garçon était un mou : il poussa un cri et porta les mains à son visage.

« Laissez-le tranquille ! » s'exclama Aliena.

William la regarda avec surprise. Elle semblait plus préoccupée du sort de son frère que d'elle-même. Il faudrait s'en souvenir.

Matthew revint, portant sur un plat de bois une miche de pain, un morceau de jambon et une cruche de vin. Il pâlit en voyant que Richard se tenait le visage. Il posa le plateau sur la table et s'approcha du garçon. Écartant doucement les mains de Richard, il inspecta sa face déjà rouge et tuméfiée autour de l'œil. « Je vous avais dit de ne pas le mettre en colère », murmura-t-il, mais il semblait soulagé que ce ne fût pas plus grave. William resta sur sa faim : il espérait que Matthew allait se mettre en rage. Cet intendant risquait de lui gâcher son plaisir.

La vue de la nourriture fit saliver William. Il tira son fauteuil jusqu'à la table, prit son couteau et se coupa une épaisse tranche de jambon. Walter s'assit en face de lui. Tout en mâchant, William ordonna à Aliena : « Apportez-nous des coupes et versez-nous du vin. » Matthew fit un geste, mais William l'arrêta : « Pas toi... elle. » Aliena hésitait. Matthew lui lança un regard inquiet et acquiesça de la tête. Elle s'approcha de la table et prit la cruche.

Comme elle se penchait, William tendit le bras, glissa la main sous l'ourlet de sa tunique et passa rapidement les doigts sur sa jambe. Il sentit des mollets minces couverts d'un léger duvet, puis les muscles derrière ses genoux, puis la peau douce de l'intérieur de sa cuisse ; alors elle se dégagea d'une secousse, tourna sur elle-même et lui lança à la tête la lourde cruche de vin.

William écarta le pichet de la main gauche et gifla Aliena de la main droite, de toutes ses forces. Aliena poussa un hurlement. Du coin de l'œil, William vit Richard s'avancer. C'était ce qu'il espérait. Il poussa violemment Aliena de côté et elle tomba sur le sol avec un bruit sourd. Richard se précipita sur William comme un chevreuil qui charge le chasseur. William esquiva le premier coup malhabile de Richard, puis le frappa au creux de l'estomac. Alors que le garçon se pliait en deux, William le frappa à plusieurs reprises aux yeux et au nez. Ce n'était pas aussi excitant que de frapper Aliena, mais quand même agréable et, en quelques instants, Richard eut le visage couvert de sang.

Walter soudain poussa un cri pour avertir son maître et se leva d'un bond, le regard fixé derrière l'épaule de William. Celui-ci pivota pour voir Matthew foncer sur lui en brandissant un couteau. William fut pris au dépourvu : il ne s'attendait pas à voir cet efféminé d'intendant faire montre de bravoure ; tout ce qu'il put faire, ce fut de lever les deux bras pour se protéger et, pendant un terrible instant, il crut qu'il allait se faire tuer à son moment de triomphe. Un agresseur plus robuste aurait obligé William à baisser les bras, mais Matthew était un frêle jeune homme amolli par la vie d'intérieur et le couteau n'atteignit même pas le cou de William. Celui-ci en éprouva un soulagement soudain, mais il n'était pas encore tiré d'affaire. Matthew leva les bras pour frapper un autre coup. William recula et dégaina son épée. Walter contourna la table, un poignard effilé à la main, et le plongea dans le dos de Matthew. Une expression de terreur se lut sur le visage de l'intendant. William vit la pointe de la dague de Walter sortir de la poitrine en fendant le tissu. Le couteau de Matthew lui échappa et rebondit sur le plancher. Il eut un hoquet de surprise, un gargouillis sortit de sa gorge et il s'écroula, le sang coulant de sa bouche. Ses yeux se fermèrent. Walter retira sa longue lame du corps effondré. Un flot de sang jaillit de la blessure mais presque aussitôt ce ne fut plus qu'un filet.

Tous fixaient le cadavre sur le plancher : Walter, William, Aliena et Richard. William était dans un état second après avoir frôlé la mort de si près. Tout lui semblait possible. Il tendit la main et empoigna le col de la tunique d'Aliena. La toile était douce et fine, d'un tissu coûteux. Il tira brusquement, la tunique se déchira. Il insista et elle s'ouvrit jusqu'en bas. Une bande de tissu large d'une trentaine de centimètres restait dans la main de William. Aliena poussa un cri, puis essaya de ramener à elle ce qui restait de son vêtement, mais les bords déchirés refusaient de se rejoindre. William avait la gorge sèche. La soudaine vulnérabilité de la jeune fille le faisait frissonner. L'excitation était bien plus grande que lorsqu'il l'avait vue à sa toilette, car maintenant elle le savait présent ; elle en avait honte et sa honte enflammait d'autant plus William. D'un bras elle se couvrit la poitrine et son autre main se posa sur sa toison. William lâcha le bout de tissu et la saisit par les cheveux. Il la tira brusquement vers lui, la fit pivoter et déchira dans le dos ce qui restait de sa tunique.

Elle avait des épaules blanches et délicates, la taille fine et des hanches étonnamment épanouies. Il l'attira à lui, se pressant contre son dos, appuyant ses hanches contre les fesses dénudées. Il pencha la tête et mordit la chair de son cou délicat jusqu'au moment où il sentit le sang. Elle hurlait. Richard s'avança.

« Tiens le garçon », dit William à Walter.

Walter empoigna Richard et d'une prise énergique l'immobilisa. Serrant Aliena contre lui d'un bras, William, de l'autre main, explorait son corps. Il sentit ses seins, les soupesant et les pressant et il pinça ses petits boutons ; puis sa main descendit sur le ventre de la jeune fille jusqu'à sa toison pubienne, des poils drus et bouclés. Il la palpa sans douceur et elle se mit à pleurer. William sentait son sexe si gonflé qu'il lui semblait prêt à éclater.

Il s'écarta d'elle et la tira en arrière. Elle tomba lourdement sur le dos. Cela lui coupa le souffle et elle essaya de reprendre sa respiration.

William n'avait pas prévu cela, et il ne savait pas très bien comment il en était arrivé là, mais rien au monde ne pourrait désormais l'arrêter.

Il souleva sa tunique et exhiba son sexe. Elle regarda, horrifiée : elle n'en avait sans doute jamais vu un dans cet état. Sa virginité était authentique. Tant mieux.

« Amène le garçon ici, dit William à Walter. Je veux qu'il voie tout. » L'idée d'agir sous les yeux de Richard renforçait plus encore le plaisir.

Walter poussa Richard en avant et l'obligea à se mettre à genoux.

William écarta les jambes d'Aliena qui se débattait de toutes ses forces. Il se laissa tomber sur elle, en tâchant de la maîtriser, mais elle continuait à résister et il n'arrivait pas à la pénétrer. L'irritation gagnait, elle gâchait tout. Il se souleva sur un coude et du poing la frappa au visage. Elle poussa un cri et sa joue s'empourpra de fureur, mais sitôt qu'il essaya de la forcer, elle recommença à lui résister.

Walter aurait pu la maintenir, mais il retenait le garçon.

William eut une inspiration soudaine. « Walter, dit-il, coupe une oreille au garçon. »

Aliena se calma aussitôt. « Non ! dit-elle d'une voix rauque. Laissez-le tranquille... Ne lui faites pas de mal.

— Alors, dit William, ouvrez les jambes. »

Elle le dévisagea, les yeux exorbités devant l'horrible choix qu'on lui imposait. William savourait son angoisse. Walter, qui jouait parfaitement le jeu, tira son couteau et le posa contre l'oreille droite de Richard. Il hésita, puis d'un mouvement presque tendre, il coupa le lobe de l'oreille.

Richard poussa un hurlement. Du sang jaillit de la petite blessure. Le bout de chair tomba sur la poitrine haletante d'Aliena.

« Assez ! cria-t-elle. Bon. Je vais le faire. » Elle écarta les jambes.

William cracha dans sa main puis la glissa entre les jambes de la jeune fille. Il poussa ses doigts en elle. Elle cria de douleur, l'excitant plus encore. Il se coucha sur elle. Elle était allongée immobile, tendue, les yeux clos. Son corps luisait de la sueur de la lutte, mais elle frissonnait. William se plaça, puis hésita, savourant d'avance son plaisir et le supplice de la jeune fille. Il regarda les autres. Richard contemplait la scène avec horreur. Walter observait avidement.

« Ce sera ton tour ensuite, Walter », dit William.

Aliena eut un gémissement de désespoir.

William poussa soudain en avant de toutes ses forces. Il sentit une résistance. C'était une vraie vierge ! Et il la força encore, plus brutalement. C'était un peu douloureux, mais bien davantage pour elle. Elle hurla. Le visage d'Aliena devint blanc, sa tête s'affala de côté et elle s'évanouit ; William alors lâcha enfin sa semence en elle, riant de triomphe et de plaisir jusqu'à l'épuisement.

La tempête fit rage presque toute la nuit, puis cessa vers l'aube. Le calme soudain éveilla Tom le bâtisseur. Allongé dans le noir, écoutant le souffle lourd d'Alfred auprès de lui et celui plus discret de Martha de l'autre côté, il espérait un matin clair, afin de voir le soleil se lever pour la première fois après deux ou trois semaines nuageuses.

Il se leva et ouvrit la porte. Il faisait encore nuit : ils avaient le temps. Il poussa son fils du pied. «Alfred! réveille-toi! Il va y avoir un lever de soleil.»

Alfred poussa un grognement et s'assit sur son séant. Martha se retourna sans s'éveiller. Tom alla jusqu'à la table et ôta le couvercle d'un pot de terre. Il en tira une miche de pain à demi entamée et coupa deux épaisses tranches, une pour lui et une pour Alfred. Ils s'assirent sur le banc pour prendre leur déjeuner.

Il y avait de la bière dans la cruche. Tom en but une grande lampée et passa le récipient à Alfred. Agnès leur aurait fait utiliser des coupes, tout comme Ellen, mais il n'y avait plus de femme à la maison maintenant. Lorsque Alfred eut bu tout son soûl, ils quittèrent la maison. Comme ils traversaient l'enclos du prieuré, le ciel virait du noir au gris. Tom avait d'abord pensé aller jusqu'à la maison du prieur et réveiller Philip, mais celui-ci avait eu la même idée que Tom et il était déjà là, dans les ruines de la cathédrale, vêtu d'un gros manteau, agenouillé sur la terre humide, en prière.

Il s'agissait de tracer une ligne est-ouest, précise, qui formerait l'axe autour duquel serait bâtie la nouvelle cathédrale.

Tom avait déjà tout préparé. Dans la terre, du côté est, il avait planté une pique de fer munie d'une petite boucle comme le chas d'une aiguille. La pique était presque aussi haute que Tom, si bien que le chas se trouvait au niveau de ses yeux. Il l'avait fixée en place avec un mélange de décombres et de mortier pour qu'on ne le déplaçât pas accidentellement. Ce matin il allait en planter une autre, juste à l'ouest de la première, du côté opposé du site.

«Prépare du mortier, Alfred», dit-il.

Alfred partit chercher du sable et de la chaux. Tom se rendit à sa cabane à outils près du cloître et y prit un second maillet et la seconde pique. Puis il se rendit à l'extrémité ouest du site où il attendit que le soleil se lève. Philip termina ses prières et vint le rejoindre, tandis qu'Alfred gâchait le sable et la chaux avec de l'eau.

Le ciel s'obscurcit. Les trois hommes étaient tendus. Ils guettaient tous le mur est de l'enceinte du prieuré. Enfin le disque rouge du soleil apparut en haut du mur.

Tom se déplaça afin de placer le bord du disque à travers la petite boucle formant le haut de la pique. Puis, tandis que Philip priait à haute voix en latin, Tom éleva la seconde pique pour la mettre contre le soleil. D'un geste ferme, il l'abaissa vers le sol et enfonça son bout pointu dans la terre humide, sans jamais quitter l'axe du soleil. Il prit le maillet à sa ceinture et enfonça soigneusement la pique dans la terre jusqu'à ce que son chas soit à hauteur de ses yeux. Il ferma un œil, regarda : le soleil brillait à travers les deux boucles. Les deux piques étaient disposées suivant une parfaite ligne est-ouest. Cette ligne fournirait donc l'orientation de la nouvelle cathédrale.

Il s'écarta pour laisser le prieur regarder lui-même.

« Parfait », dit Philip.

Tom acquiesça.

« Savez-vous quel jour on est ? demanda Philip.

— Vendredi.

— C'est aussi le jour du martyre de saint Adolphe. Dieu nous a envoyé un lever de soleil pour que nous puissions placer l'église le jour de la fête de notre patron. N'est-ce pas un bon signe ? »

Tom sourit. À son sens, le bon travail comptait plus que les bons présages. Mais il était content pour Philip. « En effet, dit-il, un très bon signe. »

4.

Aliena était déterminée à ne plus y penser.

Elle resta toute la nuit assise sur la pierre froide du sol de la chapelle, le dos au mur, à fixer l'obscurité. Au début, la scène infernale revenait sans cesse à son esprit, mais, peu à peu, la souffrance s'apaisa et elle put concentrer son attention sur le bruit de la tempête, la pluie qui tombait sur le toit de la chapelle et le vent qui hurlait sur les remparts du château abandonné.

Tout d'abord elle était nue. Quand les deux hommes avaient... quand ils avaient eu fini, ils étaient revenus à la table, la laissant allongée par terre, Richard en sang auprès d'elle. Les hommes s'étaient mis à manger et à boire, ne pensant plus à elle. Alors, saisissant leur chance, ils s'étaient enfuis de la pièce. La tempête avait commencé à ce moment-là ; ils avaient traversé en courant le pont sous une pluie torrentielle pour se réfugier dans la chapelle. Mais Richard était retourné presque aussitôt au donjon et dans la pièce où se trouvaient les hommes, pour reprendre son manteau et celui d'Aliena accrochés à une patère. Il était reparti en courant sans laisser à William et à son valet le temps de réagir.

Mais il ne lui parlait toujours pas. Il lui tendit son manteau et s'enroula dans les plis du sien, puis s'assit sur les dalles à quelques pieds d'elle, le dos appuyé contre le même mur. Elle aurait voulu qu'un être cher la prenne dans ses bras et la console, mais Richard se comportait comme si elle avait fait quelque chose de honteux ; et le pire, c'est qu'elle éprouvait la même impression. Elle se sentait aussi coupable que si c'était elle qui avait commis elle-même un péché. Elle comprenait très bien son refus de l'approcher.

Le froid lui plaisait ; il l'aidait à se sentir plus loin du monde, isolée, et semblait atténuer sa souffrance. Elle ne dormit pas, mais, au cours de la nuit, tous deux connurent une sorte de transe et demeurèrent un long moment assis, immobiles comme la mort.

La fin brusque de la tempête rompit le charme. Aliena s'aperçut qu'elle distinguait les fenêtres de la chapelle, de petites taches grises dans ce qui n'avait été jusque-là que totale obscurité. Richard se leva et se dirigea vers la porte. Elle le suivit des yeux, irritée d'être ainsi dérangée : elle aurait voulu rester assise contre le mur en se laissant mourir de froid ou de faim, car elle se sentait attirée par une longue dérive paisible vers une inconscience qui serait permanente. Puis il ouvrit la porte et la faible lueur de l'aube illumina son visage.

Aliena fut tirée de sa torpeur. Richard était méconnaissable. Il avait le visage gonflé, meurtri, couvert de sang séché. Aliena en aurait pleuré. Richard avait toujours été enclin aux bravades inutiles. Petit garçon, il caracolait dans le château sur un cheval imaginaire, faisant mine d'embrocher des gens sur une lance imaginaire. Les chevaliers de son père l'encourageaient toujours en feignant la peur face à son épée de bois. En réalité, un chat pouvait effrayer Richard. Mais hier soir, il avait fait de son mieux, ce qui lui avait valu une méchante correction. Elle allait maintenant devoir le soigner.

Elle se mit lentement debout. Elle était moulue, mais la douleur était moins forte. Elle songea à ce qui se passait dans le donjon. William et son valet avaient dû finir la cruche de vin au cours de la nuit et s'endormir. Sans doute se réveilleraient-ils au lever du soleil.

Alors, Richard et elle devraient être loin.

Elle se rendit à l'autre bout de la chapelle, vers l'autel. C'était un simple coffre de bois, peint en blanc, dépouillé de tout ornement. Elle s'y appuya et, d'une brusque poussée, le renversa.

« Qu'est-ce que tu fais ? dit Richard d'une voix blanche.

— C'était la cachette secrète de notre père, dit-elle. Il me l'a dit avant de partir. » À l'emplacement de l'autel se trouvait un ballot de tissu. Aliena l'ouvrit pour y trouver une épée avec son fourreau et sa ceinture, et un poignard redoutable d'un pied de long.

Richard s'approcha. Il ne savait guère manier l'épée. Il avait pris des leçons pendant un an, mais il était encore très gauche. Aliena toutefois ne pouvait assurément pas s'en servir, aussi la lui tendit-elle. Il boucla la ceinture à sa taille.

Aliena examina la dague. Elle n'avait jamais porté d'arme. Elle avait toujours eu jusqu'ici quelqu'un pour la protéger. Comprenant qu'elle aurait désormais besoin de ce redoutable poignard, elle se sentit impuissante. Elle n'était pas sûre de pouvoir jamais s'en servir. J'ai bien planté un épieu dans un cochon sauvage, songea-t-elle ; pourquoi ne pourrais-je pas planter cette dague dans un homme – quelqu'un comme William Hamleigh ? Elle frissonna à cette pensée.

Le fourreau de cuir qui servait d'étui à la dague s'attachait à la ceinture par une boucle, assez grande pour qu'Aliena y passe son mince poignet, comme un bracelet. Elle y glissa sa main gauche et cala le couteau sous sa manche. Il était si long qu'il dépassait son coude.

« Allons-nous-en, vite ! » dit Richard.

Aliena commença à marcher vers la porte, puis soudain s'arrêta. Au jour qui s'éclaircissait peu à peu, elle remarqua sur le sol de la chapelle deux objets dont elle reconnut la forme : des selles, l'une de taille moyenne et l'autre énorme. Elle pensa à William et à son valet arrivant la veille au soir, encore grisés de leur triomphe à Winchester et fatigués par le voyage, jetant nonchalamment leurs selles dans la chapelle avant de se précipiter vers le donjon. Comment auraient-ils imaginé qu'on puisse les voler ?

Aliena s'approcha de la porte et regarda dehors. Le ciel, sans nuages, n'avait pas encore de couleur. Dans la nuit, quelques bardeaux étaient tombés du toit de la chapelle. La cour était vide, à l'exception des deux chevaux qui broutaient l'herbe humide. L'un d'eux était un robuste destrier, d'où la taille de la selle, l'autre un étalon pommelé qui n'avait pas mauvaise allure. Aliena les observa longuement, puis ses yeux revinrent aux selles, puis aux chevaux.

« Qu'est-ce qu'on attend ? » demanda Richard d'une voix angoissée.

Aliena se décida. « Prenons leurs chevaux », dit-elle d'un ton résolu.

Richard s'affola. « Ils nous tueront.

— Ils ne pourront pas nous rattraper. Par contre, si nous partons à pied, ils nous poursuivront et nous rejoindront facilement. »

Elle n'était pas aussi assurée qu'elle le prétendait, mais il fallait encourager Richard. « Occupons-nous du cheval pommelé d'abord : il a l'air plus facile. Apporte-moi la selle normale. »

En hâte elle traversa la cour. Les chevaux étaient attachés par de longues cordes à des pans de murs noircis. Aliena prit le licol et tira doucement. Elle aurait préféré une bête plus petite et plus craintive, mais elle s'arrangerait de celle-ci. Richard prendrait le destrier.

L'animal, méfiant, couchait les oreilles. Malgré son impatience, Aliena se força à lui parler doucement et le cheval se calma. Elle lui prit la tête, lui caressa le museau ; puis Richard passa la bride et poussa le mors dans sa bouche. Aliena, soulagée, aida Richard à poser la petite selle qu'il fixa avec des gestes rapides et sûrs. Tous deux avaient l'habitude des chevaux depuis leur enfance. Des sacoches étaient attachées de chaque côté de la selle du valet. Aliena espéra qu'elles contenaient quelque chose d'utile – une pierre à feu, du pain ou un peu de grain pour le cheval –, mais elle n'avait pas le temps de vérifier maintenant. Elle jeta un coup d'œil anxieux vers la passerelle qui menait au donjon. Personne. Le destrier avait regardé seller son compagnon et savait ce qui l'attendait, mais il n'était pas enclin à coopérer avec de parfaits étrangers. Il s'ébroua. « Chut ! » murmura Aliena. Elle saisit solidement le licol, tira énergiquement et, à contrecœur, le cheval céda. Mais, compte tenu de sa force, s'il était déterminé à résister, ils auraient du mal à le contrôler.

Quand le cheval fut immobilisé, sa corde enroulée autour des pierres du mur pour l'empêcher de s'écarter, Richard essaya de lui passer la bride. Le cheval secoua la tête et se déroba.

«Essaie de mettre d'abord la selle», dit Aliena. Elle parla à l'animal en tapotant son cou puissant tandis que Richard soulevait la pesante selle et sanglait. Le cheval semblait se soumettre. «Allons, sois gentil», dit Aliena d'un ton ferme, mais il ne s'y laissa pas prendre : il sentait percer l'angoisse sous l'apparente placidité de la jeune fille. Richard approcha la bride, le cheval renâcla et recula. «J'ai quelque chose pour toi», dit Aliena en plongeant une main dans la poche vide de son manteau. Ce fut suffisant. Le cheval baissa la tête et vint lui flairer la main, cherchant une friandise. Elle sentit sur sa paume la peau rugueuse de sa langue. Profitant de ce qu'il avait la tête baissée et la bouche ouverte, Richard lui passa la bride et le mors. Aliena lança un nouveau coup d'œil vers le donjon. Tout était silencieux.

«Monte», dit-elle à Richard.

Il passa, non sans mal, un pied dans un étrier bien haut pour lui et se hissa sur la puissante bête. Aliena détacha la corde.

Le cheval s'ébroua bruyamment.

Le cœur d'Aliena battit plus vite. Un pareil bruit pouvait s'entendre du donjon. Un homme comme William connaissait sûrement la voix de son cheval, surtout d'un cheval aussi cher que celui-ci. Et s'il était réveillé... Elle s'empressa de détacher l'autre bête de ses doigts maladroits d'impatience.

«Viens, Alie !» appela Richard. Son cheval s'énervait. Il s'efforçait de le calmer. Il faudrait galoper une bonne demi-lieue pour le fatiguer. La bête se secoua de nouveau et fit un pas de côté.

Aliena eut enfin dénoué le nœud. Elle fut tentée de lâcher la corde, pour faire plus vite, mais du coup elle n'aurait plus aucun moyen d'attacher le cheval en cas de besoin; aussi enroula-t-elle la longe tant bien que mal pour la fixer à une courroie de selle. Il lui fallut régler les étriers, à bonne hauteur pour les longues jambes du valet de William, mais trop bas pour elle quand elle serait en selle.

«Je ne peux pas retenir ce cheval plus longtemps», dit Richard d'une voix tendue.

Aliena n'était pas moins énervée. Elle mit le pied à l'étrier et sauta en selle, position fort douloureuse pour elle. Richard guida son cheval vers la porte et la monture d'Aliena suivit d'elle-même. Les étriers étaient hors d'atteinte : comme elle s'y attendait, elle dut se tenir en serrant les genoux. À peine avaient-ils fait trois pas qu'elle entendit un cri derrière elle. «Oh non!» gémit-elle tout haut. Elle vit Richard talonner son cheval. L'énorme bête se mit pesamment au trot, et la monture d'Aliena suivit. Par chance, ce cheval paraissait habitué à imiter docilement le destrier – Aliena n'était pas en état de le contrôler elle-même. Richard poussa encore l'allure pour passer sous la voûte du poste de garde. Aliena entendit encore un autre cri, beaucoup plus près. Regardant par-dessus son épaule, elle aperçut William et son valet qui se précipitaient dans la cour.

Dès que le cheval de Richard vit les champs devant lui, il baissa la tête et fila au galop. Ils franchirent dans un bruit de tonnerre le pont-levis. Aliena sentit une main frôler sa cuisse et tenter de saisir les sangles de sa selle. Mais la tentative échoua. Ils étaient passés! Le soulagement l'envahit, en même temps que la douleur. Le galop provoquait en elle des élancements qui lui rappelaient les coups que lui avait portés William la veille. Un filet tiède coulait sur sa cuisse. Elle ferma les yeux. Derrière ses paupières closes, l'horreur de la nuit se déroula dans sa mémoire. Tandis qu'ils fonçaient à travers les champs, elle répétait inlassablement, au rythme de son cheval : «Je ne me souviens pas, je ne me souviens pas, je ne me souviens pas.»

Son cheval inclina sur la droite. Elle rouvrit les yeux et vit que Richard avait quitté le sentier boueux pour prendre une longue côte à travers bois. Elle pensa qu'il voulait fatiguer au maximum le destrier avant de ralentir l'allure. Les deux bêtes seraient plus faciles à manier après une bonne course. Bientôt elle sentit sa propre monture qui commençait à flancher. Elle se cala dans la selle. Le cheval se mit au petit galop, puis au trot, puis au pas. Celui de Richard, qui avait encore de l'énergie à brûler, prit de l'avance. Aliena regarda derrière elle. Le château était à plus d'une demi-lieue et elle ne savait pas si elle distinguait ou non deux silhouettes arrêtées sur le pont-levis qui la regardaient. Ils devront aller loin pour trouver d'autres chevaux, songea-t-elle. Ils étaient en sûreté pour un moment.

Des picotements envahissaient ses mains et ses pieds à mesure qu'ils se réchauffaient. La chaleur montait du cheval comme d'un foyer et l'enveloppait d'un cocon d'air tiède. Richard ralentit enfin et elle le rejoignit. Au pas, ils s'engagèrent sous les arbres. Tous deux connaissaient bien ces bois, car ils y avaient passé le plus clair de leur vie.

«Où allons-nous?» demanda Richard.

Aliena se figea. Où allaient-ils en effet ? Qu'allaient-ils faire ? Ils n'avaient pas de vivres, rien à boire et pas d'argent. Elle n'avait d'autre vêtement que le manteau qu'elle portait – pas de tunique, pas de camisole, pas de chapeau, pas de chaussures. Elle devait s'occuper de son frère – mais comment ?

Depuis trois mois, elle vivait dans un rêve. Elle savait, au fond, que la vie d'autrefois était finie mais elle avait refusé cette réalité. William Hamleigh l'avait réveillée. Elle ne doutait pas que le récit qu'il lui avait fait était vrai et que le roi Stephen avait fait Percy Hamleigh comte de Shiring ; mais peut-être le roi avait-il pris aussi des dispositions pour elle et pour Richard. C'était de son devoir et ils pouvaient certainement lui adresser une requête. Dans un cas comme dans l'autre, il fallait se diriger vers Winchester. Là, ils apprendraient exactement ce qu'il était advenu de leur père.

Elle réprima un sanglot : « Oh ! Père, à quel moment s'était-il trompé ? »

Depuis la mort de sa mère, son père s'était spécialement occupé d'elle, consacrant plus de temps que d'autres pères à leurs filles. Au fond, il se sentait coupable de ne pas s'être remarié, de ne pas lui avoir donné une nouvelle mère même s'il s'affirmait plus heureux avec le souvenir de sa mère qu'il ne pourrait l'être avec une autre femme.

Ces temps-là étaient finis.

« Où va-t-on ? répéta Richard.

— À Winchester. Voir le roi. »

Richard applaudit. « Oui ! Et quand nous raconterons ce que William et son valet ont fait la nuit dernière, le roi va sûrement... »

Une bouffée de rage irrésistible envahit le cœur d'Aliena. « Tais-toi ! » cria-t-elle. Les chevaux tressaillirent. Elle tira violemment sur les rênes. « Ne parle jamais de ça ! » Elle étouffait de fureur. « Nous ne dirons à personne ce qu'ils ont fait – à personne ! Jamais ! Jamais ! Jamais ! »

Les sacoches du valet contenaient un gros morceau de fromage bien dur, un reste de vin dans sa gourde, une pierre à feu, du petit bois, et une livre ou deux de graines mélangées qu'Aliena pensa destinées aux chevaux. Richard et elle mangèrent le fromage et burent le vin à midi tandis que les chevaux broutaient l'herbe rare et s'abreuvaient à un ruisseau clair. Elle ne saignait plus, mais elle avait le ventre endolori.

Ils avaient croisé d'autres voyageurs, auxquels, sur l'ordre d'Aliena, ils n'adressèrent pas la parole. Au premier regard, ils formaient un couple redoutable, Richard notamment, haut sur son cheval, avec son épée. Mais quelques paroles de conversation révéleraient qu'ils n'étaient que deux gosses abandonnés, donc vulnérables. Mieux valait éviter les risques.

Comme le jour commençait à tomber, ils cherchèrent un endroit où passer la nuit. Ils trouvèrent une clairière à une cinquantaine de toises de la route. Aliena donna du grain aux chevaux, tandis que Richard faisait un feu. S'ils avaient eu une marmite, ils auraient pu préparer du porridge avec l'avoine des chevaux. Mais ils durent se contenter de mâchonner des graines crues en attendant de trouver des marrons et de les faire rôtir.

Alors qu'elle réfléchissait, seule car Richard était allé ramasser du bois, une voix grave tout près d'elle la fit bondir de terreur. «Qui êtes-vous, jeune fille?» Elle poussa un hurlement. Le cheval recula, effrayé. Aliena se retourna. Un homme sale et barbu, tout vêtu de cuir marron, s'approchait d'elle. «Ne me touchez pas! cria-t-elle.

— Pas la peine d'avoir peur», dit-il.

Richard débouchait dans la clairière derrière l'étranger, les bras chargés de bois. Il s'arrêta, pétrifié. *Tire ton épée!* songea Aliena, mais il était trop affolé pour agir. Elle recula, essayant de mettre le cheval entre elle et l'inconnu. «Nous n'avons pas d'argent, dit-elle. Nous n'avons rien.

— Je suis garde forestier du roi», dit-il.

Aliena faillit s'évanouir. Un garde forestier était un serviteur royal payé pour faire respecter la loi dans la forêt. «Pourquoi ne l'avez-vous pas dit tout de suite, idiot? cria-t-elle, furieuse maintenant. Je vous ai pris pour un hors-la-loi!»

Stupéfait et quelque peu vexé, comme si elle l'avait insulté, il se contenta de remarquer: «Alors, vous devez être une dame de haute naissance.

— Je suis la fille du comte de Shiring.

— Le garçon est son fils, alors», dit le garde, qui s'était aperçu de la présence de Richard.

Celui-ci s'avança et laissa tomber son chargement. «C'est exact, dit-il. Quel est votre nom?

— Brian. Vous comptez passer la nuit ici ?

— Oui.

— Tout seuls ?

— Oui. » Aliena se doutait de son étonnement, mais elle n'entendait pas donner la moindre explication.

— Et vous n'avez pas d'argent, dites-vous ? »

Aliena le toisa d'un air sévère. « Vous doutez de ma parole ?

— Oh non ! Je sais que vous êtes une noble rien qu'à vos manières. » Y aurait-il dans sa voix une nuance d'ironie ? « Si vous êtes seuls et sans le sou, continua-t-il, peut-être préféreriez-vous passer la nuit chez moi, ce n'est pas loin. »

Aliena n'avait aucunement l'intention de se mettre à la merci de cette brute. Elle allait refuser lorsqu'il ajouta : « Ma femme serait enchantée de vous donner à souper. Et j'ai un appentis bien chaud où vous pourriez dormir, si vous préférez être seuls. »

La présence d'une femme changeait tout. Il n'y avait aucun risque à accepter l'hospitalité d'une famille respectable. Aliena hésitait pourtant. Puis elle pensa à un feu dans la cheminée, à une écuelle de potage brûlant, à une coupe de vin et à un lit de paille sous un toit. « Nous vous serions reconnaissants, dit-elle. Nous n'avons rien à vous donner – je vous ai dit la vérité, nous n'avons pas d'argent – mais un jour nous reviendrons et nous vous récompenserons.

— Ça va », dit le garde. Il éteignit le feu.

Aliena et Richard remontèrent en selle. Le garde forestier tendit la main : « Donnez-moi les rênes. »

Indécis, les jeunes gens obéirent et l'homme s'enfonça dans la forêt, conduisant les chevaux.

Sa maison était plus éloignée qu'il ne l'avait indiqué. Ils avaient parcouru plus d'une lieue et demie et la nuit était tombée lorsqu'ils arrivèrent à une petite maison de bois avec un toit de chaume, au bord d'un champ. De la lumière filtrait derrière les volets, on sentait des odeurs de cuisine et Aliena mit pied à terre avec soulagement.

Au bruit des chevaux, la femme du garde se montra sur le seuil.

L'homme la renseigna : « Un jeune seigneur et une jeune dame tout seuls dans la forêt. Donne-leur quelque chose à boire. » Il se tourna vers Aliena. « Entrez. Je vais m'occuper des chevaux. »

Aliena n'aimait pas beaucoup son autorité péremptoire – elle préférait commander elle-même – mais elle n'avait pas la moindre envie de desseller son cheval. Aussi obéit-elle. Richard la suivit dans la maison enfumée mais chaude. Il y avait une vache attachée dans un coin. Aliena fut heureuse que l'homme eût parlé d'un appentis : elle n'aurait jamais dormi près du bétail. Une marmite bouillait sur le feu. Ils s'assirent sur un banc et la femme leur donna à chacun un bol de soupe qui sentait fort le gibier. Quand le visage de Richard parut à la lumière, elle s'écria, horrifiée : « Qu'est-ce qui vous est arrivé ? »

Richard ouvrait la bouche pour répondre, mais Aliena le devança. « Nous avons fait de mauvaises rencontres, dit-elle. Nous sommes en chemin pour aller voir le roi.

— Je comprends », dit l'épouse du garde. C'était une petite femme à la peau brune et au regard méfiant. Elle n'insista pas.

Aliena eut tôt fait d'engloutir sa soupe et, pour en avoir davantage, elle tendit son écuelle. La femme se détourna. Que signifiait cela ? Ne comprenait-elle pas le désir d'Aliena ? Ou bien n'avait-elle plus de soupe ? Aliena s'apprêtait à la rappeler vertement à l'ordre quand le garde entra. « Je vais vous montrer la grange où vous pourrez dormir », dit-il. Il prit une lampe pendue à un crochet auprès de la porte. « Venez avec moi. »

Aliena et Richard se levèrent : « Il y a encore une chose dont j'ai besoin. Pouvez-vous me donner une vieille robe ? Je n'ai rien sous ce manteau. »

La femme parut ennuyée. « Je vais voir ce que je peux trouver », murmura-t-elle.

Aliena se dirigea vers la sortie. Le garde lui lançait un regard bizarre, fixant son manteau comme si, à force, il pourrait finir par voir à travers. « Conduisez-moi ! » dit-elle sèchement. Il tourna les talons et franchit la porte.

Ils passèrent derrière la maison et traversèrent un potager. La lueur de la lampe éclaira une petite construction de bois, plus une cabane qu'une grange. En s'ouvrant, la porte heurta un tonneau d'eau de pluie. « Regardez, dit-il. Voyez si ça vous convient. »

Richard entra le premier. « Éclaire-moi, Aliena », dit-il. Celle-ci se tourna pour prendre la lampe des mains du garde. Au même instant, il la poussa avec violence. Elle trébucha sur le seuil et tomba par terre en heurtant son frère au passage. Tous deux se retrouvèrent sur le sol, dans le noir. La porte se referma brusquement. Ils entendirent dehors un bruit bizarre, comme si on poussait quelque chose devant la porte.

Aliena n'en revenait pas. « Qu'est-ce qui se passe ? » cria Richard.

Elle se redressa. L'homme était-il vraiment un honnête garde forestier ? Non, un hors-la-loi n'a pas une telle maison. Mais alors, pourquoi les avoir enfermés ? Avaient-ils enfreint une loi ? Avait-il deviné que les chevaux n'étaient pas les leurs ? Ou avait-il quelque motif malhonnête ?

«Aliena, pourquoi a-t-il fait ça ? gémit Richard.

— Je n'en sais rien », dit-elle d'un ton las. Elle n'avait plus l'énergie de se mettre en colère. Elle tenta de pousser la porte, qui ne bougea pas. Le garde avait dû poser le tonneau contre le battant. Elle tâta dans le noir les murs de la grange. Elle devina le bas du toit. Le bâtiment était construit en madriers plantés les uns contre les autres – une construction soignée. Peut-être était-ce le cachot du garde, où il enfermait les délinquants avant de les conduire au prévôt. «Impossible de sortir», annonça-t-elle. Elle s'assit. Le sol était sec, couvert de paille. «Nous sommes coincés ici jusqu'à ce qu'il nous ouvre», dit-elle d'un ton résigné. Richard vint s'asseoir à côté d'elle. Au bout d'un moment, ils s'allongèrent dos à dos. Aliena avait l'impression d'être trop meurtrie, trop effrayée, trop crispée pour s'endormir, mais elle tombait d'épuisement et, sans même s'en rendre compte, elle glissa dans un sommeil réparateur.

La porte qui s'ouvrit la réveilla, ainsi que la lumière du jour sur son visage. Elle se redressa aussitôt, effrayée, ne sachant plus où elle était ni pourquoi elle dormait à même le sol. Puis tout lui revint et la frayeur l'envahit de nouveau : que voulait le garde, au juste ? Mais ce n'était pas lui qui entrait ; la femme, bien qu'aussi grognon que la veille, apportait un morceau de pain et deux coupes.

Richard se redressa à son tour. Sans rien dire, elle leur tendit à chacun une coupe et la moitié du pain. Aliena se rendit compte alors qu'elle était affamée. Elle trempa son pain dans sa bière et se mit à manger.

Plantée sur le seuil, la femme les regardait manger. Puis elle tendit à Aliena ce qui avait l'air d'un bout de toile usé et jauni. Aliena le déplia : c'était une vieille robe.

«Mettez ça et allez-vous-en d'ici», dit-elle. Aliena, intriguée par ce mélange de bonté et de hargne, n'hésita pas à prendre la robe. Le dos tourné, elle ôta son manteau pour passer rapidement la robe par-dessus sa tête. Elle se sentait mieux.

La femme lui tendit une paire de vieux sabots de bois trop grands.

« Je ne peux pas monter à cheval avec des sabots », dit Aliena.

La femme eut un rire rauque. « Vous n'allez pas monter à cheval.

— Pourquoi ?

— Il a pris vos montures. »

Aliena sentit son cœur se serrer. C'était trop injuste ! La malchance s'acharnait sur eux. « Où les a-t-il emmenées ?

— Il ne me dit pas ces choses-là, mais à mon avis il est allé à Shiring. Il va vendre les bêtes, puis tâcher de savoir s'il y a davantage à gagner avec vous que le prix de vos chevaux.

— Alors pourquoi nous laissez-vous partir ? »

La femme toisa Aliena de la tête aux pieds. « Parce que je n'ai pas aimé la façon dont il vous a regardée quand il a su que vous étiez nue sous votre manteau. Vous ne comprenez peut-être pas ça maintenant, mais vous verrez plus tard. »

Aliena comprenait trop bien, mais elle ne répliqua pas.

« Il ne va pas vous tuer, dit Richard, en découvrant que vous nous avez laissés partir ? »

Elle eut un sourire cynique. « Il ne me fait pas peur, à moi. Maintenant filez. »

Ils sortirent. Malgré son mariage avec un homme brutal et sans cœur, cette femme avait réussi à conserver un minimum de décence et de compassion. « Merci pour la robe », fit Aliena gauchement.

La femme ne voulait pas de ses remerciements. Elle leur montra leur chemin : « Winchester, c'est par là. »

Ils s'éloignèrent sans regarder derrière eux.

Aliena n'avait jamais porté de sabots : les gens de sa classe avaient toujours des bottes de cuir ou des sandales. Lourds et inconfortables, ils pouvaient au moins l'isoler du sol glacé.

Ils marchèrent un temps en silence, puis Richard demanda : « Pourquoi ces choses-là nous arrivent-elles à nous ? »

La question découragea Aliena. Le monde était si cruel ! On les battait, on les dépouillait. Plus personne ne les protégeait. Nous avons été trop confiants, se dit-elle. Ils avaient vécu trois mois au château sans même barrer les portes ! Elle résolut désormais de ne se fier à personne.

« Marchons plus vite, dit-elle à Richard. Nous arriverons peut-être à Winchester avant la tombée de la nuit. »

Ils suivirent le sentier jusqu'à la clairière où ils avaient rencontré le garde. Les vestiges de leur feu étaient encore là. De là, ils trouvèrent facilement la route de Winchester, qu'ils avaient empruntée bien souvent. Une fois sur la route, ils avançaient plus vite. Depuis la tempête, le gel avait eu le temps de durcir la boue.

Le visage de Richard reprenait une apparence normale. La veille, il l'avait lavé dans l'eau froide d'un ruisseau au milieu des bois et avait fait disparaître presque tout le sang séché. Restait une vilaine croûte à la place du lobe de son oreille droite. Il avait les lèvres encore gonflées mais le reste de son visage n'était plus enflé.

Aliena regrettait la chaleur du cheval sous elle. Elle avait les mains et les pieds glacés. Le temps resta froid toute la matinée, puis vers midi la température monta un peu. Elle commençait à avoir faim.

Chaque fois qu'ils entendaient des chevaux ou apercevaient des silhouettes au loin, ils plongeaient dans les bois le temps de laisser passer ces voyageurs. Ils traversèrent en hâte des villages, sans parler à personne. Richard voulait mendier de la nourriture, mais Aliena l'en empêcha.

Vers la fin de l'après-midi, ils n'étaient plus très loin de leur destination et comme personne ne les avait importunés, ils commençaient à se détendre. C'est alors que sur une portion de route particulièrement désolée, voilà qu'un homme soudain jaillit des buissons et se dressa devant eux.

Ils n'eurent pas le temps de se cacher. «Ne t'arrête pas», dit Aliena à Richard, mais l'homme leur barra le chemin. Aliena regarda derrière elle, à la recherche d'une issue possible. Hélas! Un autre gaillard surgit de la forêt et leur bloqua le passage.

«Qu'est-ce que c'est?» grogna le premier d'une voix forte. C'était un gros homme au visage rougeaud, au ventre gonflé, à la barbe sale et en désordre, probablement un hors-la-loi. Il portait une lourde massue. Aliena le sentait capable de violence, et son cœur s'emplit de crainte.

«Laissez-nous tranquilles, dit-elle d'un ton suppliant. Nous n'avons rien qui vaille la peine d'être volé.

— Je n'en suis pas si sûr», ricana l'homme. Il fit un pas vers Richard. «Ça m'a l'air d'une belle épée, qui vaut bien quelques shillings.

— Elle est à moi!» protesta Richard de la voix d'un enfant effrayé.

Que faire? songea Aliena. Je suis une femme, Richard encore un jeune garçon. On peut nous faire subir n'importe quoi.

D'un mouvement étonnamment agile, le gros homme brandit soudain sa massue pour frapper Richard. Celui-ci tenta d'esquiver le coup qui visait sa tête, mais qui le toucha à l'épaule. Sous le choc, il tomba.

Soudain la rage s'empara d'Aliena. On l'avait traitée injustement, on avait abusé d'elle, on l'avait dépouillée, elle avait faim, froid. Son petit frère s'était fait rosser et mutiler moins de deux jours plus tôt. Sans même réfléchir, elle tira la dague de sa manche, fonça sur le bandit et plongea son couteau dans la panse ainsi offerte. « Laisse-le tranquille, chien ! » hurla-t-elle.

Elle le prit complètement par surprise. Jamais il n'aurait soupçonné la jeune fille armée. La pointe du couteau traversa la laine de sa tunique, la toile de sa camisole et buta sur la peau tendue de son ventre. Aliena éprouva une brusque répulsion, un moment d'horreur à l'idée de percer la peau humaine et de pénétrer dans la chair d'un être vivant ; mais la peur renforça sa détermination et elle enfonça le couteau dans les molles entrailles. La terreur la prit alors de ne pas réussir à le tuer. En ce cas sa vengeance serait terrible. Alors elle poussa plus fort, jusqu'à la garde.

L'homme n'était plus qu'un animal terrorisé. En poussant un cri de douleur, il lâcha sa massue et regarda le couteau planté dans son ventre. Aliena comprit en un éclair que l'homme savait sa blessure mortelle. Elle retira la main avec horreur. Le hors-la-loi recula en trébuchant. Subitement Aliena se souvint qu'un autre individu la menaçait par-derrière et la panique s'empara d'elle. Elle referma sa main sur la poignée du couteau et, quand elle tira de toutes ses forces, elle sentit la lame déchirer les entrailles du blessé. Du sang lui jaillit sur la main et l'homme se mit à hurler comme une bête en s'effondrant. Aliena pivota sur elle-même, brandissant son couteau d'une main ensanglantée, et fit face à l'autre bandit. En même temps, Richard se remettait sur ses pieds et dégainait son épée.

Le regard effaré de l'homme passa de l'un à l'autre, s'arrêta une seconde sur son ami mourant et, sans demander son reste, il tourna les talons et s'enfuit d'un bond dans les bois.

Aliena reprit son souffle, ayant peine à croire qu'ils avaient gagné.

Le blessé gisait sur le dos. Ses entrailles apparaissaient par la plaie de son ventre. Il avait les yeux grands ouverts, le visage crispé de douleur et de peur.

Richard ne retenait pas sa joie. «Tu l'as poignardé, Aliena, criait-il, tu les as eus!»

Sa sœur le regarda. Il avait besoin d'une leçon. «Tue celui-ci», dit-elle.

Richard la dévisagea. «Quoi?

— Tue-le, répéta-t-elle. Abrège ses souffrances, achève-le!

— Pourquoi moi?»

Elle durcit volontairement sa voix. «Parce que tu te conduis en petit garçon et que j'ai besoin d'un homme. Parce que tu n'as jamais rien fait avec une épée que de jouer à la guerre. Il faut bien commencer. De quoi as-tu peur? Cet homme est en train de mourir. Il ne te fera pas de mal. Prends ton épée. Force-toi : tue-le!»

Richard hésitait, tenant son épée à deux mains.

«Comment?»

L'homme se remit à hurler.

Aliena tapa du pied. «Je ne sais pas comment! Coupe-lui la tête ou enfonce-lui ton épée dans le cœur! N'importe quoi! Mais qu'il se taise!»

Richard semblait traqué. Il souleva son épée, puis l'abaissa de nouveau.

«Si tu ne le fais pas, dit Aliena, je vais te laisser seul, je le jure par tous les saints. Une nuit, je me lèverai et je partirai. Quand tu te réveilleras le matin, je ne serai plus là. Tue-le!»

Richard brandit de nouveau son épée. De façon tout à fait inattendue, le mourant cessa de crier et essaya de se relever. Il roula sur un côté et se souleva sur un coude. Richard poussa un hurlement, moitié cri de terreur, moitié cri de guerre, et de toutes ses forces abattit son épée sur le cou de l'homme. L'arme était lourde, la lame bien aiguisée et elle pénétra profondément dans le cou du gros homme. Le sang jaillit comme d'une fontaine et la tête s'inclina grotesquement d'un côté. Le corps s'effondra sur le sol.

Aliena et Richard contemplèrent leur œuvre, abasourdis. De la buée montait du sang qui ruisselait dans l'air froid de l'hiver. Soudain Aliena ne supporta plus le spectacle. Elle se mit à courir, suivie de Richard.

Elle s'arrêta quand elle fut à bout de souffle et seulement alors s'aperçut qu'elle sanglotait. Elle continua d'un pas plus lent, sans cacher ses larmes à son frère.

Peu à peu elle se calma. Les sabots lui faisaient mal aux pieds. Elle les ôta et continua pieds nus, les sabots à la main. Winchester n'était plus bien loin.

Richard rompit le silence : « Nous sommes idiots.

— Pourquoi ? demanda Aliena machinalement.

— Cet homme. On l'a laissé là. Nous aurions dû prendre ses bottes. »

Aliena s'arrêta, horrifiée. Richard eut un petit rire. « Il n'y a pas de mal à ça, non ? » fit-il.

5.

Aliena sentit l'espoir renaître en elle lorsque à la tombée de la nuit elle franchit la porte ouest qui donnait sur la grand-rue de Winchester. Elle avait cru périr dans la forêt et retrouvait maintenant la civilisation. Bien sûr la ville grouillait de voleurs et d'assassins mais en plein jour au moins, on était protégé. Dans la ville, il y avait des lois, et ceux qui ne les respectaient pas étaient bannis, mutilés ou pendus.

Un ou deux ans plus tôt, elle s'en souvenait, elle était passée dans cette rue avec son père. Ils étaient à cheval, naturellement : lui sur un nerveux étalon bai, elle sur un magnifique palefroi gris. Les gens s'écartaient sur leur passage. Huit ou dix serviteurs les avaient accueillis dans la maison qui leur appartenait, au sud de la ville. On avait tout nettoyé, étendu de la paille fraîche sur le sol et allumé les feux. Pendant leur séjour, Aliena avait changé chaque jour de toilette. Elle était chargée de veiller au bien-être de chaque visiteur, toujours bienvenu chez le comte : viande et vin pour les riches, pain et bière pour les plus pauvres, un sourire et une place au coin du feu pour les uns comme pour les autres. Son père était très sourcilleux en matière d'hospitalité, mais il n'excellait pas personnellement sur ce point : les gens le trouvaient souvent froid, distant. C'était Aliena qui apportait la chaleur et le sourire qui manquaient à son père.

Tout le monde respectait le comte. Les plus hauts personnages venaient le voir : l'évêque, le prieur, le prévôt, le chancelier du roi, les barons de la cour. Elle se demandait combien la reconnaîtraient aujourd'hui, marchant pieds nus dans la boue de cette même grand-rue. Cette pensée toutefois n'assombrissait pas son optimisme. Elle était de nouveau dans un monde régi par des règles et des lois, elle allait reprendre sa vie en main.

Ils passèrent devant leur ancienne maison, vide et verrouillée. Les Hamleigh ne s'en étaient donc pas encore emparés. Un moment Aliena fut tentée d'y pénétrer. C'est ma maison ! se dit-elle. Mais l'idée d'y passer la nuit lui rappela la façon dont elle avait vécu au château, les yeux fermés à la réalité. Elle poursuivit son chemin avec détermination.

L'autre avantage d'être en ville, c'était qu'il s'y trouvait un monastère. Les moines fournissaient toujours un lit à quiconque le demandait. Cette nuit, Richard et elle dormiraient sous un toit, au sec et à l'abri. Elle trouva la cathédrale et entra dans la cour du prieuré. Deux moines debout derrière un tréteau distribuaient du pain et de la bière à une centaine de nécessiteux. Aliena n'aurait jamais pensé que tant de gens mendiaient l'hospitalité des moines. Richard et elle prirent place dans la file. Étonnant, pensa-t-elle, de voir comment des gens qui en temps normal se battent pour un peu de nourriture gratis sont capables de rester tranquilles et en ordre à cause de la présence d'un moine. Elle et son frère reçurent leur souper et l'emportèrent dans l'hôtellerie. C'était un grand bâtiment de bois, une sorte de grange, sans meubles, vaguement éclairé par des torches, et où régnait la forte odeur d'un grand nombre de gens entassés. Ils s'assirent par terre pour manger. Le sol était couvert de roseaux pas trop frais. Aliena se demanda si elle devrait se présenter aux moines. Le prieur se souviendrait peut-être d'elle. Dans un aussi grand prieuré, il existait sûrement une autre hôtellerie pour les visiteurs de haut rang. Mais elle répugnait à se faire connaître. D'abord parce qu'elle craignait d'être éconduite, mais surtout par refus de remettre son sort entre les mains de quelqu'un d'autre. Bien qu'elle n'eût rien à craindre d'un prieur, elle se sentait plus à l'aise dans l'anonymat et la discrétion.

Les autres hôtes étaient pour la plupart des pèlerins, ou quelques artisans en déplacement – reconnaissables aux outils qu'ils portaient –, quelques colporteurs qui allaient de village en village vendre aux paysans des choses que ceux-ci ne pouvaient pas fabriquer eux-mêmes : épingles, couteaux, marmites, épices. Certains étaient accompagnés de leur femme et d'enfants bruyants, excités, qui couraient partout, se battaient, tombaient.

Aliena en vit plusieurs, pas encore éduqués, uriner sur le sol. Ces choses-là étaient probablement sans importance dans une maison où bétail et humains partageaient la même pièce, mais, dans une salle commune, c'était plutôt écœurant, estima Aliena.

Elle se mit alors en tête que les gens la regardaient comme s'ils savaient qu'elle avait été déflorée. C'était ridicule, bien sûr. Elle s'assura qu'elle ne saignait pas. Mais chaque fois qu'elle regardait autour d'elle, elle surprenait quelqu'un qui lui lançait un coup d'œil pénétrant. Elle détournait aussitôt la tête ; un peu plus tard, c'était le tour d'un autre. Pourtant, il n'y avait rien à regarder : elle n'était pas différente d'eux, elle était aussi sale, aussi mal vêtue et aussi épuisée. Mais l'impression demeurait et elle finit par se mettre en colère. Il y avait un homme dont elle ne cessait de surprendre le regard, un pèlerin d'un certain âge avec une nombreuse famille. Elle finit par perdre patience et par lui crier : « Qu'est-ce que vous regardez ? Cessez de me dévisager ! »

Embarrassé, il détourna les yeux sans répondre.

« Aliena, fit doucement Richard, pourquoi as-tu dit ça ? »

Elle le fit taire.

Peu après le souper, les moines vinrent enlever les torches. Ils aimaient que leurs hôtes dorment de bonne heure. Cela les tenait éloignés le soir des tavernes et des bordels de la ville si bien qu'au matin ils étaient prêts à partir très tôt. Plusieurs hommes seuls quittèrent la salle quand on éteignit les lumières, se dirigeant sans doute vers les lieux de plaisir, mais la plupart des gens s'enroulèrent dans leurs manteaux sur le sol.

Aliena n'avait pas dormi dans une salle comme celle-là depuis des années. Enfant, elle avait toujours envié les gens d'en bas, qui passaient la nuit côte à côte devant le feu mourant, dans une salle pleine de fumée et des relents du dîner, gardés par les chiens. Il y avait là une chaleur humaine qu'on ne ressentait pas dans les vastes appartements de la famille du seigneur. En ce temps-là, elle avait souvent quitté son lit pour descendre en cachette dormir auprès d'une de ses servantes favorites, Madge la blanchisseuse ou la vieille Joan.

Une fois endormie, les odeurs de son enfance l'amenèrent à rêver de sa mère. En général, elle avait du mal à se la rappeler, mais cette fois, à sa surprise, elle distingua nettement son visage : les traits délicats, le sourire timide, le regard anxieux, elle la voyait marcher, un peu penchée de côté, comme si elle cherchait l'appui du mur, l'autre bras tendu pour assurer son équilibre. Elle entendait la voix de sa mère, cet étonnant contralto, toujours prêt à attaquer une chanson ou à partir d'un éclat de rire, qu'elle retenait trop souvent. Son rêve lui dit une chose qui n'avait jamais été claire pour elle : son père avait effrayé sa mère et si fortement réprimé sa joie de vivre qu'elle s'était desséchée avant de mourir telle une fleur sans eau. Cette vérité revint à l'esprit d'Aliena comme si elle l'avait toujours sue. Mais l'étonnant dans ce songe, c'est qu'elle était enceinte. Sa mère semblait ravie. Elles étaient assises toutes deux dans une chambre, le ventre d'Aliena était si distendu qu'elle devait s'asseoir les jambes un peu écartées et les mains croisées sur l'enfant attendu, dans la position traditionnelle de la future mère. À un moment, William Hamleigh déboucha dans la pièce, tenant à la main sa dague à la longue lame et Aliena comprit qu'il allait la lui plonger dans le ventre comme elle l'avait fait à l'homme dans la forêt. Elle poussa un tel hurlement qu'elle se réveilla ; elle se rendit compte alors que William n'était pas là, qu'elle n'avait pas crié, que le bruit n'était que dans sa tête.

Longtemps, elle resta éveillée en se demandant si elle était vraiment enceinte.

L'idée, depuis qu'elle lui était venue, la terrifiait. Ce serait abominable de porter le bébé de William Hamleigh. Ou celui du valet, d'ailleurs. Elle n'aurait jamais de certitude là-dessus. Comment aimer ce bébé ? Chaque fois qu'elle le regarderait, il lui rappellerait l'horrible nuit. Elle se jura d'accoucher en secret, et de laisser le bébé mourir de froid dès sa naissance. Beaucoup de paysans agissaient ainsi lorsqu'ils avaient trop d'enfants. Sa résolution prise, elle replongea dans le sommeil.

Il faisait à peine jour quand les moines apportèrent le déjeuner. Le bruit éveilla Aliena, encore épuisée des soucis de la nuit.

Le petit déjeuner se composait de gruau chaud et salé. Aliena et Richard le dévorèrent en regrettant l'absence de pain. Aliena réfléchissait à ce qu'elle allait dire au roi Stephen. Elle était convaincue qu'il avait tout simplement oublié que le comte de Shiring avait deux enfants. Dès qu'ils se manifesteraient, il ne demanderait pas mieux que de veiller sur eux, pensa-t-elle. Toutefois, mieux valait qu'elle prépare quelques arguments. Elle ne plaiderait pas l'innocence de son père, évidemment : autant insinuer que le jugement du roi était mauvais. Elle ne protesterait pas non plus contre la nomination de Percy

Hamleigh au rang de comte. Non, elle parlerait pour son frère et elle, elle ferait valoir leur innocence et elle demanderait au roi un domaine et le titre de chevalier. Ainsi subviendraient-ils à leurs modestes besoins et Richard se préparerait à devenir un soldat du roi. Un petit domaine lui permettrait de recevoir son père quand il plairait au roi de le libérer de prison. Bartholomew ne représentait plus une menace : il n'avait pas de titre, pas de partisans, pas d'argent. Elle rappellerait au roi que son père avait fidèlement servi son prédécesseur, Henry, oncle de Stephen. Elle parlerait sans violence, humble mais ferme, claire et simple.

Après le déjeuner, elle demanda à un moine où elle pourrait se laver le visage, requête assez inhabituelle et qui suscita l'étonnement du moine. Il lui montra une rigole d'eau claire et froide, non sans lui recommander de rester décente afin de ne pas troubler l'âme des frères. Aliena haussa les épaules. Ces moines faisaient le bien, certes, mais comme ils pouvaient parfois se montrer irritants !

Une fois rafraîchis et débarrassés de la poussière de la route, Aliena et Richard quittèrent le prieuré ; par la grand-rue ils montèrent jusqu'au château. Aliena espérait se gagner l'aide du chambellan responsable, qui ne l'oublierait pas dans la foule des gens importants. Elle pressa le pas. Un grand calme régnait encore à l'intérieur du château. Le roi Stephen séjournait-il à Winchester depuis si longtemps qu'il avait épuisé toutes les requêtes ? D'ordinaire il habitait la ville durant tout le carême, mais Aliena avait perdu la notion des dates en vivant avec les seuls Richard et Matthew, sans prêtre.

Un garde corpulent, avec une barbe grise, se tenait en faction au pied des escaliers du donjon. Aliena s'apprêtait à passer sans s'arrêter, comme elle en avait l'habitude quand elle venait avec son père, mais le garde abaissa sa lance devant elle. Aliena le toisa d'un regard impérieux.

« Où crois-tu que tu vas, ma fille ? dit le garde.

— Nous sommes ici pour présenter une requête au roi, dit-elle d'un ton glacial. Laisse-nous passer.

— Toi ? ricana le garde. Avec aux pieds une paire de sabots dont ma femme aurait honte ? Éloigne-toi.

— Garde, dit Aliena, laisse-moi passer. Chaque citoyen a le droit de présenter une requête au roi.

— Les pauvres, généralement, ne sont pas assez stupides pour user de ce droit...

— Nous ne sommes pas pauvres ! cria Aliena, furieuse. Je suis la fille du comte de Shiring, mon frère est son fils, alors laisse-nous passer ou tu finiras par croupir dans un cachot. »

Le garde perdit un peu de son assurance.

« Tu ne peux pas présenter ta requête au roi, car il n'est pas ici. Il est à Westminster. D'ailleurs tu devrais le savoir si tu es celle que tu prétends. »

Aliena se pétrifia. « Mais pourquoi à Westminster ? Il devait passer Pâques ici ! »

Cette réflexion prouva au garde qu'en effet, il ne s'agissait pas d'une fille des rues. « À Pâques, la cour se réunit à Westminster. Peut-être pour ne pas faire exactement comme le vieux roi. Ce n'est pas interdit, n'est-ce pas ? »

Il avait raison, bien sûr. Le désespoir envahit la jeune fille. Elle comptait tellement sur son idée ! Accablée, découragée, elle baissa la tête. Allons ! C'était un contretemps, pas une défaite. Une requête au roi n'était pas la seule façon de rétablir leur situation. Son autre projet était de connaître le sort de son père. Lui saurait quoi faire.

« Alors, dit-elle au garde, qui y a-t-il ici ? Des fonctionnaires royaux, je suppose ? Je voudrais voir mon père.

— Tu trouveras là-haut un clerc et un intendant, répondit le garde. Le comte de Shiring est ton père, dis-tu ?

— Oui, fit-elle, le cœur battant. Sais-tu quelque chose à son propos ?

— Je sais où il est. »

Aliena bondit.

« Où ? Où est-il ?

— Dans la prison, ici même, au château. »

Si près !

« Où se trouve la prison ? » demanda-t-elle en maîtrisant mal son impatience.

Le garde fit un geste du pouce par-dessus son épaule. « En descendant la colline, après la chapelle, face à la porte principale. » Maintenant qu'il avait démontré son autorité, le garde débordait de bonne volonté.

« Il vaudrait mieux voir le geôlier. Il s'appelle Odo et il a les poches profondes. »

Aliena ne comprit pas l'allusion aux poches profondes, mais ce n'était pas le moment d'y réfléchir. Jusqu'à cet instant, son père se trouvait dans un lieu vague, lointain, appelé « prison ».

Et voilà que tout à coup, il était à côté d'elle dans ce château. Oubliant le roi, elle ne pensait plus qu'à retrouver son père si proche, à l'aider. Elle aurait voulu courir dans ses bras, l'entendre dire : « Tout va bien maintenant. Tout va s'arranger. »

Le donjon surmontait un tertre, dans un coin de l'enceinte. Aliena inspecta le reste du château. C'était un ensemble de bâtiments de pierre et de bois entouré de hautes murailles. En bas de la colline, avait dit le garde. Après la chapelle – elle repéra un petit bâtiment de pierre qui ressemblait à ça – et face à la porte principale. Cette grande porte s'ouvrait dans le mur extérieur pour permettre au roi d'entrer directement dans son château sans passer par la ville. En face, contre le mur d'enceinte, elle vit une petite construction de pierre qui pouvait bien être la prison.

Le frère et la sœur dévalèrent la pente. Aliena se demandait dans quel état elle allait retrouver le comte. Nourrissait-on les gens en prison ? Les prisonniers de son père avaient toujours eu du pain et du potage à Earlscastle, mais elle avait entendu dire qu'ailleurs les prisonniers étaient parfois maltraités.

Le cœur serré, elle traversa la cour, délimitée par les cuisines, les écuries, les casernements, deux chapelles. Maintenant qu'elle savait le roi absent, Aliena en notait distraitement au passage les preuves : cochons et moutons vagabondaient juste devant la porte, les hommes d'armes traînaient en interpellant insolemment les femmes qu'ils croisaient. Ce visible relâchement inquiétait Aliena. Négligeait-on aussi son père ? L'appréhension et la crainte l'envahirent.

La prison, un bâtiment de pierre un peu délabré, semblait avoir été la maison d'un fonctionnaire royal, chancelier ou bailli. Le premier étage, occupé jadis par la grande salle, était complètement en ruine, ayant perdu l'essentiel de son toit. Seul le magasin demeurait intact. Pas de fenêtre ; juste, entrouverte, une grande porte de bois cloutée de fer. Comme Aliena hésitait, une belle femme entre deux âges, vêtue d'un manteau de bonne qualité, passa devant elle et entra. Aliena et Richard la suivirent.

L'intérieur mal éclairé sentait la vieille poussière et la pourriture. Autrefois d'un seul tenant, le magasin avait été divisé en petits compartiments par des murs sommaires. Quelque part dans les profondeurs du bâtiment, un homme poussait une plainte monotone, comme celle d'un moine chantant le service.

Juste derrière la porte, on trouvait une petite entrée, avec une chaise, une table et un feu à même le sol. Un gros homme à l'air stupide, une épée à la ceinture, balayait sans conviction. Il leva les yeux et accueillit la visiteuse. « Bonjour, Meg. » Elle lui donna un penny et disparut dans l'obscurité. L'homme regarda Aliena et Richard. « Qu'est-ce que vous voulez ?

— Je suis ici pour voir mon père, dit Aliena. Le comte de Shiring.

— Pas de comte ici, dit le geôlier. Juste Bartholomew.

— Au diable tes subtilités ! Où est-il ?

— Combien avez-vous ?

— Je n'ai rien, inutile d'attendre de l'argent.

— Si vous n'avez rien, vous ne pouvez pas voir votre père. »

Il se remit à balayer.

Aliena aurait voulu hurler. Son père était là, à sa portée, et voilà qu'on l'empêchait de le voir. Le geôlier était grand, armé : aucune chance de se débarrasser de lui. Meg avait donné un penny au geôlier, en effet. Ce devait être le prix d'entrée.

« Je vais trouver un penny, dit-elle, et je vous l'apporterai dès que je pourrai. Vous ne voulez pas nous laisser le voir maintenant, juste quelques instants ?

— Trouvez l'argent d'abord », dit le geôlier. Il leur tourna le dos. Aliena essayait de maîtriser ses larmes. Elle fut tentée de crier, d'appeler dans l'espoir que son père l'entendrait, mais elle se rendit compte qu'il risquait de s'inquiéter sans comprendre son message. Elle se dirigea vers la porte, furieuse de son impuissance. Sur le seuil elle se retourna.

« Comment va-t-il ? Dites-moi seulement... je vous en prie. Est-ce qu'il va bien ?

— Non, pas du tout, dit le geôlier. Il est mourant. Maintenant, sortez. »

Les yeux embués de larmes, Aliena sortit sans voir où elle allait. Soudain elle heurta quelque chose – un mouton ou un porc – et faillit tomber. Du coup, elle éclata en sanglots. Richard lui prit le bras et elle se laissa guider. Ils quittèrent le château par la grande porte, traversèrent les taudis et les petits champs des faubourgs et finirent par arriver dans une prairie où ils s'assirent sur une souche.

« Ne pleure pas, Aliena, je t'en prie », fit Richard d'un ton pitoyable.

Elle essaya de se contrôler et réfléchit. Elle savait où était son père : c'était déjà quelque chose. Mais il était malade ! Le geôlier, par cruauté, exagérait sans doute la gravité de son état. Il fallait trouver un penny et elle pourrait lui parler, se rendre compte par elle-même, lui demander conseil – pour Richard et pour elle-même.

« Comment trouver un penny, Richard ? fit-elle.

— Je ne sais pas.

— Nous n'avons rien à vendre. Personne ne voudrait nous prêter de l'argent. Nous ne sommes pas de taille à voler...

— Nous pourrions mendier », dit-il.

Pourquoi pas ? Un paysan, plutôt cossu, descendait la colline en direction du château, montant un robuste bidet noir. Aliena sauta sur ses pieds et courut jusqu'à la route. Dès que l'homme fut à sa hauteur, elle demanda : « Monsieur, voudriez-vous me donner un penny ?

— Fiche le camp », grogna l'homme qui d'un coup de talon mit sa monture au trot.

Elle revint à la souche. « Les mendiants demandent de la nourriture ou de vieux vêtements, fit-elle abattue. Jamais on ne leur donne d'argent.

— Alors, d'où vient l'argent ? demanda Richard naïvement.

— Le roi, expliqua Aliena, récolte les impôts ; les seigneurs, des loyers ; les prêtres, des dîmes. Les boutiquiers ont quelque chose à vendre. Les artisans reçoivent des salaires. Les paysans n'ont pas besoin d'argent parce qu'ils ont des champs.

— Les apprentis touchent des gages.

— Tout comme les ouvriers. Nous pourrions travailler.

— Pour qui ?

— Winchester est plein de petites manufactures de cuir et de tissu », dit Aliena. Son optimisme revenait. « Une ville est l'endroit idéal pour trouver du travail. » Elle se leva d'un bond. « Viens, allons-y ! »

Richard hésitait encore. « Je ne peux pas travailler comme un manant, dit-il. Je suis le fils d'un comte.

— Plus maintenant, dit sévèrement Aliena. Tu as entendu le geôlier. Tu ferais bien de te rendre compte que tu ne vaux pas mieux qu'un autre, maintenant. » Richard se renfrogna.

« Bon, je pars. Reste ici si tu veux. » Aliena s'éloigna. Elle connaissait les humeurs de son frère : elles ne duraient jamais longtemps.

Il la rattrapa en effet avant qu'elle eût atteint la ville. «Il ne faut pas m'en vouloir, dit-il. Je travaillerai. Je suis assez fort, en fait... Je ferai un très bon ouvrier.»

Elle lui sourit : «J'en suis sûre.» Elle n'y croyait pas, mais c'était inutile de le décourager.

Côte à côte, ils descendirent la grand-rue. Aliena réfléchissait : Winchester était construite suivant un plan très logique. La moitié sud, sur leur droite, était divisée en trois parties : d'abord le château, puis un quartier de riches demeures, puis l'enclos de la cathédrale et le palais de l'évêque dans le coin sud-est. La partie nord, sur leur gauche, était elle aussi divisée en trois : le quartier des Juifs, le centre occupé par les boutiques, et les ateliers dans le coin nord-est.

Aliena descendit vers l'est de la ville, puis ils prirent à gauche dans une rue au milieu de laquelle coulait une rigole. D'un côté, se dressaient des maisons normales, pour la plupart en bois, certaines avec des parties en pierre. De l'autre côté s'alignaient des constructions improvisées, dont beaucoup n'étaient guère plus qu'un toit soutenu par des piquets et semblaient sur le point de s'écrouler. De place en place, un petit pont ou quelques planches franchissaient le ruisseau pour permettre l'accès aux bâtiments. Partout, à l'intérieur ou dans les cours, des hommes et des femmes se livraient à des travaux qui nécessitaient de grandes quantités d'eau : laver de la laine, tanner du cuir, fouler ou teindre du tissu, brasser de la bière et d'autres activités qu'Aliena ne connaissait pas. Une variété d'odeurs peu familières lui chatouillaient les narines, âcres et acides; des odeurs de fumée et de soufre, de bois et de pourriture. Les gens avaient tous l'air extrêmement occupés. Alors que les paysans adoptaient toujours une allure mesurée, les ouvriers des ateliers ne levaient jamais la tête. Leur travail semblait absorber toute leur énergie. Pris par leurs tâches mystérieuses dans la pénombre de cabanes hétéroclites, ils évoquaient des démons agitant le contenu de leurs chaudrons dans le fond des Enfers.

Elle s'arrêta pour regarder fouler du tissu. Une robuste femme tirait de l'eau du ruisseau et la déversait dans une grande auge de pierre doublée de plomb. De temps en temps elle ajoutait une mesure de terre à foulon qu'elle prenait dans un sac. Au fond de l'auge, recouverte d'eau, se trouvait une pièce de tissu. Deux hommes armés de grands bâtons, qu'on appelait des foulons – Aliena le savait –, battaient le tissu : le but de ce travail était de faire rétrécir et épaissir le tissu en le rendant plus imperméable ; en même temps la terre à foulon rinçait la graisse de la laine. Au fond du local s'entassaient des rouleaux de tissus non traités ainsi que des sacs de terre à foulon.

Aliena sauta la rigole et s'approcha du groupe. Les ouvriers travaillaient pieds nus sur le sol détrempé. En voyant qu'ils n'arrêtaient pas leur mouvement, elle demanda d'une voix forte : « Votre maître est-il ici ? »

La femme répondit en désignant du menton le fond du local. Aliena fit signe à Richard de la suivre et pénétra dans une cour où des longueurs de tissu séchaient sur des cadres en bois. Elle aperçut la silhouette d'un homme qui disposait les pièces. « Je cherche le maître », dit-elle.

Il se redressa. C'était un homme affreux, borgne, et légèrement bossu, comme si, après des années de travail penché sur les cadres de séchage, il ne pouvait plus se tenir droit. « Qu'est-ce qu'il y a ? dit-il.

— C'est vous le maître fouleur ?

— J'y travaille depuis plus de quarante ans, alors j'espère que je suis le maître, dit-il. Que voulez-vous ? »

Aliena devina qu'avec ce genre d'homme, mieux valait se montrer modeste. Elle prit un ton humble : « Mon frère et moi cherchons du travail. Voulez-vous nous employer ? »

Il y eut un silence tandis qu'il la toisait. « Par Jésus-Christ et tous les saints. Qu'est-ce que je ferais de vous ?

— Nous ferons n'importe quoi, dit Aliena d'un ton résolu. Nous avons besoin d'argent.

— Vous ne me servirez à rien », répondit-il d'un ton méprisant et il reprit son travail.

Aliena ne voulait pas s'avouer vaincue. « Pourquoi donc ? répliqua-t-elle vivement. Nous ne mendions pas. Nous voulons gagner de l'argent. »

Il se tourna vers elle. « S'il vous plaît... », insista-t-elle, bien qu'elle détestât mendier.

Il poussa un soupir d'impatience puis, comme s'il lui faisait une charité, bouffi de son importance, il concéda : « Très bien, je vais vous expliquer. Venez avec moi. »

Il les entraîna jusqu'à l'auge. Les ouvriers tiraient la pièce de l'eau, en la roulant au fur et à mesure. Le maître s'adressa à la femme : « Viens ici, Lizzie. Montre-nous tes mains. »

Elle approcha docilement et tendit les mains. Elles étaient rêches, rouges, et crevassées.

« Touchez-les », ordonna le maître à Aliena.

Elle obéit. La peau était froide comme de la neige, très rugueuse et – le plus frappant – incroyablement dure. Ses mains à elle lui parurent soudain douces, blanches, et fines.

Le maître reprit : « Elle a les mains dans l'eau depuis son enfance, elle est habituée. Vous, ce n'est pas pareil. Vous ne tiendriez pas une heure à ce travail. »

Aliena aurait voulu discuter, promettre de s'endurcir... mais elle n'était pas sûre d'y arriver. De toute façon, c'est Richard qui prit la parole. « Et moi ? dit-il. Je suis plus grand que ces hommes-là : je pourrais faire ce travail. »

En effet, Richard était plus grand et plus large de carrure que les ouvriers. De plus, il savait mener un destrier, pensa Aliena, il devrait donc pouvoir battre du tissu.

Les deux hommes, qui terminaient de rouler la pièce, s'apprêtaient à l'emporter dans la cour à sécher. Le maître les arrêta. « Laisse le jeune seigneur sentir le poids de ce tissu, Harry. »

Le nommé Harry fit glisser le rouleau de son épaule sur celle de Richard, qui plia sous le poids et ne se redressa qu'au prix d'un puissant effort. Il pâlit, puis s'écroula à genoux, si bien que les extrémités du rouleau touchaient le sol. « Je ne peux pas », dit-il, hors d'haleine.

Les hommes éclatèrent de rire, le maître ricana d'un air triomphant ; le nommé Harry renvoya le tissu sur son épaule et l'emporta. « C'est un autre genre de force, dit le maître, qui vient quand on est obligé de travailler. »

Aliena bouillait de rage. On se moquait d'elle alors qu'elle ne demandait qu'à gagner honnêtement un penny. Le maître s'offrait une petite récréation à leurs dépens, mais jamais il ne l'emploierait, pas plus que Richard. « Merci de votre courtoisie », dit-elle d'un ton narquois, puis elle tourna les talons et s'éloigna.

Richard s'en voulait horriblement. « C'était lourd parce que c'était trempé ! dit-il. Je ne m'attendais pas à ça. »

Aliena se força à rester gaie pour maintenir le moral de Richard. « Il n'y a pas que ce travail-là, dit-elle en avançant dans la rue boueuse.

— Que pourrions-nous faire d'autre ? »

Elle ne répondit pas tout de suite. Ils atteignaient le quartier des maisons les plus pauvres, plutôt des appentis, construits contre le mur. Faute d'arrière-cours, la rue était très sale. Aliena sortit de ses réflexions. «Tu te rappelles, Richard, que des filles venaient au château, parfois, quand il n'y avait plus de place chez elles? Père les acceptait toujours. Elles travaillaient aux cuisines, à la blanchisserie ou à l'écurie et Père leur donnait un penny pour les fêtes.

— Crois-tu que nous pourrions vivre au château de Winchester? dit Richard, sceptique.

— Non. On ne prendra pas de domestiques pendant que le roi est absent. Mais il y a des gens riches dans la ville. Certains ont peut-être besoin de serviteurs.

— Ce n'est pas un travail d'homme.»

Aliena faillit le rembarrer sèchement : *Pourquoi ne trouves-tu pas des idées toi-même, au lieu de critiquer tout ce que je dis?* Mais elle se mordit la langue et expliqua : «Il suffit que l'un de nous travaille assez pour gagner un penny, ensuite nous pourrons voir notre père et lui demander son aide.

— Très bien.» Richard n'était pas hostile à l'idée que, des deux, Aliena se charge de travailler.

Ils tournèrent à gauche et pénétrèrent dans le quartier de la ville qu'on appelait la Juiverie. Aliena s'arrêta devant une grande maison. «Les propriétaires doivent avoir des serviteurs, ici.»

Richard se montra scandalisé. «Tu ne travaillerais pas pour des Juifs?

— Pourquoi pas? On n'attrape pas l'hérésie des gens comme on attrape leurs puces, tu sais.»

Richard hocha la tête, navré, et la suivit à l'intérieur.

C'était une construction de pierre qui, comme la plupart des maisons de la ville, cachait derrière une façade étroite une grande profondeur : le hall d'entrée traversait toute la largeur du bâtiment. Un feu brûlait et l'odeur de la cuisine, pleine d'épices inconnues, fit venir l'eau à la bouche d'Aliena. Une jeune fille apparut du fond de la maison pour les accueillir. Elle avait la peau brune, les yeux marron et elle s'adressa à eux avec respect.

«Vous voulez voir l'orfèvre?

— S'il vous plaît», dit Aliena comme si elle savait de qui il s'agissait. La jeune fille disparut et Aliena regarda autour d'elle. Naturellement, un orfèvre a besoin d'une maison de pierre, pour protéger son or. La porte du fond était faite de lourdes planches de chêne renforcées de fer. Les fenêtres étroites n'auraient pas laissé passer même un enfant. Ce devait être bien inquiétant d'avoir toute sa fortune en or ou en argent, tellement facile à voler en un instant ! Le comte Bartholomew possédait une sorte de richesse plus habituelle – des terres et un titre. N'empêche qu'il avait tout perdu en un jour, lui aussi.

L'orfèvre entra. Un petit homme brun qui les dévisagea comme s'il examinait une pièce de bijouterie pour en estimer la valeur avant de demander : «Vous avez quelque chose à vendre ?

— Vous nous avez bien jugés, orfèvre, dit Aliena. Vous avez deviné que nous sommes des gens bien nés soudain sans ressources. Mais nous n'avons rien à vendre. »

L'homme sembla s'inquiéter. «Si c'est un prêt que vous cherchez, je crains...

— Nous ne nous attendons pas à ce qu'on nous prête de l'argent, interrompit Aliena. De même que nous n'avons rien à vendre, nous n'avons rien à mettre en gage. »

L'orfèvre parut soulagé. «Comment puis-je vous aider, alors ?

— Voudriez-vous me prendre comme servante ? »

Il fit une grimace horrifiée. «Une chrétienne ? Certainement pas ! » dit-il en reculant instinctivement.

Aliena ne cacha pas sa déception. «Pourquoi pas ? s'enquit-elle d'un ton plaintif.

— Ce n'est pas possible. »

Elle se sentit offensée. L'idée qu'on trouvât sa religion repoussante l'humiliait. Elle se souvint avec amertume de la formule qu'elle avait employée avec Richard. «On n'attrape pas les religions des gens comme on attrape leurs puces, répliqua-t-elle.

— Les gens de la ville protesteraient. »

Cet argument ne manquait pas de bon sens.

«Alors, dit-elle, je pense que nous ferions mieux de chercher un riche chrétien.

— Essayez toujours, fit l'orfèvre d'un ton sceptique. Laissez-moi vous parler franchement. Un homme sage ne vous emploierait pas comme servante. Vous avez l'habitude de donner des ordres et vous trouveriez très dur d'en recevoir. »

Aliena ouvrait la bouche pour protester, mais d'un geste il l'arrêta. «Oh ! Je sais que vous êtes pleine de bonne volonté. Mais d'autres vous ont servie, et même aujourd'hui vous espérez au fond de vous-même que les choses s'arrangeront à votre convenance. Les gens de haute naissance font de pauvres domestiques. Ils sont indociles, pleins de ressentiment, étourdis, susceptibles, et ils s'imaginent travailler dur même quand ils en font moins que les autres : ils causent toujours des ennuis avec le reste du personnel. » Il haussa les épaules. « C'est mon expérience. »

Devant la première personne aimable qu'elle rencontrait depuis qu'elle avait quitté le château, Aliena en oublia presque son dépit.

« Mais que pouvons-nous faire ? reprit-elle.

— Je peux vous dire ce que ferait un Juif. Il trouverait quelque chose à vendre. Quand je suis arrivé dans cette ville, j'ai commencé par acheter des bijoux à des gens qui avaient besoin d'argent, puis j'en ai fondu l'or et je l'ai revendu aux monnayeurs.

— Mais où avez-vous trouvé l'argent pour acheter des bijoux ?

— J'ai emprunté à mon oncle – je lui ai d'ailleurs payé des intérêts.

— Personne ne nous prêtera d'argent ! »

L'orfèvre devint songeur. « Voyons, qu'aurais-je fait si je n'avais pas eu d'oncle ? Je crois que je serais allé dans la forêt ramasser des noix, pour les revendre aux ménagères qui n'ont pas le temps d'aller les cueillir elles-mêmes.

— Ce n'est pas la saison, protesta Aliena. Rien ne pousse en ce moment. »

L'orfèvre sourit. « Impatiente jeunesse, dit-il. Attendez un peu.

— Très bien. » Inutile de lui expliquer la situation de leur père. L'orfèvre avait fait de son mieux. « Merci de votre conseil.

— Adieu donc. » L'orfèvre repartit vers le fond de la maison, fermant derrière lui la lourde porte barrée de fer.

Aliena et Richard sortirent. Décidément, ils avaient passé la moitié de la journée à se faire éconduire. Aliena se décourageait. Ne sachant où aller, ils déambulèrent dans la Juiverie et se retrouvèrent dans la grand-rue. Aliena commençait à avoir faim – c'était l'heure du souper – et elle devinait que Richard souffrait aussi, sinon plus. Ils marchèrent sans but, enviant les rats bien nourris qui grouillaient dans les ordures, jusqu'au moment où ils atteignirent l'ancien palais royal. Là ils s'arrêtèrent, comme le faisaient tous les étrangers, pour regarder à travers les barreaux les monnayeurs qui fabriquaient des pièces. Aliena contempla les piles de pennies d'argent, songeant qu'elle n'en voulait qu'un seul et qu'elle ne parvenait pas à l'obtenir.

Bientôt, elle remarqua non loin une fille à peu près de son âge qui souriait à Richard d'un air amical. Aliena hésita, puis lui adressa la parole. « Vous habitez ici ?

— Oui », fit la fille. C'était Richard qui l'intéressait, pas Aliena.

« Notre père, balbutia Aliena, est en prison et nous essayons de trouver un moyen de nous procurer un peu d'argent pour acheter le geôlier. Savez-vous comment nous pourrions faire ? Nous sommes prêts à travailler dur. Nous ferons n'importe quoi. Avez-vous une idée ? »

La fille toisa longuement Aliena. « Je crois, dit-elle enfin. Je connais quelqu'un qui pourrait vous aider. »

Le cœur d'Aliena bondit de joie. Enfin elle entendait dire *oui*.

« Quand pouvons-nous le voir ? demanda-t-elle aussitôt.

— *La* voir.

— Comment ?

— C'est une femme. Vous pourrez sans doute la voir tout de suite si vous venez avec moi. »

Aliena et Richard échangèrent un regard. Leur chance tournait-elle enfin ?

La fille se mit en route et ils la suivirent jusqu'à une grande maison en bois de la grand-rue. La fille grimpa un escalier extérieur et leur fit signe.

En haut, il y avait une chambre à coucher. Aliena écarquilla les yeux : la pièce était plus somptueusement décorée et meublée qu'aucune salle du château, même du vivant de sa mère. Les murs étaient tendus de tapisseries, le plancher couvert de fourrures et le lit entouré de rideaux brodés. Dans un fauteuil large comme un trône siégeait une femme d'un certain âge, vêtue d'une robe magnifique. Elle avait dû être belle dans sa jeunesse, se dit Aliena, même si aujourd'hui son visage était ridé et ses cheveux clairsemés.

« C'est maîtresse Kate, annonça la fille. Kate, cette demoiselle n'a pas le sou et son père est en prison. »

Kate sourit. Aliena lui rendit son sourire, mais déjà elle se méfiait : quelque chose en Kate lui déplaisait. La femme reprit : « Emmène le garçon à la cuisine et donne-lui une chope de bière pendant que nous parlons. »

La fille obéit. Aliena se réjouissait à l'idée que Richard allait boire de la bière : peut-être lui donnerait-on quelque chose à manger aussi.

« Quel est ton nom ? interrogea Kate.

— Aliena.

— C'est peu courant. Mais j'aime bien. » Elle se leva, s'approcha tout près et prit dans sa main le menton d'Aliena. « Tu as un très joli visage. » Son haleine sentait le vin. « Ôte ton manteau. »

Aliena, surprise de cette entrée en matière, s'y soumit néanmoins. Après les refus de ce matin, elle ne voulait pas gâcher par mauvaise volonté la première chance qui se présentait. Elle se débarrassa de son manteau, le posa sur un banc et resta plantée dans la vieille robe de toile que lui avait donnée la femme du garde forestier.

Kate tourna autour d'elle, comme impressionnée. « Ma chère fille, tu n'auras plus jamais besoin d'argent ni d'autre chose. Si tu travailles pour moi, nous serons riches toutes les deux. »

Aliena fronça les sourcils. Que signifiait cela ? Tout ce qu'elle voulait, c'était aider à laver le linge, faire la cuisine ou raccommoder. Il ne s'agissait pas de faire la richesse de quelqu'un. « De quel genre de travail parlez-vous ? » dit-elle.

Debout derrière elle, Kate passa les mains sur les hanches d'Aliena, et les caressa. Ses seins se pressaient contre le dos de la jeune fille. « Tu as un corps magnifique, dit Kate. Et une peau ravissante. Tu es de haute naissance, n'est-ce pas ?

— Mon père était le comte de Shiring.

— Bartholomew ! Tiens, tiens. Je me souviens de lui... Non pas qu'il ait jamais été un de mes clients. Un homme très vertueux, ton père. Ah ! Je comprends pourquoi tu es sans ressources. »

Ainsi, Kate avait des clients. « Que vendez-vous ? » demanda Aliena.

Kate ne répondit pas directement. Elle repassa devant Aliena et la regarda en face. « Es-tu vierge, ma chère ? »

Aliena rougit violemment.

« Ne sois pas timide, dit Kate. Je vois que tu ne l'es pas. Eh bien, peu importe. Les vierges valent cher, mais, évidemment elles ne durent pas. »

Elle posa les mains sur les épaules d'Aliena et l'embrassa sur le front. « Tu es voluptueuse, même si tu ne le sais pas. Par tous les saints, tu es irrésistible. » Sa main glissa de la hanche d'Aliena à sa poitrine et prit doucement un sein, le pressant légèrement, puis Kate se pencha et posa un baiser sur les lèvres de la jeune fille.

En un éclair, Aliena comprit tout : pourquoi la fille avait souri à Richard devant l'atelier de la monnaie, où Kate trouvait son argent, ce qu'Aliena aurait à faire si elle travaillait pour elle, et quel genre de femme elle était. Qu'elle était stupide de ne pas avoir deviné plus tôt ! Un moment elle laissa Kate l'embrasser – ce n'était vraiment pas désagréable, bien différent des assauts de William Hamleigh – mais pour gagner de l'argent on lui demanderait autre chose. Elle se libéra de l'étreinte de Kate. «Vous voulez que je devienne une prostituée, dit-elle.

— Une dame de plaisir, ma chère, rectifia Kate. Se lever tard, porter chaque jour de belles toilettes, rendre les hommes heureux et devenir riche. Tu serais une des meilleures. Tu as une allure... Tu pourrais demander n'importe quoi, n'importe quoi. Crois-moi, je sais.»

Aliena frissonna. Il y avait toujours eu quelques prostituées au château – indispensables dans un endroit où vivaient tant d'hommes sans leurs épouses – et on les considérait plus bas encore que les balayeuses. Mais ce n'était pas cette humiliante condition qui faisait trembler Aliena de dégoût. C'était l'idée de voir des hommes comme William Hamleigh l'acheter pour un penny. Elle revit ce grand corps en train de la tenir clouée au sol, les jambes écartées, tremblante de terreur et de mépris en attendant qu'il la pénètre. Le souvenir de cette scène lui ôta toute assurance. Elle avait le sentiment que, si elle restait dans cette maison un instant de plus, tout allait recommencer. Affolée, elle recula. Elle avait peur d'offenser Kate, peur de la mettre en colère. «Je suis désolée, murmura-t-elle. Je vous en prie, pardonnez-moi, mais je ne pourrais pas faire ça, vraiment...

— Réfléchis ! lança Kate. Reviens si tu changes d'avis. Je serai toujours là.

— Merci», bredouilla Aliena. Elle trouva enfin la porte, l'ouvrit et dévala l'escalier, puis se précipita jusqu'à la cuisine. Sans oser franchir le seuil, elle appela : «Richard ! Richard, viens !» Pas de réponse. L'intérieur était à peine éclairé et elle n'apercevait que quelques vagues silhouettes féminines. «Richard, où es-tu ?» hurla-t-elle.

Enfin il apparut, une chope de bière dans une main, une cuisse de poulet dans l'autre. «Qu'est-ce qu'il y a ?» dit-il, agacé d'être dérangé.

Elle le saisit par le bras et l'entraîna. «Sors d'ici, dit-elle. C'est un bordel !»

Quelque part, un rire retentit.

« On pourrait te donner à manger, dit Richard.

— Elles veulent que je me prostitue ! cria-t-elle.

— Très bien, très bien », dit Richard. Il avala sa bière, posa sa coupe sur le sol et fourra dans sa chemise les restes de la cuisse de poulet.

« Viens », répéta Aliena avec impatience. Son jeune frère ne semblait pas ému à l'idée qu'on voulût transformer sa sœur en prostituée, il semblait plutôt regretter une maison où on servait du poulet et de la bière à volonté.

À peine sortis de la maison, ils tombèrent sur une figure de connaissance, la femme bien mise qu'ils avaient vue à la prison, celle qui avait donné un penny au geôlier. Il l'avait appelée Meg. Elle regarda Aliena avec une curiosité mêlée de compassion. Aliena, fâchée et gênée, détourna les yeux. La femme lui adressa la parole.

« Vous avez des ennuis, n'est-ce pas ? »

Un accent de bonté dans la voix de Meg apprivoisa Aliena.

« Oui, dit-elle après un silence. De gros ennuis.

— Je vous ai vus à la prison. Mon mari y est : j'y vais tous les jours. Et vous ?

— Mon père est enfermé.

— Mais vous n'êtes pas entrés ?

— Nous n'avons pas d'argent pour payer le geôlier. »

Par-dessus l'épaule d'Aliena, Meg regarda la porte du bordel.

« C'est ici que vous essayez de trouver de l'argent ?

— Oui, mais j'ignorais...

— Ma pauvre petite, fit Meg. Mon Annie aurait eu votre âge si elle avait vécu... Pourquoi ne venez-vous pas à la prison avec moi demain matin ? À nous deux, nous verrons si nous pouvons persuader Odo de se conduire comme un chrétien et de prendre en pitié deux enfants sans ressources.

— Oh ! Ce serait merveilleux », s'écria Aliena, touchée.

Rien que cette proposition d'aide – sans garantie de succès – lui mettait les larmes aux yeux.

Meg reprit : « Avez-vous soupé ?

— Non.

— Venez chez moi. Je vous donnerai du pain et de la viande. » Devant le regard méfiant d'Aliena, elle ajouta : « Et sans contrepartie. »

Aliena la crut. « Merci, dit-elle, vous êtes très bonne. Bien peu de gens ont été bons avec nous. Je ne sais pas comment vous remercier.

— Inutile, dit-elle. Venez donc. »

Le mari de Meg était un marchand de laine. Il achetait des toisons que lui apportaient les paysans de la campagne environnante, les entassait dans de grands sacs, dont chacun contenait la laine de deux cent quarante moutons, et les entreposait dans la grange, derrière sa maison. Une fois par an, quand les tisseurs flamands envoyaient leurs agents acheter la douce et solide laine anglaise, le mari de Meg vendait le tout et faisait expédier les sacs par Douvres et Boulogne jusqu'à Bruges et Gand, où l'on transformait la laine en draps de qualité supérieure qu'on vendait dans le monde entier à des prix bien trop élevés pour les paysans qui gardaient les moutons. Voilà ce que Meg raconta à Aliena et à Richard durant le souper, avec ce chaleureux sourire qui proclamait les vertus de la bonté.

On avait accusé son mari de tricher sur le poids, crime que la ville prenait très au sérieux, car sa prospérité était fondée sur une réputation d'honnêteté. À en juger par la façon dont Meg en parlait, Aliena pensa qu'il était sans doute coupable. L'absence du marchand n'avait pas changé grand-chose aux affaires, car Meg avait pris sa place. D'ailleurs, en hiver, il n'y avait guère à faire : elle s'était rendue jusqu'en Flandre pour assurer à tous les agents de son mari que l'entreprise fonctionnait normalement ; elle avait fait réparer la grange et profité des travaux pour l'agrandir. Quand la tonte commencerait, elle achèterait de la laine elle-même. Elle savait en juger la qualité et discuter un prix. Elle avait déjà été admise dans la guilde des marchands de la ville, malgré la tache qui souillait la réputation de son mari, car c'était une tradition chez les marchands de s'aider quand la famille d'un autre avait des ennuis et, au demeurant, il n'avait pas encore été reconnu coupable.

Richard et Aliena mangèrent sa nourriture et burent son vin, assis auprès du feu, en bavardant jusqu'à la tombée de la nuit. Ils retournèrent alors dormir au prieuré. Cette nuit-là, Aliena rêva de son père. Il était assis sur un trône dans la prison, aussi grand, pâle et autoritaire que jamais, et elle devait s'incliner devant lui comme s'il était le roi. Il l'accusait alors de l'avoir abandonné en prison pour aller vivre dans un bordel. Scandalisée par cette injustice, elle répliquait avec colère que c'était lui qui l'avait abandonnée. Elle allait ajouter qu'il l'avait laissée à la merci de William Hamleigh, mais elle répugnait à raconter l'outrage ; c'est alors qu'elle apercevait William dans la pièce, assis sur un lit à manger des cerises. Il cracha dans sa direction un noyau qui vint lui frapper la joue. Son père sourit et William continua de lancer des cerises sur Aliena. Elles s'écrasaient sur son visage et sur sa robe. La jeune fille se mit à pleurer car, bien que la robe fût vieille, c'était la seule qu'elle possédait, et elle était maintenant toute souillée de jus de cerise, comme des taches de sang.

La tristesse de son cauchemar l'éveilla et elle reprit contact avec la réalité, non sans un grand soulagement.

La lueur de l'aube filtrait par les fentes des murs de l'hôtellerie. Tout autour d'elle, des gens s'éveillaient, commençaient à bouger. Les moines arrivèrent bientôt, ouvrirent les portes et les volets et les convièrent au déjeuner.

Aliena et Richard mangèrent en hâte, puis se rendirent à la maison de Meg qui était prête à partir. Elle avait préparé un ragoût de bœuf épicé qu'on réchaufferait pour le souper de son mari. Aliena demanda à Richard de se charger de la lourde marmite. Aliena aurait voulu avoir quelque chose à donner à leur père mais sans argent, qu'aurait-elle pu trouver ?

Ils remontèrent la grand-rue, entrèrent dans le château par la porte de derrière puis passèrent devant le donjon et descendirent la colline jusqu'à la prison. Aliena repensait aux paroles d'Odo : « Il est mourant. » Dévorée d'inquiétude, elle demanda à Meg : « Est-ce que mon père va mal ?

— Je ne sais pas, ma chérie, dit Meg. Je ne l'ai jamais vu.

— Le geôlier dit qu'il est mourant.

— Cet homme est mauvais comme la gale. Ce qui lui plaît, c'est de rendre les autres malheureux. D'ailleurs, vous serez bientôt fixés. »

Malgré les bonnes paroles de Meg, Aliena restait profondément soucieuse. Pleine d'appréhension, elle franchit le seuil de la prison et pénétra dans la pénombre malodorante.

Odo se réchauffait les mains au feu qui brûlait au milieu de l'entrée. Il salua Meg de la tête et reconnut Aliena. « Vous avez l'argent ? dit-il.

— Je paie pour eux, annonça Meg. Voici deux pennies, un pour moi et un pour eux. »

Une expression sournoise se peignit sur le visage stupide d'Odo. « C'est deux pence pour eux : un penny chacun.

— Ne soyez pas aussi dur, fit Meg. Laissez-les entrer, sinon j'avertis la guilde des marchands et vous perdrez votre place.

— Bon, bon, gardez vos menaces », bougonna-t-il. Il désigna une arche ouvrant sur un passage dans le mur de pierre sur leur droite. « Bartholomew est par là. »

Meg ajouta : « Il va falloir de la lumière. » Elle tira deux chandelles de la poche de son manteau, les alluma au feu, et en donna une à Aliena. « Courage », murmura-t-elle en l'embrassant. Puis elle s'éloigna rapidement sous la voûte opposée.

« Merci ! » cria Aliena, mais Meg avait déjà disparu dans les ténèbres.

Tenant haut la chandelle, elle suivit les indications d'Odo et se trouva dans un minuscule vestibule. La flamme éclaira trois grosses portes, chacune barrée de l'extérieur. « Droit devant vous ! » cria Odo.

Aliena se tourna vers son frère : « Richard, soulève la barre. »

Richard fit coulisser la lourde fermeture et la posa contre le mur. En adressant au ciel une prière silencieuse, Aliena poussa la porte.

La faible lueur de sa chandelle ne traversait pas l'obscurité épaisse de la cellule. Aliena scruta un moment les ténèbres qui sentaient les latrines. Une voix s'éleva : « Qui est-ce ?

— Père ? » chuchota Aliena. Elle distingua enfin une silhouette sombre assise sur le sol couvert de paille.

« Aliena ? » L'incrédulité faisait trembler sa voix. « C'est Aliena ? »

Au comble de l'émotion, elle s'approcha, brandissant la chandelle. La flamme éclaira un visage. Aliena eut un sursaut d'horreur.

Son père était méconnaissable.

Habituellement plutôt maigre, il avait maintenant l'air d'un squelette. Il était d'une saleté repoussante, vêtu de haillons. « Aliena ! fit-il. C'est toi ! » Son visage se crispa dans un sourire, une grimace de mort.

La jeune fille éclata en sanglots. Jamais elle n'aurait pu imaginer le choc qui l'attendait. Le monstre Odo avait dit la vérité : Bartholomew était mourant. Et, pourtant, il éprouvait encore de la joie à la voir. Incapable de surmonter l'angoisse qui l'étouffait, elle tomba à genoux, secouée de grands sanglots.

Son père s'avança péniblement vers elle et passa un bras autour de ses épaules. Il la caressa comme on console un enfant qui s'est écorché. « Ne pleure pas, dit-il doucement. Tu viens de rendre ton père si heureux. »

Aliena sentit qu'on lui enlevait sa chandelle. Son père reprit : « Et ce grand jeune homme, c'est mon Richard ?

— Oui, père », dit Richard d'une voix étranglée.

Aliena étreignit le comte et sentit son corps décharné, épuisé. Elle aurait voulu lui dire quelque chose, trouver des mots d'affection ou de réconfort, mais elle sanglotait si fort qu'elle n'arrivait pas à parler.

« Richard, continuait Bartholomew, comme tu as grandi ! As-tu de la barbe ?

— Elle commence à pousser, père, mais elle est très blonde. »

La voix du garçon trahissait son émotion. Au bord des larmes, il essayait de toutes ses forces de ne pas craquer devant son père. Il devait se montrer un homme.

À force de s'inquiéter pour Richard, Aliena cessa de pleurer. Au prix d'un gros effort, elle recouvra son calme. Elle serra encore une fois contre elle le corps sans forces de son père puis elle se dégagea et s'essuya les yeux.

« Allez-vous bien, tous les deux ? » demanda le vieil homme. Il parlait d'un ton lent et d'une voix faible. « Comment vous êtes-vous débrouillés ? Où avez-vous vécu ? On n'a rien voulu me dire – c'était la pire des tortures. Mais vous paraissez en bonne santé ! Quel bonheur ! »

La pire des tortures : Aliena se demanda s'il avait subi des sévices, mais elle ne lui posa pas la question : elle avait trop peur de la réponse.

« Nous allons bien, père », dit-elle, préférant le mensonge à une vérité effrayante pour lui et qui pèserait trop lourd sur ses derniers jours de vie. « Nous habitions le château, Matthew s'est occupé de nous.

— Vous ne pouvez plus habiter là-bas. Le roi a nommé comte ce gros porc de Percy Hamleigh : il va disposer du château. » Il connaissait donc la nouvelle, pensa Aliena. « Justement, dit-elle, nous l'avons quitté. »

La main de son père tâta sa robe, la vieille robe de toile offerte par la femme du garde forestier. « Qu'est-ce que c'est ? s'étonna-t-il. Tu as vendu tes vêtements ? »

Ce ne serait pas facile de le tromper. Aliena décida de lui dire une partie de la vérité. «Nous avons quitté le château en hâte et nous n'avons pas de vêtements.

— Où est Matthew? Pourquoi n'est-il pas avec vous?»

Elle redoutait tellement cette question! Elle hésita. Ce ne fut qu'une seconde de silence, mais il la remarqua. «Allons! N'essaie pas de me cacher la vérité! dit-il en retrouvant un peu de son autorité d'autrefois. Où est Matthew?

— Il a été tué par les Hamleigh, dit-elle. Mais ils ne nous ont fait aucun mal.» Elle retint son souffle. La croirait-il?

«Pauvre Matthew, murmura le comte en secouant la tête. Il n'a jamais été un combattant. J'espère qu'il est allé droit au ciel.»

Vaguement soulagée, Aliena détourna la conversation de ce terrain dangereux. «Nous avons décidé de nous rendre à Winchester pour demander au roi de prendre des mesures en notre faveur, mais il...

— Inutile, interrompit son père. Il ne ferait rien pour vous.»

Aliena fut blessée du ton sec de la réplique. Après tout ce qu'elle avait fait, elle aurait voulu l'entendre dire: *Tu as bien agi.* Il avait toujours été prompt à corriger et lent à féliciter. Docilement, elle demanda: «Que devons-nous faire maintenant, père?»

Il bougea un peu brusquement, ce qui provoqua un bruit de ferraille. Aliena comprit avec horreur qu'il était enchaîné. «J'ai caché un peu d'argent. Un heureux hasard. J'avais cinquante besants dans une ceinture sous ma chemise. Je les ai confiés à un prêtre.

— Cinquante!» s'exclama Aliena. Cette pièce d'or frappée à Byzance, d'où son nom, valait vingt-quatre pennies d'argent. Cinquante valaient... Elle n'arrivait pas à le calculer. D'ailleurs, elle n'en avait jamais vu plus d'une à la fois.

«Quel prêtre? demanda Richard, plus pratique que rêveur.

— Le père Ralph, de l'église Saint-Michaël près de la porte nord.

— On peut compter sur lui? interrogea Aliena.

— Je l'espère. Je ne sais pas. Le jour où les Hamleigh m'ont emmené à Winchester, avant qu'on ne m'enferme ici, je me suis trouvé seul avec lui à peine quelques instants. C'était ma seule chance. Je lui ai remis la ceinture en le suppliant de la garder pour vous. Cinquante besants valent cinq livres d'argent.»

Cinq livres! Cet argent transformerait leur existence. Ils ne seraient plus sans ressources; ils pourraient acheter du pain et une paire de bottes pour remplacer ces pénibles sabots, et même un couple de poneys s'ils avaient besoin de voyager. Cela ne résolvait pas tous leurs problèmes, mais au moins éloignait ce sentiment effrayant de frôler constamment le gouffre. Libérée de l'obsession du lendemain, Aliena pourrait se consacrer à quelque chose de constructif, par exemple trouver le moyen de faire sortir leur père de son horrible prison. « Quand nous aurons l'argent, dit-elle, à qui faudra-t-il s'adresser pour obtenir votre libération ?

— Je ne sortirai pas d'ici, répondit-il brutalement. N'y pense pas. Si je n'étais pas déjà mourant, on m'aurait pendu. »

Aliena resta pétrifiée. Comment pouvait-il parler ainsi ?

« Tu es choquée ? reprit-il. Le roi veut se débarrasser de moi, mais en laissant agir la maladie, il n'aura pas ma mort sur la conscience.

— Père, intervint Richard, cet endroit n'est pas bien gardé pendant l'absence du roi. Je suis persuadé qu'avec l'aide de quelques hommes je pourrais vous faire sortir. »

Aliena n'y croyait pas. Richard n'avait ni les moyens ni l'expérience d'organiser une évasion. Il était trop jeune pour se trouver des complices efficaces. Cependant le comte n'exprima pas, comme Aliena le craignait, le moindre dédain pour une proposition si naïve. Il dit simplement : « Oublie ce projet. Si tu entres ici de force, je refuserai de partir avec toi. »

Aliena savait qu'il était inutile de discuter avec son père une fois sa décision prise. Pourtant, comment accepter qu'il finisse ses jours dans cette geôle puante ? Ne pourrait-elle trouver une façon d'améliorer sa lamentable situation ? « Eh bien, dit-elle tout haut, si vous êtes condamné à rester ici, nous allons nettoyer et apporter de la paille fraîche. Chaque jour nous vous apporterons une nourriture chaude. Nous nous procurerons des chandelles et, pourquoi pas, une Bible. Vous aurez un feu...

— Arrête! coupa le comte. Tu ne feras rien du tout. Je ne veux pas que mes enfants perdent leur vie à traîner dans une prison en attendant la mort d'un vieil homme. »

Les larmes montèrent aux yeux d'Aliena. « Mais nous ne pouvons pas vous laisser dans cet état! »

Il ignora sa remarque, ce qui était sa réaction habituelle avec les gens qui se risquaient à le contredire. « Ta chère mère avait une sœur, votre tante Édith. Elle habite le village de Huntleigh, sur la route de Gloucester, avec son mari qui est chevalier. Allez là-bas. »

Aliena pensa aussitôt que cette solution leur permettrait de voir leur père de temps en temps. Tante Édith et oncle Simon... Elle ne les avait pas vus depuis la mort de leur mère. Elle gardait le vague souvenir d'une femme mince et nerveuse comme sa mère et d'un grand homme jovial qui mangeait et buvait beaucoup. « Ils voudront bien s'occuper de nous ? demanda-t-elle timidement.

— Bien sûr. Ce sont tes parents. »

La raison semblait suffisante, même pour une modeste famille de chevaliers. Bartholomew les rassura tout à fait, elle pouvait avoir confiance. « Que ferons-nous là-bas ? demanda-t-elle.

— Richard sera l'écuyer de son oncle et apprendra les arts de la chevalerie. Tu seras dame d'honneur de tante Édith jusqu'à ton mariage. »

Maintenant que son père prenait les choses en main, Aliena avait l'impression que la responsabilité de ces derniers jours avait été trop lourde pour elle, qu'elle avait porté pendant d'interminables lieues un fardeau dont elle ne mesurait le poids qu'au moment de le déposer enfin. L'autorité de son père, sa maîtrise de la situation, même alors qu'il était malade et prisonnier, la réconfortaient et adoucissaient son chagrin. Il était si fort, si sûr...

Avec autorité, il ajouta : « Avant de me quitter, je veux que vous prêtiez tous deux serment. »

Stupéfaite, Aliena se souvint qu'il leur avait toujours déconseillé de prêter serment. *Prêter serment, c'est mettre son âme en péril,* disait-il. *Ne faites jamais un serment à moins d'être capables de mourir plutôt que de vous parjurer.* Il en donnait lui-même un exemple éclatant : les barons de la conjuration n'avaient pas tenu leur parole et avaient accepté Stephen comme roi. Bartholomew avait refusé, préférant mourir que de ne pas respecter son serment.

« Donne-moi ton épée », dit-il à Richard.

Le garçon la lui tendit.

Leur père prit l'arme par la pointe.

« Agenouille-toi. »

Richard obéit.

« Pose les mains sur la garde. » Il marqua un temps, comme s'il rassemblait ses forces, puis sa voix retentit, profonde : « Jure par Dieu tout-puissant, par Jésus-Christ et tous les saints que tu n'auras pas de repos avant d'être comte de Shiring et seigneur de toutes les terres sur lesquelles je régnais. »

Aliena ne s'attendait certes pas à ces paroles. Un serment moral, un engagement de loyauté ou de respect à Dieu, oui. Mais il s'agissait là d'une tâche très précise, qui déterminait toute une vie.

Richard prit une profonde inspiration et répéta d'une voix qui tremblait un peu : « Je jure par Dieu tout-puissant, par Jésus-Christ et par tous les saints que je n'aurai pas de repos tant que je ne serai pas comte de Shiring et seigneur de toutes les terres sur lesquelles vous régniez. »

Leur père soupira comme s'il avait terminé une lourde tâche. Puis il se tourna vers Aliena et lui tendit la garde de l'épée.

« Jure par Dieu tout-puissant, par Jésus-Christ et par tous les saints que tu veilleras sur ton frère Richard jusqu'à ce qu'il ait accompli son vœu. »

Accablée, Aliena prit conscience que son destin venait d'être irrévocablement tracé, sans qu'elle ait la moindre liberté d'en discuter. Un destin de vengeance, notamment contre William Hamleigh qui perdrait son héritage s'ils accomplissaient leur serment. Des portes venaient de se fermer derrière elle et il ne lui restait qu'à avancer sur le chemin où son père venait de la placer. Elle posa sa main sur la garde de l'épée et, comme son frère, jura puis se signa. C'était fait. J'ai prêté serment, songea-t-elle, et je dois mourir plutôt que de me parjurer. Cette pensée lui apporta une sorte de rageuse satisfaction.

« Bien, dit leur père d'une voix brusquement affaiblie. Maintenant vous n'aurez plus à reparaître ici. »

Aliena ne voulait pas entendre de tels propos. « Oncle Simon peut nous conduire de temps en temps, nous vous rendrons visite, vous ne manquerez de...

— Non, répliqua-t-il d'un ton sévère. Vous avez tous les deux une tâche à accomplir. Ne gaspillez pas vos forces à vous occuper d'un prisonnier. »

Malgré l'autorité hautaine qu'exprimaient les paroles du comte, Aliena ne put s'empêcher de protester contre la sévérité de sa décision. « Laissez-nous revenir juste une fois, pour vous apporter de quoi améliorer un peu...

— Je n'ai besoin de rien.

— Je vous en prie...

— Jamais. »

Cet homme se montrait décidément aussi dur pour lui-même qu'il l'était avec autrui. Aliena céda. « Très bien, dit-elle dans un sanglot.

— Partez maintenant.

— Déjà ?

— Oui. Cette prison est un lieu de désespoir, de pourriture et de mort. Maintenant que je vous ai vus, et que je vous sais en bonne santé, que vous avez promis de rebâtir ce que nous avons perdu, je suis pleinement satisfait. La seule chose qui pourrait détruire mon bonheur serait que vous perdiez votre temps en allées et venues pour me rendre visite. Partez.

— Papa, non ! s'écria Aliena au désespoir.

— Écoute, dit le comte d'une voix adoucie. J'ai vécu une vie honorable. J'ai confessé mes péchés. Je suis prêt pour l'éternité. Priez pour mon âme. Allez. »

Aliena se pencha pour l'embrasser sur le front. Ses larmes ruisselaient sur le visage de son père. « Adieu, père chéri », murmura-t-elle.

Richard se baissa à son tour. « Adieu, père, dit-il d'une voix mal assurée.

— Que Dieu vous bénisse tous les deux et vous aide à accomplir vos vœux », dit leur père.

Richard lui laissa la chandelle. Sa sœur et lui se dirigèrent vers la porte. Sur le seuil, Aliena se retourna. Dans la lumière incertaine, le visage décharné du vieil homme était figé dans une expression de calme détermination qu'elle connaissait bien. Elle le fixa jusqu'au moment où les larmes obscurcirent sa vision. Puis elle se détourna, traversa le hall de la prison et déboucha à l'air libre.

6.

Richard ouvrait la marche. Aliena suivait, assommée de chagrin. C'était comme si leur père était déjà mort – pire même, car lui souffrait encore. Dans un brouillard, elle entendit Richard demander leur chemin. Elle marchait mécaniquement et s'arrêta quand il s'arrêta, devant une petite église en bois contre laquelle s'appuyait un taudis. D'un regard circulaire, Aliena découvrit un quartier pauvre de petites maisons croulantes et de rues crasseuses où des chiens affamés poursuivaient les rats parmi les ordures tandis que des enfants jouaient pieds nus dans la boue. « Ce doit être Saint-Michaël », dit Richard.

L'appentis qui jouxtait l'église était, supposèrent-ils, la maison du prêtre. Sa seule fenêtre était fermée par des volets, la porte, elle, grande ouverte. Ils entrèrent.

Un feu brûlait au milieu de l'unique pièce, meublée d'une table grossièrement taillée, de quelques tabourets et d'un tonneau de bière dans le coin. Des joncs couvraient le sol. Près du feu, un homme assis sur une chaise buvait à une grande coupe. D'une cinquantaine d'années, petit et mince, avec un nez rouge et des touffes de cheveux gris, il portait des vêtements ordinaires, un gilet sale sur une tunique marron, et des sabots.

« Père Ralph ? demanda Richard d'un ton hésitant.

— Et si c'était moi ? » répondit-il bizarrement.

Aliena soupira. Pourquoi les gens prenaient-ils tant de plaisir à compliquer un monde déjà si compliqué ? Découragée d'avance à l'idée d'affronter un mauvais caractère, elle laissa Richard s'expliquer : « C'est donc bien vous, n'est-ce pas ? »

La réponse vint par hasard. Une voix dehors cria : « Ralph ? Tu es là ? » Puis une femme d'un certain âge entra, donna au prêtre un quignon de pain et une grande écuelle qui sentait le ragoût de viande. Pour une fois, l'odeur de la cuisine ne fit pas saliver Aliena : elle était trop choquée pour avoir faim. La femme, sans doute une des paroissiennes de Ralph, était vêtue aussi pauvrement que lui. Le prêtre accepta la nourriture sans dire un mot et se mit à manger. La femme jeta un coup d'œil indifférent à Aliena et à Richard, puis disparut.

« Eh bien, dit Richard, père Ralph, je suis le fils de Bartholomew, l'ancien comte de Shiring. »

L'homme s'arrêta de manger. Son visage exprimait l'hostilité et un autre sentiment qu'Aliena n'arrivait pas à déchiffrer : peur ? remords ? Il reporta son attention sur son souper en marmonnant : « Que me voulez-vous ? »

Aliena tremblait d'anxiété.

« Vous savez ce que je veux, dit Richard. Mon argent. Cinquante besants.

— Je ne sais pas de quoi vous parlez ! »

Aliena le regarda, incrédule. Père avait laissé de l'argent pour eux à ce prêtre – il l'avait dit, c'était forcément la vérité.

Richard pâlit. «Expliquez-vous, demanda-t-il.

— Je le répète : je ne sais pas de quoi vous parlez. Maintenant, filez.» Il plongea sa cuiller dans le ragoût.

L'homme mentait, bien sûr; mais que faire? Richard insista : «Mon père vous a laissé cinquante besants en vous chargeant de me les remettre. Où sont-ils?

— Votre père ne m'a rien donné.

— Il l'a dit lui-même.

— Il a menti.»

Si le comte était incapable d'une chose, c'était justement de mentir. Aliena à son tour prit la parole : «C'est vous le menteur.»

Ralph haussa les épaules. «Allez vous plaindre au prévôt.

— Vous aurez de graves ennuis si nous le faisons. Dans cette ville, on coupe les mains des voleurs.»

L'ombre de la peur passa brièvement sur le visage du prêtre, mais il répondit d'un ton de défi : «Ce sera ma parole contre celle d'un traître en prison – si votre père vit assez longtemps pour témoigner.»

Aliena dut admettre qu'il avait raison. On ne pouvait compter sur aucun témoin de l'affaire, puisqu'il s'agissait d'un secret. Cet argent ne devait pas tomber aux mains du roi ni de Percy Hamleigh, ni d'aucun des rapaces qui tournaient autour des possessions d'un homme ruiné. Comme dans la forêt, songea Aliena avec amertume, les gens pouvaient les dépouiller, Richard et elle, en toute impunité, car ils étaient les enfants d'un noble déchu. Pourquoi ai-je peur de ces hommes? se demanda-t-elle avec colère. Pourquoi n'ont-ils pas peur de moi?

Richard s'écarta légèrement et dit à voix basse : «Il a raison, n'est-ce pas?

— Oui, répliqua-t-elle d'un ton mordant. Inutile de nous plaindre au prévôt.» La seule fois où des hommes avaient eu peur d'elle, c'était dans la forêt, quand elle avait poignardé le gros hors-la-loi. L'autre s'était enfui à toutes jambes. Ce prêtre ne valait pas mieux que le hors-la-loi. De plus, il était vieux et faible, sans doute peu habitué à affronter des adversaires décidés. Elle se résolut à tenter l'essai.

«Alors, demanda Richard, qu'allons-nous faire?»

Aliena céda à une furieuse impulsion. «Brûler sa maison», dit-elle. Elle s'avança jusqu'au milieu de la pièce et de son sabot donna un coup de pied dans le feu, éparpillant les bûches rougeoyantes. La paille autour du feu s'enflamma aussitôt.

Ralph poussa un cri et fit mine de se lever de son siège. Son pain tomba, son ragoût se renversa sur ses genoux ; mais, sans lui laisser le temps de se mettre debout, Aliena était sur lui. Au paroxysme de la fureur, elle agissait sans réfléchir. Elle poussa le prêtre qui s'effondra sur le sol. Sans attendre elle se laissa tomber sur lui, les genoux sur sa poitrine, lui coupant le souffle. « Espèce de païen voleur, menteur et impie, hurla-t-elle tout contre son visage, je vais te faire griller ! »

Le prêtre jeta un regard affolé de côté. Richard avait dégainé son épée et la brandissait, prêt à frapper. Le visage du prêtre devint gris et il murmura : « Vous êtes le diable...

— C'est vous qui volez l'argent à de pauvres enfants ! »

À sa portée, elle avisa une bûche qui commençait à brûler à une seule extrémité. Elle l'attrapa par le côté intact et approcha du prêtre le bout enflammé. « Je vais te brûler les yeux l'un après l'autre. D'abord le gauche...

— Non, je vous en prie, murmura-t-il. Je vous en prie, ne me faites pas de mal. »

Aliena, malgré son excitation, s'étonnait de la rapidité avec laquelle il s'effondrait. Elle se rendit compte que les joncs brûlaient de plus en plus vite autour d'elle. « Alors, dit-elle, presque calmement, où est l'argent ? »

Le prêtre bégaya : « Dans l'église.

— Où exactement ?

— Sous la pierre derrière l'autel. »

Aliena se tourna vers Richard. « Garde-le pendant que je vais vérifier, dit-elle. S'il bouge, tue-le.

— Attention, répondit son frère, pris de panique, la maison va brûler sur nous. » Aliena alla jusqu'au coin de la pièce et ôta le couvercle du tonneau, qu'elle renversa. La bière se répandit sur le sol, mouillant les roseaux et éteignant les flammes.

Aliena sortit en courant. Elle avait vraiment failli brûler les yeux du prêtre et, loin d'en avoir honte, se laissait griser par un sentiment de puissance. Plus jamais on ne la traiterait en victime !

Elle se précipita jusqu'à l'église et secoua la porte. Elle était fermée par un petit verrou. Qu'à cela ne tienne. Elle tira la dague qu'elle cachait dans sa manche, glissa la lame dans l'entre-bâillement de la porte. La serrure sauta, la porte s'ouvrit toute grande et Aliena pénétra à l'intérieur de l'édifice.

C'était une église extrêmement pauvre à peine décorée par quelques peintures rudimentaires sur les murs blanchis à la chaux, et dont l'autel constituait le seul mobilier. Dans un coin, la flamme d'une unique chandelle vacillait sous une petite effigie en bois, probablement saint Michaël.

Tranchant sur le sol en terre battue, on voyait une grande dalle de pierre derrière l'autel. La cachette manquait de discrétion mais qui aurait pris la peine de cambrioler une église visiblement aussi pauvre? Aliena mit un genou en terre et poussa la pierre, qui ne bougea pas. Elle commença à s'inquiéter. On ne pouvait pas compter sur Richard pour maintenir Ralph indéfiniment. Le prêtre pouvait s'échapper, appeler à l'aide. Aliena eut un frisson d'angoisse en se rendant compte qu'elle faisait partie, maintenant, du camp des hors-la-loi.

Cette pensée lui redonna des forces. Dans un effort qui lui tira un gémissement, elle déplaça la pierre d'un pouce ou deux. Un trou apparut, profond d'un pied environ. Aliena s'acharna si bien qu'elle parvint à dégager un passage où elle plongea le bras. Sa main rencontra une large ceinture de cuir qu'elle extirpa de la cachette. «Voilà! dit-elle tout haut. Je l'ai.» La fierté, l'orgueil même d'avoir triomphé du prêtre malhonnête et retrouvé l'argent de son père cédèrent vite la place à l'inquiétude : la ceinture semblait anormalement légère. Elle l'ouvrit et se mit à compter les pièces qu'elle entendait tomber : dix! Dix besants valaient une livre d'argent. Où était le reste? Le père Ralph l'aurait-il dépensé? La rage l'étouffait. L'argent de son père représentait son seul bien au monde et il fallait qu'un voleur de prêtre lui en prenne les quatre cinquièmes! Elle bondit hors de l'église. Dans la rue, un passant la regarda comme une bête curieuse. Sans s'en soucier, elle rejoignit la maison du prêtre.

Richard, assis sur le corps du père Ralph, tenait la lame de son épée sur la gorge de son prisonnier. Aliena franchit la porte en criant : «Où est le reste?

— Parti», murmura le prêtre.

Elle s'agenouilla et approcha du visage en sueur la lame de son couteau.

«Parti comment?

— Je l'ai dépensé», avoua-t-il d'une voix que la peur rendait rauque.

Aliena aurait voulu le tailler en morceaux, mais à quoi cela mènerait-il? Il fallait affronter la réalité.

D'une voix aiguë, elle cria : «Je te couperais bien une oreille si je pouvais la vendre pour un penny!» Le prêtre s'agita, affolé.

Inquiet, Richard prit la parole : «Il a dépensé l'argent, on n'y peut rien. Emportons ce qui reste et partons.»

Il avait raison, se dit Aliena à regret. Sa colère se dissipait pour laisser place à l'amertume. Ils ne tireraient plus rien du prêtre et, plus ils s'attardaient, plus ils couraient le risque qu'on les surprenne. Elle remit les pièces d'or dans la ceinture et la boucla autour de sa taille sous son manteau. Un doigt braqué sur le prêtre, elle cracha : «Je reviendrai un jour pour te tuer.»

Puis elle sortit.

Richard la rattrapa dans la rue étroite. «Tu as été merveilleuse! dit-il, tout excité. Tu l'as écrasé... et tu as l'argent!»

Elle acquiesça d'un air morne. Maintenant que sa colère était calmée, elle se sentait abattue et malheureuse.

«On va acheter quelque chose? demanda-t-il.

— Juste un peu de nourriture pour le voyage.

— Pas de chevaux?

— Pas avec une livre!

— Quand même, nous pourrions t'acheter des bottes.»

Elle réfléchit. Les sabots la torturaient, mais le sol était trop froid pour marcher pieds nus. Des bottes, toutefois, coûtaient cher et elle répugnait à dépenser leur argent si vite. «Non, décida-t-elle. Je vivrai encore quelques jours sans bottes. Pour l'instant, gardons l'argent.»

Quoique déçu, Richard s'inclina. «Si tu veux. Mais on va acheter des provisions?

— Du pain de son, du fromage et du vin.

— Prenons quelques tartes.

— C'est trop cher.

— Oh!» Richard demeura un moment silencieux avant d'ajouter : «Tu es vraiment d'une humeur de chien aujourd'hui, Alie.

— Je sais», fit-elle en soupirant. Elle pensa : pourquoi suis-je ainsi? Je devrais être fière. J'ai réussi à nous sortir du château, j'ai défendu mon frère, j'ai retrouvé mon père, j'ai maintenant notre argent.

Oui, mais j'ai aussi plongé un couteau dans le ventre d'un gros homme que j'ai demandé à mon frère de tuer, et j'ai approché un tison du visage d'un prêtre à qui j'ai failli arracher les yeux.

« C'est à cause de Père ? dit Richard gentiment.

— Non, pas du tout, répondit Aliena. C'est à cause de moi. »

Aliena regretta bientôt de ne pas avoir acheté des bottes.

Sur la route de Gloucester, elle porta les sabots jusqu'au moment où ils lui mirent les pieds en sang, puis elle marcha pieds nus mais bientôt elle ne put supporter le froid et elle chaussa de nouveau les sabots.

La région des collines était parsemée d'une multitude de petites fermes ; de pauvres paysans cultivaient un arpent d'avoine ou de blé, élevaient quelques bêtes décharnées. Aliena, lorsqu'elle pensa approcher de Huntleigh, s'arrêta à la lisière d'un village pour aborder un paysan en train de tondre un mouton dans une cour de ferme. Il avait bloqué la tête de la bête dans une sorte de carcan en bois et il coupait la laine avec un couteau à longue lame.

« Il est tôt pour tondre », remarqua Aliena.

Le paysan, un jeune homme aux cheveux roux, lui sourit. Il avait les manches retroussées sur des bras musclés. « Oui, mais j'ai besoin d'argent. Tant pis pour les moutons, je dois manger.

— Combien la laine rapporte-t-elle ?

— Un penny la toison. Malheureusement il faut que j'aille jusqu'à Gloucester pour les vendre, ce qui me fait perdre une journée aux champs juste quand il y a le gros travail du printemps. »

Malgré ses misères, il paraissait plutôt de bonne humeur.

« Quel est ce village ? lui demanda Aliena.

— Les étrangers l'appellent Huntleigh », dit-il. Les paysans ne désignaient jamais leur village autrement que par l'expression « le village ». Les noms étaient réservés à l'usage des étrangers. « Qui êtes-vous ? demanda-t-il avec une franche curiosité. Qu'est-ce qui vous amène ici ?

— Je suis la nièce de Simon de Huntleigh, dit Aliena.

— Vraiment ? Eh bien, vous le trouverez dans la grande maison. Remontez quelques pas cette route, puis prenez le chemin à travers champs.

— Merci. »

Le village se blottissait au milieu des champs labourés comme dans un grand nid. Une vingtaine de petites habitations s'entassaient autour du manoir, lui-même guère plus grand que la demeure d'un paysan prospère. Tante Édith et oncle Simon n'étaient apparemment pas très riches. Un groupe d'hommes discutait devant le manoir, dont l'un, en veste écarlate, semblait être le seigneur. Aliena l'observa : elle n'avait pas vu son oncle Simon depuis douze ou treize ans, mais elle devinait que c'était lui – sauf que dans son souvenir de petite fille, il lui paraissait plus grand qu'aujourd'hui, plus chevelu et plus mince. À cet instant, il désigna un des deux chevaux qui se trouvaient là : « Il est très haut du garrot, cet animal. » Aliena reconnut aussitôt la voix râpeuse et un peu essoufflée.

Elle commençait à se détendre. Désormais son frère et elle seraient nourris, vêtus, soignés et protégés : fini le pain de son et le mauvais fromage, fini les nuits dans les granges et les journées sur les routes, une main sur l'épée. On allait lui donner un lit douillet, une nouvelle robe et du rôti de bœuf au souper.

Oncle Simon croisa le regard de la jeune fille, qu'il ne reconnut pas tout de suite. « Regardez-moi ça, dit-il à ses hommes. Une belle fille et un futur soldat qui viennent nous voir. » Puis son expression changea : ces nouveaux arrivants n'étaient pas de parfaits étrangers. « Je te connais, n'est-ce pas ?

— Oui, oncle Simon, dit Aliena, vous me connaissez. »

Il sursauta. « Par tous les saints ! La voix d'un fantôme ! »

Comme Aliena s'étonnait, il expliqua, en la dévisageant de près : « Ta mère avait la même voix, du miel coulant d'une jarre. D'ailleurs, tu es aussi belle qu'elle, par le Christ. » Il tendit la main pour lui toucher le visage et elle s'écarta aussitôt. « Ah ! Tu es aussi raide que ton fichu père, je vois. Je pense que c'est qui lui t'envoie ici, n'est-ce pas ? »

Aliena se hérissa. L'expression « ton fichu père » lui déplaisait. Mais des protestations n'auraient fait qu'aggraver les choses. Elle se mordit donc la langue et répondit docilement. « Oui. Il a dit que tante Édith s'occuperait de nous.

— Eh bien, il s'est trompé. Tante Édith est morte. Qui plus est, depuis la disgrâce de ton père, la moitié de mes terres sont passées à cette grosse brute de Percy Hamleigh. Les temps sont durs ici. Alors vous pouvez retourner d'où vous venez et rentrer à Winchester. Je ne veux pas de vous. »

Bouleversée, Aliena sentit le sol se dérober. « Nous sommes votre parenté ! » dit-elle, malgré l'air dur de son oncle.

Il s'adoucit imperceptiblement, mais sa réponse n'en fut pas moins ferme. « Tu n'es pas ma parenté. Tu étais la nièce de ma première femme. Même du vivant d'Édith, elle ne voyait jamais sa sœur, à cause de cet âne pompeux que ta mère avait épousé.

— Nous travaillerons, supplia Aliena. Nous sommes tous les deux prêts...

— Ne te fatigue pas. Je ne veux pas de toi ni de ton frère. »

Aliena, scandalisée, comprit que toute discussion était aussi inutile que les prières. Un échec de plus, qui ajoutait à son amertume. Une semaine plus tôt, devant un tel accueil, elle aurait éclaté en sanglots. Aujourd'hui, la violence remplaçait le chagrin ; elle avait envie de lui cracher au visage.

« Je m'en souviendrai, dit-elle, quand Richard sera comte et que nous reprendrons le château.

— Est-ce que je vivrai assez vieux pour le voir ? » fit-il en riant.

Pour mettre fin à leur humiliation, Aliena prit le bras de Richard.

« Allons-nous-en. Nous nous débrouillerons tout seuls. » L'oncle Simon était déjà retourné à l'inspection de son cheval. Ses compagnons paraissaient un peu gênés. Aliena et Richard s'éloignèrent.

Lorsqu'ils furent hors de portée d'oreille, Richard ne retint plus ses gémissements. « Que faire ? Mais que faire ? répétait-il.

— Nous allons montrer à ces gens sans cœur que nous sommes meilleurs qu'eux », dit sa sœur d'un ton résolu. En réalité, elle ne se sentait aucun courage, seulement une immense haine pour l'oncle Simon, pour le père Ralph, pour Odo le geôlier, pour les hors-la-loi, pour le garde forestier et, par-dessus tout, pour William Hamleigh.

« Heureusement que nous avons un peu d'argent », dit Richard.

Ces malheureuses pièces ne dureraient pas éternellement. « Nous ne pouvons pas le dépenser sans réfléchir, objecta Aliena. Si nous l'utilisons pour acheter la nourriture, nous nous retrouverons vite sans ressources. Il faut en faire quelque chose.

— Moi, dit Richard, je trouve que nous devrions acheter un poney. »

Elle haussa le sourcil. Est-ce qu'il plaisantait ? « Nous n'avons pas de position, pas de titre et pas de terre, expliqua-t-elle avec impatience. Le roi refuse de nous aider. Nous ne pouvons pas nous faire engager comme ouvriers : la preuve, c'est qu'à Winchester personne n'a voulu de nous. Pourtant, il faut quand même gagner notre vie et faire de toi un chevalier.

— Je comprends... »

Sa réponse manquait tellement de conviction qu'elle ne trompa pas la jeune fille, qui insista : « Il faut trouver une occupation qui nous nourrira et nous donnera au moins une chance de gagner assez d'argent pour t'acheter un bon cheval.

— Tu suggères que je m'engage comme apprenti artisan ? »

Aliena secoua la tête. « Tu dois devenir chevalier, pas charpentier. Avons-nous déjà rencontré quelqu'un qui mène une vie indépendante sans talent spécial ?

— Oui, s'écria aussitôt Richard. Meg, à Winchester. »

Il avait raison. Meg faisait le commerce de la laine, bien qu'elle n'eût jamais appris le métier. « Meg a un étal au marché. » Ils repassaient devant le paysan roux qui leur avait indiqué leur chemin. Ses quatre moutons tondus paissaient dans le champ et il était en train de nouer des ballots de leur toison avec une corde de roseau. Il leva les yeux de son travail et leur fit un signe. Il allait bientôt apporter sa laine en ville et la livrer aux marchands. Des marchands avec pignon sur rue... ou pas ?

Une idée se formait dans l'esprit d'Aliena.

Elle se retourna brusquement.

« Où vas-tu ? » dit Richard.

Trop excitée pour lui répondre, elle s'appuya à la barrière de la cour. « Combien avez-vous dit que vous comptiez tirer de votre laine ? demanda-t-elle au berger.

— Un penny la toison, répéta-t-il.

— Mais vous perdrez votre journée en voyage d'ici à Gloucester et retour.

— C'est vrai, malheureusement.

— Si j'achetais votre laine, moi ? Ça vous éviterait le déplacement.

— Aliena ! intervint Richard. Nous n'avons pas besoin de laine !

— Tais-toi, Richard. » Avant d'expliquer son idée à son frère, elle voulait l'essayer sur le paysan.

« Ce serait bien obligeant, dit le paysan d'un air méfiant.

— Seulement, je ne pourrais pas vous offrir un penny la toison.

— Ah ! ah ! Je pensais bien qu'il y avait un hic.

— Je pourrais vous donner deux pence pour quatre toisons.

— Comment ! Elles valent un penny chacune ! protesta-t-il.

— À Gloucester. Nous sommes à Huntleigh. »

Il secoua la tête. « Je préfère perdre une journée aux champs et gagner mes quatre pence plutôt que de gagner une journée et perdre deux pence.

— Si je vous offre trois pence pour quatre toisons ?

— Je perds un penny.

— Mais vous économisez une journée de voyage. »

Le paysan roulait des yeux ahuris. « Je n'ai jamais rien entendu de pareil.

— C'est comme si j'étais charretier et que vous me donniez un penny pour livrer votre laine au marché. » Elle trouvait la lenteur du paysan exaspérante. « Le problème est de savoir si une journée de plus aux champs vaut pour vous un penny ou non ?

— Ça dépend de ce que je fais de la journée, dit-il d'un ton songeur.

— Aliena, intervint Richard, qu'allons-nous faire de quatre toisons ?

— Les vendre à Meg, évidemment, répondit-elle en haussant les épaules. Un penny chacune. Ainsi nous aurons gagné un penny.

— Il faudra faire tout le chemin jusqu'à Winchester pour un penny ?

— Idiot ! Nous achèterons de la laine à cinquante paysans et nous emporterons le tout à Winchester. Tu ne comprends pas ? Nous gagnerions cinquante pennies ! De quoi nous nourrir *et* économiser pour t'acheter un bon cheval ! »

Elle se retourna vers le paysan. Perplexe, il se grattait la tête. Aliena priait le ciel intérieurement de l'aider à convaincre cet homme d'accepter son offre. Ce serait la première étape vers l'accomplissement du vœu qu'elle avait fait à son père. Mais que les paysans étaient entêtés ! Elle mourait d'envie de le secouer par le collet. Au lieu de cela, elle plongea la main dans son manteau et fouilla dans sa bourse, où s'entassaient les pence d'argent qu'ils s'étaient procurés en échange des besants d'or. Elle montra trois pièces au paysan.

« Tenez, dit-elle. C'est à prendre ou à laisser. »

La vue de l'argent emporta la décision. « Marché conclu », dit-il en empochant l'argent.

Aliena sourit. Elle avait trouvé la solution.

Cette nuit-là, elle utilisa comme oreiller une toison roulée en boule. L'odeur du mouton lui rappela la maison de Meg.

Le lendemain matin, elle eut la preuve qu'elle n'était pas enceinte.

Les choses s'arrangeaient.

Quatre semaines après Pâques, Aliena et Richard entraient à Winchester aux côtés d'un vieux cheval tirant une charrette improvisée. Dedans, un énorme sac contenait deux cent quarante toisons, le chiffre exact que représentait un sac de laine normal.

Ce fut alors qu'ils découvrirent l'existence des taxes. Jusque-là, ils étaient toujours entrés dans la ville sans attirer l'attention, mais cette fois ils comprirent pourquoi les portes de la cité étaient étroites et constamment gardées par des agents des douanes. Chaque chargement qui entrait à Winchester devait acquitter un penny. Aliena et Richard disposaient encore de quelques pièces.

La plupart des toisons leur avaient coûté entre un demi et trois quarts de penny chacune. Plus six shillings pour le vieux cheval – ils avaient reçu la charrette en cadeau. Plus leur nourriture qui leur avait pris presque tout le reste de leur fortune. Ils étaient au bout de leurs ressources, mais, ce soir, ils auraient gagné une livre d'argent, *et* un cheval, *et* une charrette.

Le plan d'Aliena prévoyait de repartir acheter d'autres sacs de toisons aussi longtemps que durerait la tonte. À la fin de l'été, elle espérait un bénéfice suffisant pour acheter un cheval robuste et une nouvelle charrette.

Tout excitée, Aliena menait la vieille haridelle vers la maison de Meg, fière de démontrer qu'ils pouvaient se débrouiller seuls, son frère et elle, sans l'aide de personne. Le roi les avait écartés, la famille les reniait. Aliena n'éprouvait pas le moindre besoin d'un mari. Elle se sentait indépendante.

C'était Meg qui lui avait inspiré cette idée. Elle avait hâte de la revoir. Mais il leur fallut longtemps pour traverser la ville encombrée, puisque c'était jour de marché dans tout le centre. Enfin ils atteignirent la maison. Aliena entra dans le hall. Une femme se dressa devant elle, la prenant par surprise. Elle poussa un cri.

« Qu'est-ce que vous voulez ? dit la femme.

— Je suis une amie de Meg.

— Elle n'habite plus ici, lança sèchement la femme.

— Oh. » Aliena ne comprenait pas la rudesse de sa voix. « Où est-elle allée ?

— Elle est partie avec son mari qui a quitté la ville en disgrâce », expliqua la femme.

Aliena, affreusement déçue, sentit la panique s'emparer d'elle. Comment vendrait-elle sa laine ? À qui, en l'absence de Meg ?

« Quelle vilaine affaire ! reprit la femme. C'était un commerçant malhonnête et, si j'étais vous, je ne me vanterais pas de faire partie de ses amis. Allez, sortez. »

Aliena n'allait pas laisser calomnier son amie. « Peu m'importe ce que son mari a pu faire. Meg était une femme remarquable, bien supérieure aux voleurs et aux prostituées qui habitent cette ville puante », déclara-t-elle fermement avant de sortir sans laisser à la femme le temps de répliquer.

Sa victoire verbale ne lui donna qu'une consolation provisoire.

« Mauvaise nouvelle, annonça-t-elle à Richard. Meg a quitté Winchester.

— La personne qui habite là vend-elle aussi de la laine ?

— Je n'ai pas demandé. Elle était trop désagréable. »

Aliena, soudain, s'en voulait de sa susceptibilité.

« Qu'allons-nous devenir, Aliena ?

— Nous allons vendre les toisons, dit-elle. Viens au marché. »

La place du marché, entre la grand-rue et la cathédrale, bouillonnait d'une masse de gens qui se pressaient dans les étroites allées entre les éventaires, sans cesse bousculés par des charrettes comme celle d'Aliena. La jeune fille s'arrêta et grimpa sur son sac de laine pour repérer où étaient les marchands qui en vendaient. Elle n'en aperçut qu'un.

Avec une corde, l'homme avait délimité un grand espace au fond duquel se dressait une cabane, faite d'un léger cadre de bois sur lequel s'appuyaient des claies bouchées par des brindilles et des roseaux tressés. Il s'agissait de toute évidence d'une construction provisoire aménagée chaque jour de marché. Le marchand était un homme au visage boucané, amputé du bras gauche à la hauteur du coude. Au moignon était fixé un peigne de bois dont il se servait pour corder quelques brins des toisons qu'on lui proposait, tandis que de sa main droite, il en tâtait l'épaisseur, avant de proposer son prix. Pour les achats importants, valant de grosses sommes, il pesait les pièces de monnaie dans une balance.

Aliena se fraya un chemin à travers la foule jusqu'à l'éventaire. Un paysan proposait au marchand trois toisons plutôt minces attachées ensemble par une ceinture de cuir. « Pas bien fournies, remarqua l'acheteur. Trois farthings pièce. » Trois farthings, soit trois quarts de penny, c'était plutôt maigre mais le vendeur accepta l'offre. Le négociant lui tendit deux pièces et d'un geste vif et sûr coupa avec une hachette un troisième penny en quarts; il donna un des quarts au paysan tout en recomptant l'addition. «Trois fois trois farthings font deux pence et un farthing.» Le paysan ôta la courroie qui entourait les toisons et les déposa devant le marchand.

Deux jeunes gens se présentèrent ensuite, traînant jusqu'au comptoir tout un sac de laine que le marchand examina avec soin. «Il y a la quantité, mais pas vraiment la qualité, dit-il. Une livre.»

Aliena le regarda peser une livre de pennies d'argent.

Comme des moines approchaient, tirant une grande charrette où s'entassaient plusieurs sacs, Aliena décida de traiter son affaire avant eux. Elle fit signe à Richard qui déchargea les ballots de laine et les apporta devant le marchand. Celui-ci examina la marchandise. «Qualité moyenne, dit-il. Une demi-livre.

— Quoi? s'écria Aliena stupéfaite.

— Cent vingt pennies», répéta-t-il.

Aliena n'en croyait pas ses oreilles. «Mais vous venez de payer une livre pour un sac.

— Question de qualité.

— Vous avez payé une livre pour une qualité moyenne!

— Une demi-livre», répéta le marchand sans discuter davantage.

Les moines qui arrivaient encombraient peu à peu l'éventaire, mais Aliena n'avait pas l'intention de bouger. Elle jouait sa subsistance, ce qui n'était pas le cas du négociant.

«Dites-moi, insista-t-elle, elle n'a rien de mal cette laine, n'est-ce pas?

— Non.

— Alors, donnez-moi ce que vous avez payé aux deux hommes tout à l'heure.

— Non.

— Pourquoi pas? cria-t-elle.

— Parce que personne ne paie à une fille ce qu'on paierait à un homme.»

Aliena étouffait de rage. Une demi-livre, c'était moins que ce qu'elle avait payé elle-même. Accepter l'offre revenait à réduire à zéro tout son travail, renoncer à gagner sa vie et celle de son frère – bref, l'échec complet. Et pourquoi? Parce que ce voleur refusait de payer à une fille le même prix qu'à un homme!

Plusieurs moines l'observaient. Exaspérée, elle s'écria : «Cessez de me regarder! Traitez donc vos affaires avec ce païen de paysan.

— D'accord», répondit doucement l'un d'eux. Ils commencèrent à décharger leurs sacs.

«Prends les dix shillings, Aliena, conseilla Richard. Sinon, ce sac nous restera sur les bras.»

Aliena fixait d'un œil furieux le marchand qui examinait la laine des moines. «Qualité moyenne», déclara-t-il. Trouvait-il quelquefois de la laine de bonne qualité? «Une livre et douze pence le sac.» Pourquoi avait-il fallu que Meg disparaisse? songea Aliena. Si elle était restée, l'affaire était faite.

«Combien de sacs avez-vous? demanda le négociant.

— Dix», répondit vivement un jeune moine en robe de novice, mais le principal de leur groupe rectifia : «Non, onze.»

Le novice eut l'air surpris, mais il se tut.

«Ça fait onze livres et demie, plus douze pence.» Le marchand se mit à peser les pièces.

«Je ne céderai pas, dit Aliena à Richard. Nous porterons la laine ailleurs... À Shiring, peut-être, ou à Gloucester.

— Tout ce chemin! Et si nous n'arrivons pas à la vendre là-bas?» Il avait raison : ils trouveraient peut-être le même accueil ailleurs. Ils n'avaient pas de statut, pas de protection, voilà le problème. Le négociant n'oserait pas insulter les moines, et même des paysans pauvres sauraient se défendre s'il les traitait injustement. Mais quel risque courait un homme contre deux adolescents seuls au monde?

Pour chaque sac que les moines déposaient dans la cabane, le négociant comptait une livre d'argent et douze pence. Quand tout le chargement fut rentré, il restait un tas d'argent sur le comptoir.

«Ça ne fait que dix sacs», remarqua le négociant.

Le novice s'adressa au principal :

«Je vous l'avais dit, il y en a dix.

— Voici le onzième», répondit le principal en posant la main sur le sac d'Aliena, qui le considéra avec stupéfaction.

Le marchand n'était pas moins surpris. «Je lui ai offert une demi-livre, dit-il.

— Je le lui ai acheté, dit le moine. Et je vous l'ai vendu.» Il fit un signe et deux moines traînèrent dans la cabane le sac d'Aliena.

Dépité, le marchand tendit le dernier tas de pièces au princi-pal qui remit l'argent à Aliena, encore abasourdie. Ce revirement de situation, si brusque, si inattendu, la laissait sans réaction.

« Merci de votre aide, mon père, dit Richard.

— Rendez grâce à Dieu », répondit le moine.

Aliena, muette, serrait l'argent contre sa poitrine. Comment pourrait-elle remercier son sauveur ? C'était un homme petit et frêle, au regard intense. Ses mouvements étaient vifs, alertes, comme ceux d'un petit oiseau au plumage terne mais aux yeux brillants. Des yeux bleus. La frange de cheveux autour de sa tonsure laissait voir un peu de gris, mais son visage était jeune. Tout à coup Aliena se rendit compte que l'homme était vague-ment familier. Où l'avait-elle déjà vu ?

Le moine paraissait penser la même chose. Ce fut lui qui parla le premier : « Vous ne vous souvenez pas de moi, mais je vous connais, dit-il. Vous êtes les enfants de Bartholomew, l'an-cien comte de Shiring. Je sais que vous avez souffert de grandes infortunes et je suis heureux d'avoir l'occasion de vous aider. Je vous achèterai votre laine quand vous voudrez. »

Aliena aurait voulu l'embrasser. Non seulement il venait de la sauver, mais il assurait son avenir ! Elle retrouva enfin sa langue. « Je ne sais comment vous remercier, dit-elle. Dieu sait que nous avons besoin d'un protecteur.

— Eh bien, désormais vous en avez deux : Dieu et moi. »

Aliena était profondément émue. « Vous m'avez sauvé la vie et je ne sais même pas qui vous êtes...

— Mon nom est Philip, dit-il. Je suis le prieur de Kingsbridge. »

7.

Le jour où Tom le bâtisseur emmena les tailleurs de pierre à la carrière constitua un événement.

C'était quelques jours avant Pâques, quinze mois après l'in-cendie de l'ancienne cathédrale. Quinze mois pendant lesquels le prieur Philip avait amassé l'argent nécessaire.

Tom avait trouvé un forestier et un maître carrier à Salisbury, où le palais de l'évêque était presque terminé. Le forestier et ses hommes étaient maintenant au travail depuis deux semaines, choisissant et abattant de grands pins et des chênes parvenus à maturité. Les bois près de la rivière, en amont de Kingsbridge, avaient leur préférence car, le transport des matériaux sur les routes boueuses et sinueuses coûtant fort cher, on pouvait économiser beaucoup en faisant flotter les troncs le long du courant jusqu'au chantier. Le bois était sommairement élagué pour les montants des échafaudages, soigneusement taillé en gabarit pour les maçons et les sculpteurs ou – dans le cas des plus grands arbres – mis de côté pour servir plus tard de poutres. Chaque samedi soir, Tom payait les forestiers de leur travail de la semaine.

Le maître carrier, Otto le Noir, accompagné de ses deux fils, et deux ouvriers, l'un son cousin et l'autre son beau-frère, venaient de le rejoindre. Ce népotisme avait l'avantage de souder l'équipe.

Aucun artisan pour l'instant ne travaillait à Kingsbridge, sur le chantier lui-même, à l'exception de Tom et du charpentier du prieuré. Quand les matériaux seraient tous entassés, Tom engagerait les maçons. Alors commencerait la grande entreprise. Tom bondissait de joie à cette pensée : c'était ce qu'il espérait, ce à quoi il travaillait depuis dix ans.

Le premier maçon engagé, avait-il décidé, serait son propre fils Alfred. À seize ans, il avait acquis les connaissances de base : il était capable de tailler les pierres droit et de bâtir un vrai mur. Dès l'engagement conclu, Alfred toucherait plein salaire.

Quant au bébé Jonathan, il avait quinze mois et grandissait vite. Cet enfant robuste était la coqueluche de tout le monastère. Au début, Tom s'était inquiété de le voir soigné par l'innocent Johnny Huit Pence, mais celui-ci était aussi attentif qu'une mère, et plus disponible que la plupart d'entre elles pour s'occuper du bébé qu'on lui avait confié. Personne n'avait le moindre soupçon sur sa naissance. On ne saurait jamais, sans doute, que Tom était son père.

Martha, qui avait maintenant sept ans, souffrait de l'absence de Jack. C'était elle surtout qui préoccupait Tom car à son âge elle avait besoin d'une mère. Bien des femmes auraient volontiers épousé le bâtisseur et accepté la petite fille. Il n'était pas sans charme, il le savait, et sa subsistance semblait assurée maintenant que le prieur Philip avait entrepris le chantier. Déjà il avait quitté l'hôtellerie et s'était bâti lui-même une belle maison de deux pièces au village, avec une cheminée. Comme maître bâtisseur chargé de l'ensemble du projet, il recevrait normalement un salaire et des bénéfices qui feraient l'envie de bien des petits seigneurs. Mais il ne voulait personne d'autre qu'Ellen. Une veuve au village, une jolie femme rondelette, avec un visage souriant, une poitrine plantureuse, mère de deux enfants bien élevés, lui préparait des gâteaux, et l'avait embrassé tendrement à la fête de Noël. Elle était prête à l'épouser quand il le voudrait. Mais Tom savait qu'avec elle il serait malheureux, car il lui manquerait toujours l'excitation que lui apportait l'imprévisible, exaspérante, ensorcelante et passionnée Ellen.

Sa promesse de revenir un jour lui rendre visite, Tom était absolument certain qu'elle la tiendrait. D'ailleurs il s'y cramponnait avec obstination depuis un an maintenant qu'elle était partie. Dès qu'elle reviendrait, il lui ferait sa demande. Maintenant elle pourrait l'accepter : il n'était plus sans ressources, il pouvait nourrir sa famille et celle d'Ellen. Alfred et Jack devenus plus raisonnables avec l'âge sauraient s'entendre. Si Jack travaillait, Alfred ne serait pas jaloux, songea Tom. Il proposerait de prendre le garçon comme apprenti. Celui-ci avait montré de l'intérêt pour la construction, il n'était pas bête et, d'ici un an ou deux, il serait assez fort pour participer aux gros travaux. Restait l'autre problème : Jack savait lire, pas Alfred. Tom demanderait à Ellen de l'éduquer. Elle pourrait lui donner des leçons tous les dimanches. Les deux garçons se retrouveraient à égalité.

Ellen, il en était sûr, avait aimé vivre avec lui, malgré toutes leurs épreuves. Elle aimait son corps et elle aimait son esprit. Elle ne demanderait qu'à lui revenir. Parviendrait-il à aplanir les choses avec le prieur Philip, c'était une autre question. Ellen avait insulté gravement la religion du prêtre. Tom n'avait pas encore réfléchi à la manière de remédier à la situation.

En attendant, il employait toute son énergie intellectuelle à dresser le plan de la cathédrale. Otto et son équipe de tailleurs de pierre se construiraient un chalet à la carrière, où ils pourraient dormir la nuit. Une fois installés, ils bâtiraient de vraies maisons et les ouvriers mariés feraient venir leur famille.

De tous les arts de la construction, c'était le travail de carrier qui demandait le moins de talent et le plus de muscles. Le maître carrier décidait quelles zones seraient minées et dans quel ordre ; c'est lui qui disposait les échelles et les appareils de levage ; s'il fallait travailler sur une surface accidentée, il concevait un échafaudage ; il s'assurait que les outils étaient régulièrement entretenus par le forgeron. Pour extraire les pierres – travail relativement simple –, le carrier utilisait une pioche à tête de fer qui traçait dans le roc un premier sillon, qu'il creusait ensuite au ciseau et au marteau. Quand le sillon était assez grand, il y enfonçait un coin de bois. S'il avait bien calculé, la pierre se fendait exactement où il voulait.

Les ouvriers enlèveraient les pierres de la carrière en les portant sur des brancards ou en les soulevant avec une corde attachée à une grande roue. Installés dans le chalet, les tailleurs de pierre donneraient au bloc la forme réclamée par le maître bâtisseur. Le découpage et la sculpture seraient bien entendu exécutés à Kingsbridge.

La plus grosse difficulté resterait le transport. La carrière se trouvait à une journée de voyage du chantier. Un charretier prendrait à peu près quatre pence par voyage – et il ne pourrait pas transporter plus de huit ou neuf grosses pierres sans briser sa charrette ou tuer son cheval. Tom se promettait d'explorer la région à la recherche d'une voie d'eau éventuellement utilisable pour raccourcir le trajet.

Après avoir quitté Kingsbridge au lever du jour, Tom et ses compagnons avaient marché à bonne allure si bien qu'au milieu de l'après-midi ils approchaient de la carrière. À sa surprise, le bâtisseur entendit au loin le bruit du métal frappant la roche, comme si quelqu'un y travaillait. En théorie, la carrière appartenait au nouveau comte de Shiring, Percy Hamleigh, même si le prieuré de Kingsbridge avait le droit de l'exploiter. Peut-être, se dit Tom, le comte Percy entendait-il utiliser la carrière à son bénéfice en même temps que le prieuré. Le roi ne l'avait pas précisément interdit, mais ce voisinage causerait bien des inconvénients. Tom hâta le pas, impatient de découvrir ce qui se passait.

La route s'incurvait pour traverser un petit bois et se terminait au pied d'une colline, qui constituait la carrière elle-même, déjà entamée. À première vue, le travail ne serait pas trop difficile : une colline valait mieux qu'un puits, car c'est moins problématique de faire descendre des pierres d'en haut que de les extirper d'un trou.

La carrière était exploitée, aucun doute : on distinguait un chalet au pied de la colline, un robuste échafaudage montant à plus de vingt pieds et un tas de pierres attendant d'être ramassées. Tom compta au moins dix carriers. Détail inquiétant : deux hommes d'armes flânaient devant le chalet en s'amusant à jeter des pierres sur un tonneau.

«Ça ne me plaît pas», observa Otto, un homme à la peau sombre et aux manières rudes.

Tom s'inquiétait tout autant mais il ne le montra pas tout de suite. Il s'avança dans la carrière avec assurance et se dirigea d'un pas vif vers les deux hommes d'armes, qui reprirent en hâte une tenue convenable, l'air surpris et coupable. D'un coup d'œil, Tom nota qu'ils avaient chacun une épée et une dague, qu'ils portaient de lourds justaucorps de cuir, mais pas d'armure. Tom, avec son seul marteau de maçon accroché à la ceinture, n'était pas équipé pour se battre. Il marcha droit sur les deux hommes puis, à la dernière minute, fit un crochet pour les contourner et poursuivit jusqu'à la loge. Les sentinelles se regardèrent, se demandant ce qu'il fallait faire. De toute façon, c'était trop tard : Tom entrait dans la loge, un spacieux bâtiment en bois avec une cheminée. Des outils neufs étaient pendus au mur et on voyait dans le coin une grande pierre à affûter. Deux tailleurs s'affairaient avec des ciseaux. «Salut à vous, frères, dit Tom, utilisant la formule de politesse d'un artisan envers un autre. Qui est le maître ici?

— C'est moi le maître carrier, dit l'un d'eux. Je suis Harold de Shiring.

— Je suis le maître bâtisseur de la cathédrale de Kingsbridge. Mon nom est Tom.

— Salut à toi, Tom le bâtisseur. Que viens-tu faire ici?»

Tom examina Harold avant de répondre. Il était pâle, couvert de poussière, et plissait souvent ses petits yeux verts comme si la poussière le faisait pleurer. Nonchalamment appuyé à un banc, il n'était pas aussi détendu qu'il aurait voulu en avoir l'air. On le sentait nerveux, méfiant et plein d'appréhension. Il sait exactement pourquoi je suis ici, se dit Tom. «J'amène simplement mon maître carrier pour qu'il se mette au travail», répondit-il à haute voix.

Les deux hommes d'armes avaient rejoint Tom à l'intérieur. Otto et son équipe leur avaient emboîté le pas. Un ou deux des hommes de Harold entrèrent à leur tour, curieux de voir ce qui se passait.

«La carrière, dit Harold, appartient au comte. Si tu veux prendre de la pierre, il faudra le lui demander.

— Mais non, répliqua Tom. Quand le roi a donné la carrière au comte Percy, il a accordé en même temps au prieuré de Kingsbridge le droit d'y prendre de la pierre. Nous n'avons pas besoin d'autre permission.

— Nous ne pouvons pas l'exploiter tous, n'est-ce pas ?

— Peut-être que si. Je ne voudrais pas priver tes hommes de travail. Il y a une colline entière de pierre – assez pour bâtir deux cathédrales et davantage. Nous devrions pouvoir trouver un moyen d'organiser la carrière de façon à nous servir tous.

— Je ne suis pas d'accord, dit Harold. Je suis employé par le comte, j'ai priorité.

— Eh bien, moi, je suis employé de Kingsbridge, et mes hommes commencent à travailler ici demain matin, que ça te plaise ou non. »

Un des hommes d'armes intervint. « Vous ne travaillerez pas demain ni aucun autre jour. »

Jusqu'alors Tom s'était accroché à l'idée que, bien que Percy violât l'esprit de l'édit royal en exploitant la carrière lui-même, il finirait par respecter strictement la lettre de l'accord et permettre au prieuré de prendre de la pierre. Mais ces hommes d'armes avaient de toute évidence reçu la consigne de chasser les carriers du prieuré. Voilà qui changeait tout. Tom, désolé, se rendit compte qu'il n'aurait pas de pierres sans combat.

Le soldat qui avait parlé était un petit gaillard trapu d'environ vingt-cinq ans, à l'air belliqueux, stupide et entêté. Tom lui lança un regard de défi. « Qui êtes-vous ?

— Je suis bailli du comte de Shiring. Il m'a donné consigne de garder la carrière et c'est ce que je vais faire.

— Comment comptez-vous le faire ?

— Avec cette épée, dit-il en touchant le pommeau de l'arme accrochée à sa ceinture.

— Comment croyez-vous que réagira le roi quand on vous amènera devant lui pour avoir désobéi à son ordre ?

— Je prendrai mes risques.

— Voyons, vous n'êtes que deux, dit Tom d'un ton raisonnable. Nous sommes sept hommes et quatre garçons, munis de la permission du roi pour travailler ici. Si nous vous tuons, on ne nous pendra pas. »

Les deux hommes d'armes parurent reconsidérer la question mais, sans laisser à Tom le temps de pousser son avantage, Otto intervint : « Une minute, dit-il au bâtisseur. J'ai amené mes gars ici pour couper des pierres, pas pour se battre. »

Tom se crispa. Si les carriers n'étaient pas d'accord pour résister, c'était sans espoir. « Tu vas te laisser priver de travail par deux brutes ? » demanda-t-il, provocant.

Otto prit un air maussade. « Je ne vais pas me battre avec des hommes armés, répondit-il. Je gagne bien ma vie depuis dix ans et je ne suis pas en peine pour trouver du travail. D'ailleurs, je ne connais pas les droits ni les torts de chacun là-dedans... Pour moi, c'est ta parole contre la leur. »

Tom regarda le reste de son équipe. Les deux tailleurs de pierre avaient le même air buté que leur chef. À coup sûr, ils le suivraient : c'était leur père aussi bien que leur maître. Et Tom comprenait l'attitude d'Otto. D'ailleurs, s'il avait été à sa place, il aurait probablement adopté la même position.

Tom ne se déclara pas vaincu. « Il n'y aura pas de bataille, dit-il. Ils savent que le roi les pendra s'ils nous touchent. Allumons notre feu et installons-nous pour la nuit. Demain matin nous nous mettrons au travail. »

Un des fils d'Otto intervint : « Nous ne pourrons pas dormir avec ces brutes à proximité. »

Les autres l'approuvèrent.

« Nous ferons le guet », proposa Tom en désespoir de cause.

Otto secoua la tête. « Nous repartons ce soir. Maintenant. »

Tom regarda les hommes tour à tour et comprit qu'il était battu. Le matin encore, il vibrait d'un tel espoir qu'il avait du mal à croire à la réalité : ces coquins anéantissaient ses plans. Exaspéré, il ne put résister à lancer un dernier trait, « Tu t'opposes au roi, c'est dangereux, fit-il à l'intention de Harold. Dis-le au comte de Shiring. Et dis-lui que je suis Tom le bâtisseur, de Kingsbridge. Si jamais mes mains se posent autour de son gros cou, il n'en réchappera pas. »

Johnny Huit Pence confectionna pour le petit Jonathan une robe de moine en miniature avec manches larges et capuchon. Dans cette tenue, le petit bonhomme fit fondre le cœur de tous. Malheureusement, le capuchon ne cessait de tomber en avant, bouchant sa vision, et quand il se traînait à quatre pattes, la robe le gênait aux genoux.

Au milieu de l'après-midi, après la sieste (celle de Jonathan en même temps que celle des moines), le prieur Philip rencontra le bébé et Johnny Huit Pence dans la nef de l'église détruite, devenue le terrain de jeu des novices. C'était l'heure de leur récréation et Johnny les regardait courir, tandis que Jonathan examinait le réseau de pieux et de cordes avec lequel Tom le bâtisseur avait tracé le plan au sol du côté est de la future cathédrale. Le prieur avait beaucoup d'affection pour Johnny, qui compensait son manque de cervelle par un extraordinaire bon cœur ; il resta un moment auprès de lui, observant la course des novices.

Jonathan, branlant sur ses pieds, s'agrippait à un piquet que Tom avait planté là où se trouverait le porche. En suivant la corde attachée au piquet, aidé par ce support instable, il fit deux pas maladroits. « Il va bientôt marcher, dit Philip à Johnny.

— Il essaie beaucoup, mon père, mais le plus souvent il tombe sur le derrière. »

Philip s'accroupit, tendit les mains vers Jonathan. « Allons, viens ! »

Le bébé rit aux éclats, découvrant deux petites dents. Il fit un autre pas sans lâcher la corde, puis il braqua un doigt vers Philip, comme s'il s'indiquait à lui-même la direction et, dans un brusque élan d'audace, en trois pas périlleux, il traversa l'espace qui le séparait du prieur. Celui-ci le reçut dans ses bras. « Bien joué ! » s'écria-t-il. Il l'embrassa, aussi fier que s'il était lui-même l'auteur de cet exploit. Johnny n'était pas moins excité. « Il a marché ! Il a marché ! »

Certains moines avaient été scandalisés, Philip s'en souvenait, quand il avait amené à Kingsbridge Johnny et le bébé Jonathan. Huit Pence, en fait, ne posait pas de problème, dès l'instant qu'on n'oubliait pas qu'il s'agissait d'un enfant dans un corps d'homme. Quant à Jonathan, il avait surmonté toutes les oppositions par la seule force de son charme.

Le bébé n'avait pas été la seule cause d'agitation durant cette première année. Ayant cru voter pour un bon gestionnaire, les moines se sentirent dupés lorsque Philip lança un programme d'austérité destiné à réduire les dépenses quotidiennes du prieuré. Philip rappela qu'il avait clairement exposé que sa priorité irait à la nouvelle cathédrale. Les dignitaires monastiques aussi résistèrent à son projet de les priver de leur indépendance financière, même s'ils savaient pertinemment que, sans réforme, le prieuré courait à la ruine. Lorsque le prieur décida d'investir une grosse somme pour augmenter le troupeau de moutons du monastère, on atteignit presque la mutinerie. Heureusement l'évêque Waleran, qui aurait pu choisir d'encourager les rebelles, avait passé le plus clair de l'année en allées et venues entre son palais et Rome, si bien qu'au bout du compte les moines, en l'absence d'un meneur, n'avaient pas dépassé le stade des murmures.

Philip avait connu des instants de solitude, mais il restait convaincu que les résultats lui donneraient raison. Sa politique portait déjà ses fruits : le prix de la laine ayant de nouveau monté, on avait déjà commencé la tonte. Du coup, il pouvait se permettre d'engager les forestiers et les carriers. À mesure que la situation financière s'améliorait et que la construction de la cathédrale progressait, sa position de prieur se renforçait.

Il donna à Johnny Huit Pence une tape affectueuse sur la tête et se dirigea vers le chantier. Avec l'aide des serviteurs du prieuré et des plus jeunes moines, Tom et Alfred avaient commencé à creuser les fondations. Pour l'instant, elles atteignaient cinq ou six pieds de profondeur; Tom avait expliqué un jour à Philip qu'il en faudrait jusqu'à vingt-cinq à certains endroits. On augmenterait le nombre d'ouvriers et le matériel de levage en fonction des besoins.

La nouvelle église, plus grande que l'ancienne, serait quand même encore modeste pour une cathédrale. Philip aurait voulu que ce fût la plus vaste, la plus haute, la plus riche, en un mot la plus belle cathédrale du royaume, mais en même temps il se réprimandait : il devait être reconnaissant d'avoir une église, quelle qu'elle fût.

Il entra dans la cabane de Tom et regarda le travail que celui-ci avait déjà exécuté sur bois. Pendant presque tout l'hiver, avec une mesure de fer et de fins ciseaux à calibres, il avait réalisé des modèles en bois qui serviraient de guide aux maçons pour tailler les pierres. Ce grand gaillard, avec ses grandes mains, était capable de sculpter des miniatures, avec des courbes parfaites, des coins impeccablement carrés et des angles précis. Le prieur examina aussi les dessins gravés sur du plâtre encadré de bois et devina que le gabarit qu'il tenait en main devait être celui des piliers de l'arcade, de robustes colonnes de pierre agrémentées de décorations en forme de tiges élancées.

Dans cinq ans, avait annoncé Tom, l'aile est serait terminée. Cinq ans, et Philip célébrerait les offices dans une nouvelle cathédrale. Mais l'argent lui causait de perpétuelles inquiétudes. Cette année, il avait difficilement réuni les sommes nécessaires pour prendre un modeste départ, car ses réformes étaient lentes à prendre effet ; mais l'année suivante, quand il aurait vendu la nouvelle laine de printemps, il engagerait de nouveaux artisans et on commencerait à construire pour de bon.

La cloche sonnait les vêpres. Philip quitta la petite cabane et, tandis qu'il se dirigeait vers l'entrée de la crypte, il aperçut, non sans étonnement, Tom le bâtisseur et les carriers qui passaient la porte du prieuré. Tom avait pourtant annoncé qu'il s'absentait pour une semaine ; quant aux carriers, ils devaient rester là-bas définitivement. Philip se hâta à leur rencontre.

Les hommes paraissaient fatigués et abattus, comme découragés. « Qu'y a-t-il ? demanda le prieur. Pourquoi êtes-vous ici ?

— Mauvaises nouvelles », répondit Tom le bâtisseur.

Philip bouillonna de fureur durant toutes les vêpres. La conduite du comte Percy était scandaleuse. Les instructions du roi ne comportaient aucune ambiguïté, le comte les avait entendues en personne.

Du pied droit, Philip frappait nerveusement le sol dallé de la crypte. On était en train de le voler. Pourquoi Percy ne viendrait-il pas, aussi bien, se servir dans le trésor de l'église ? Ce bandit défiait ouvertement Dieu et le roi.

Philip enrageait. S'il devait payer les pierres, alors qu'il travaillait déjà avec un budget des plus réduits, autant renoncer à la cathédrale. Ou, au mieux, attendre encore plusieurs années avant de réunir les sommes suffisantes. Cette pensée était insupportable.

Tout de suite après les vêpres, il convoqua d'urgence un chapitre et annonça la nouvelle aux moines.

Le prieur avait élaboré une technique pour mener les réunions du chapitre. Remigius, le sous-prieur, en voulait encore à Philip de l'avoir vaincu lors de l'élection et il laissait souvent paraître son ressentiment quand on discutait des affaires du monastère. C'était un homme conservateur, sans imagination et pédant. Ses opinions sur la gestion du prieuré étaient toujours en contradiction avec celles de Philip. Les frères qui avaient soutenu Remigius lors de l'élection avaient tendance à l'appuyer au chapitre : Andrew, le sacristain apoplectique ; Pierre, le prévôt, responsable de la discipline, dont l'étroitesse d'esprit convenait au poste qu'il occupait ; et John Small, le paresseux trésorier. Les partisans de Philip l'avaient toujours soutenu : Cuthbert le Chenu, le vieux cellérier ; le jeune Milius, à qui Philip avait confié le poste nouvellement créé de trésorier, responsable des finances du prieuré. Philip laissait toujours Milius s'empoigner avec Remigius. En général il avait discuté tous les points importants avec le trésorier avant la réunion ; quand ce n'était pas le cas, il pouvait compter sur Milius pour présenter une argumentation proche de celle qu'il aurait développée lui-même. Ce système de délégation permettait au prieur de se poser en arbitre impartial et, bien que Remigius l'emportât rarement, Philip acceptait parfois certains de ses arguments ou adoptait une partie de ses propositions pour maintenir l'impression d'égalité.

Les moines, qui s'étaient profondément réjouis quand Stephen avait donné au prieuré libre accès au bois et à la pierre, étaient aujourd'hui furieux et scandalisés que Percy osât défier les ordres du roi.

Quand le brouhaha s'apaisa, Remigius prit la parole : « Je me souviens d'avoir dit la même chose il y a un an, commença-t-il. Le pacte en vertu duquel la carrière, tout en restant propriété du comte, nous est accordée en exploitation m'a toujours paru peu satisfaisant. Nous devions insister pour obtenir la propriété totale. » Cette remarque, qui contenait une certaine tristesse, n'était pas faite pour calmer Philip. La totale propriété, il en était convenu avec lady Regan. C'est elle qui, à la dernière minute, l'en avait dépossédé. Il faillit souligner qu'il avait obtenu le meilleur accord possible et qu'il aimerait bien voir Remigius faire mieux dans le tortueux labyrinthe de la cour royale ; mais il se mordit la langue car après tout, c'était lui le prieur, et il devait en assumer la responsabilité.

Milius vint à son secours. « On peut regretter que le roi ne nous ait pas donné pleine propriété de la carrière, mais le fait est là. La question qui se pose est donc : que faisons-nous dans ces conditions ?

— Il me semble que c'est assez évident, répliqua aussitôt Remigius. Nous ne pouvons pas chasser nous-mêmes les hommes du comte, il nous va donc falloir demander l'intervention du roi. Nous devons lui envoyer une députation pour le prier de faire appliquer sa charte. »

Il y eut un murmure approbateur. Andrew, le sacristain, ajouta : « Envoyons nos orateurs les plus sages et les plus éloquents. »

Philip comprit que Remigius et Andrew se voyaient déjà à la tête de la délégation.

« Quand le roi apprendra ce qui s'est passé, reprit Remigius, je ne pense pas que Percy Hamleigh reste encore bien longtemps comte de Shiring. »

Philip n'en était pas si sûr.

« Où est le roi ? demanda Andrew. Quelqu'un le sait-il ? »

Philip, qui s'était récemment rendu à Winchester, avait appris là-bas les déplacements du souverain. « Il est parti pour la Normandie, dit-il.

— Il faudra longtemps, remarqua Milius, pour le rattraper.

— La poursuite de la justice exige la patience, déclara pompeusement Remigius.

— Mais chaque jour que nous passons à poursuivre la justice, nous ne bâtissons pas notre nouvelle cathédrale », répliqua Milius. Son intonation montrait qu'il désapprouvait la facilité avec laquelle Remigius acceptait un retard dans le programme de construction. Philip était du même avis. Milius poursuivit : « Et ce n'est pas notre seul problème. Une fois que nous aurons trouvé le roi, il faudra obtenir une audience. Cela peut prendre des semaines. Après, il donnera peut-être à Percy l'occasion de se défendre... Nouveau délai...

— Comment Percy pourrait-il se défendre ? protesta Remigius.

— Je ne sais pas encore, répondit Milius, mais je m'attends à ce qu'il trouve quelque chose.

— Mais, au bout du compte, le roi devra tout de même s'en tenir à sa parole ! »

Une voix nouvelle s'éleva : « N'en soyez pas si sûr. » Tout le monde se tourna vers frère Timothy, le plus vieux moine du prieuré. Petit homme modeste, il parlait rarement, mais toujours à bon escient. Philip pensait parfois que c'était Timothy qui aurait dû être prieur. Lui, qui paraissait d'ordinaire plutôt somnolent, cette fois promenait sur les membres du chapitre un regard brillant de conviction. « Un roi est une créature de l'instant, dit-il. Il vit constamment sous la menace, menace des rebelles au sein de son propre royaume, menace des monarques voisins. Il lui faut des alliés. Le comte Percy est un homme puissant qui commande de nombreux chevaliers. Si le roi a besoin de Percy au moment où nous présenterons notre pétition, on nous éconduira, sans tenir aucun compte de la justice de notre cause. Le roi n'est pas parfait. Le seul vrai juge, c'est Dieu. » Il se renversa en arrière, s'adossa au mur et ferma les yeux comme s'il ne s'intéressait plus le moins du monde à l'accueil que recevrait son discours. Philip dissimula un sourire : Timothy avait exactement formulé ses propres craintes.

Remigius rageait de renoncer à un long et passionnant voyage en France, agrémenté d'un séjour à la cour ; d'un autre côté, il ne pouvait pas contredire la logique de Timothy. « Eh bien, dit-il platement, quelle solution avons-nous ? »

Philip réfléchissait en silence. Le prévôt du comté ne pourrait pas intervenir dans cette affaire : Percy était trop puissant pour dépendre de son autorité. On ne pouvait pas davantage compter sur l'évêque. Quoique embarrassé, Philip n'était pas disposé à s'avouer vaincu. Il reprendrait cette carrière, quitte à le faire lui-même...

Tiens, c'était une idée.

« Une minute », dit-il tout haut.

Cela impliquerait l'assistance de tous les frères valides du monastère... Il faudrait organiser l'affaire avec soin, comme une opération militaire sans armes... On prendrait des vivres pour deux jours...

« Je ne garantis pas le résultat, continua-t-il, mais ça vaut la peine d'essayer. Écoutez. »

Il leur exposa son plan.

Ils partirent presque aussitôt : trente moines, dix novices, Otto le Noir et son équipe de carriers, Tom le bâtisseur et Alfred, deux chevaux, une charrette. Quand la nuit tomba, ils allumèrent des lanternes pour éclairer la route. À minuit, ils s'arrêtèrent pour se reposer et pour dévorer le pique-nique préparé en hâte aux cuisines : poulet, pain blanc et vin rouge. Philip avait toujours estimé qu'une bonne nourriture devait récompenser le dur travail. Tout en marchant, ils chantaient l'office qu'ils auraient dû célébrer au prieuré.

Au plus fort de la nuit, Tom le bâtisseur, qui menait le cortège, leva une main pour l'arrêter et annonça à Philip : « Moins d'une demi-lieue jusqu'à la carrière.

— Bon. » Le prieur se tourna vers les moines. « Ôtez vos sabots et vos sandales, passez les bottes de feutre. » Lui-même enfila des bottes souples, comme en portaient les paysans l'hiver.

Il choisit deux novices. « Edward et Philémon, restez ici avec les chevaux et la charrette. Ne faites aucun bruit et attendez le plein jour pour nous rejoindre. Est-ce clair ?

— Oui, mon père, dirent-ils d'une même voix.

— Très bien. Quant aux autres, suivez Tom le bâtisseur dans le silence le plus total, je vous en prie. »

Le cortège se mit en marche.

Il soufflait un léger vent d'ouest et le bruissement du feuillage suffisait à couvrir le bruit de cinquante respirations et de cent bottes de feutre raclant le sol. Philip se sentait tendu. Au moment de le mettre en pratique, son plan lui paraissait risqué. Il récita une prière silencieuse.

La route tournait vers la gauche, puis la lueur dansante des lanternes éclaira vaguement un chalet de bois, un entassement de blocs de pierre, des échelles, des échafaudages et, au fond, le flanc sombre d'une colline cisaillée par les marques blanches dues aux carriers. Philip se demanda soudain si les hommes endormis dans le chalet avaient des chiens. Si oui, Philip perdrait l'avantage de la surprise et le plan serait compromis. Mais il était trop tard maintenant pour reculer.

Le groupe passa devant la loge. Philip retint son souffle, s'attendant à tout moment à une cacophonie d'aboiements. Mais il n'y avait pas de chiens.

Il fit arrêter ses gens au pied des échafaudages. Personne, nota le prieur avec fierté, n'avait rompu le silence.

Tom le bâtisseur et Otto le Noir commencèrent sans bruit à disposer autour du site les carriers divisés en deux groupes. L'un se rassembla près de la paroi rocheuse au niveau du sol. Les autres gravirent l'échafaudage. Quand ils furent tous en position, Philip, par gestes, ordonna aux moines de se poster, debout ou assis, auprès des ouvriers. Lui-même se mit à l'écart, à mi-chemin entre le chalet et la paroi rocheuse.

Ils avaient calculé juste : l'aube se leva presque tout de suite. Philip tira une chandelle de sous son manteau, l'alluma à une lanterne puis, se tournant vers les moines, la leva en l'air. C'était le signal convenu. Chacun des quarante moines et novices alluma à son tour une chandelle. L'effet était spectaculaire. Le jour se leva sur une carrière habitée de silhouettes fantomatiques et muettes, élevant chacune une petite lumière vacillante.

Philip se tourna vers le chalet. Rien ne bougeait encore. Il s'installa pour attendre. Les moines excellaient à cet exercice. Rester immobile pendant des heures faisait partie de leur vie quotidienne. Mais les ouvriers et artisans, qui n'avaient pas le même entraînement, ne tardèrent pas à s'impatienter.

Ce furent leurs murmures ou les lueurs du jour qui éveillèrent les occupants de la loge. Philip entendit quelqu'un tousser et cracher, puis le grattement d'une barre qu'on soulevait derrière une porte. Il leva la main pour réclamer le silence total.

La porte du chalet s'ouvrit toute grande. Philip gardait la main en l'air. Un homme sortit en se frottant les yeux. Philip devina, d'après la description de Tom, que ce devait être Harold de Shiring. Tout d'abord, le maître carrier ne remarqua rien d'extraordinaire. Puis Philip abaissa la main. Quelque part derrière lui, le chantre lança une note et tous les moines aussitôt se mirent à chanter. Une étrange harmonie envahit la carrière.

L'effet fut immédiat. Harold écarquilla les yeux et resta bouche bée. Devant lui, un chœur spectral était apparu comme par magie, là, dans sa carrière. Un cri lui échappa. Il recula en trébuchant sur le seuil.

Philip se permit un sourire satisfait. Bon début. Toutefois, la crainte du surnaturel n'allait pas durer très longtemps. De nouveau, il fit un signe de la main. Les carriers aussitôt se mirent au travail et le choc du fer sur la roche vint ponctuer la musique du chœur.

Deux ou trois visages apparurent craintivement dans l'encadrement de la porte. Les hommes comprirent vite qu'ils avaient devant eux des moines ordinaires et des ouvriers, de vrais humains, pas des visions ou des esprits. Ils sortirent donc du chalet pour mieux voir. Deux hommes d'armes apparurent, bouclant leur ceinturon. C'était le moment crucial. Qu'allaient-ils faire? La vue de ces deux grands gaillards sales et barbus réveilla chez Philip le souvenir vivace des deux soldats qui avaient fait irruption dans sa maison, alors qu'il avait six ans, pour tuer sa mère et son père. Il éprouva soudain un chagrin inattendu pour les parents qu'il avait à peine connus. En regardant les hommes du comte Percy, il fut envahi de rage, de dégoût et de la farouche détermination de vaincre ces ruffians sans Dieu.

Pendant un moment, ils ne bougèrent pas. Peu à peu, tous les carriers du comte sortirent de la loge. Philip les compta : ils étaient douze, plus les deux hommes d'armes.

Le soleil pointa au-dessus de l'horizon.

Les carriers de Kingsbridge découpaient déjà des blocs de pierre. Si les hommes d'armes voulaient les arrêter, il leur faudrait porter la main sur les moines qui entouraient et protégeaient les ouvriers. Philip avait calculé que les sentinelles hésiteraient à troubler des moines en prière.

Pour l'instant, il ne s'était pas trompé : les hommes hésitaient. Les deux novices qu'on avait laissés derrière arrivèrent alors, conduisant les chevaux et la charrette. Ils regardèrent autour d'eux avec crainte. Philip leur indiqua du geste où ils devaient s'arrêter. Puis il se retourna, son regard croisa celui de Tom le bâtisseur, et il fit un signe de tête.

Plusieurs pierres coupées attendaient. Tom donna les instructions à quelques jeunes pour qu'ils les ramassent et les entassent dans la charrette. Les hommes du comte suivaient ce nouvel épisode avec intérêt. Les pierres, trop lourdes pour être soulevées par un seul homme, devaient être descendues de l'échafaudage par des cordes, puis, arrivées en bas, portées sur des brancards. Quand la première pierre atterrit dans la charrette, les hommes d'armes se rassemblèrent autour de Harold. Un autre bloc suivit bientôt. Les gardes s'approchèrent de la charrette. Un des novices, Philémon, y grimpa pour s'asseoir sur le chargement, d'un air de défi. Brave garçon ! songea Philip. Mais il tremblait presque d'appréhension.

Comme les gardes atteignaient la charrette, les quatre moines qui avaient porté les pierres se plantèrent devant, formant barrage. Philip retint son souffle. Les hommes d'armes s'arrêtèrent devant les moines. En même temps, ils posèrent la main sur le pommeau de leur épée. Les chants cessèrent.

Ils n'oseront pas, se dit Philip, manier l'épée contre des moines sans défense. Pourtant, quoi de plus facile pour eux, de grands et solides gaillards habitués aux massacres du champ de bataille, que de plonger leur lame dans ces corps dont ils n'avaient rien à craindre ? Mais ils craignaient peut-être le châtiment éternel. Redoutaient-ils le feu divin ? Sans doute. Mais aussi leur employeur, le comte Percy. Philip les vit hésiter. Les deux hommes se regardèrent. L'un secoua la tête. L'autre haussa les épaules. Ils s'éloignèrent de la carrière.

Le chantre attaqua une nouvelle note et les moines entonnèrent une hymne triomphante. Un cri de victoire monta des rangs des carriers de Kingsbridge. Philip poussa un soupir de soulagement. Un moment, il avait redouté le pire, maintenant il rayonnait de plaisir. La carrière était à lui. Il souffla sa chandelle et se dirigea vers la charrette. Il étreignit chacun des quatre moines qui avaient affronté les hommes d'armes et les deux novices encore émus. «Je suis fier de vous, dit-il avec chaleur. Et je suis persuadé que Dieu l'est aussi.»

Moines et carriers échangeaient poignées de main et congratulations. Otto le Noir vint vers Philip : «Bien joué, père Philip. Permettez-moi de vous dire que vous êtes un homme brave.

— Dieu nous a protégés», répondit le prieur. Son regard tomba sur les carriers du comte, qui formaient un petit groupe désolé devant la porte de leur chalet. Il ne voulait pas s'en faire des ennemis car le risque existait toujours que Percy les utilise pour provoquer d'autres troubles. Philip décida de leur parler.

Il prit Otto par le bras et l'entraîna vers le chalet. «La volonté de Dieu a été faite aujourd'hui, dit-il à Harold. J'espère qu'il n'y a pas chez vous de rancœur.

— Nous sommes sans travail, dit Harold. Ça entraîne la rancœur.»

Philip entrevit soudain comment se gagner les hommes de Harold. «Si vous voulez, dit-il brusquement, vous pouvez retrouver du travail aujourd'hui même. Travaillez pour moi. J'engage toute votre équipe. Vous n'aurez même pas à quitter votre chalet.»

Harold ne cacha pas son étonnement devant la tournure des événements. Puis il retrouva son sang-froid : «À quel salaire?

— Le tarif habituel, répondit Philip. Deux pence par jour pour les artisans, un penny pour les ouvriers, quatre pence pour vous et c'est vous qui payez vos apprentis.»

Harold se retourna vers ses collègues. Philip entraîna Otto à l'écart pour les laisser discuter entre eux. Philip n'avait pas vraiment les moyens d'engager douze hommes de plus. S'ils acceptaient son offre, il devrait remettre à plus tard le jour où il pourrait embaucher les maçons. Autrement dit, les pierres arriveraient plus vite qu'il ne pourrait les utiliser. Elles s'accumuleraient, ce qui n'était pas bon pour ses finances. Toutefois, mettre les carriers de Percy à la solde du prieuré constituait une défense habile. Si Percy voulait de nouveau exploiter lui-même la carrière, il devrait engager une nouvelle équipe, ce qui n'irait pas sans mal dès l'instant qu'on connaîtrait les événements du jour. Autre remarque : si dans l'avenir Percy tentait un autre stratagème pour fermer la carrière, Philip disposerait d'une réserve de pierres.

Harold discutait vivement avec ses hommes. Enfin, il les laissa et revint vers Philip. «Qui commandera, si nous travaillons pour vous? Moi, ou votre maître carrier?

432

— C'est Otto qui commande», dit Philip sans hésitation. Harold assurément ne pouvait pas le faire, au cas où sa parole reviendrait à Percy. Quant à maintenir deux maîtres, c'était la dispute assurée. «Vous pouvez toujours diriger votre propre équipe, dit Philip à Harold. Mais Otto sera au-dessus de vous. »

Harold, déçu, retourna vers ses hommes. La discussion se poursuivit. Tom le bâtisseur vint rejoindre Philip et Otto. «Votre plan a marché, mon père, dit-il avec un large sourire. Nous avons repris possession de la carrière sans verser une goutte de sang. Vous êtes étonnant. »

Philip aurait volontiers acquiescé, mais il se rendit compte qu'il était menacé du péché d'orgueil. «C'est Dieu qui a fait le miracle, corrigea-t-il.

— Le père Philip, dit Otto, a proposé d'engager Harold et ses hommes pour travailler avec moi.

— Vraiment! » Tom fronça les sourcils. Seul le maître bâtisseur recrutait sa main-d'œuvre, pas le prieur.

«Je n'aurais pas cru qu'il en avait les moyens.

— Je ne les ai pas, reconnut Philip. Mais je ne veux pas voir ces hommes traîner sans rien faire, en attendant que Percy trouve un autre moyen de reprendre la carrière.»

Tom parut songeur, puis il hocha la tête. «Et ça ne nous fera pas de mal d'avoir une réserve de pierres au cas où Percy réussirait. »

Philip se réjouit que Tom comprenne ce qu'il avait fait. Harold de son côté semblait arriver à un accord avec ses hommes. Il revint vers Philip : «Voudrez-vous me payer les gages et me laisser distribuer l'argent comme je le juge bon? »

Philip hésitait. Le maître carrier risquait de prendre plus que sa part. Il se déroba : «C'est au maître bâtisseur de décider.

— La pratique est assez courante, dit Tom. Si c'est le vœu de votre équipe, j'accepte.

— Dans ce cas, nous sommes d'accord», dit Harold.

Harold et Tom échangèrent une poignée de main. «Ainsi, dit, Philip, chacun a ce qu'il veut. Bravo !

— Il y a quelqu'un qui n'a pas ce qu'il veut, dit Harold.

— Qui donc?

— Regan, la femme du comte Percy. Quand elle va apprendre la nouvelle, le sang va couler. »

8.

Il n'y avait pas chasse ce jour-là, aussi les jeunes d'Earlscastle jouaient-ils à l'un des jeux favoris de William Hamleigh : la pierre au chat. Le château abritait toujours un grand nombre de chats ; un de plus ou de moins ne changeait rien.

On fermait les portes et les volets de la salle du donjon, puis on repoussait les meubles contre le mur pour que le chat ne profite d'aucune cachette ; ensuite, on disposait une pile de pierres au milieu de la pièce. Le chat, un vieux matou grisonnant, sentait dans l'air la soif du sang et restait assis près de la porte, guettant l'occasion de filer.

Chaque joueur devait mettre un penny dans le pot pour chaque pierre qu'il lançait et c'était celui qui lançait la pierre fatale qui emportait le pot.

Tandis qu'ils tiraient au sort dans quel ordre ils allaient jouer, le chat commença à s'agiter et à courir dans la pièce.

Walter prit le premier tour. C'était un avantage car, le chat, même méfiant, ne connaissait pas la nature du jeu et risquait d'être pris par surprise. Le dos tourné à l'animal, Walter choisit sur le tas une pierre qu'il dissimula dans sa main ; puis il se retourna lentement et soudain la lança. Raté. La pierre heurta la porte avec un bruit sourd, le chat sursauta et détala. Les joueurs ricanèrent.

C'était moins facile de lancer en second, car le chat était encore frais et léger sur ses pattes ; plus tard il serait fatigué, peut-être blessé. Un jeune écuyer, pierre en main, regarda la bête courir autour de la pièce en cherchant une issue et attendit qu'elle ralentisse ; puis il lança la pierre. Il avait bien visé, mais le chat put esquiver. Les jeunes gens grognèrent.

Le chat s'affolait. Le joueur suivant, un chevalier plus âgé, fit d'abord semblant de lancer pour voir dans quelle direction le chat s'enfuyait puis, visant un peu en avant de l'animal, il projeta sa pierre. Les autres applaudirent à cette manœuvre, mais l'animal s'arrêta pile avant qu'elle retombe.

Désespérée, la bête essaya de se glisser derrière un coffre de chêne dans un coin. Le quatrième joueur saisit l'occasion : il lança sans attendre son projectile sur le chat immobile et le frappa à la croupe. Des acclamations s'élevèrent. Le chat,

434

renonçant à se cacher, se remit à courir dans la salle. Il boitait et se déplaçait moins vite.

C'était maintenant à William. Pour fatiguer encore la bête, il commença à crier, l'obligeant à courir plus vite ; puis il feignit de lancer, ce qui eut le même effet. Qu'un autre joueur lanterne ainsi, on l'aurait hué. Mais William était le fils du comte, aussi attendit-on patiemment. Le chat ralentit, souffrant visiblement. William prit son élan mais le chat se plaqua soudain contre le mur, près de la porte. Au moment où William lançait, la porte s'ouvrit toute grande et un prêtre en noir apparut. William ne put retenir son geste, mais le chat jaillit de la pièce comme une flèche d'un arc et disparut. Le prêtre poussa un cri d'effroi en rassemblant les plis de sa robe. Les jeunes gens éclatèrent de rire.

William reconnut le prêtre : c'était l'évêque Waleran.

Ce rival de la famille tremblait devant un chat ! William redoubla de rire.

L'évêque retrouva immédiatement son sang-froid. Rouge de colère, il braqua sur William un doigt accusateur : « Vous souffrirez un éternel tourment dans les profondeurs de l'enfer », grinça-t-il.

Le rire de William s'étrangla dans sa gorge. Sa mère lui avait donné tellement de cauchemars, quand il était petit, en lui racontant ce que les démons faisaient aux damnés que depuis il avait horreur de seulement en entendre parler. « Taisez-vous ! » cria-t-il à l'évêque. Le silence tomba dans la pièce. William dégaina son couteau et s'avança vers Waleran. « Ne venez pas prêcher ici, serpent ! » Waleran n'avait pas l'air du tout effrayé, simplement intrigué, comme si cela l'intéressait d'avoir découvert la faiblesse de William ; la colère du jeune homme augmenta : « Je vais vous faire taire, moi... »

Il ne se contrôlait plus. Heureusement une voix dans l'escalier derrière lui l'arrêta. « William ! Assez ! »

C'était son père.

William laissa retomber son bras et rengaina son poignard. Waleran avança dans la salle. Un autre prêtre le suivait et ferma la porte derrière lui : le doyen Baldwin.

« Je suis surpris de vous voir, évêque, dit Percy.

— Parce que la dernière fois que nous nous sommes rencontrés, vous avez aidé le prieur de Kingsbridge à me duper ? Je pense que vous devez être en général un homme qui pardonne. » Son regard glacé vint un moment se poser sur William, puis revint à son père. «Mais je n'ai pas de rancune quand c'est contre mes intérêts. Il faut que nous parlions. »

Percy acquiesça. «Venez. Toi aussi, William. »

L'évêque Waleran et le doyen Baldwin gravirent l'escalier qui menait aux appartements du comte, suivis de William. Celui-ci, quoique déçu que le chat se fût échappé, comprit qu'il avait eu de la chance aussi : s'il avait touché l'évêque, il aurait pu être pendu. N'empêche : il y avait quelque chose dans les façons délicates et précieuses de Waleran que William abhorrait.

Ils entrèrent tous dans la chambre de Percy, l'endroit même où William avait violé Aliena. Cette scène revivait en lui chaque fois qu'il s'y retrouvait : le corps blanc et généreux de la jeune fille, la crainte sur son visage, ses hurlements, l'expression horrifiée de son petit frère lorsqu'il l'avait obligé à regarder et puis – coup de maître – la permission qu'il avait ensuite accordée à Walter de profiter d'elle. Il regrettait de ne pas l'avoir gardée prisonnière ici pour la posséder chaque fois qu'il en aurait envie.

Depuis lors, il n'avait jamais cessé de penser à elle. Il avait même essayé de la retrouver. Un garde forestier, pris en train d'essayer de vendre le destrier de William à Shiring, avait avoué sous la torture l'avoir volé à une fille répondant à la description d'Aliena. Du geôlier de Winchester William avait appris qu'elle avait rendu visite à son père avant sa mort. Enfin son amie, maîtresse Kate, la propriétaire d'un bordel qu'il fréquentait, lui avait dit qu'elle avait proposé à Aliena une place dans sa maison. Là, il avait perdu sa piste. «Ne te laisse pas obséder, mon petit Willie, avait dit Kate gentiment. Tu veux de beaux seins et des cheveux longs? Nous avons de quoi. Prends Betty et Millie ensemble ce soir, quatre seins bien ronds rien que pour toi, pourquoi pas? »

Mais ni Betty ni Millie n'avaient l'innocence, la peau blanche et l'expression de frayeur qui l'excitaient. En fait, il n'avait plus connu de vraie satisfaction avec une femme depuis cette fois avec Aliena, ici, dans la chambre de son père.

Il chassa cette pensée de sa tête. L'évêque Waleran parlait à sa mère. «Vous savez, je suppose, que le prieur de Kingsbridge a pris possession de votre carrière? »

Ils l'ignoraient. William était stupéfait et sa mère folle de rage. «Quoi? s'écria-t-elle. Comment cela? »

— Apparemment vos hommes d'armes ont réussi à écarter les carriers, mais le lendemain au réveil ils ont trouvé la carrière envahie de moines contre lesquels ils n'ont pas osé porter la main. Le prieur Philip a même engagé vos carriers qui travaillent maintenant en parfaite harmonie avec les siens. Je suis surpris que les hommes d'armes ne soient pas venus vous faire leur rapport.

— Où sont-ils, ces couards? cria Regan, rouge de colère. Je vais m'occuper d'eux... Ils se couperont eux-mêmes les parties...

— Je comprends qu'ils ne se soient pas présentés..., dit Waleran.

— Peu importent les hommes d'armes, intervint Percy. Ce ne sont que des soldats. Le seul responsable, c'est ce prieur. Je n'aurais jamais pensé qu'il puisse nous jouer un pareil tour. Il s'est montré plus malin que nous, voilà tout.

— Exactement, dit Waleran. Avec ses airs d'innocence, il est astucieux comme un rat.»

William trouvait que Waleran aussi ressemblait pas mal à un rat, un rat noir au nez pointu, aussi rusé que le prieur Philip.

«Nous ne pouvons pas le laisser faire, reprit Regan. Les Hamleigh n'acceptent pas la défaite. Il faut humilier ce prieur.»

Percy hésitait. «Ce n'est qu'une carrière, dit-il. Le roi, en effet...

— Ce n'est pas qu'une carrière, c'est l'honneur de la famille, objecta Regan. Peu importe ce qu'a dit le roi.»

William était d'accord avec sa mère. Philip de Kingsbridge avait défié les Hamleigh : il fallait l'écraser. Si les gens n'ont pas peur de vous, on ne vaut rien. Et il ne voyait pas pourquoi c'était si difficile. «Envoyons quelques hommes chasser les carriers du prieur!» suggéra-t-il.

Percy secoua la tête. «C'est une chose de faire obstacle aux désirs du roi, comme nous l'avons fait en exploitant la carrière nous-mêmes; c'en est une autre d'attaquer des ouvriers autorisés par sa permission expresse. Je pourrais y perdre le comté.»

William dut se rendre à ce point de vue. Père était parfois trop prudent, mais en général il avait raison.

«J'ai une suggestion à faire», dit l'évêque Waleran. William ne doutait pas que ce vieux renard eût un tour dans sa large manche brodée. «Je pense que la cathédrale ne devrait pas être bâtie à Kingsbridge.»

William, déconcerté par cette remarque, ne voyait pas le rapport, pas plus que son père. Mais les yeux de sa mère s'agrandirent et elle dit d'un ton songeur : «C'est une idée intéressante.

— La plupart des cathédrales, poursuivit Waleran, étaient construites autrefois, du temps du premier roi Guillaume, dans des villages comme Kingsbridge. Mais depuis soixante ou soixante-dix ans, on les construit beaucoup plus dans des grandes villes. Kingsbridge est un petit village perdu. Il n'y a rien là qu'un monastère délabré, pas assez riche pour entretenir une cathédrale, encore moins pour en bâtir une.

— Où souhaiteriez-vous, vous, la bâtir? demanda Regan.

— À Shiring. C'est un gros bourg de mille habitants ou davantage qui possède un marché, une foire annuelle de la laine. De plus, il est situé sur la grand-route. Si nous faisons tous deux campagne dans ce sens – l'évêque et le comte réunis – nous pourrions aboutir.

— Mais si la cathédrale était à Shiring, dit Père, les moines de Kingsbridge ne pourraient pas s'en occuper.

— Justement, coupa Regan avec impatience. Sans la cathédrale, Kingsbridge n'est rien. Le prieuré retomberait dans l'obscurité, et Philip du même coup. C'est tout ce qu'il mérite.

— Qui s'occuperait de la nouvelle cathédrale? insista Percy.

— Un nouveau chapitre de chanoines, dit Waleran. Désigné par moi. »

William sortait de sa surprise et commençait à comprendre la pensée de Waleran : en installant la cathédrale à Shiring, Waleran en prendrait en même temps le contrôle.

« Et l'argent? demanda Percy. Qui paierait pour la nouvelle cathédrale, sinon le prieuré de Kingsbridge?

— Je crois que nous ne tarderons pas à constater que l'essentiel des biens du prieuré est consacré à la cathédrale, dit l'évêque. Si la cathédrale se bâtit ailleurs, les biens suivront. Ainsi, quand le roi Stephen a divisé le vieux comté de Shiring, il a donné les fermes des collines au prieuré de Kingsbridge, ainsi que nous le savons; c'était pour aider à financer la nouvelle cathédrale. Si quelqu'un d'autre la construit il transférera ces terres au nouveau bâtisseur. Les moines protesteront, bien sûr, mais l'examen de leur charte réglera le problème. »

Le tableau s'éclaircissait. Non seulement, grâce à ce stratagème, Waleran s'assurait le contrôle de la cathédrale, mais il mettait la main, en plus, sur presque toutes les richesses du prieuré.

Père pensait la même chose. « C'est un plan parfait pour vous, évêque. Qu'y a-t-il là-dedans pour moi? »

Ce fut Regan qui répondit à sa place. «Vous ne voyez pas? dit-elle avec agacement. Vous possédez Shiring. Songez à la prospérité que connaîtrait la ville grâce à la cathédrale. Les centaines d'artisans et d'ouvriers au travail pendant des années devront bien vivre quelque part. Ils paieront un loyer, achèteront de la nourriture et des vêtements sur votre marché. Puis viendront les chanoines qui régiront la cathédrale; plus les fidèles qui, à Pâques et à la Pentecôte, se retrouveront à Shiring au lieu de Kingsbridge pour les grandes messes, et les pèlerins... Ils dépensent tous de l'argent.» Ses yeux brillaient de cupidité. William ne se souvenait pas de l'avoir vue aussi enthousiaste depuis longtemps. «Si nous menons bien notre affaire, nous ferons de Shiring une des villes les plus importantes du royaume!»

Qui sera à moi, songea William. Quand Père mourra, je serai comte.

«Très bien, dit Percy. Philip sera ruiné, vous aurez le pouvoir, évêque, et moi la richesse. Comment faisons-nous?

— En théorie, la décision de changer l'emplacement de la cathédrale revient à l'archevêque de Canterbury.

— Pourquoi "en théorie"? demanda sèchement Regan.

— Parce qu'il n'y a pas d'archevêque pour l'instant. William de Corbeil est mort à Noël et le roi Stephen n'a pas encore désigné son successeur. Nous savons toutefois qui a des chances : notre vieux Henry de Winchester. Il veut ce poste; le pape lui en a déjà confié l'intérim; de plus, son frère est le roi.

— Est-il de vos amis? demanda Percy. Il n'a pas fait grand-chose pour vous quand vous essayiez d'obtenir ce comté, me semble-t-il.

— Il m'aidera s'il le peut, fit Waleran en haussant les épaules. Il faudra qu'on lui présente l'affaire de façon convaincante.

— Il ne voudra pas se faire de puissants ennemis juste au moment où il compte obtenir le titre d'archevêque, observa Regan.

— Exact. Mais Philip ne représente pas grand-chose. On ne le consultera sans doute pas sur le choix de l'archevêque.

— Alors, pourquoi Henry ne vous donnerait-il pas satisfaction? demanda William.

— Parce qu'il n'est pas l'archevêque – pas encore; il sait qu'on le surveille durant son intérim. Il a tout intérêt à prendre les décisions judicieuses et pas seulement pour rendre service à ses amis. Il en aura tout loisir *après* l'élection.

« — Donc, dit Regan en réfléchissant, le mieux qu'on puisse espérer, c'est qu'il écoute notre affaire d'une oreille sympathique. Quels sont nos arguments ?

— Philip est incapable de bâtir une cathédrale ; pas nous.

— Comment le démontrer ?

— Êtes-vous allé récemment à Kingsbridge ?

— Non.

— J'y étais pour Pâques, fit Waleran en souriant. Les travaux n'ont pas encore commencé. Tout ce qu'on voit, c'est un bout de terrain délimité par des piquets et des cordes, représentant le plan au sol du futur édifice. Les fondations à peine commencées n'atteignent que quelques pieds. Un maçon et son apprenti, le charpentier du prieuré et de temps en temps un moine ou deux travaillent sur place. Tout cela ne va pas très loin. J'aimerais que l'évêque Henry voie l'état de la situation. »

Regan hocha la tête d'un air pensif. William devait reconnaître que le plan était bon, même si l'idée de collaborer avec l'abominable Waleran Bigod lui déplaisait souverainement.

« Nous expliquerons d'abord à Henry, reprit Waleran, que Kingsbridge est une petite ville vraiment insignifiante, de même que son pauvre monastère. Puis nous lui montrerons en allant sur le chantier qu'il a fallu plus d'un an pour creuser quelques malheureux trous ; ensuite nous l'emmènerons à Shiring pour qu'il fasse lui-même la différence.

— Henry acceptera-t-il ? demanda Regan avec inquiétude.

— Nous pouvons toujours le lui proposer, répondit l'évêque. Je l'inviterai à venir visiter le chantier, à la Pentecôte, dans son rôle d'archevêque. Nous le flatterons en montrant que nous le considérons déjà comme l'archevêque.

— Il faut garder Philip dans l'ignorance de notre plan, observa Percy.

— Je ne pense pas que ce soit possible, répliqua Waleran. L'évêque ne pourra pas faire une visite surprise à Kingsbridge : cela paraîtrait très bizarre.

— Mais si Philip est averti de la visite de l'évêque Henry, il fera peut-être l'effort nécessaire pour avancer les travaux.

— Avec quoi ? Il n'a pas d'argent, surtout maintenant qu'il a engagé vos carriers. Les carriers ne savent pas construire. » Waleran secoua la tête avec un sourire satisfait. « En réalité, il ne peut rien faire. »

Philip, tout d'abord, se réjouit à l'idée que l'évêque de Winchester vienne à Kingsbridge. Cela signifiait, bien sûr, une messe en plein air, qu'on célébrerait à l'emplacement de l'ancienne cathédrale. En cas de pluie, le charpentier du prieuré construirait un abri provisoire au-dessus de l'autel pour protéger l'évêque ; les fidèles pouvaient bien se faire mouiller. Cette visite semblait un acte de foi de la part de l'évêque Henry, la preuve qu'il considérait toujours Kingsbridge comme une cathédrale et que l'absence d'une véritable église n'était qu'un problème temporaire.

Puis il commença à s'interroger sur les mobiles de Henry. Habituellement, un évêque visitait un monastère quand il avait besoin pour lui et son entourage de trouver où manger, boire et se loger gratis. Or Kingsbridge était connu – pour ne pas dire renommé – pour la simplicité de sa chère et l'austérité de son confort. Dans ce domaine les réformes de Philip avaient simplement fait passer le niveau d'épouvantable à juste suffisant. Par ailleurs Henry était le plus riche prélat du royaume, aussi ne choisissait-il sûrement pas Kingsbridge pour en goûter la cuisine et les vins. Or Philip savait que cet homme ne faisait rien sans raison.

Plus Philip y pensait, plus il soupçonnait une machination de l'évêque Waleran. Il s'attendait à voir Waleran débarquer à Kingsbridge un jour ou deux après avoir reçu sa lettre, pour discuter des arrangements pratiques concernant la visite de Henry et s'assurer que ce dernier serait content et impressionné ; comme les jours passaient et que Waleran ne se montrait toujours pas, les appréhensions de Philip ne firent que s'accentuer.

Toutefois, même dans ses crises de plus grande méfiance, il n'aurait pu imaginer la traîtrise qui éclata dix jours avant la Pentecôte, grâce à une lettre du prieur de la cathédrale de Canterbury. Comme Kingsbridge, Canterbury était une cathédrale dirigée par les moines bénédictins. Or les moines s'aident toujours entre eux s'ils le peuvent. Le prieur de Canterbury, qui travaillait évidemment en étroite collaboration avec l'archevêque intérimaire, avait appris que Waleran avait invité Henry à Kingsbridge dans le seul but de le persuader de déplacer le diocèse et la nouvelle cathédrale à Shiring.

Philip crut défaillir. C'était un mouvement abominablement habile de Waleran et Philip n'avait rien deviné.

Son manque d'intuition le désespérait. Il savait pourtant quel traître était Waleran. L'évêque avait essayé de le duper un an plus tôt, dans l'affaire du comté de Shiring. Jamais il n'oublierait la colère de Waleran quand Philip avait fini par l'emporter sur lui. Il revoyait son visage bouffi de rage lorsqu'il avait dit : *Je jure par tout ce qui est sacré que jamais vous ne bâtirez votre église.* Avec le temps, la menace s'était atténuée et Philip avait baissé sa garde. Voilà que surgissait la preuve brutale que Waleran n'avait pas la mémoire courte.

« L'évêque Waleran affirme que vous n'avez pas d'argent et qu'en quinze mois vous n'avez rien réussi à bâtir, écrivait le prieur de Canterbury. Il compte que l'évêque Henry verra par lui-même que la cathédrale ne sera jamais réalisée si on en laisse le soin au prieuré de Kingsbridge. Il souligne que c'est maintenant qu'il faut prendre une décision avant d'engager des travaux qui ne verront jamais leur fin. »

Waleran, trop habile pour user de mensonges, préférait l'exagération. En fait Philip avait accompli beaucoup de choses : il avait déblayé les ruines, approuvé les plans, commencé les fondations, fait abattre des arbres et tailler des pierres. Mais rien de cela n'était encore spectaculaire pour un visiteur. Que d'énormes obstacles il avait surmontés, pourtant ! Il avait réformé les finances du prieuré, obtenu du roi un don important en terres et vaincu le comte Percy dans l'affaire de la carrière.

Tant d'injustice le désolait.

Tenant à la main la lettre arrivée de Canterbury, il s'approcha de la fenêtre pour regarder le chantier. Les pluies de printemps l'avaient transformé en une mer de boue. Deux jeunes moines, le capuchon rabattu sur la tête, apportaient des madriers du bord de la rivière. Tom le bâtisseur avait conçu un engin fait d'une corde et d'une poulie pour extraire les tonneaux pleins de terre du trou des fondations. On tournait le treuil tandis que son fils Alfred, au fond du trou, emplissait les barils de boue. En voyant les lieux, en observant ces hommes attelés à des tâches sans résultat apparent, un visiteur non professionnel n'aurait jamais vu là une future cathédrale.

Philip revint à son bureau. Que faire ? Un moment, il fut tenté de baisser les bras. Que l'évêque Henry prenne sa décision, songea-t-il. Si la cathédrale doit être bâtie à Shiring, qu'il en soit ainsi. Que l'évêque Waleran en prenne le contrôle et l'utilise à ses fins ; qu'elle apporte prospérité à la ville de Shiring et à la dynastie maudite des Hamleigh. Que la volonté de Dieu soit faite.

Au fond de lui-même, il savait, bien sûr, qu'il ne laisserait pas les choses se passer ainsi. Le saint devoir de Philip était de faire tout ce qu'il pouvait pour empêcher la cathédrale de tomber aux mains d'individus cyniques et immoraux qui l'exploiteraient pour accroître leur propre grandeur. Il fallait absolument montrer à l'évêque que son programme de construction avançait bien et que Kingsbridge avait l'énergie et la détermination nécessaires pour le mener au bout.

Premièrement, il fallait tout mettre en œuvre pour que le chantier fasse plus d'effet. Il fallait réquisitionner tous les moines sans exception durant les dix jours qui restaient avant la Pentecôte. Peut-être parviendraient-ils à creuser jusqu'au fond le trou des fondations pour permettre à Tom et à Alfred d'y poser les premières pierres. Si au moins une partie des fondations atteignait le niveau du sol de façon que Tom pût commencer à élever un mur, ce serait un peu mieux que le tableau actuel, mais guère. Ce qu'il aurait fallu à Philip, c'était cent ouvriers, en pleine activité. Or il n'avait pas de quoi en payer dix.

L'évêque Henry arrivant un dimanche, personne ne travaillerait, à moins que Philip ne coopte l'assemblée des fidèles. Il aurait sa centaine d'ouvriers. Il s'imagina en train de leur annoncer une nouvelle forme d'office de la Pentecôte : au lieu de chanter des hymnes et de dire des prières, nous allons creuser des trous et porter des pierres. Ils seraient stupéfaits. Ils...

Eh bien, ils coopéreraient peut-être de tout cœur.

Il fronça les sourcils. Ou bien je suis fou, se dit-il, ou bien j'ai trouvé la solution.

Il réfléchit encore : à la fin de la messe, je me lève et j'annonce que la pénitence d'aujourd'hui pour la remise de tous les péchés consiste en une demi-journée de travail sur le chantier de la cathédrale. Au souper, on distribuera du pain et de la bière.

Ils le feront. Bien sûr qu'ils le feront.

Pourquoi ne pas tester l'idée sur quelqu'un d'autre ? Il pensa à Milius, mais l'écarta aussitôt. Ils se ressemblaient trop. Il lui fallait un point de vue différent. Il décida d'en parler à Cuthbert le Chenu, le cellérier. Il se drapa dans son manteau, tira le capuchon pour se protéger le visage de la pluie et sortit.

Il gagna en hâte le chantier boueux, salua Tom au passage d'un geste amical et traversa la cour des cuisines. Cette partie du monastère comprenait maintenant un poulailler, une étable et une laiterie, car Philip n'aimait pas dépenser de l'argent pour des denrées que les moines pouvaient se procurer eux-mêmes, comme les œufs et le beurre.

Dans le magasin du cellérier, derrière la cuisine, il huma l'air sec et parfumé de l'odeur des herbes et des épices rassemblées par Cuthbert. Ce dernier était en train de compter des gousses d'ail. Philip constata, non sans chagrin, que Cuthbert vieillissait : sa chair semblait se réduire sous la peau.

« Trente-sept, dit tout haut Cuthbert. Voulez-vous une coupe de vin ?

— Non, merci. » Le vin dans la journée le rendait paresseux et irritable. D'ailleurs saint Benoît recommandait aux moines de boire avec modération. « C'est votre avis que je veux, pas vos victuailles. Venez vous asseoir. »

Traçant son chemin entre les caisses et les barils, Cuthbert trébucha sur un sac, se rattrapa de justesse et vint s'asseoir sur un tabouret à trois pieds devant Philip. Le magasin n'était plus aussi bien rangé qu'autrefois, observa le prieur. Une idée le frappa.

« Avez-vous des problèmes de vue, Cuthbert ?

— Mes yeux ne sont plus ce qu'ils étaient, mais ça ira », répondit le moine laconiquement.

Pour ne pas le blesser, car il semblait susceptible sur ce sujet, Philip n'en dit pas davantage, mais nota dans sa tête de commencer à former un remplaçant pour le cellérier. « J'ai reçu une lettre très inquiétante du prieur de Canterbury », dit-il et il expliqua à Cuthbert le plan de l'évêque Waleran. Il conclut en disant : « La seule façon, à mon avis, de donner au chantier l'apparence d'une ruche bourdonnante, c'est d'y mettre les fidèles au travail. Voyez-vous une objection ? »

Cuthbert ne réfléchit pas longtemps. « Au contraire, c'est une excellente idée, dit-il aussitôt.

— Ce n'est pas très orthodoxe, n'est-ce pas ? dit Philip.

— Ça s'est déjà vu.

— Vraiment ? dit Philip, surpris et ravi. Où cela ?

— Dans différents endroits, d'après ce que j'ai entendu dire.

— Et ça réussit ? fit Philip, tout excité.

— Parfois. Ça dépend sans doute du temps.

— Comment s'y prend-on ? Le prêtre fait-il une annonce à la fin de la messe ?

— C'est plus compliqué, répondit Cuthbert. L'évêque ou le prieur envoient des messagers aux églises de la paroisse pour annoncer que la remise des péchés peut s'obtenir en travaillant au chantier.

— Parfait, acquiesça Philip avec enthousiasme. Nous pourrons réunir un plus grand nombre de fidèles que d'habitude, attirés par la nouveauté.

— Ou moins, objecta Cuthbert. Les gens préfèrent généralement donner de l'argent ou brûler un cierge que de passer toute la journée à barboter dans la boue et à porter de lourdes pierres.

— Ah! dit Philip, soudain découragé. Après tout, ce n'est peut-être pas une si bonne idée.

— Quelles autres solutions avez-vous?

— Aucune.

— Alors il faut essayer celle-ci en espérant que tout ira bien.

— C'est cela, dit Philip. Espérer que tout ira bien. »

9.

La nuit précédant le dimanche de la Pentecôte, Philip ne ferma pas l'œil.

Le soleil avait brillé toute la semaine – une chance car un plus grand nombre de gens se porteraient volontaires par beau temps – mais, à la tombée de la nuit le samedi soir, il s'était mis à pleuvoir. Le prieur resta éveillé, écoutant avec consternation les gouttes frapper sur le toit et le vent siffler dans les arbres. Il avait le sentiment d'avoir assez prié : maintenant Dieu devait être parfaitement au courant des circonstances.

Le dimanche précédent, chaque moine du prieuré s'était rendu dans les églises de la paroisse pour annoncer aux fidèles qu'ils pouvaient obtenir la rémission de leurs péchés en travaillant sur le chantier de la cathédrale. Le dimanche de Pentecôte, ils obtiendraient le pardon des péchés de l'an passé; ensuite un jour de travail vaudrait une semaine de péchés de routine, à l'exclusion du meurtre et du sacrilège. Philip lui-même s'était réservé les quatre églises de Shiring, tandis qu'il chargeait deux moines de visiter le plus possible des innombrables petites églises de Winchester. La ville était à deux jours de voyage, mais les gens n'hésiteraient pas – espérait Philip – à utiliser les six jours de vacances de Pentecôte pour répondre à l'appel. Au total, des milliers de gens avaient entendu le message. Restait à savoir combien se laisseraient convaincre.

Toute la semaine, le monastère entier avait travaillé sur le chantier. Le beau temps et les longues journées du début de l'été avaient facilité les choses. On avait fini les fondations du mur côté est du chœur. Côté nord, il ne restait plus que les pierres à poser. Tom avait construit quantité d'appareils de levage en prévision des dizaines de volontaires qu'on attendait pour creuser le reste. En outre, la berge de la rivière disparaissait sous la masse de bois envoyée au fil de l'eau par les forestiers. Il faudrait le monter, ainsi que les pierres de la carrière, jusqu'au chantier. Il y avait du travail pour des centaines de gens.

Mais viendraient-ils?

À minuit, Philip se leva et sous la pluie gagna la crypte pour les matines. Après l'office, l'averse cessa. Au lieu de se recoucher, il resta assis à lire. Ces temps-ci, il n'avait que les quelques heures entre minuit et l'aube à consacrer à l'étude et à la méditation, sa journée étant prise intégralement par l'administration du monastère et du chantier.

Il avait du mal à se concentrer car ses pensées revenaient sans cesse à la journée qui s'annonçait. En un jour, il jouait le travail d'une année, et davantage encore. Il se demandait parfois s'il ne péchait pas par orgueil; puis il pensait à tous les gens qui dépendaient de lui, attendaient sa protection, la sécurité de leur emploi : les moines, les serviteurs du prieuré, les carriers, Tom et Alfred, les villageois de Kingsbridge et les fidèles de toute la région. Waleran ne se soucierait pas d'eux comme le faisait Philip. Non, ce n'était pas la volonté de Dieu que l'évêque Waleran l'emportât dans cette épreuve. Il y avait trop d'âmes dans la balance de la Justice.

L'aube enfin se leva et Philip rejoignit les moines à la crypte pour l'office de prime. Ils étaient tous nerveux et agités, conscients que la journée serait cruciale pour leur avenir. Le sacristain célébra hâtivement l'office et pour une fois Philip lui pardonna.

Au sortir de la crypte, ils constatèrent, en se rendant au réfectoire pour le déjeuner, que le ciel était bleu et clair. Dieu leur envoyait le temps pour lequel ils avaient tant prié, c'était un bon début.

Tom le bâtisseur n'était pas tranquille, lui non plus. Tout son avenir dépendait d'une petite journée de quelques heures. Philip lui avait montré la lettre du prieur de Canterbury. Il avait tout de suite compris que, si la cathédrale se construisait à Shiring, Waleran engagerait son propre maître bâtisseur. Il ne se risquerait pas à employer un partisan de Philip, pas plus qu'à se servir de ses plans. Pour Tom, c'était Kingsbridge ou rien. La seule occasion qu'il aurait dans sa vie de bâtir une cathédrale se trouvait aujourd'hui gravement menacée.

Le matin, on l'invita à assister au chapitre avec les moines. Cela arrivait de temps en temps, lorsqu'on devait discuter du programme de construction, pour lequel il fallait son avis éclairé sur les questions de plans, de coût, ou de dates. Aujourd'hui, on parlerait des dispositions à prendre pour organiser les travailleurs volontaires... s'il s'en présentait. Tom voulait transformer le chantier en ruche bourdonnante d'activité pour le moment où l'évêque Henry arriverait.

Il écouta machinalement les épîtres et les prières sans comprendre les mots latins, tout en pensant à ses projets du jour. Puis Philip lui demanda d'esquisser l'organisation du travail.

«Je m'occuperai d'élever le mur est de la cathédrale, pendant qu'Alfred posera les pierres des fondations ailleurs, commença Tom. Il faut avancer au maximum ces travaux de base.

— De combien d'hommes aurez-vous besoin tous les deux pour vous aider? demanda Philip.

— Pour Alfred, deux ouvriers qui lui apporteront les pierres provenant des ruines de l'ancienne église. Il lui faudra aussi quelqu'un pour préparer le mortier. Quant à moi, j'aurai besoin aussi d'un fabricant de mortier et de deux ouvriers. Alfred peut utiliser n'importe quelles pierres dans les fondations, dès l'instant qu'elles sont plates dessus et dessous, mais les miennes doivent être impeccablement taillées, puisqu'elles formeront le mur extérieur. J'ai fait venir deux tailleurs de pierre de la carrière.

— Votre travail, dit Philip, ne manquera pas d'impressionner l'évêque Henry. Mais la plupart des volontaires creuseront les fondations, je suppose?

— C'est exact. Sauf les deux parties sur lesquelles Alfred et moi travaillerons, partout ailleurs on n'en est encore qu'à quelques pieds de profondeur. Les moines manœuvreront les treuils – j'ai expliqué le fonctionnement à plusieurs d'entre vous – et les volontaires empliront les tonneaux. »

Remigius intervint :

« Et si nous avons plus de volontaires que nécessaire ?

— Nous pouvons en employer tant qu'il s'en présentera, à peu près sans limite, répondit Tom. Si on manque de treuils, les gens transporteront la terre dans des seaux et des paniers. Le charpentier se tient prêt à confectionner des échelles supplémentaires : nous avons le bois qu'il faut.

— Mais le trou des fondations ne peut pas accueillir un nombre illimité de travailleurs, insista Remigius.

— Plusieurs centaines, en tout cas, dit Tom avec agacement. C'est un énorme trou.

— Du reste, renchérit Philip, il y a d'autres travaux à faire que de creuser.

— En effet, dit Tom. Il faut transporter le bois et les pierres du bord de la rivière jusqu'au chantier. Vous, les moines, vous vérifierez que les matériaux sont déposés au bon endroit sur le site : les pierres près des trous des fondations, mais à *l'extérieur* de l'église, là où elles ne gêneront pas ; le charpentier vous dira où entasser le bois.

— Croyez-vous, demanda Philip, que parmi les volontaires se trouveront quelques professionnels qualifiés ?

— Peut-être bien. J'espère même qu'il se trouvera quelques artisans. Les charpentiers peuvent bâtir des chalets en prévision du travail d'hiver. Les maçons tailleront les pierres et poseront les fondations. Si on a la chance d'avoir un forgeron, nous lui demanderons d'utiliser la forge du village pour fabriquer des outils. Ce serait extrêmement utile. »

Milius, le trésorier, prit la parole : « Tout cela est très clair. J'aimerais que nous commencions. Quelques villageois sont déjà sur place, attendant qu'on leur donne des instructions. »

Pourtant Tom n'avait pas terminé. Il lui restait à dire quelque chose d'important, mais de délicat, et il cherchait les mots appropriés. Les moines risquaient de se montrer arrogants avec les volontaires, de les heurter. Or il fallait que la journée se passe dans la joie et la bonne humeur.

« J'ai déjà eu l'occasion de travailler avec des volontaires, commença le bâtisseur. Il est important de ne pas... de ne pas les traiter comme des serviteurs. Même si nous pensons qu'ils espèrent une récompense céleste et qu'ils doivent donc faire plus d'efforts que pour de l'argent, rappelons-nous qu'ils voient peut-être les choses autrement. Eux, ils ont l'impression de travailler pour rien, de nous rendre un grand service. Si nous nous montrons ingrats, ils travailleront lentement, mal, ou pas du tout. Il vaut mieux les mener d'une main légère.»

Il surprit le regard de Philip et vit que le prieur réprimait un sourire. «Très juste, dit celui-ci. Si nous les traitons bien, nos volontaires seront heureux, l'atmosphère détendue – ce qui fera sur l'évêque Henry une impression positive.» Il fit le tour des moines assemblés. «S'il n'y a plus de questions, commençons.»

Sous la protection du prieur Philip, Aliena avait connu une année de sécurité et de prospérité. Elle et son frère avaient parcouru la campagne, achetant ici et là des toisons aux paysans, pendant tout le printemps et l'été passés, toisons qu'ils vendaient à Philip chaque fois qu'ils avaient un sac plein. Ils avaient terminé la saison avec cinq livres d'argent.

Leur père était mort quelques jours à peine après leur visite, ce qu'Aliena n'avait appris qu'à Noël. Grâce à de nombreux pots-de-vin, payés avec son argent si durement gagné, elle avait retrouvé sa tombe dans le cimetière des pauvres à Winchester. Là, devant cette simple sépulture, elle pleura beaucoup, pas seulement pour lui mais pour la vie qu'ils avaient menée ensemble, une vie exempte de risques et de soucis, une vie qu'elle ne retrouverait jamais plus. Elle lui avait dit adieu avant sa mort : en quittant la prison, elle savait qu'elle ne le reverrait jamais. D'un autre côté, il ne la quittait pas, car elle était liée par le serment qui déterminait sa vie et qu'elle était résignée à exécuter pour respecter la volonté de son père.

Durant l'hiver, Richard et Aliena vécurent dans une petite maison adossée au mur du prieuré de Kingsbridge. Ils construisirent une charrette en achetant les roues au charron de Kingsbridge, et au printemps ils firent acquisition d'un jeune bœuf pour la tirer. La saison de la tonte battait maintenant son plein et déjà ils avaient gagné plus que le prix du bœuf et de la charrette neuve. L'année suivante, Aliena envisageait d'employer un homme pour l'aider. Il serait temps de chercher pour Richard un poste de page dans la maison d'un petit seigneur où il commencerait son apprentissage de chevalier.

Tous ses projets, tout son avenir dépendaient du prieur Philip.

Comme une fille de dix-huit ans sans protection, elle était encore une proie facile pour les voleurs et pour bien des marchands. Elle avait tenté sa chance auprès des négociants de Shiring et de Gloucester, juste pour voir comment ils réagiraient, et, comme la première fois, on lui avait offert moitié prix. Le but qu'elle poursuivait en secret, c'était de posséder un jour son propre magasin et de vendre tout son stock aux acheteurs flamands; mais ce temps-là était encore loin. En attendant, pensa-t-elle une fois de plus, elle dépendait de Philip.

Et la position du prieur était devenue précaire.

Richard ne voulait pas travailler sur le chantier de la cathédrale le dimanche de Pentecôte, mais Aliena l'avait sermonné et forcé à accepter. Peu après le lever du soleil, tous deux firent les quelques pas qui les séparaient de l'enclos du prieuré. Presque tout le village était déjà là : trente ou quarante hommes, certains avec leurs épouses et leurs enfants. D'abord Aliena s'étonna de tant de bonne volonté, puis réfléchit que le prieur Philip était leur seigneur et que, quand un seigneur demande des volontaires, on est probablement mal avisé de refuser. Au cours de l'année précédente, elle avait beaucoup élargi son expérience et sa connaissance du genre humain. Tandis que Tom le bâtisseur donnait leurs instructions aux villageois, Richard rejoignit Alfred, le fils de Tom. Ils avaient à peu près le même âge, à un an près, et ils jouaient au ballon avec les autres garçons du village chaque dimanche. La petite fille, Martha, était là aussi, mais la femme, Ellen, et le drôle de petit garçon aux cheveux roux, avaient disparu. Aliena se rappelait l'époque où Tom et sa famille étaient apparus à Earlscastle, sans ressources alors. Et, comme elle, ils avaient été sauvés par le prieur Philip.

On donna une pelle à Aliena et à Richard et on leur montra où creuser. La terre était humide, mais le soleil ne tarderait pas à sécher la surface. Aliena se mit au travail avec énergie. Malgré la présence de cinquante personnes sur le chantier, le résultat n'était pas très spectaculaire.

Aliena, quoique musclée, plus mince et plus solide à force d'arpenter les routes et de soulever de lourds ballots de laine brute, s'apercevait que creuser lui faisait quand même bien mal au dos. Elle poussa un soupir de soulagement quand le prieur Philip agita une clochette pour annoncer une pause. Des moines apportèrent du pain frais de la cuisine et servirent de la petite bière. Le soleil chauffait, maintenant, et certains des hommes se mirent torse nu.

Au cours de ce repos, un groupe d'étrangers apparut à la porte. Aliena les regarda avec espoir. Ils n'étaient qu'une poignée, mais peut-être annonçaient-ils une grande foule. Ils s'approchèrent de la table où l'on distribuait le pain de la bière et le prieur Philip les accueillit. « D'où venez-vous ? » demanda-t-il tandis qu'ils engloutissaient avec gratitude une chope de bière.

« De Horsted », répondit l'un d'eux, s'essuyant la bouche sur sa manche. Bonne nouvelle : Horsted était un village de deux ou trois cents habitants, à quelques lieues de Kingsbridge. Avec un peu de chance, on pouvait compter sur une centaine d'autres volontaires.

« Combien serez-vous ? » demanda Philip.

L'homme parut surpris de la question. « Il n'y a que nous quatre », répondit-il.

Durant l'heure suivante, les volontaires se succédèrent par petits groupes si bien que vers le milieu de la matinée soixante-dix ou quatre-vingts travailleurs s'activaient, y compris les villageois. Puis on ne vit plus personne pendant longtemps.

Ce n'était pas assez.

Philip regardait Tom construire son mur. Quand un ouvrier lui apportait une pierre, il commençait par en vérifier la rectitude grâce à un instrument de fer en forme de L. Il étalait alors une couche de mortier sur le mur avec la pointe de sa truelle, posait dessus la nouvelle pierre et grattait le surplus de mortier. Pour bien placer la pierre, il se guidait avec un fil tendu entre les deux contreforts qu'il avait déjà édifiés. Philip remarqua que la pierre était presque aussi lisse sur le dessus et le dessous que sur la face qui se verrait. Il en demanda la raison à Tom. « Une pierre ne doit jamais en toucher une autre, répondit le maçon. C'est à cela que sert le mortier.

— Pourquoi ne doivent-elles jamais se toucher ?

— Pour éviter les fissures, dit Tom en se redressant. Si vous marchez sur un toit d'ardoises, votre pied va passer à travers, mais si vous posez une planche en travers du toit, vous pouvez marcher sans endommager les ardoises. La planche répartit le poids. C'est ce que fait le mortier. »

Philip découvrait les mystères de ce métier passionnant, d'autant que Tom était capable d'en expliquer avec précision tous les détails.

La partie la plus rugueuse de la pierre faisait face à l'intérieur de l'église. Philip se rappela que Tom comptait bâtir un mur à double paroi, avec une cavité entre les deux, si bien que le dos des pierres serait caché.

Quand le maçon avait posé la première pierre sur son lit de mortier, il prenait son niveau : c'était un triangle de fer attaché au sommet par une courroie de cuir et portant des marques à la base. Au bout de la courroie était fixé un plomb, si bien qu'elle pendait toujours droit. Il posait la base de l'instrument sur la pierre et observait comment pendait la courroie de cuir. Si elle penchait d'un côté ou de l'autre de la ligne centrale, il tapait sur la pierre avec son marteau jusqu'à la mettre exactement de niveau. Il déplaçait alors l'instrument pour lui faire chevaucher le joint entre les deux pierres voisines et s'assurer que la partie supérieure restait bien dans l'alignement. Enfin, il tournait l'instrument de côté pour s'assurer que le bloc ne penchait ni d'un côté ni de l'autre. Philip n'avait jamais imaginé le temps qu'il fallait pour placer convenablement une seule pierre.

Son regard parcourut l'ensemble du chantier. Il était si étendu que quatre-vingts personnes s'y perdaient. Si actifs que fussent les volontaires, leurs efforts semblaient futiles dans ce vaste espace. Philip constatait que la centaine d'hommes qu'il avait espérée n'aurait même pas suffi.

À cet instant, un nouveau petit groupe franchit la porte et Philip se força à aller les accueillir avec un sourire. Inutile de leur annoncer que leurs efforts seraient vains. De toute façon, ils obtiendraient le pardon de leurs péchés.

Ils étaient douze, bientôt suivis de deux autres. Peut-être après tout atteindrait-on la centaine vers midi, à l'arrivée de l'évêque, pensa le prieur.

«Dieu vous bénisse tous», leur dit-il. Il allait leur expliquer où commencer à creuser lorsqu'il fut interrompu par un appel. «Philip!»

Il fronça les sourcils. Il avait reconnu la voix de frère Milius, mais même Milius appelait Philip «père» en public. Il regarda dans la direction d'où venait la voix. Milius se balançait sur le mur du prieuré dans une attitude assez peu digne d'un moine. D'une voix calme mais qui portait bien, Philip ordonna : «Frère Milius, descendez.» À son étonnement, Milius resta à sa place et cria : «Venez voir ça!»

Les nouveaux arrivants allaient avoir piètre opinion de l'obéissance monastique, songea Philip, mais il était curieux de savoir ce qui avait à ce point excité Milius qu'il en avait oublié ses manières. «Venez m'expliquer cela, Milius, dit-il d'un ton qu'il réservait d'ordinaire aux novices bruyants.

— Il faut que vous voyiez vous-même !» cria Milius.

Agacé, mais ne voulant pas réprimander son plus proche collègue devant des étrangers, il se résigna à sourire et à faire ce que demandait Milius. Il traversa le terrain boueux, passa devant l'écurie et sauta sur le petit mur. «À quoi rime cette attitude? siffla-t-il.

— Regardez ça !» dit Milius en tendant le doigt.

Suivant son geste, Philip porta les yeux au-dessus des toits du village, au-delà de la rivière, jusqu'à la route. Tout d'abord, il n'y crut pas. Entre les champs verdoyants, la route n'était qu'une masse solide de gens, par centaines, qui se dirigeaient vers Kingsbridge. «Qu'est-ce que c'est? fit-il sans comprendre. Une armée?» Puis il se rendit compte que, bien sûr, c'étaient des volontaires. Son cœur sauta de joie. «Regardez-les ! cria-t-il. Ils sont cinq cents... mille... plus !

— Mais oui ! dit Milius exultant de joie. Ils sont venus !

— Nous sommes sauvés !»

Philip avait oublié sa colère contre Milius. Il n'avait d'yeux que pour la masse qui emplissait la route jusqu'au pont et dont les rangs se déroulaient à travers le village jusqu'à la porte du prieuré. Ils commençaient d'ailleurs à se déverser sur le chantier, attendant les ordres. «Alleluia !» cria Philip.

Il ne suffisait pas de se réjouir : il fallait guider ces gens. Il sauta à bas du mur. «Venez ! cria-t-il à Milius. Rappelez tous les moines chargés de gros travaux : nous allons avoir besoin d'eux comme contremaîtres. Dites au cuisinier de cuire tout le pain qu'il peut et de rouler quelques tonneaux de bière de plus. Il va nous falloir davantage de seaux et de pelles. Nous devons occuper tout le monde avant l'arrivée de l'évêque Henry !»

Pendant l'heure suivante, Philip déploya une activité frénétique. D'abord, pour dégager le terrain, il affecta une bonne centaine de volontaires à l'acheminement des matériaux encore en attente au bord de la rivière. Dès que Milius eut rassemblé un groupe de moines pour les encadrer, il commença à en envoyer bon nombre vers les fondations. Ils se trouvèrent bientôt à court de pelles, de barils et de seaux. Philip ordonna qu'on apportât de la cuisine toutes les marmites et il chargea quelques hommes de confectionner des caisses et des paniers rudimentaires pour transporter la terre. Devant le manque d'échelles et d'appareils de levage, ils aménagèrent une longue rampe à une extrémité de la plus grande fosse.

Philip se rendit compte qu'il avait oublié un point important; où déverser l'énorme quantité de terre qui provenait des fondations? Il fallait improviser. Le prieur décida qu'on déverserait la terre sur un terrain rocheux proche de la rivière. Peut-être deviendrait-il cultivable un jour?

Bernard l'interrompit, affolé, pour annoncer qu'il n'avait nourri que deux cents personnes au plus alors qu'il y en avait sûrement au moins mille. «Faites un feu dans la cour de la cuisine et préparez de la soupe dans une cuve, dit Philip. Coupez la bière d'eau. Utilisez toutes les réserves. Demandez à quelques villageois de préparer de la nourriture sur leur propre foyer. Inventez!» Et il s'éloigna pour donner ses ordres de déblaiement.

Soudain quelqu'un lui tapa sur l'épaule et lui dit en français: «Prieur Philip, puis-je avoir un moment votre attention?»

C'était le doyen Baldwin, l'adjoint de Waleran Bigod.

Philip se retourna et d'un coup aperçut le groupe des visiteurs, à cheval et somptueusement vêtus, qui contemplaient avec stupéfaction la scène. Il reconnut l'évêque Henry, un petit homme trapu à l'air pugnace, sa coupe de cheveux monastique contrastant étrangement avec son somptueux manteau rouge brodé. Auprès de lui se trouvait l'évêque Waleran, vêtu de noir comme toujours, dissimulant mal sa consternation sous son air habituel de froid mépris. Il y avait le gros Percy Hamleigh, son robuste fils William et son horrible femme, Regan. Percy et William semblaient abasourdis, mais Regan avait compris tout de suite la stratégie de Philip et blêmissait de rage.

Philip s'approcha de l'évêque Henry et constata à sa grande surprise que celui-ci le regardait avec beaucoup d'intérêt, mais aussi de l'étonnement, de la curiosité et une sorte de respect amusé. Il avait à peu près le même âge que Philip, mais son teint coloré et sa robuste silhouette le faisaient paraître plus âgé.

Philip prit son cheval par la bride et baisa la main baguée que tendait Henry. L'évêque mit pied à terre, imité par le reste de son escorte. Philip appela deux moines pour mener les chevaux à l'écurie.

«Eh bien, père Philip, dit l'évêque, je suis venu vérifier certains rapports prétendant que vous n'êtes pas capable de faire construire une nouvelle cathédrale ici, à Kingsbridge.» Il marqua un temps, considéra les centaines de travailleurs, puis son regard revint à Philip. «On dirait que j'ai été mal informé.»

Philip sentit son cœur battre plus fort. Henry ne pouvait être plus clair : il avait gagné.

Le prieur se tourna vers l'évêque Waleran qui maîtrisait de plus en plus mal sa fureur d'avoir été une fois de plus vaincu. Philip s'agenouilla, baissant la tête pour cacher son expression de triomphe, et baisa la main de Waleran.

Tom se réjouissait de construire enfin un mur. Il y avait si longtemps qu'il ne l'avait pas fait, qu'il y avait oublié la profonde tranquillité qu'on éprouve à poser une pierre sur l'autre suivant des lignes parfaitement droites et à regarder monter l'édifice.

À l'arrivée du gros flot de volontaires, il s'était rendu compte que le plan de Philip allait réussir. Sa joie augmenta. Ces pierres allaient constituer la cathédrale de Tom et ce mur, qui n'avait maintenant qu'un pied de haut, finirait par atteindre le ciel. Tom avait le sentiment de naître à une nouvelle vie.

Il sut tout de suite quand l'évêque Henry arriva. Comme une pierre qu'on laisse tomber dans une mare, un frémissement parcourut la masse des travailleurs à l'arrivée du cortège. Tom n'interrompit pas son travail. Il n'était jamais à l'aise avec les gens bien vêtus, mais il lui fallait apparaître sage et compétent, calme et assuré, le genre d'homme à qui l'on confie volontiers la tâche complexe de diriger un vaste et coûteux projet de construction.

Il guettait les visiteurs et posa sa truelle lorsque le groupe approcha. Le prieur Philip conduisit l'évêque Henry jusqu'au maçon et Tom s'agenouilla pour baiser sa main. «Tom, dit Philip, est notre bâtisseur, envoyé à nous par Dieu le jour où la vieille église a brûlé.»

Tom s'agenouilla ensuite devant l'évêque Waleran, puis examina le reste de l'escorte. Lui, le maître bâtisseur, ne devait pas se montrer servile. Il reconnut Percy Hamleigh, pour qui il avait jadis construit la moitié d'une maison. «Mon seigneur Percy», dit-il en s'inclinant. Il reconnut l'abominable femme de Percy. «Ma dame Regan.» Puis son regard tomba sur le fils. Il se souvenait que William avait failli renverser Martha avec son grand destrier et comment il avait essayé d'acheter Ellen dans la forêt. Quel triste individu! Mais Tom arbora un masque poli. « Jeune seigneur William, je vous salue. »

L'évêque Henry le suivait attentivement des yeux. « Avez-vous tracé vos plans, Tom le bâtisseur?

— Oui, mon seigneur évêque. Voulez-vous les regarder?

— Très certainement.

— Si vous voulez bien venir par ici. »

Henry acquiesça et Tom l'emmena jusqu'à sa cabane, à quelques pas de là. Il sortit le plan au sol, tracé dans le plâtre sur un grand cadre de bois de quatre pieds de long, l'appuya contre la paroi de la cabane et recula.

C'était un moment délicat. La plupart des gens ne savaient pas lire un plan, mais les évêques et les seigneurs avaient horreur de l'avouer, aussi fallait-il leur en expliquer le concept d'une façon qui ne révélât pas leur ignorance au reste du monde. Ceux qui savaient déchiffrer un plan se sentaient insultés quand un simple bâtisseur prétendait leur donner des leçons.

Tom désigna nerveusement le cadre : « Voici le mur que je suis en train de construire.

— Oui, la façade est, de toute évidence », dit Henry. Bon : il savait parfaitement lire un plan. « Pourquoi n'y a-t-il pas de bas-côtés dans les transepts?

— Par économie, s'empressa de répondre Tom. Toutefois, nous ne commencerons pas à les construire avant cinq ans, et si le monastère continue de prospérer comme il l'a fait durant la première année sous le prieur Philip, il se peut que nous puissions nous permettre des transepts avec des bas-côtés. » Ayant à la fois glissé une louange pour Philip et répondu à la question, Tom était assez content de lui.

Henry approuva de la tête. « Il est raisonnable de faire des plans modestes en laissant des possibilités d'extension. Montrez-moi l'élévation. »

Tom sortit la coupe, sans commentaire maintenant qu'il savait Henry capable de comprendre ce qu'il regardait. Il en eut la confirmation lorsque Henry dit : « Les proportions sont agréables.

— Merci », dit Tom. L'évêque semblait ravi. Tom ajouta : « C'est une cathédrale modeste, mais elle sera plus claire et plus belle que l'ancienne.

— Combien de temps faudra-t-il pour la terminer?

— Quinze ans, en travaillant sans arrêt.

« — Ce qui n'est jamais le cas. Pouvez-vous me montrer à quoi elle ressemblera de l'extérieur ? »

Tom comprit. « Vous voulez voir une esquisse ?

— Certainement. » Tom revint à son mur, suivi de l'évêque et de l'escorte. Il s'agenouilla sur sa planche et étala le mortier en couche uniforme dont il lissa la surface. Puis, de la pointe de sa truelle, il traça une vue de l'église côté ouest. Il avait confiance en son talent. D'ailleurs, l'évêque, son escorte, tous les moines et les volontaires qui se trouvaient là regardaient, fascinés. En quelques instants, il eut terminé un dessin de la façade ouest, avec ses trois porches voûtés, sa grande fenêtre et ses tourelles. C'était simple, mais impressionnant.

« Remarquable, dit l'évêque Henry quand le dessin fut terminé. Que la bénédiction de Dieu s'ajoute à votre talent. »

Tom sourit. Voilà qui valait une nomination.

Le prieur Philip intervint : « Mon seigneur évêque, voulez-vous prendre un rafraîchissement avant de célébrer la messe ?

— Avec joie. »

Tom était soulagé. L'épreuve était terminée et il l'avait passée haut la main. Pendant que le groupe s'éloignait, Philip serra le bras de Tom et lui souffla avec une jubilation retenue : « Bien joué ! »

Tom poussa un soupir. Il se sentait ravi et fier. L'évêque Henry était plus qu'impressionné : il était abasourdi, malgré son calme apparent. De toute évidence, Waleran l'avait préparé à un spectacle de désolation et d'inactivité, si bien que la réalité avait été d'autant plus frappante. Au bout du compte, la malice de Waleran s'était retournée contre lui et avait servi au triomphe de Philip et de Tom.

Il savourait sa victoire lorsqu'il entendit une voix familière.

« Bonjour, Tom le bâtisseur. »

Il se retourna et aperçut Ellen.

Ce fut à son tour de rester sans voix. La cathédrale lui avait tellement occupé l'esprit que de toute la journée il n'avait pas pensé une fois à elle. Il la contempla avec ravissement. Elle était la même que le jour de son départ : mince, brune, avec des cheveux qui s'agitaient comme des vagues et ces yeux d'or au regard lumineux. Elle lui sourit de cette bouche aux lèvres pleines qui donnait à Tom si fort envie de l'embrasser.

Il désirait follement la prendre dans ses bras, mais il se maîtrisa. D'une voix sourde, il parvint à articuler : « Bonjour,

Ellen. » Un jeune homme qui l'accompagnait dit : « Bonjour, Tom. »

Tom le regarda avec curiosité.

« Tu ne te souviens pas de Jack ? fit Ellen.

— Jack ! » Le garçon avait changé. Il était un peu plus grand que sa mère maintenant, et il avait ce physique anguleux qui fait dire aux grands-mères qu'un garçon a grandi trop vite. Il avait toujours les cheveux roux, la peau blanche et les yeux verts, mais ses traits s'étaient ordonnés de façon plus séduisante et peut-être un jour serait-il même beau.

Le regard de Tom revint à Ellen. Il aurait voulu dire : *Tu m'as manqué. Je ne peux pas te dire à quel point tu m'as manqué.* Au lieu de cela, il demanda : « Alors, où étais-tu ?

— Nous avons vécu comme toujours, dans la forêt, dit-elle.

— Et qu'est-ce qui t'a fait revenir justement aujourd'hui ?

— Nous avons entendu parler de ton appel aux volontaires et nous étions curieux de savoir comment tu allais. Je n'ai pas oublié ma promesse, tu sais.

— Je suis si heureux, dit Tom, j'avais tellement envie de te voir. »

Elle semblait sur ses gardes. « Ah ? »

C'était le moment qu'il attendait depuis un an et voilà maintenant qu'il avait peur. Jusqu'alors il vivait dans l'espoir, mais si elle le repoussait aujourd'hui, il l'aurait perdue à jamais. Il n'osait pas commencer. Le silence se prolongeait. Il prit une profonde inspiration. « Écoute, dit-il brusquement. Je veux que tu reviennes avec moi. Je t'en prie, ne dis rien avant de m'avoir écouté... S'il te plaît.

— D'accord, fit-elle d'un ton neutre.

— Philip est un très bon prieur. Le monastère s'enrichit sans cesse grâce à sa gestion. J'ai ici un travail sûr. Nous n'aurons plus jamais, je te le promets, à arpenter les routes.

— Ce n'était pas ça...

— Je sais, mais écoute encore.

— Très bien.

— J'ai bâti dans le village une maison avec deux chambres et une cheminée, et je peux l'agrandir. Nous ne serions pas obligés d'habiter le prieuré.

— Philip est propriétaire du village.

— Philip actuellement me doit beaucoup, fit Tom, désignant d'un grand geste la scène. Il sait que sans moi il n'aurait jamais pu réussir. Si je lui demande de te pardonner ce que tu as fait et de considérer ton année d'exil comme une pénitence suffisante, il acceptera. Il ne peut pas me refuser ça, surtout aujourd'hui.

— Et les garçons? dit-elle. Est-ce que je dois regarder Alfred faire couler le sang de Jack chaque fois qu'il est en colère?

— Je crois que j'ai la solution, dit Tom. Alfred est maintenant maçon. Je prendrai Jack comme apprenti. De cette façon, Alfred ne reprochera pas son oisiveté à Jack. Toi, tu peux apprendre à lire et à écrire à Alfred, pour que les deux garçons se trouvent sur un pied d'égalité : tous deux des travailleurs, tous deux instruits.

— Tu as beaucoup réfléchi, n'est-ce pas? dit-elle.

— Oui.»

Il attendit sa réaction. Il ne savait pas plaider, il savait seulement exposer la situation. Il avait l'impression d'avoir prévu toutes les objections possibles. Il fallait qu'elle accepte! Mais elle hésitait encore. «Je ne suis pas sûre», dit-elle.

Il perdit patience. «Oh! Ellen, ne dis pas ça.» Il avait peur d'éclater en sanglots tellement il avait la gorge serrée. «Je t'aime tant, je t'en prie, ne repars pas, supplia-t-il. La seule chose qui m'a soutenu, c'est l'espoir que tu reviendrais. Je ne peux pas supporter de vivre sans toi. Tu ne vois donc pas que je t'aime de tout mon cœur?»

Elle changea aussitôt. «Alors, pourquoi ne l'as-tu pas dit?» murmura-t-elle en s'approchant de lui. Il la prit dans ses bras. «Je t'aime aussi, espèce d'idiot», dit-elle.

Il se sentait défaillir de joie. Elle m'aime vraiment, elle m'aime, songea-t-il. Il la serra très fort, puis se recula un peu. «Ellen, veux-tu m'épouser?»

Il y avait des larmes dans ses yeux, mais elle souriait aussi.

«Oui, Tom, je veux bien t'épouser.»

Il l'attira à lui et l'embrassa. Depuis un an, il en rêvait. Il ferma les yeux, se concentra sur la délicieuse sensation des lèvres pleines d'Ellen contre les siennes. Elle avait la bouche légèrement entrouverte et les lèvres humides. C'était un baiser délicieux. Puis une voix retentit à côté d'eux : «Ne l'avale pas, bon Dieu!»

Il s'écarta. «Attention, nous sommes dans une église!

— Je m'en fiche», dit-elle joyeusement et elle l'embrassa de nouveau.

Le prieur Philip les avait encore une fois dupés, songeait William avec amertume tandis que, assis dans la maison du prieur, il buvait le vin coupé d'eau de Philip et croquait les gâteaux de la cuisine du prieuré. Il lui avait fallu un moment pour comprendre l'éclat et l'ampleur de la victoire du moine. L'évêque Waleran ne s'était pas trompé dans sa première estimation de la situation : c'était vrai que Philip avait peu d'argent et qu'il aurait de grandes difficultés à bâtir une cathédrale à Kingsbridge. Mais, malgré les obstacles, le rusé prieur avait obstinément progressé, engagé un maître bâtisseur, commencé la construction et, à partir de rien, rassemblé une masse de main-d'œuvre suffisante pour éblouir l'évêque Henry. Lequel avait été dûment impressionné, d'autant plus que Waleran lui avait auparavant peint un tableau des plus sombres.

Ce maudit moine le savait, qu'il avait gagné! Il n'arrivait pas à effacer de son visage ce sourire triomphant. Il était maintenant en grande conversation avec l'évêque Henry, parlant avec animation de races de moutons, du prix de la laine. Henry l'écoutait attentivement, avec respect même, ignorant grossièrement le père et la mère de William, pourtant bien plus importants qu'un simple prieur.

Philip regretterait cette journée. Personne ne pouvait l'emporter sur les Hamleigh sans le payer fort cher. Bartholomew de Shiring, qui les avait insultés, était mort dans la cellule d'un traître. Philip ne s'en tirerait pas mieux.

Tom le bâtisseur était un autre gaillard qui allait regretter de s'être dressé sur le chemin des Hamleigh. William n'avait pas oublié comment le maçon l'avait défié à Durstead, en retenant son cheval par la bride et en l'obligeant à payer les ouvriers. Aujourd'hui il l'avait cavalièrement appelé «jeune seigneur William». De toute évidence il entretenait les meilleurs rapports avec Philip, et désormais il bâtissait des cathédrales et non plus des manoirs. Il allait apprendre que mieux valait se mettre du côté des Hamleigh que de s'allier à leurs ennemis.

William fulmina intérieurement jusqu'au moment où l'évêque Henry se leva et annonça qu'il était prêt à célébrer l'office. Le prieur Philip fit signe à un novice qui partit en courant et, quelques instants plus tard, une cloche se mit à sonner. Ils quittèrent tous la maison, l'évêque Henry en tête, puis l'évêque Waleran, puis le prieur Philip, puis les laïques. Les moines qui attendaient dehors se mirent en rang derrière

Philip, formant une procession. Les Hamleigh durent fermer la marche.

Les volontaires emplissaient une moitié de l'enclos du prieuré. Henry monta sur une plate-forme dressée au milieu du chantier, les moines s'alignèrent derrière lui, là où serait le chœur de la nouvelle cathédrale. Les Hamleigh et les autres laïques de l'entourage de l'évêque se dirigèrent vers ce qui deviendrait la nef.

Comme ils prenaient place, William aperçut Aliena.

Elle avait bien changé. Elle portait des vêtements modestes, des sabots de bois, et la masse de boucles qui encadrait sa tête était humide de sueur. Mais c'était bien Aliena, si belle qu'il sentit sa gorge se dessécher. Il la contempla, incapable de détourner son regard, tandis que l'office commençait et qu'un millier de voix s'élevaient à l'unisson dans l'enceinte du prieuré pour célébrer Dieu le Père.

Sans doute se sentit-elle intensément observée, car elle parut troublée, s'agita d'un pied sur l'autre, puis jeta des coups d'œil autour d'elle comme si elle cherchait quelqu'un. Elle finit par croiser le regard de William. Une expression d'horreur se peignit sur son visage et elle se recroquevilla à sa place, bien qu'elle fût à plus de vingt pas de lui et séparée par des douzaines de fidèles. Sa peur la rendait encore plus désirable et William sentit son corps réagir comme il ne l'avait pas fait depuis un an. Elle rougit, baissa les yeux comme si elle avait honte, échangea quelques mots avec un garçon auprès d'elle – c'était le frère, bien sûr, se dit William, se rappelant ce visage mêlé à des souvenirs si érotiques –, puis elle tourna les talons et disparut dans la foule.

William était désolé. Il fut tenté de la suivre, mais comment faire en pleine messe, en présence de ses parents, de deux évêques, de quarante moines et d'un millier de fidèles? Il se retourna donc vers le chœur, déçu. Il avait perdu sa chance de découvrir où elle vivait.

Même disparue, elle emplissait encore ses pensées. Puis il remarqua que son père semblait agité. «Regardez! disait-il à Regan. Regardez cette femme!»

William crut tout d'abord que Père parlait d'Aliena. Mais lorsqu'il suivit la direction qu'il indiquait, il vit une femme, d'une trentaine d'années, pas aussi voluptueuse qu'Aliena, mais arborant un air sauvage fort séduisant. Elle parlait avec Tom, le maître bâtisseur, et William pensa que c'était sans doute sa femme, celle qu'il avait essayé d'acheter dans la forêt voilà plus d'un an. Mais comment son père la connaissait-il ?

« C'est elle ? » dit Percy.

Comme si elle les avait entendus, la femme tourna la tête et les regarda bien en face. William revit alors ses yeux dorés au regard pénétrant.

« C'est bien elle, mon Dieu », souffla Regan.

Le visage rubicond de Percy pâlit et ses mains se mirent à trembler. « Le Christ nous protège, dit-il. Je croyais qu'elle était morte. »

William nageait en pleine perplexité.

Ce moment, Jack le redoutait depuis des mois. Cela faisait longtemps, il le savait, que Tom le bâtisseur manquait à sa mère. Elle avait le caractère moins gai qu'autrefois ; son regard souvent était rêveur et lointain ; la nuit on l'entendait parfois gémir. Jack avait toujours su qu'elle retournerait vers lui. Et maintenant elle avait accepté de rester.

Cette idée lui faisait horreur.

Ils avaient toujours été heureux ensemble, tous les deux. Il aimait sa mère et sa mère l'aimait. Il n'existait personne d'autre entre eux. La vie dans la forêt manquait d'intérêt, c'était vrai. Il regrettait la fascination des foules et des villes qu'il avait connues lors de son bref séjour dans la famille de Tom. Martha aussi lui manquait. Bizarrement, il avait lutté contre l'ennui de la vie de la forêt en rêvant à la jeune fille qu'il appelait la Princesse, bien qu'il sût que son nom était Aliena. C'était vrai aussi qu'il aimait travailler avec Tom et apprendre les secrets du bâtiment. Mais il ne serait plus libre. Des gens le commande-raient. Il lui faudrait travailler, qu'il en eût envie ou non. Et il devrait partager sa mère avec le reste du monde.

Assis sur le mur près de la porte du prieuré, il ruminait ces tristes pensées quand il eut la stupéfaction de voir apparaître la Princesse.

Il cligna les yeux. Elle se frayait un chemin à travers la foule, se dirigeant vers la porte, l'air désemparé. Elle était encore plus belle que dans son souvenir. Autrefois, elle avait un corps de jeune fille rond et voluptueux, vêtu de riches vêtements. Aujourd'hui, elle paraissait plus mince, plus femme que jeune fille. La simple robe de toile trempée de sueur qu'elle portait collait à son corps, révélant des seins généreux, un ventre plat, des hanches étroites et de longues jambes. Son visage était maculé de boue et ses cheveux décoiffés. Elle semblait bouleversée par quelque chose, effrayée aussi, mais l'émotion rendait son visage encore plus séduisant. Captivé, Jack senti dans ses reins un élan qu'il n'avait encore jamais éprouvé.

Il la suivit machinalement, la rattrapa dehors, dans la rue. Il se dégageait d'elle une odeur musquée, l'odeur du travail. Il se rappela qu'autrefois elle sentait les fleurs. «Quelque chose ne va pas? demanda-t-il.

— Non, rien», répondit-elle brièvement en hâtant l'allure.

Jack lui emboîta le pas.

«Vous ne vous souvenez pas de moi. La dernière fois que nous nous sommes rencontrés, vous m'avez expliqué comment se fabriquent les bébés.

— Oh! taisez-vous et allez-vous-en», cria-t-elle.

Il s'arrêta, déçu. Elle l'avait traité comme un enfant agaçant. Que valaient ses treize ans à lui, comparés aux dix-huit ans de la Princesse?

Il la vit aller jusqu'à une maison, prendre une clé pendue à une courroie autour de son cou et ouvrir la porte.

Elle habitait là!

Voilà qui changeait tout.

Soudain la perspective de quitter la forêt pour habiter Kingsbridge ne lui parut plus si terrible. Il verrait la Princesse chaque jour. Cela compenserait bien des choses.

Il resta planté là, à observer la porte, mais elle ne réapparut pas. Il ne voulait pas bouger. Il se sentait empli d'une émotion nouvelle. Rien ne lui semblait plus important, sauf la Princesse. Il ne pensait plus qu'à elle. Il était ensorcelé. Il était possédé.

Il était amoureux.

Découvrez la suite des Piliers de la terre
avec le tome 2 : Aliena

Imprimé en France par CPI
en juillet 2017

La photocomposition de cet ouvrage
a été réalisée par
GRAPHIC HAINAUT
30, rue Pierre Mathieu
59410 Anzin

N° d'édition : 56210/01
N° d'impression : 141771